LE ROMAN DU BIG BANG

COLLECTION : « LES AVENTURES DE LA CONNAISSANCE »

Du même auteur :

Le Dernier Théorème de Fermat, Lattès, 1998
(Hachette-Littératures, Pluriel, 1999).
*Histoire des codes secrets : de l'Égypte des Pharaons à
l'ordinateur quantique*, Lattès, 1999 (Livre de Poche, 2001).

www.editions-jclattes.fr

Simon Singh

LE ROMAN
DU BIG BANG

La plus importante découverte scientifique
de tous les temps

Traduit de l'anglais par Philippe Babo et Denis Griesmar

JC Lattès

17, rue Jacob 75006 Paris

Titre de l'édition originale
BIG BANG
THE MOST IMPORTANT SCIENTIFIC DISCOVERY OF ALL TIME
AND WHY YOU NEED TO KNOW ABOUT IT
publiée par Fourth Estate, London and New York

Philippe Babo a traduit les chapitres 1, 2 et 3 ;
Denis Griesmar, les chapitres 4, 5 et l'épilogue.

Ce livre n'aurait pu voir le jour sans Carl Sagan, James Burke, Magnus Pyke, Heinz Wolff, Patrick Moore, Johnny Ball, Rob Buckman, Miriam Stoppard, Raymond Baxter, et tous les producteurs et réalisateurs d'émissions de télévision scientifiques qui ont éveillé mon intérêt pour la Science.

Placez trois grains de sable à l'intérieur d'une vaste cathédrale, et la cathédrale sera plus densément remplie de sable que l'espace ne l'est d'étoiles.

James JEANS

Les efforts déployés pour comprendre l'univers constituent l'une des rares choses qui élèvent la vie humaine légèrement au-dessus du niveau de la simple farce, et lui donnent une part de la grâce de la tragédie.

Steven WEINBERG

Dans le domaine de la science, on essaie d'expliquer aux gens, de façon à être compris de tout le monde, quelque chose que personne ne connaissait auparavant. Dans le domaine de la poésie, c'est exactement le contraire.

Paul DIRAC

La chose la plus incompréhensible à propos de l'univers est qu'il soit compréhensible.

Albert EINSTEIN

Sommaire

1

Au commencement

La science doit commencer avec des mythes, et
avec la critique des mythes.

Karl POPPER

Je ne me sens pas tenu de croire que ce même Dieu,
qui nous a octroyé entendement, raison et intelligence, ait voulu que nous renoncions à en faire
usage.

GALILÉE

Vivre sur Terre coûte peut-être cher, mais notre
séjour comprend un voyage annuel gratuit autour
du Soleil.

ANONYME

La physique n'est pas une religion. Si c'était le cas,
nous aurions beaucoup plus de facilités à trouver
des financements.

Leon LEDERMAN

Notre univers est parsemé de plus de cent milliards de galaxies, et chacune d'elles contient environ cent milliards d'étoiles. Si l'on ne sait pas combien de planètes tournent autour de ces étoiles, en revanche, on sait qu'au moins l'une d'elles a donné naissance à la vie – pour être plus précis, une forme de vie qui a eu la capacité et l'audace de spéculer sur les origines de ce vaste univers.

Les humains scrutent l'espace depuis des milliers de générations, mais nous avons le privilège de faire partie de la première génération pouvant prétendre disposer d'une description rationnelle, cohérente et à peu près satisfaisante de la création et de l'évolution de l'univers. Constituant l'un des plus grands accomplissements de l'intelligence et de l'esprit humains, le modèle du Big Bang offre une explication subtile de l'origine de tout ce que nous voyons dans le ciel nocturne. Il est le fruit d'une curiosité insatiable, d'une imagination fabuleuse, d'une observation acérée, et d'une logique implacable.

Mais une chose encore plus extraordinaire est que ce modèle du Big Bang peut être compris de tout un chacun. Quand j'ai découvert la théorie du Big Bang, à l'âge de quinze ans, j'ai été étonné par sa simplicité et son élégance, et par le fait qu'elle reposait sur des principes qui, dans une large mesure, n'étaient pas plus compliqués que la physique que j'apprenais déjà à l'école. Tout comme la théorie darwinienne de la sélection naturelle est à la fois fondamentale et compréhensible pour la plupart des gens instruits, le modèle du Big Bang peut être expliqué en des termes qui auront un sens pour les non-spécialistes, sans qu'il soit besoin d'édulcorer les concepts clés de la théorie.

Mais avant d'étudier les prémices de la théorie du Big Bang, il est nécessaire de poser quelques jalons. Le modèle du Big Bang a été élaboré au cours de ces cent dernières années, et n'aurait pu voir le jour sans les avancées décisives du xxᵉ siècle, bâties elles-mêmes sur le socle des observations et des théories des siècles précédents. Et ces fondations de l'astronomie doivent elles-mêmes être replacées dans le contexte du lent progrès des sciences au cours des deux derniers millénaires. En remontant encore plus loin dans le temps, la méthode scientifique – en tant que moyen de parvenir à la vérité objective sur le monde matériel – n'a pu commencer à voir le jour qu'avec le déclin des mythes et des légendes. De fait, les racines du modèle du Big Bang et les premières aspirations à élaborer une théorie de l'univers peuvent être datées du déclin de l'ancienne conception mythologique de l'univers.

Des géants créateurs du monde aux philosophes grecs

Selon un mythe de création chinois datant de 600 avant Jésus-Christ, Phan Ku le Créateur géant surgit d'un œuf et entreprit de créer le monde en utilisant un burin pour façonner vallées et montagnes. Puis, il installa le soleil, la lune et les étoiles dans le ciel, et mourut une fois ces tâches accomplies. La mort du Créateur géant constitua une phase essentielle du processus de création, car des fragments de son propre corps contribuèrent à donner au monde son aspect final. Le crâne de Phan Ku constitua la voûte du ciel, sa chair forma le sol, ses os devinrent les rochers, et son sang créa mers et rivières. Son dernier soupir donna naissance aux nuages et au vent, tandis que sa sueur était changée en pluie. Ses cheveux tombèrent sur la Terre, créant la vie végétale, et les mouches qui s'y étaient logées furent à l'origine de la race humaine. Comme notre naissance requérait la mort de notre créateur, nous fûmes à tout jamais condamnés à la tristesse.

En comparaison, dans *L'Edda prosaïque*, recueil de chants épiques islandais, la création ne commence pas avec un œuf, mais à l'intérieur du Gouffre Béant. Ce vide séparait les royaumes opposés de Muspell et Niflheim, jusqu'à ce qu'un jour, la fournaise de Muspell fasse fondre la neige et la glace de Niflheim. L'humidité qui en résulta tomba dans le Gouffre Béant, faisant naître la vie sous la forme d'Imir le géant. Ce n'est qu'alors que la création du monde put débuter.

La tribu des Krachi, au Togo, en Afrique occidentale, parle d'un autre géant, le grand dieu bleu Wulbari, qui n'est autre que le ciel. Il y a très longtemps, il gisait juste au-dessus de la Terre, mais une femme battant le grain avec un long bâton ne cessait de le tâter et de le harceler, tant et si bien qu'il finit par s'élever dans les airs pour échapper à ses tourments. Cependant, Wulbari resta à portée des humains, qui utilisèrent son ventre comme une serviette et arrachèrent des petits bouts de son corps bleu pour épicer leur soupe. Peu à peu, Wulbari s'éleva de plus en plus haut, jusqu'à ce que le ciel bleu devienne inaccessible, pour l'éternité.

Pour les Yoruba du Nigeria, Olorun était le Maître des Cieux. Un jour qu'il contemplait à ses pieds les marais sans vie, il demanda à un autre être divin de faire descendre sur la Terre primitive une coquille d'escargot. La coquille contenait un pigeon, une poule et une poignée d'humus. Celui-ci fut répandu sur les marais, que la poule et le pigeon commencèrent à gratter et à picorer jusqu'à ce qu'ils forment un sol solide. Olorun envoya ensuite sur terre le Caméléon pour tester le monde. L'animal, de bleu, vira au brun à mesure qu'il s'éloignait du ciel et se rapprochait de la Terre, et put confirmer que la poule et le pigeon avaient accompli leur tâche avec succès.

Sur l'ensemble de la planète, chaque culture a créé ses propres mythes sur l'origine de l'univers et les circonstances de sa formation. Les mythes de création diffèrent étonnamment les uns des autres, chacun reflétant l'environnement et la société qui l'ont vu naître. En Islande, le mythe incarne les forces volcaniques et climatiques formant l'arrière-plan de la naissance d'Imir, alors que dans l'ouest de l'Afrique, il met en scène des animaux familiers créateurs de la terre ferme. Bien que chacun soit unique, tous ces mythes de création présentent des traits communs. Qu'il s'agisse du grand Wulbari, harcelé par l'homme, ou du géant chinois voué à la mort, ces mythes évoquent le rôle crucial d'au moins un être surnaturel pour expliquer la création de l'univers. Par ailleurs, chaque mythe représente la vérité absolue à l'intérieur de la société dans laquelle il a vu le jour. Le mot « mythe » vient du grec *mythos*, qui peut signifier « conte » ou « légende », mais aussi « parole », au sens de « parole ultime, sans appel ». Quiconque osait remettre en question ces explications s'exposait à se voir accuser d'hérésie.

Rien ne changea de manière significative jusqu'au vi^e siècle avant notre ère, quand les penseurs grecs bénéficièrent soudain d'un climat de tolérance sans précédent. Pour la première fois, les philosophes furent libres de renoncer aux explications mythologiques de l'univers communément acceptées, et d'élaborer leurs propres théories. Par exemple, Anaximandre de Milet disait que le Soleil « était un anneau semblable à la roue d'un char, avec une jante creuse et pleine de feu », qui entourait la Terre et tournait autour d'elle. De même, il croyait que la Lune et les étoiles n'étaient rien d'autre que des orifices percés dans le firmament, révélant des feux qui, sans eux, seraient restés cachés. De son côté, Xénophane de Colophon pensait que la Terre avait exhalé des gaz combustibles qui s'étaient accumulés en une nuit jusqu'à atteindre une masse critique et s'enflammer pour former le Soleil. Quand la nuit tomba à nouveau, la boule de gaz explosa, laissant derrière elle les quelques étincelles que nous appelons étoiles. Il expliquait la Lune de manière similaire, des gaz s'accumulant et brûlant selon un cycle de vingt-huit jours.

Le fait qu'Anaximandre et Xénophane se trompaient complètement tous les deux n'a aucune importance, l'essentiel étant qu'ils avaient élaboré des théories expliquant le monde naturel sans recourir à des forces ou des divinités surnaturelles. Une théorie soutenant que le Soleil est un feu céleste entraperçu à travers des évents perçant le firmament ou une boule de gaz brûlant est qualitativement différente du mythe grec expliquant ses mouvements en invoquant un chariot de feu tiré à travers les cieux par le dieu Hélios. Cela ne veut pas dire pour autant que cette nouvelle génération de philosophes voulait nécessairement nier l'existence des dieux grecs. Elle refusait simplement de voir dans l'intervention divine le moteur des phénomènes naturels.

Ces philosophes furent les premiers *cosmologistes*, dans la mesure où ils s'intéressaient à l'étude scientifique de l'univers physique et de ses origines. Le terme « cosmologie » provient lui-même du grec *kosmeo*, qui signifie « ordonner », « organiser ». Les Grecs de l'Antiquité étaient en effet convaincus que l'univers était intelligible, et digne d'une étude analytique. Le cosmos était ordonné selon des structures, et les Grecs avaient pour ambition de reconnaître ces structures, de les examiner et de comprendre ce qu'il y avait derrière elles. Il serait exagéré de voir dans Xénophane et Anaximandre des scientifiques au sens moderne du terme, et il serait flatteur de considérer leurs idées comme des théories scientifiques à part entière. Ils ont cependant contribué indubitablement à la naissance de la pensée scientifique, et leur *ethos* présentait de nombreux traits communs avec la science moderne. Par exemple, tout comme les hypothèses de cette dernière, les idées des cosmologistes pouvaient être critiquées, comparées, perfectionnées ou abandonnées. En bons Grecs raffolant des débats et des controverses, des philosophes se réunissaient pour examiner ces théories, passer au crible les raisonnements qui les sous-tendaient, et, finalement, choisir la plus convaincante d'entre elles. En comparaison, personne, dans de nombreuses autres cultures, n'aurait jamais osé remettre en question les mythologies admises par tous. Chaque mythologie était un article de foi à l'intérieur de sa propre société.

Pythagore de Samos contribua à consolider les fondations de ce mouvement rationaliste avant la lettre à partir de l'an 540 av. J.-C. Pythagore était un philosophe, mais il se prit de passion pour les mathématiques et démontra comment les nombres et les équations pouvaient faciliter la formulation des théories scientifiques. L'une de ses premières contributions majeures consista à expliquer les harmonies musicales par le biais de l'harmonie des nombres. L'instrument de musique favori des Grecs anciens était le tétracorde, ou lyre à quatre cordes, mais Pythagore élabora sa théorie en se livrant à des expériences sur un monocorde (instrument à une seule corde). La corde était toujours maintenue sous la même tension, mais sa longueur pouvait être modifiée. Le pincement d'une longueur de corde particulière générant une note particulière, Pythagore comprit que la diminution de moitié de la longueur de la même corde créait une note plus haute d'un octave, et en harmonie avec la note produite par le pincement de la corde originelle. Plus généralement, il constata que la modification de la longueur d'une corde dans un rapport ou proportion simple créait une nouvelle note en harmonie avec la première (par exemple, un rapport de 3/2, appelé aujourd'hui quinte), mais que le changement de la longueur selon un rapport discordant (par exemple, 15/37) produisait une dissonance.

Pythagore ayant montré que les mathématiques pouvaient

servir à expliquer et décrire la musique, des générations ultérieures de savants utilisèrent les nombres pour tout expliquer
– de la trajectoire d'un boulet de canon aux caprices de la
météorologie. Wilhelm Röntgen, découvreur des rayons X en
1895, et adepte convaincu de la conception pythagoricienne de
la science mathématique, déclara un jour que « le physicien,
lorsqu'il se met au travail, a besoin de trois choses : des mathématiques, des mathématiques, et des mathématiques ».

Fort de son précepte « tout est nombre », Pythagore tenta
même de découvrir les règles mathématiques gouvernant le
mouvement des corps célestes. Il fit valoir que les mouvements
du Soleil, de la Lune et des étoiles à travers le ciel généraient
des notes musicales particulières, déterminées par les rayons
orbitaux desdits corps. De ce fait, conclut Pythagore, ces orbites
et notes devaient entretenir entre elles des rapports numériques spécifiques pour que l'univers fût en harmonie. Cette
théorie devint très célèbre en son temps. Nous pouvons la
réexaminer selon notre point de vue moderne, et constater
qu'elle répond aux critères les plus rigoureux de la méthode
scientifique d'aujourd'hui. À porter à son crédit, la théorie de
Pythagore selon laquelle l'univers est empli de musique n'in-
voque aucune force surnaturelle. De même, cette théorie est
plutôt simple et subtile, deux qualités hautement prisées en
matière scientifique. En règle générale, une théorie fondée sur
une seule belle équation sera préférée à une thèse reposant
sur plusieurs formules absconses et disgracieuses, assorties de
toutes sortes de commentaires complexes et inutiles. Comme
l'a dit le physicien Berndt Matthias : « Si vous voyez une formule dans la *Physical Review* qui s'étend sur plus d'un quart
de page, oubliez-la. Elle est sûrement fausse. La nature n'est
pas aussi compliquée. » Cependant, simplicité et élégance sont
secondaires par rapport à la principale qualité de toute théorie
scientifique digne de ce nom, à savoir qu'elle doit s'accorder à
la réalité, et pouvoir être corroborée par l'expérience. C'est là,
en l'occurrence, que la théorie de la musique céleste échoue
complètement. Selon Pythagore, nous sommes constamment
immergés dans son hypothétique musique des cieux, mais nous
ne pouvons la percevoir dans la mesure où nous l'entendons
depuis notre naissance et où nous nous y sommes habitués. En
fin de compte, toute théorie postulant l'existence d'une
musique inaudible, ou d'un quelconque phénomène indétec-
table, est une théorie scientifique douteuse.

Une véritable théorie scientifique doit émettre une prédiction sur l'univers qui puisse être vérifiée ou mesurée. Si les résultats d'une expérience ou d'une observation viennent confirmer la prédiction théorique, il y a de fortes chances que cette thèse soit acceptée, puis incorporée dans le grand corpus des théories scientifiques ayant fait progresser notre connaissance du monde. En revanche, si une prédiction théorique se révèle inexacte, car contredite par une expérience ou une observation, alors cette théorie doit être rejetée, ou du moins, corrigée, quelle que soit sa beauté ou sa simplicité apparente. C'est la sanction suprême – et sans appel –, car toute théorie scientifique doit être vérifiable, et compatible avec la réalité. Pour reprendre les termes du naturaliste du xixᵉ siècle Thomas Huxley, « la grande tragédie de la Science : une belle hypothèse réduite à néant par un fait disgracieux ».

Fort heureusement, tout en s'appuyant sur ses idées, les successeurs de Pythagore devaient perfectionner sa méthodologie. Peu à peu, la science devint de plus en plus sophistiquée et performante, capable d'obtenir des résultats aussi étonnants que la mesure des diamètres du Soleil, de la Lune et de la Terre, et des distances séparant ces trois astres. Premiers pas indécis sur la voie de la compréhension de l'univers entier, ces mesures constituent des jalons fondamentaux de l'histoire de l'astronomie. En tant que telles, elles méritent d'être décrites en détail.

Avant d'entreprendre le calcul de distances ou de dimensions célestes, les Grecs de l'Antiquité établirent que la Terre est une sphère. Cette hypothèse gagna peu à peu droit de cité dans la Grèce antique, les philosophes ayant constaté que les navires disparaissaient progressivement à l'horizon, jusqu'à ce que seule l'extrémité de leur mât restât visible. Ce phénomène ne pouvait être expliqué que si la surface de la mer était courbe et, ainsi, échappait à la vue de l'observateur. Si la surface de la mer était incurvée, il y avait lieu de penser que celle de la Terre l'était aussi, ce qui signifiait qu'elle était probablement une sphère. Les philosophes étayèrent leurs dires en observant les éclipses lunaires, quand la Terre projette sur la Lune une ombre en forme de disque, la forme que l'on attend précisément d'un objet sphérique. Par ailleurs, chacun pouvait voir que la Lune était elle-même sphérique, ce qui laissait penser que la sphère était la forme naturelle de tout astre – un constat qui venait à son tour renforcer la thèse de la sphéricité de la

Terre. Tout commença à pouvoir être expliqué. L'historien et voyageur grec Hérodote, par exemple, parlait dans ses écrits d'un peuple du Grand Nord dormant la moitié de l'année. Si la Terre était ronde, les différentes parties du globe étaient éclairées de manière différente en fonction de leur latitude, ce qui, tout naturellement, expliquait que certaines contrées fussent plongées dans le froid et l'obscurité pendant six mois.

Mais la thèse d'une Terre sphérique soulevait une question qui plonge encore aujourd'hui les enfants dans la perplexité : qu'est-ce qui empêche les habitants de l'hémisphère sud de tomber dans le vide ? La solution avancée par les Grecs à cette énigme était fondée sur la conviction que l'univers avait un centre, et que tout était attiré vers ce centre. Le centre de la Terre étant censé coïncider avec le centre de l'univers, la Terre elle-même était statique, mais tout ce qui se trouvait à sa surface était attiré vers son centre. De ce fait, les Grecs étaient maintenus contre le sol par cette force, comme tous les autres êtres vivants sur le globe, même s'ils vivaient aux antipodes.

L'exploit de la mesure des dimensions de la Terre fut accompli par Ératosthène, né vers 275 av. J.-C. à Cyrène, dans l'actuelle Libye. Dès son enfance, Ératosthène fit montre de prodigieuses capacités intellectuelles, qui devaient lui permettre de se consacrer à n'importe quelle discipline, de la poésie à la géographie. Il fut même surnommé Pentathlos (nom désignant un athlète participant aux cinq épreuves du Pentathlon), ce qui donne une idée de l'étendue de ses talents. Eratosthène dirigea pendant de nombreuses années la bibliothèque d'Alexandrie, probablement la fonction académique la plus prestigieuse de l'Antiquité. La très cosmopolite Alexandrie avait supplanté Athènes dans le rôle du pôle le plus brillant de la Méditerranée, et la bibliothèque de la ville était l'institution intellectuelle la plus respectée au monde. Que l'on n'aille pas s'imaginer des bibliothécaires passant leur temps à tamponner des livres et à imposer le silence aux visiteurs. C'était bien au contraire un lieu rempli de vie et d'animation, où travaillaient des savants à l'enseignement prestigieux et des étudiants avides de connaissances.

Alors qu'il dirigeait la bibliothèque, Ératosthène entendit parler d'un puits aux propriétés remarquables, situé près de Syène, dans le sud de l'Égypte, non loin de l'actuelle Assouan. Chaque année, le 21 juin à midi, le jour du solstice d'été, le Soleil éclairait directement le fond du puits. Ératosthène

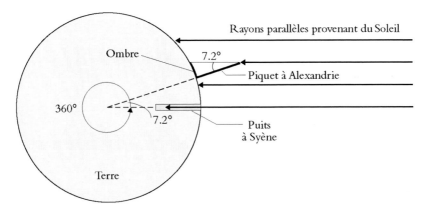

Figure 1 Ératosthène utilisa l'ombre projetée par un piquet à Alexandrie pour calculer la circonférence de la Terre. Il réalisa l'expérience le jour du solstice d'été, quand l'inclinaison de la Terre est à son maximum et quand les villes situées le long du Tropique du Cancer sont le plus près du Soleil. Cela signifie que ce jour-là, à midi, le Soleil était au zénith au-dessus de ces villes. Par souci de clarté, les distances sur cette figure (et d'autres *infra*) n'ont pas été reproduites à l'échelle. De même, certains angles ont été agrandis exagérément.

comprit qu'en ce jour particulier, le Soleil devait se trouver directement à la verticale du lieu d'observation, chose qui n'arrivait jamais à Alexandrie, située à plusieurs centaines de kilomètres au nord de Syène. Aujourd'hui, nous savons que Syène se trouve à proximité du Tropique du Cancer, la latitude la plus septentrionale depuis laquelle le Soleil peut apparaître au zénith.

Conscient que du fait de la courbure de la Terre, le Soleil ne pouvait apparaître en même temps à la verticale à Syène et à Alexandrie, Ératosthène se demanda s'il ne pouvait pas exploiter cette observation pour mesurer la circonférence de la Terre. Nécessairement, il envisagea le problème sous un angle différent de celui que nous adopterions aujourd'hui, dans la mesure où son interprétation de la géométrie et sa façon de la représenter n'étaient pas les mêmes que les nôtres, mais on lira ci-dessous une explication « moderne » de son approche.

La Figure 1 montre comment les rayons parallèles du Soleil frappent la Terre à midi le 21 juin. Au moment même où ces rayons du Soleil éclairaient le fond du puits de Syène, Ératosthène planta un piquet à la verticale dans le sol à Alexandrie et mesura l'angle entre les rayons du Soleil et le piquet. Cet angle, doit-on noter, équivaut à l'angle entre les deux rayons reliant respectivement Alexandrie et Syène au centre de la Terre, comme on peut le voir sur la Figure 1. La valeur de l'angle, tel qu'il fut mesuré par Ératosthène, était de 7,2 °.

Imaginons maintenant un marcheur se rendant en ligne droite de Syène à Alexandrie, puis décidant de poursuivre son voyage en faisant le tour du globe par les pôles, jusqu'à ce qu'il regagne Syène. Cette personne, longeant un méridien sur la totalité de sa longueur, devrait parcourir un cercle complet, soit un angle de 360 °. Du coup, si l'angle entre Syène et Alexandrie n'est que de 7,2 °, la distance séparant les deux villes représente 7,2/360, ou 1/50 de la circonférence de la Terre. Le reste du calcul coule de source. Ératosthène mesura ladite distance, qu'il évalua à 5 000 stades. Si cette dernière représente 1/50 de la circonférence totale de la Terre, la circonférence totale doit être de 250 000 stades.

Le lecteur se demandera alors combien font 250 000 stades en kilomètres. Un stade était une distance standard parcourue par les coureurs à pied lors des joutes sportives. Le stade olympique équivalant à 185 mètres, la circonférence de la Terre pouvait être estimée à 46 250 km, soit seulement 15 % de plus que la valeur véritable de 40 100 km. En fait, Ératosthène aurait pu s'approcher encore plus près de la vérité s'il n'avait pas confondu le stade olympique et le stade égyptien, égal à 157 mètres, ce qui donne une circonférence de 39 250 km, soit une marge d'erreur de seulement 2 %.

Que le degré d'exactitude de ses estimations soit de 2 ou 15 % importe peu. L'essentiel est qu'Ératosthène ait élaboré un mode de calcul *scientifique* des dimensions de la Terre. Les inexactitudes résultent du caractère approximatif de ses mesures angulaires, de l'erreur qu'il a commise à propos de la distance entre Syène et Alexandrie, de la difficulté qu'il y a à déterminer de façon précise l'heure de midi le jour du solstice, et du fait qu'Alexandrie n'est pas située exactement au nord de Syène. Comme personne avant Ératosthène ne savait si la circonférence de notre planète était de 4 000 ou 4 000 000 000 km, l'évaluer à environ 40 000 km – à quelques centaines ou milliers de kilomètres près – représentait une avancée considérable. Preuve était faite qu'un homme simplement muni d'un piquet et d'un cerveau était capable de mesurer une planète. En d'autres termes, il suffit de coupler une intelligence avec des instruments permettant des expérimentations pour que tout, ou presque, soit possible.

Il ne restait plus à Ératosthène qu'à déduire de ces mesures les dimensions de la Lune et du Soleil, et leurs distances par rapport à la Terre. Le gros du travail préparatoire avait été réalisé par des précurseurs géomètres, mais leurs calculs ne pouvaient être qu'incomplets tant que la taille de la Terre restait inconnue, et, grâce à Ératosthène, ce n'était désormais plus le cas. Par exemple, en évaluant la taille de l'ombre portée par la Terre sur la Lune pendant une éclipse lunaire, comme le montre la Figure 2, il était possible d'en déduire que le diamètre de la Lune équivalait à environ un quart de celui de la Terre. Maintenant qu'Ératosthène avait démontré que la circonférence de la Terre était de 40 000 km, son diamètre pouvait être évalué à environ 40 000/π km, soit 12 700 km. Partant, le diamètre de la Lune était d'environ 3 200 km.

Il était alors facile à Ératosthène d'évaluer la distance de la Terre à la Lune. Une méthode consiste à regarder la pleine Lune dans le ciel en fermant un œil, et en tendant le bras. On remarquera alors qu'on peut masquer la Lune avec l'extrémité du petit doigt. La figure 3 montre que le petit doigt forme un triangle avec l'œil. Le diamètre de la Lune forme un triangle similaire, d'une beaucoup plus grande taille, mais aux proportions identiques. Le rapport entre la longueur du bras et la largeur du petit doigt, qui est d'environ 100/1, doit être le même que le rapport entre la distance de la Terre à la Lune et le propre diamètre de la Lune. Ce qui veut dire que la distance de la Terre à la Lune doit être environ cent fois plus grande que le diamètre de cette dernière, ce qui donne une distance de 320 000 km.

Ensuite, grâce à une hypothèse d'Anaxagore de Clazomène et à une idée ingénieuse d'Aristarque de Samos, il était possible à Ératosthène de calculer les dimensions du Soleil et sa distance par rapport à la Terre. Anaxagore était un penseur radical du ve siècle avant notre ère, qui avait voué sa vie à « l'étude du Soleil, de la Lune et des cieux ». Il avait avancé l'idée que le Soleil était une pierre chauffée à blanc, et non une divinité. De même, il était convaincu que les étoiles étaient elles aussi des pierres brûlantes, mais trop lointaines pour chauffer la Terre. Par contre, la Lune était à ses yeux une pierre froide n'émettant pas de lumière, et le clair de lune n'était rien d'autre que la lumière du soleil réfléchie. Malgré le climat intellectuel de plus

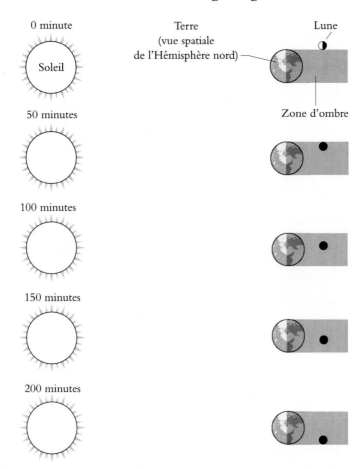

Figure 2 Les tailles relatives de la Terre et de la Lune peuvent être estimées en observant le passage de la Lune à travers l'ombre de la Terre pendant une éclipse lunaire. La Terre et la Lune étant très éloignées du Soleil en comparaison de la distance Terre-Lune, la largeur de l'ombre de la Terre est approximativement égale au diamètre de notre planète.

La figure montre la Lune passant à travers l'ombre de la Terre. Lors de cette éclipse particulière – pendant laquelle la Lune passe approximativement par le centre de l'ombre de la Terre –, cinquante minutes s'écoulent entre le moment où la Lune touche l'ombre et celui où elle est entièrement recouverte. Le temps requis pour que le disque de la Lune traverse entièrement l'ombre de la Terre étant de deux cents minutes, le diamètre de la Terre est donc d'environ quatre fois celui de la Lune.

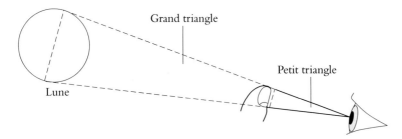

Grand triangle

Petit triangle

Lune

Figure 3 Une fois le diamètre de la Lune évalué, il est relativement facile de calculer la distance Terre-Lune. D'abord, vous remarquerez que vous pouvez masquer quasi parfaitement la Lune avec l'ongle de votre pouce, en tendant le bras. Or, le rapport entre la hauteur de votre ongle et la longueur de votre bras est à peu près le même que celui entre le diamètre de la Lune et sa distance par rapport à la Terre. La longueur d'un bras équivalant à peu près à cent fois la hauteur d'un ongle, la distance à la Lune est d'environ cent fois son diamètre.

en plus tolérant qui régnait à Athènes du vivant d'Anaxagore, il était encore scandaleux de prétendre que le Soleil et la Lune étaient des cailloux (chaud et froid, respectivement), et non des dieux, si bien que des rivaux jaloux accusèrent Anaxagore d'hérésie et montèrent une cabale qui aboutit à son exil à Lampsaque, en Asie Mineure. Les Athéniens aimaient orner leurs villes de statues et d'idoles, ce qui poussa en 1638 l'évêque anglais John Wilkins à ironiser sur le paradoxe d'un homme qui, après avoir transformé des dieux en pierres, fut persécuté par un peuple ayant transformé des pierres en dieux.

Au IIIe siècle av. J.-C., Aristarque reprit les hypothèses d'Anaxagore, mais il alla encore plus loin que lui. Si la Lune réfléchissait les rayons du Soleil, fit-il valoir, la demi-Lune devait survenir quand le Soleil, la Lune et la Terre formaient un triangle rectangle, comme le montre la Figure 4. Aristarque mesura l'angle entre les lignes imaginaires reliant la Terre au Soleil et à la Lune, puis utilisa la trigonométrie pour déterminer le rapport entre les distances Terre-Lune et Terre-Soleil. Selon ses calculs, cet angle était de 87 °, ce qui signifiait que le Soleil était environ vingt fois plus éloigné que la Lune (un calcul précédent nous a déjà donné la distance Terre-Lune). En fait, l'angle exact est de 89,85 °, et le Soleil est 400 fois plus éloigné que la Lune, mais Aristarque avait, à l'évidence, fait tout son possible pour mesurer cet angle avec la plus grande exactitude.

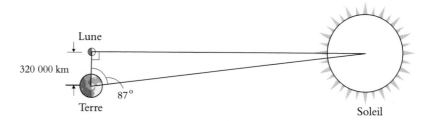

Figure 4 Aristarque soutenait qu'il était possible d'estimer la distance Terre-Soleil en se fondant sur le fait que la Terre, la Lune et le Soleil forment un triangle rectangle quand la Lune est à demi pleine. Lors d'une Lune à son premier quartier, il mesura l'angle représenté sur ce diagramme. En connaissant la distance Terre-Lune, et en utilisant les règles de base de la trigonométrie, il est facile de déterminer la distance Terre-Soleil.

Là encore, l'exactitude importe peu : les Grecs avaient élaboré une méthode valide, qui représentait une percée décisive, et des instruments de mesure plus perfectionnés permettraient aux savants des siècles ultérieurs d'approcher d'encore plus près la vérité.

À partir de là, l'évaluation des dimensions du Soleil n'était plus qu'un jeu d'enfant, dans la mesure où, comme chacun sait, les diamètres apparents de la Lune et du Soleil sont quasiment identiques, comme on peut le constater lors d'une éclipse solaire totale. De ce fait, le rapport entre le diamètre du Soleil et la distance Terre-Soleil doit être le même que le rapport entre le diamètre de la Lune et la distance Terre-Lune, comme le montre la Figure 5. Comme nous connaissons déjà le diamètre de la Lune et la distance Terre-Lune, ainsi que la distance entre la Terre et le Soleil, il est facile de calculer le diamètre du Soleil. La méthode est identique à celle représentée sur la Figure 3, où la distance entre notre œil et notre petit doigt, et la largeur de ce dernier, sont utilisées pour mesurer la distance entre la Terre et la Lune, à cette différence près que désormais la Lune a pris la place de notre petit doigt en tant qu'objet dont on connaît la taille et l'éloignement.

Les remarquables résultats auxquels étaient parvenus Ératosthène, Aristarque et Anaxagore témoignent des progrès de la pensée scientifique à l'époque de la Grèce antique, leurs mesures de l'univers reposant sur l'observation, la logique et les mathématiques. Mais doit-on vraiment aux Grecs l'invention de la science ? Après tout, ne peut-on pas dire la même chose

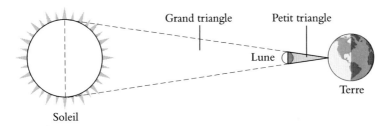

Figure 5 Il est possible d'estimer le diamètre du Soleil une fois que l'on connaît la distance Terre-Soleil. Une méthode consiste à profiter d'une éclipse solaire totale, connaissant le diamètre de la Lune et sa distance par rapport à la Terre. Une éclipse solaire totale n'est visible que depuis une zone peu étendue de la surface de la Terre à un instant donné, car le Soleil et la Lune ont quasiment la même taille apparente quand on les observe depuis la Terre. Ce diagramme montre un observateur sur Terre, lors d'une éclipse, posté au sommet de deux triangles superposés (les échelles, bien sûr, ne sont pas respectées). Le premier triangle s'étend jusqu'à la Lune, et le second, jusqu'au Soleil. En connaissant les distances à la Lune et au Soleil, ainsi que le diamètre de la Lune, il est facile de déduire le diamètre du Soleil.

des Babyloniens, qui, excellant dans le domaine de l'astronomie pratique, ont effectué des milliers d'observations ? Philosophes et historiens s'accordent cependant généralement à estimer que les Babyloniens n'étaient pas de vrais esprits scientifiques, car ils conservaient une vision d'un univers guidé par des dieux et expliqué par des mythes. En tous les cas, effectuer des observations, réaliser des centaines de mesures et dresser des listes sans fin des positions des étoiles et des planètes paraît bien futile en comparaison de la science véritable, qui a l'ambition d'expliquer les observations par la compréhension de la vraie nature de l'univers. Comme le mathématicien et philosophe des sciences français Henri Poincaré l'a dit à juste titre, « le savant doit ordonner ; on fait la Science avec des faits comme une maison avec des pierres ; mais une accumulation de faits n'est pas plus une science qu'un tas de pierres n'est une maison ».

Si les Babyloniens ne sont pas les premiers scientifiques, qu'en est-il des Égyptiens ? La grande Pyramide de Khéops est antérieure de deux mille ans au Parthénon, et les Égyptiens étaient largement en avance sur les Grecs dans bien des domaines, comme en témoignent leurs inventions de la balance, des produits cosmétiques, de l'encre, des verrous et des chandelles, pour ne citer qu'elles. Ce ne sont là, cependant, que des exemples de progrès technologiques, et non d'avancées scientifiques. La technologie est une activité fonctionnelle, comme le montrent ces inventions, qui contribuaient à faciliter les rituels funéraires, le commerce, l'embellissement des femmes, l'écriture, la protection des biens ou l'éclairage. En bref, la technologie sert à rendre la vie (et la mort) plus confortable, alors que la science vise simplement à comprendre le monde naturel. Les scientifiques sont mus par la curiosité, plutôt que par la quête du bien-être ou le sens pratique.

Bien que savants et technologues poursuivent des buts très différents, science et technologie ne font qu'une dans l'esprit des gens, probablement parce que les découvertes scientifiques ont souvent débouché sur des avancées technologiques. Par exemple, les scientifiques ont mis des décennies à découvrir l'électricité, que les techniciens ont ensuite utilisées pour inventer les ampoules et de nombreux autres dispositifs. Dans l'Antiquité, cependant, la technologie progressant sans s'appuyer sur la science, les Égyptiens pouvaient être des technologues accomplis sans avoir la moindre notion scientifique. Quand ils brassaient de la bière, ils s'intéressaient aux procédés technologiques et aux résultats, et non au pourquoi et au comment de la transformation d'une substance en une autre. Ils n'avaient pas la moindre idée des mécanismes chimiques ou biochimiques à l'œuvre.

Les Égyptiens étaient des technologues et non des scientifiques, alors qu'Eratosthène et ses semblables étaient des scientifiques et non des technologues. Les motivations des savants grecs étaient identiques à celles décrites deux mille ans plus tard par Henri Poincaré[1] :

> Le savant n'étudie pas la nature parce que cela est utile ; il l'étudie parce qu'il y prend plaisir et il y prend plaisir parce qu'elle est belle. Si la nature n'était pas belle, elle ne vaudrait pas la peine d'être connue [et] la vie ne vaudrait pas la peine d'être vécue. Je ne parle pas ici, bien entendu, de cette beauté qui frappe les sens, de la beauté des qualités et des apparences ; non que j'en fasse fi, loin de là, mais elle n'a rien à faire avec la science ; je veux parler de cette beauté plus intime qui vient de l'ordre harmonieux des parties, et qu'une intelligence pure peut saisir.

---

1. Henri Poincaré, *Science et Méthode*, Éd. Flammarion, 1908.

En résumé, les Grecs ont montré comment la connaissance du diamètre du Soleil dépend de la connaissance de la distance entre la Terre et la Lune, qui dépend elle-même de la connaissance du diamètre de la Lune, lequel dépend de la connaissance du diamètre de la Terre, et c'est là l'immense apport d'Eratosthène. Ces calculs en chaîne de distances et de diamètres – qui sont autant d'étapes fondamentales de la naissance de l'esprit scientifique – ont été eux-mêmes rendus possibles par l'observation des étranges propriétés d'un puits situé sur le Tropique du Cancer, de l'ombre portée de la Terre sur la Lune, de l'angle droit formé par le Soleil, la Terre et la Lune lors de la demi-Lune – et par le constat que le disque de la Lune masque quasi parfaitement celui du Soleil pendant une éclipse solaire. Ajoutez à cela quelques hypothèses audacieuses, émises sans le support de l'expérimentation (par exemple, la supposition selon laquelle le clair de lune n'est rien de plus que la réflexion des rayons du Soleil), et tout un système scientifique fondé sur la logique prend forme. Cette construction intellectuelle possède une beauté inhérente qui tient à la manière dont les différentes thèses s'accordent les unes aux autres, à la manière dont diverses mesures se complètent les unes les autres, à la manière dont différentes théories sont soudainement introduites pour consolider l'édifice.

Ayant achevé une phase initiale de mesures, les astronomes de la Grèce antique étaient maintenant prêts à étudier les mouvements du Soleil, de la Lune et des planètes. Ils allaient créer un modèle dynamique de l'univers en tentant de discerner les interactions entre les différents corps célestes. Ce serait la prochaine étape sur la route menant à une compréhension plus profonde de l'univers.

Des cercles à l'intérieur de cercles

Nos ancêtres les plus lointains étudiaient le ciel en détail, pour prédire le temps, mesurer l'heure, ou se guider dans leurs déplacements. Chaque jour, ils regardaient le Soleil traverser le ciel, et chaque nuit ils contemplaient la procession d'étoiles qui apparaissait dans son sillage. Comme la terre sur laquelle ils se tenaient était ferme et fixe, il était naturel pour eux de supposer que c'étaient les corps célestes qui se déplaçaient au-dessus de leurs têtes. Par suite, les astronomes de l'Antiquité élaborèrent un modèle du monde dans lequel la Terre était un globe statique central, autour duquel tournait l'univers.

Tableau 1

Les mesures effectuées par Eratosthène, Aristarque et Anaxagore étant inexactes, le tableau ci-dessous corrige les chiffres précédemment cités en donnant les valeurs modernes des différents diamètres et distances.

Circonférence de la Terre :	40 100 km =	$4,01 \times 10^4$ km
Diamètre de la Terre :	12 750 km =	$1,275 \times 10^4$ km
Diamètre de la Lune :	3 480 km =	$3,48 \times 10^3$ km
Diamètre du Soleil :	1 390 000 km =	$1,39 \times 10^6$ km
Distance Terre-Lune :	384 000 km =	$3,84 \times 10^5$ km
Distance Terre-Soleil :	150 000 000 km =	$1,50 \times 10^8$ km

Ce tableau est également l'occasion de présenter la *notation exponentielle*, une manière d'exprimer les très grands nombres – et en matière de cosmologie, il existe de très, très grands nombres :

10^1 signifie 10	= 10
10^2 signifie 10×10	= 100
10^3 signifie $10 \times 10 \times 10$	= 1 000
10^4 signifie $10 \times 10 \times 10 \times 10$	= 10 000

La circonférence de la Terre, par exemple, peut être exprimée sous cette forme :

$$40\ 100 \text{ km} = 4,01 \times 10\ 000 \text{ km} = 4,01 \times 10^4 \text{ km}$$

La notation exponentielle est un excellent moyen d'exprimer de manière concise des nombres qui, autrement, comporteraient de nombreux zéros. À l'inverse, pour trouver l'équivalent de 10^N, on imaginera 1 suivi de N zéros (par exemple, 10^3 équivaut à 1 suivi de trois zéros, soit 1 000).

La notation exponentielle est également utilisée pour écrire de très petits nombres :

10^{-1} signifie 1/10	= 0,1
10^{-2} signifie $1/(10 \times 10)$	= 0,01
10^{-3} signifie $1/(10 \times 10 \times 10)$	= 0,001
10^{-4} signifie $1/(10 \times 10 \times 10 \times 10)$	= 0,0001

En réalité, c'était bien sûr la Terre qui tournait autour du Soleil, et non le Soleil qui tournait autour de la Terre, mais personne n'envisagea cette possibilité avant que Philolaüs de Crotone ne se joigne au débat. Élève de l'école pythagoricienne du ve siècle avant notre ère, il fut le premier à suggérer que la Terre tournait autour du Soleil, et non le contraire. Au siècle suivant, Héraclide du Pont développa les idées de Philolaus, malgré le fait que ses amis, qui le prenaient pour un fou, l'aient surnommé le *paradoxologue* (« le faiseur de paradoxes »). Et les touches finales à cette vision de l'univers furent apportées par Aristarque, né en 310 av. J.-C., l'année de la mort d'Héraclide.

Aristarque avait participé à la mesure de la distance entre la Terre et le Soleil, mais il s'agissait d'une contribution mineure comparée à sa description étonnamment exacte de la structure de l'univers dans ses grands traits. Aristarque s'était fixé pour but de démontrer la fausseté de la représentation que les hommes se faisaient instinctivement de l'univers, comme le montre la Figure 6(a), dans laquelle la Terre apparaît au centre de toutes choses. Selon la représentation moins évidente (bien que la seule correcte) d'Aristarque – voir Figure 6(b) –, la Terre orbite autour d'un Soleil dominant. Aristarque avait également raison quand il disait que la Terre tourne sur son axe en vingt-quatre heures, ce qui explique pourquoi nous faisons face chaque jour au Soleil, et pourquoi chaque nuit nous nous en détournons et voyons les étoiles.

Aristarque était un philosophe hautement respecté, et ses idées sur l'astronomie étaient largement connues. Ainsi, sa croyance en un univers « héliocentrique » (centré autour du Soleil) est rapportée en ces termes par Archimède : « Il émit l'hypothèse que les étoiles et le Soleil restaient immobiles, et que la Terre est portée autour du Soleil sur la circonférence d'un cercle. » Cependant, les philosophes abandonnèrent complètement cette vision largement exacte du système solaire, et l'idée d'un monde héliocentrique disparut pendant les quinze siècles suivants. Passant pourtant pour être intelligents, pourquoi les Grecs de l'Antiquité ont-ils rejeté l'intuition géniale d'Aristarque, pour s'en tenir à celle d'un univers « géocentrique » ?

L'égocentrisme a très certainement contribué à la suprématie de la conception du monde géocentrique, mais le rejet de l'univers héliocentrique d'Aristarque avait d'autres raisons. L'un des

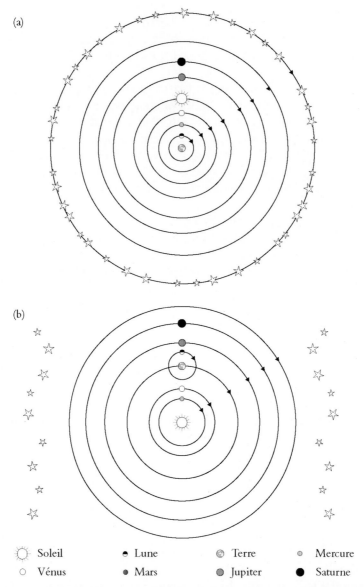

☼ Soleil	● Lune	◎ Terre	○ Mercure		
○ Vénus	● Mars	● Jupiter	● Saturne		

Figure 6 Le diagramme (a) représente le fameux modèle *géocentrique* qui, de façon erronée, plaçait la Terre au centre de l'univers, et dans lequel la Lune, le Soleil et les autres planètes tournaient autour de notre planète. Même les milliers d'étoiles gravitaient autour de la Terre. Le diagramme (b) illustre la conception de l'univers héliocentrique d'Aristarque, où seule la Lune orbitait autour de la Terre, et où les étoiles formaient une toile de fond statique.

problèmes fondamentaux que posait le système héliocentrique tenait simplement au fait qu'il paraissait ridicule. Il semblait en effet tellement évident que le Soleil tournait autour d'une Terre statique, et non l'inverse. En bref, un univers héliocentrique allait tout simplement à l'encontre du « bon sens ». Les bons scientifiques, cependant, ne doivent jamais se laisser influencer par le bon sens, car parfois, ce dernier n'a pas grand-chose à voir avec la vérité scientifique. Albert Einstein condamna le bon sens en n'y voyant qu'un « ramassis de préjugés acquis avant l'âge de dix-huit ans ».

Une autre raison du rejet par les Grecs du système solaire d'Aristarque est qu'il ne résistait pas – du moins en apparence – à l'examen scientifique. Aristarque avait bâti un *modèle* de l'univers censé correspondre à la réalité, mais la validité de ce modèle n'apparaissait pas avec clarté. Les esprits critiques insistaient sur trois défauts apparents de ce système héliocentrique.

En premier lieu, si la Terre bougeait, les Grecs s'attendaient à sentir un vent souffler en permanence contre eux, au point de perdre l'équilibre, comme si le sol se dérobait sous leurs pieds. Comme ce n'était pas le cas, que le sol restait fixe et qu'ils ne se sentaient pas constamment étourdis, les Grecs en conclurent que la Terre était stationnaire. Bien sûr, la Terre bouge, et la raison pour laquelle nous ne sentons pas notre vitesse phénoménale à travers l'espace est que tout sur Terre bouge avec elle, nous, l'atmosphère et le sol y compris. Malheureusement, les Grecs n'ont pas saisi cette subtilité.

Le second point problématique était qu'une Terre en mouvement était incompatible avec la façon dont les Grecs envisageaient la gravité. Comme on l'a vu plus haut, selon la conception traditionnelle, tous les objets tendaient à se déplacer vers le centre de l'univers, mais comme la Terre se trouvait déjà au centre, elle ne pouvait par définition bouger. Cette théorie était parfaitement cohérente, car elle expliquait pourquoi les pommes tombaient des arbres et se dirigeaient vers le centre de la Terre, étant attirées par le centre de l'univers. Mais si le Soleil se trouvait au centre de l'univers, pourquoi des objets tomberaient-ils vers la Terre ? Les pommes, loin de tomber des arbres, devaient plutôt être aspirées vers le Soleil – en fait, tout sur Terre devrait « tomber » vers le Soleil. Aujourd'hui, nous avons une compréhension plus claire de la gravité, notre système solaire héliocentrique apparaissant comme parfaitement rationnel. La théorie moderne de la gravité explique comment des objets situés près de la Terre sont attirés par sa masse, et comment les planètes sont à leur tour maintenues en orbite par l'attraction du Soleil, encore plus massif. Là encore, cependant, cette explication dépassait l'entendement scientifique – encore limité – des Grecs.

La troisième raison pour laquelle les philosophes récusèrent l'univers héliocentrique d'Aristarque était l'absence apparente de tout changement dans les positions des étoiles. Si la Terre parcourait d'immenses distances autour du Soleil, on devrait voir l'univers depuis des positions différentes tout au long de l'année. Le changement de notre angle de vision devrait se traduire par un changement de perspective par rapport à l'univers, et les étoiles devraient bouger les unes par rapport aux autres – ce qu'on appelle la *parallaxe stellaire*. Vous pourrez constater ce phénomène par vous-mêmes en tendant simplement votre doigt en l'air à quelques centimètres de votre visage. Fermez ensuite l'œil gauche et utilisez l'œil droit pour aligner votre doigt sur un objet proche, par exemple l'encadrement d'une fenêtre. Ensuite, fermez l'œil droit et ouvrez le gauche, et vous verrez que votre doigt a bougé vers la droite par rapport à la fenêtre. Changez rapidement d'œil, et votre doigt sautera alternativement à droite et à gauche. En changeant simplement d'angle de vue d'un œil à l'autre – séparés d'à peine quelques centimètres –, la position du doigt bouge par rapport à un autre objet. Cette expérience est représentée Figure 7(a).

La distance de la Terre au Soleil étant de 150 millions de kilomètres, si la Terre tournait autour du Soleil – comme le prétendait Aristarque –, elle se trouverait éloignée de 300 millions de kilomètres par rapport à sa position initiale après six mois, mais les Grecs ne parvinrent pas à détecter le moindre changement dans la position des étoiles les unes par rapport aux autres au cours de l'année, malgré la modification considérable de perspective qui se produisait si la Terre tournait autour du Soleil. Là encore, tous les indices semblaient conduire à la conclusion que la Terre se tenait, immobile, au centre de l'univers. Bien sûr, la Terre tourne bel et bien autour du Soleil, et la parallaxe stellaire existe assurément, mais elle était imperceptible pour les Grecs à cause de l'extrême éloignement des étoiles. Vous pouvez voir comment la distance réduit l'effet de parallaxe en répétant l'expérience consistant à observer votre doigt en clignant des yeux, cette fois en tendant le

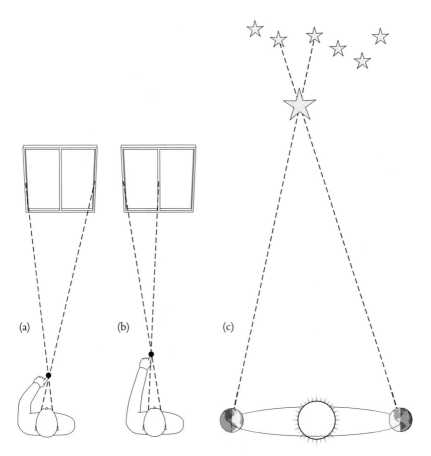

Figure 7 La parallaxe est le déplacement apparent d'un objet dû à un changement de position de l'observateur. Le diagramme (a) montre comment un doigt-repère s'aligne sur le bord gauche d'une fenêtre quand il est observé à l'aide de l'œil droit, mais se déplace quand il est regardé avec l'autre œil. Le diagramme (b) montre que la parallaxe provoquée par le changement d'œil se réduit sensiblement si le doigt-repère est plus éloigné. Parce que la Terre tourne autour du Soleil, notre position change, et de ce fait, si une étoile est utilisée comme repère, elle se déplacera par rapport à des étoiles plus éloignées au cours d'une année. Le diagramme (c) montre comment l'étoile-repère s'aligne sur deux étoiles différentes en arrière-plan selon la position de la Terre. Cependant, si le diagramme (c) était dessiné à la bonne échelle, les étoiles devraient se trouver à plus d'1 km au-dessus du haut de la page ! La parallaxe stellaire est donc infime, et l'on comprend pourquoi elle était imperceptible pour les Grecs de l'Antiquité. Croyant que les étoiles étaient beaucoup plus proches, ces derniers avaient déduit de l'absence de parallaxe que la Terre était statique.

bras, de telle sorte que le doigt se trouve maintenant éloigné de près d'un mètre. À nouveau, utilisez votre œil droit pour aligner votre doigt sur l'encadrement d'une fenêtre. Cette fois, quand on répète l'opération avec l'œil gauche, le déplacement lié au phénomène de parallaxe sera beaucoup moins prononcé qu'auparavant, car votre doigt est plus éloigné, comme le montre la Figure 7(b). En résumé, la Terre est effectivement en mouvement, mais le déplacement apparent dû à la parallaxe diminue rapidement avec la distance, et comme les étoiles sont très éloignées, la parallaxe stellaire ne pouvait être détectée avec des instruments primitifs.

À l'époque, les preuves infirmant le modèle héliocentrique de l'univers forgé par Aristarque semblaient accablantes, et il est ainsi tout à fait compréhensible que ses amis philosophes soient restés fidèles au modèle géocentrique. Leur modèle traditionnel était parfaitement sensé, rationnel et cohérent. Ils se satisfaisaient de leur conception de l'univers et de la place qu'ils occupaient à l'intérieur de ce dernier, à la seule réserve près qu'un énorme problème demeurait. Certes, le Soleil, la Lune et les étoiles semblaient tous évoluer de manière parfaitement réglée autour de la Terre, mais cinq corps célestes musardaient à travers les cieux d'une manière pour le moins déroutante. Parfois, certains d'entre eux allaient jusqu'à s'arrêter momentanément avant d'inverser temporairement leur mouvement dans une volte-face appelée *mouvement rétrograde* ou *rétrogradation*. Ces rebelles vagabonds étaient les cinq autres planètes connues : Mercure, Vénus, Mars, Jupiter et Saturne. D'ailleurs, le mot « planète » provient du grec *planêtès*, signifiant « errant ». De même, le terme babylonien désignant une planète était *bibbu*, littéralement « mouton sauvage », parce que les planètes semblaient sans cesse divaguer. Et les anciens Égyptiens appelaient Mars *sekded-ef em khetkhet*, ce qui signifie « celui qui voyage à rebours ».

De notre point de vue moderne, il est facile de comprendre le comportement de ces vagabonds célestes, dans la mesure où nous savons que la Terre tourne autour du Soleil : les planètes tournent effectivement autour du Soleil de manière régulière, mais nous les observons depuis une plate-forme en mouvement, raison pour laquelle leurs évolutions nous paraissent erratiques. En particulier, les rétrogradations de Mars, Saturne et Jupiter sont faciles à comprendre. La Figure 8(a) montre un système solaire réduit à l'essentiel, comprenant juste le Soleil, la Terre et Mars. La Terre tourne autour du Soleil plus vite que Mars, et quand nous la rattrapons et la dépassons, notre perspective par rapport à la planète rouge se déplace d'avant en arrière. Cependant, selon l'ancienne théorie géocentrique, selon laquelle nous trônons au centre de l'univers et tout tourne autour de nous, l'orbite de Mars constituait une énigme. Un observateur pouvait en effet voir Mars décrire d'étranges boucles (Figure 8(b)) en tournant autour de la Terre. Saturne et Jupiter présentent des mouvements rétrogrades similaires, dus exactement à la même cause.

Ces orbites planétaires incongrues et capricieuses étaient très problématiques pour les Grecs de l'Antiquité, car toutes les orbites sont censées être circulaires selon Platon et son disciple Aristote. Ces derniers avaient déclaré que le cercle, de par sa simplicité, sa beauté et son absence de commencement et de terme, constituait la forme parfaite, et, les cieux étant le royaume de la perfection, les corps célestes devaient décrire des cercles. Plusieurs astronomes et mathématiciens s'étaient penchés sur le problème à travers les siècles et avaient imaginé une solution astucieuse – une façon de décrire des orbites planétaires en boucles en termes de combinaisons de cercles, solution conforme au postulat de Platon et Aristote relatif à la perfection du cercle. Cette solution devait rester associée au nom d'un seul astronome, Claudius Ptolemaeus, plus connu sous le simple nom de Ptolémée, qui vivait au deuxième siècle de notre ère.

La vision du monde de Ptolémée reposait sur la supposition – alors communément admise – selon laquelle la Terre se trouve au centre de l'univers et reste stationnaire, faute de quoi « tous les animaux et tous les objets seraient laissés en arrière, projetés en l'air ». À partir de ce postulat, Ptolémée voyait les orbites du Soleil et de la Lune comme de simples cercles. C'est ensuite que les choses se gâtaient, lorsqu'il s'agissait d'expliquer les rétrogradations, ce que Ptolémée faisait en avançant l'hypothèse de cercles à l'intérieur de cercles, comme le montre la Figure 9. Pour imaginer une trajectoire comportant des mouvements rétrogrades périodiques, telle que celle suivie par Mars, Ptolémée proposait de commencer par un cercle simple (appelé *déférent*), avec une baguette attachée au cercle, et pivotant elle-même en décrivant un cercle dont le centre était situé sur le déférent. La planète était positionnée à l'extrémité de cette baguette mobile. Si le cercle déférent principal restait fixe et si la baguette tournait autour de son pivot, la

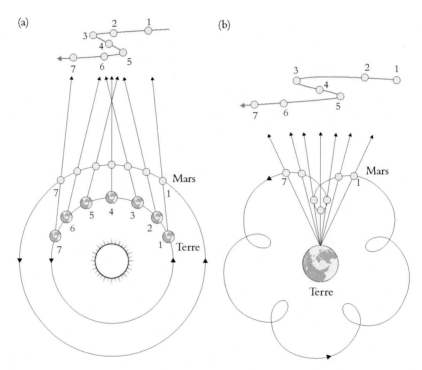

Figure 8 Des planètes telles que Mars, Jupiter et Saturne semblent animées de ce qu'on appelle des rétrogradations lorsqu'elles sont observées depuis la Terre. Le diagramme (a) représente un Système Solaire très schématisé, seules la Terre et Mars orbitant (dans le sens contraire des aiguilles d'une montre) autour du Soleil. Depuis la position 1, un observateur verrait Mars s'éloigner devant lui, l'écart se creusant même en position 2. Mais Mars marque une pause en position 3, et semble se déplacer ensuite à reculons en position 4, et même encore plus loin vers la droite quand la Terre atteint la position 5. Puis, la planète rouge s'arrête à nouveau, avant de repartir dans sa direction originelle (positions 6 et 7). Bien sûr, Mars n'a jamais cessé de tourner dans le sens contraire des aiguilles d'une montre autour du Soleil, mais elle semble, aux yeux de l'observateur, décrire des zigzags à cause des mouvements relatifs de la Terre et de Mars. Les rétrogradations sont parfaitement explicables dans un modèle de l'univers héliocentrique.

Le diagramme (b) montre comment les tenants du modèle géocentrique percevaient l'orbite de Mars. Ses zigzags étaient interprétés comme une véritable orbite décrivant des boucles. En d'autres termes, les traditionalistes pensaient qu'une Terre statique trônait au centre de l'univers, pendant que Mars gravitait autour de la Terre en décrivant des boucles.

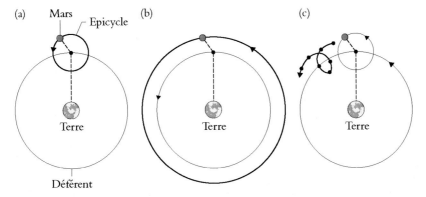

Figure 9 Le modèle ptoléméen de l'univers expliquait les orbites erratiques de planètes telles que Mars en recourant à des combinaisons de cercles. Le diagramme (a) représente le cercle principal, appelé déférent, et un « rayon vecteur », reliant le centre (situé sur le déférent) d'un cercle secondaire (l'« épicycle ») à une planète, située à son extrémité. Le déférent ne tourne pas, mais le rayon vecteur tourne : la planète décrit alors une trajectoire circulaire tracée par l'extrémité du rayon, qui s'identifie avec l'épicycle.
Le diagramme (b) montre ce qui se produit quand le rayon vecteur reste fixe, tandis que le déférent tourne. La planète suit un cercle de grand rayon.
Le diagramme (c) montre ce qui arrive quand simultanément, le rayon vecteur tourne autour de son pivot, et le pivot tourne avec le déférent. Cette fois l'épicycle est superposé au déférent, et l'orbite de la planète est la combinaison de deux trajectoires circulaires, dont le résultat est l'orbite rétrograde erratique associée à une planète telle que Mars. Les valeurs numériques des rayons du déférent et de l'épicycle et les deux vitesses de rotation peuvent être ajustées pour reproduire la trajectoire de n'importe quelle planète.

planète suivait une trajectoire circulaire avec un rayon court (ou *épicycle*, voir Figure 9(a)). Par contre, si le cercle déférent principal tournait et si la baguette restait fixe, la planète suivait une trajectoire circulaire avec un rayon beaucoup plus long (Figure 9(b)). Cependant, si la baguette tournait autour de son pivot et si, simultanément, le pivot tournait avec le cercle déférent principal, la trajectoire de la planète – une boucle rétrograde – résultait de la combinaison de son double mouvement autour des deux cercles (Figure 9(c)).

Si ce système schématisé à base de cercles et de pivots restitue l'idée centrale du modèle de Ptolémée, ce dernier était en fait beaucoup plus compliqué. Pour commencer, Ptolémée avait imaginé son modèle en trois dimensions, et l'avait construit à partir de sphères de cristal, mais dans un souci de simplicité, nous continuerons à penser en termes de cercles en deux dimensions. Par ailleurs, afin d'expliquer avec précision les rétrogradations des différentes planètes, Ptolémée avait dû, pour chacune d'elles, accorder avec soin les rayons du déférent et de l'épicycle à la vitesse à laquelle chacun tournait. Pour une précision encore plus grande, il avait introduit deux autres éléments variables. L'*excentrique* désignait un point sur le côté de la Terre, qui faisait office de centre légèrement décalé pour le cercle déférent, tandis que l'*équant* était un autre point situé près de la Terre, qui influait sur la vitesse variable de la planète. Il est difficile d'imaginer qu'un modèle aussi complexe ait pu servir à décrire des orbites de planètes, mais fondamentalement, il ne s'agissait de rien de plus que de cercles ajoutés à d'autres cercles imbriqués à l'intérieur d'autres cercles.

La meilleure analogie permettant de comprendre le modèle de Ptolémée peut être trouvée dans une fête foraine. La Lune suit une trajectoire simple, à la manière d'un cheval sur un manège banal destiné à de jeunes enfants. Par contre, l'orbite de Mars fait plutôt penser à cette attraction de fête foraine où des passagers sont assis sur le pourtour d'une nacelle pivotant à l'extrémité d'un long bras tournant. Les passagers suivent une trajectoire circulaire à rayon court dans la nacelle pivotant sur elle-même, mais en même temps, ils suivent une autre trajectoire circulaire, beaucoup plus grande, à l'extrémité du long bras qui soutient la nacelle. Parfois, les deux mouvements se combinent, occasionnant une forte accélération ; parfois, la nacelle recule par rapport au bras, et la vitesse des passagers diminue, voire s'inverse. Dans la terminologie ptoléméenne, les passagers de la nacelle décrivent un épicycle, et le long bras, un déférent.

Ptolémée avait élaboré son modèle géocentrique pour se conformer aux croyances de son époque, qui postulaient que tout tournait autour de la Terre et que tous les objets célestes suivaient des trajectoires circulaires. Le résultat était une construction effroyablement complexe, où l'on a peine à se retrouver entre épicycles, déférents, équants et excentriques. Dans son histoire des débuts de l'astronomie, *Les Somnambules*, Arthur Koestler décrit le modèle ptoléméen comme « le produit d'une philosophie fatiguée et d'une science décadente ». Mais, bien que fondamentalement erroné, ce système

répondait à l'un des critères de base de la démarche scientifique, à savoir qu'il prédisait la position et le mouvement de
chaque planète avec un plus haut degré d'exactitude qu'aucun
autre modèle. Même le modèle héliocentrique d'Aristarque,
qui, lui, pourtant, est fondamentalement exact, ne pouvait prédire le mouvement des planètes avec une telle précision. En
définitive, il n'est pas surprenant que le modèle de Ptolémée
ait perduré, et que celui d'Aristarque ait disparu. Le Tableau 2
résume les principaux point forts et points faibles des deux
modèles, tels qu'ils étaient compris par les Grecs de l'Antiquité.
On verra qu'il ne fait que confirmer l'apparente supériorité du
modèle géocentrique.

Le modèle géocentrique de Ptolémée est exposé dans son
Hèmegalè Syntaxis (« La Grande Syntaxe [Mathématique] »),
compilée vers l'an 150 de notre ère, ouvrage qui devait faire
autorité en matière d'astronomie pendant les siècles à venir.
En fait, tous les astronomes européens du millénaire suivant
furent influencés par la *Syntaxis*, et aucun d'eux ne remit
sérieusement en cause sa vision d'un univers centré autour de
la Terre. La *Syntaxis* devait finalement acquérir une audience
encore plus vaste en 827 de notre ère, quand elle fut traduite
en arabe et qu'un nouveau titre, l'*Almageste* (*al-Majesti*, « Le
Plus Grand »), lui fut donné. Ainsi, pendant la période de déclin
des études scolastiques du Moyen Âge européen, les idées de
Ptolémée furent préservées et étudiées par les grands érudits
musulmans du Moyen-Orient. Pendant l'âge d'or de l'Islam, les
astronomes arabes inventèrent de nombreux instruments,
effectuèrent des observations scientifiques de première importance, et firent construire plusieurs grands observatoires, tel
celui d'al-Shammasiyyah, à Bagdad, mais ils ne remirent jamais
en question l'univers géocentrique de Ptolémée, avec ses
orbites planétaires définies par des combinaisons de cercles.

Lorsque l'Europe finit pas émerger de sa torpeur intellectuelle, l'ancien savoir des Grecs fit retour en Occident via la
ville mauresque de Tolède, en Espagne, où une magnifique
bibliothèque avait été fondée par les souverains arabes. Lorsque la ville fut conquise sur les Maures par le roi d'Espagne
Alphonse VI en 1085, les érudits de l'Europe entière eurent
pour la première fois l'occasion d'accéder à l'un des plus
importants trésors du savoir mondial. La plupart des ouvrages
de la bibliothèque étant écrits en arabe, la première des priorités consista à créer un bureau de traduction capable d'œuvrer

Tableau 2
Ces deux tableaux dressent la liste des divers critères à l'aune desquels les modèles géo et héliocentriques pouvaient être jugés, à la lumière des connaissances astronomiques du premier millénaire de notre ère. La troisième colonne montre les résultats obtenus par

Critère	Modèle géocentrique	Validité
1. Bon sens	Tous les objets célestes tournent autour de la Terre, c'est une évidence	✔
2. Conscience du mouvement de la Terre	Aucun mouvement n'étant décelé, la Terre ne peut pas être mobile	✔
3. Chute des objets	La position centrale de la Terre explique pourquoi les objets tombent vers le bas (en d'autres termes, ils sont attirés vers le centre de l'univers)	✔
4. Parallaxe stellaire	Aucune parallaxe stellaire n'est décelée, absence compatible avec une Terre statique et un observateur stationnaire	✔
5. Prédiction des positions planétaires	Correcte, la meilleure pour l'époque	✔
6. Rétrogradations des planètes	Expliquées au moyen des épicycles et des déférents	✔
7. Simplicité	Modèle très compliqué, faisant appel à des épicycles, déférents, équants et excentriques pour chaque planète	✗

chaque théorie selon chaque critère. Un point d'interrogation indique une absence de données, ou une réponse mitigée. Du point de vue des hommes de l'Antiquité, le modèle héliocentrique ne l'emportait que dans un seul domaine, en l'occurrence la simplicité, même si nous savons aujourd'hui qu'il est le seul valide.

Critère	Modèle héliocentrique	Validité
1. Bon sens	Il faut beaucoup d'imagination – et renoncer à toute logique – pour se convaincre que la Terre fait le tour du Soleil	✗
2. Conscience du mouvement de la Terre	Aucun mouvement n'est décelé, ce qui est difficile à expliquer si la Terre est mobile	✗
3. Chute des objets	Il n'y a pas d'explication évidente à la chute des objets vers le sol dans un modèle où la Terre n'occupe pas une position centrale	✗
4. Parallaxe stellaire	La Terre étant en mouvement, l'absence apparente de parallaxe stellaire doit être due aux énormes distances stellaires ; la parallaxe aurait pu être détectée avec de meilleurs instruments	?
5. Prédiction des positions planétaires	Correcte, mais pas aussi sûre qu'avec le modèle géocentrique	?
6. Rétrogradations des planètes	Une conséquence naturelle du mouvement de la Terre et de notre changement de position	✔
7. Simplicité	Très simple, toutes les planètes décrivant des cercles	✔

à échelle industrielle. La plupart des traducteurs travaillèrent avec l'aide d'un intermédiaire pour traduire de l'arabe vers l'espagnol vernaculaire, qu'ils retraduisaient ensuite en latin, mais l'un des traducteurs les plus brillants et les plus productifs, Gérard de Crémone, apprit l'arabe afin de parvenir à une interprétation plus directe et plus précise des œuvres. Il avait été attiré à Tolède par la rumeur selon laquelle le chef-d'œuvre de Ptolémée se trouvait dans cette bibliothèque et, des soixante-seize ouvrages fondamentaux qu'il traduisit, l'*Almageste* est assurément le plus important.

Grâce aux efforts de Gérard de Crémone et d'autres traducteurs, les savants européens purent redécouvrir les écrits du passé, et les recherches astronomiques en Europe s'en trouvèrent revigorées. Paradoxalement, tout progrès fut bridé, car les écrits des Grecs de l'Antiquité faisaient l'objet d'une telle vénération que personne n'osait remettre en question leurs travaux. Comme on posait comme principe que les savants classiques avaient maîtrisé tout ce qui pouvait être compris, les livres tels que l'*Almageste* étaient tenus pour parole d'Évangile. Et ce, en dépit du fait que les Anciens avaient proféré certaines des plus grosses bourdes imaginables. Par exemple, les écrits d'Aristote étaient considérés comme sacrés, même si ce dernier avait déclaré que les hommes possédaient davantage de dents que les femmes – généralisation fondée sur l'observation selon laquelle les étalons avaient plus de dents que les juments. Bien qu'il se fût marié deux fois, Aristote ne s'était apparemment jamais donné la peine de regarder dans la bouche d'aucune de ses deux épouses. C'était peut-être un logicien hors pair, mais il n'avait jamais saisi l'importance de l'observation et de l'expérimentation. L'ironie de l'histoire est que les savants aient attendu des siècles pour se réapproprier la sagesse des Anciens – pour ensuite mettre des siècles à se défaire de leurs errements. Ainsi, après la traduction de l'*Almageste* par Gérard de Crémone en 1175, le modèle géocentrique de l'univers légué par Ptolémée resta intact pendant encore quatre siècles.

Certes, pendant cette période, quelques critiques mineures émanèrent de personnalités telles qu'Alphonse X, roi de Castille et de León (1221-84). Ayant fait de Tolède sa capitale, il demanda à ses astronomes de rédiger le traité des mouvements planétaires que nous connaissons aujourd'hui sous le nom de *Tables Alphonsines*, en se fondant à la fois sur leurs propres observations et sur la traduction de tables arabes. Grand mécène des études astronomiques, Alphonse X considérait avec scepticisme l'invraisemblable système ptoléméen de déférents, épicycles, équants et autres artifices : « Si le Seigneur Tout-Puissant m'avait consulté avant d'entreprendre la Création, je lui aurais recommandé quelque chose de plus simple. » Puis, au xive siècle, Nicolas d'Oresme, chapelain du roi de France Charles V, déclara ouvertement que la théorie d'un univers géocentrique n'avait jamais été formellement prouvée – sans aller jusqu'à dire qu'il la considérait fausse. Et au xve siècle, le cardinal Nicolas de Cuse émit l'hypothèse que la Terre n'était pas le pivot de l'univers, mais il se garda de suggérer que le Soleil dût occuper le trône vacant. Le monde allait devoir attendre jusqu'au xvie siècle avant qu'un astronome ait le courage de redessiner l'univers et de contester sérieusement la cosmologie des Grecs. L'homme qui allait finalement réinventer l'univers héliocentrique d'Aristarque s'appelait Nikolaj Kopernik, plus connu sous le nom latinisé de Nicolas Copernicus, ou Copernic.

La Révolution

Né en 1473 dans une famille prospère de Torun, sur les rives de la Vistule, dans l'actuelle Pologne, Copernic fut élu chanoine du chapitre cathédral de Frauenbourg, ou Frombork, en Warmie (Ermeland, enclave polonaise au milieu des fiefs teutoniques, la future Prusse-Orientale), en grande partie grâce à l'entremise de son oncle Lucas Watzenrode, évêque d'Ermeland. Ayant étudié le droit et la médecine en Italie, il avait principalement pour tâche, en sa qualité de chanoine, de servir de secrétaire et de médecin à son oncle. N'ayant pas de lourdes responsabilités, Copernic était libre de s'adonner à diverses activités à ses heures perdues. Il devint expert en économie, et, à ce titre, fut consulté à propos d'une réforme monétaire, et il publia ses propres traductions latines d'un obscur historien byzantin, Théophylacte Simocatta.

Sa grande passion était cependant l'astronomie, qui l'intéressait depuis qu'il avait acquis un exemplaire des *Tables Alphonsines* pendant ses études. Cet astronome amateur se passionna alors pour le mouvement des planètes, passion qui tourna bientôt à l'obsession, et ses idées devaient faire de lui l'une des plus grandes figures de l'histoire des sciences.

De manière surprenante, toutes les recherches astronomiques de Copernic seraient contenues dans... un livre et demi. Et, ce qui est encore plus surprenant, ce livre et demi fut à peine lu de son vivant. Le « demi-livre » fait référence à son premier ouvrage, le *Commentariolus* (« Petit Commentaire »), qui, resté à l'état de manuscrit, ne fut jamais officiellement publié, et ne fut diffusé que dans des cercles restreints vers 1514. Néanmoins, en tout juste vingt pages, Copernic ébranla le cosmos avec l'idée la plus radicale qui ait jamais été énoncée en matière d'astronomie depuis mille ans. Au cœur de son opuscule figuraient les sept axiomes sur lesquels reposait sa conception de l'univers :

1. Les corps célestes n'ont pas de centre en commun.
2. Le centre de la Terre n'est pas le centre de l'univers.
3. Le centre de l'univers est situé près du Soleil.
4. La distance entre la Terre et le Soleil est dérisoire comparée à celle qui sépare la Terre des étoiles.
5. Le mouvement quotidien apparent des étoiles est le résultat de la rotation de la Terre sur son axe.
6. La séquence annuelle apparente des mouvements du Soleil est le résultat de la révolution de la Terre autour de ce dernier. Toutes les planètes tournent autour du Soleil.
7. Le mouvement rétrograde apparent de certaines planètes est simplement le résultat de notre position d'observateurs sur une Terre en mouvement.

L'audace et l'exactitude des axiomes de Copernic sont confondantes à tous égards. La Terre tourne bel et bien sur elle-même, la Terre et les autres planètes tournent effectivement autour du Soleil (ce qui explique les orbites planétaires rétrogrades), et l'impossibilité de détecter la moindre parallaxe stellaire est due à l'extrême éloignement des étoiles. On ignore ce qui a poussé Copernic à formuler ces axiomes et à rompre avec la vision traditionnelle du monde. Peut-être a-t-il été influencé par Domenico Maria de Novara, l'un de ses professeurs en Italie ? Novara considérait avec sympathie la tradition pythagoricienne, qui se trouvait à la racine de la philosophie d'Aristarque, lequel, comme on le sait, avait, le premier, proposé le modèle héliocentrique mille sept cents ans plus tôt.

Le *Commentariolus* constituait le manifeste d'une véritable mutinerie astronomique, expression de la frustration et de la désillusion de Copernic face à l'effroyable complexité de l'ancien modèle de Ptolémée. Par la suite, il devait condamner le caractère factice du modèle géocentrique : « C'est comme si un artiste, pour ses images, devait prélever les mains, les pieds, la tête et les autres membres sur divers modèles, chaque partie étant excellemment dessinée, mais sans rapport avec un corps unique, et comme ces membres ne correspondent en aucune manière les uns aux autres, le résultat s'apparente davantage à un monstre qu'à un homme. » Néanmoins, malgré son contenu révolutionnaire, l'opuscule ne rencontra aucun écho parmi les intellectuels européens, en partie parce qu'il fut très peu lu, et en partie parce que son auteur était un obscur chanoine travaillant aux confins de l'Europe.

Mais il en fallait plus pour décourager Copernic, car ce n'était que le début de ses efforts en vue de transformer l'astronomie. Depuis la mort en 1512 de son oncle Lucas (probablement empoisonné par les Chevaliers Teutoniques, qui voyaient en lui « le diable fait homme »), il avait encore plus de temps à consacrer à ses travaux. Il s'installa au château de Frombork, créa un petit observatoire et entreprit de donner corps à ses thèses en ajoutant toutes les explications mathématiques qui faisaient défaut dans le *Commentariolus.*

Copernic passa les trente années suivantes à refondre et compléter son premier traité, qu'il transforma en un impressionnant manuscrit de deux cents pages. Entre deux calculs révolutionnaires, il passait de longues heures à se demander comment les autres astronomes allaient réagir en découvrant son modèle de l'univers, qui prenait radicalement le contrepied des théories de son époque. Il y eut même de longues périodes pendant lesquelles il envisagea de renoncer à publier son ouvrage, de peur de devenir la risée de tous. Par ailleurs, il craignait que les théologiens ne voient dans ces thèses des spéculations scientifiques sacrilèges, et qu'ils les condamnent sans appel.

Ses inquiétudes étaient fondées, car l'Église devait plus tard réagir de la sorte en persécutant le philosophe italien Giordano Bruno, qui fit partie de la génération d'esprits libres postérieure à celle de Copernic. L'Inquisition accusa Bruno de huit hérésies, mais les sources existantes ne spécifient pas lesquelles. Les historiens estiment que Bruno a vraisemblablement offensé l'Église en écrivant *De l'Univers et des Mondes Infinis*, dans lequel il affirmait que l'univers était infini, que les étoiles possédaient leurs propres planètes, et que la vie prospérait sur ces dernières. Quand il fut condamné à mort pour ses crimes, il rétorqua : « Il se peut que vous qui prononcez ma sentence, soyez plus apeurés que moi-même, qui la reçois. » Le 17 février 1600, il fut conduit au Campo dei Fiori (Champ des Fleurs), à Rome, dévêtu, bâillonné, attaché à un poteau et brûlé vif.

La crainte des persécutions aurait pu mettre prématurément un terme aux recherches de Copernic, mais, fort heureusement, un jeune savant allemand âgé de vingt-cinq ans et originaire de Wittenberg, en Prusse, entra en scène. En 1539, Georg Joachim von Lauchen, connu sous le nom de Rheticus, se rendit à Frombork pour rencontrer Copernic et en savoir davantage sur son modèle cosmologique. C'était une démarche courageuse, car non seulement le jeune savant luthérien n'était pas forcément le bienvenu dans la très catholique Frombork, mais ses propres compagnons d'étude risquaient fort de désapprouver son entreprise. L'humeur du temps a été fort bien caractérisée par Luther, qui a consigné par écrit le compte rendu d'une conversation d'après-dîner où il avait été question de Copernic : « On parle d'un nouvel astronome qui veut prouver que la Terre bouge et tourne à la place du ciel, du Soleil et de la Lune, comme si quelqu'un se déplaçant dans une charrette ou un navire soutenait qu'il était immobile et en repos cependant que la terre et les arbres marchent et avancent [...]. Ce fou veut mettre sens dessus dessous l'art de l'astronomie tout entier. »

Luther voyait dans Copernic « un fou qui contredit les Saintes Écritures », mais Rheticus était convaincu, avec Copernic, que le chemin de la vérité céleste passait par la science plutôt que la Sainte Bible. Aux yeux de Rheticus, l'astronomie était la plus extraordinaire et la plus difficile aventure dans laquelle pouvait se lancer un être humain : « L'astronome qui étudie le mouvement des étoiles ressemble assurément à l'aveugle qui, muni seulement d'un bâton [les mathématiques] pour se guider, doit entreprendre un long, périlleux et tortueux voyage sans fin, qui le conduira dans d'innombrables lieux désolés. Quel en sera le résultat ? Avançant avec inquiétude pendant un moment, et cherchant péniblement son chemin avec son bâton, il finira, appuyé sur ce dernier, par lancer un cri de désespoir à l'adresse du Ciel, de la Terre et de tous les Dieux, pour qu'ils lui portent secours dans sa détresse. »

Alors âgé de soixante-six ans, Copernic fut flatté par l'atten-

tion que lui portait Rheticus. Celui-ci séjourna trois ans à Frombork pour lire le manuscrit du vieux savant polonais, qu'il
conseilla et rassura dans une égale mesure. En 1541, grâce à
la combinaison de ses talents diplomatiques et astronomiques,
Rheticus fut enfin autorisé par Copernic à confier le manuscrit
à l'imprimerie de Johannes Petreius, à Nuremberg, pour qu'il
soit publié. Il avait prévu à l'origine de rester présent afin de
surveiller l'ensemble du processus d'impression, mais il fut
soudainement appelé à Leipzig pour une affaire urgente, et
demanda au théologien Andreas Osiander de superviser la
publication. Finalement, au printemps 1543, *De revolutionibus
orbium coelestium* (« Des révolutions des sphères célestes »)
fut finalement publié et plusieurs centaines d'exemplaires
furent adressés à Copernic.

Ils lui parvinrent juste à temps. Frappé par une hémorragie
cérébrale à la fin de l'année précédente, Copernic était alité,
luttant contre la mort, avec, pour seul espoir, celui de vivre
assez longtemps pour poser ses yeux sur l'ouvrage achevé, qui
contenait l'œuvre de sa vie. Son ami le chanoine Giese écrivit
une lettre à Rheticus dans laquelle il décrivait les souffrances
du savant : « De nombreux jours durant, il a été privé de sa
mémoire et de sa vigueur mentale ; il n'a pu voir le livre terminé qu'au dernier moment, le jour de sa mort. »

Copernic avait accompli son devoir. Son livre offrait au
monde une thèse convaincante reprenant le modèle héliocentrique d'Aristarque. *De revolutionibus* était un traité remarquable, mais avant de discuter de son contenu, il est important
d'examiner deux mystères troublants qui entourèrent sa publication. Le premier a trait aux remerciements de Copernic. L'introduction de *De revolutionibus* mentionne plusieurs
personnes, tels le pape Paul III, le cardinal de Capoue et
l'évêque de Kulm, et cependant, on ne trouve aucune mention
de Rheticus, le brillant apprenti ayant joué un rôle crucial dans
l'« accouchement » du modèle copernicien. Se perdant en
conjectures sur les raisons de cette omission, les historiens en
sont réduits à penser que le fait de reconnaître une quelconque
dette envers un protestant aurait pu être considéré défavorable-
ment par la hiérarchie catholique, dont Copernic souhaitait se
concilier les faveurs. Peut-être est-ce l'absence même de remerciements qui a incité Rheticus à abandonner le manuscrit et à
confier la responsabilité de son impression à Osiander. Que
cela soit dû ou non à cet affront, une chose est sûre : Rheticus

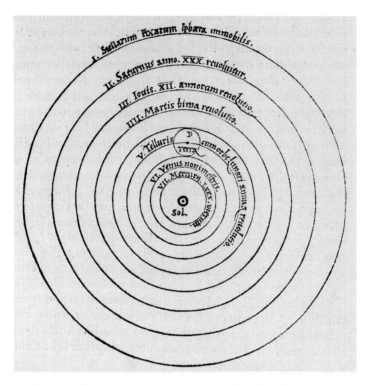

Figure 10 Ce diagramme extrait du traité *De revolutionibus* de Copernic illustre le caractère révolutionnaire de son modèle de l'univers. Le Soleil occupe clairement une position centrale et les planètes gravitent autour de lui. La Terre – autour de laquelle tourne la Lune – est correctement située entre les orbites de Vénus et de Mars.

se désintéressa totalement de *De revolutionibus* après sa publication.

Le deuxième mystère concerne la préface de *De revolutionibus*, qui fut ajoutée au livre sans le consentement de Copernic et qui vide ses thèses d'une bonne partie de leur substance. En résumé, la préface réduit la portée du livre en déclarant que les hypothèses de Copernic « n'ont pas besoin d'être vraies, ni même probables ». Elle souligne les « absurdités » du modèle héliocentrique, laissant entendre que les démonstrations mathématiques détaillées et soigneusement argumentées de Copernic ne sont rien de plus qu'une fiction. La préface reconnaît bien que le système copernicien est vérifiable par l'observation avec un degré raisonnable d'exactitude, mais elle émascule la théorie en faisant valoir qu'il ne s'agit que d'une méthode pratique pour effectuer des calculs, plutôt que d'une tentative de rendre compte de la réalité. Le manuscrit original de Copernic ayant été conservé, nous savons que l'introduction d'origine était tout à fait différente de la préface imprimée, qui banalise l'œuvre. La nouvelle préface doit par conséquent avoir été insérée après que Rheticus eut quitté Frombork avec le manuscrit. Cela signifierait que Copernic se trouvait sur son lit de mort quand il en prit connaissance pour la première fois, mais à ce moment-là, le livre était déjà imprimé et il était trop tard pour y apporter la moindre retouche. Peut-être est-ce la lecture même de cette préface qui le précipita dans la tombe.

Qui, donc, écrivit et inséra la nouvelle préface ? Le suspect le plus probable est Osiander, le théologien à qui était revenue la responsabilité de la publication du livre lorsque Rheticus avait quitté Nuremberg pour Leipzig. Peut-être Osiander, craignant que Copernic n'encourre des persécutions une fois ses idées rendues publiques, avait-il inséré la préface avec les meilleures intentions du monde, dans l'espoir de calmer les critiques. Les preuves des préoccupations d'Osiander peuvent être trouvées dans une lettre à Rheticus dans laquelle il mentionne les Aristotéliciens, désignant sous ce terme les tenants de la vision du monde géocentrique : « Les Aristotéliciens et les théologiens seront facilement amadoués si on leur dit que [...] les présentes hypothèses sont proposées non parce qu'elles sont vraies dans la réalité, mais parce qu'elles sont les plus pratiques pour calculer les mouvements composites apparents. »

Mais dans la préface qu'il avait prévue, Copernic faisait très clairement comprendre qu'il avait bien l'intention d'adopter une attitude de défi vis-à-vis de ses adversaires potentiels : « Si d'aventure de vains discoureurs, qui, tout en étant totalement ignorants des mathématiques, prétendent néanmoins juger de ces matières, et qui, en raison de quelque passage de l'Écriture malignement détourné dans le sens de leur opinion, osent blâmer et censurer mon ouvrage, eh bien ! je ne me soucie aucunement d'eux ; mieux, même, je méprise leurs critiques comme infondées [1]. »

Après s'être finalement enhardi à publier le traité le plus révolutionnaire et le plus controversé de l'histoire de l'astronomie depuis les Grecs de l'Antiquité, Copernic mourut tragique-

---

1. Traduction tirée (à quelques modifications de détail près) de N. Copernic, *Des révolutions des orbes célestes*, trad. J.-P. Verdet *et alii*, CNRS. *(N.d.T.)*

ment en sachant qu'Osiander avait dénaturé ses théories, présentées comme une construction artificielle. Par la suite, *De revolutionibus* devait disparaître pratiquement sans laisser de traces pendant les premières décennies qui suivirent sa publication, ni le public, ni l'Église, ne prenant l'ouvrage au sérieux. La première édition se vendit mal, et le livre ne fut réimprimé que deux fois au cours du siècle suivant. En comparaison, des livres vantant le modèle de Ptolémée furent réimprimés des centaines de fois dans la seule Allemagne pendant la même période.

Cependant, la préface lâche et conciliatrice d'Osiander à *De revolutionibus* n'était que partiellement à blâmer pour le peu d'impact du livre. Un autre facteur à prendre en compte est l'effroyable style de Copernic, que le lecteur devait endurer sur quatre cents pages d'un texte complexe et dense. Surtout, c'était son premier livre d'astronomie, et le nom de Copernic était peu connu des cercles savants européens. Ce handicap n'était certes pas insurmontable, mais, pour couronner le tout, Copernic était mort, et ne pouvait plus promouvoir son propre ouvrage ! La situation aurait peut-être été sauvée par Rheticus, la seule personne capable de défendre *De revolutionibus*, mais il avait subi une rebuffade en étant ignoré dans les remerciements, et, du coup, ne souhaitait plus être associé au système copernicien.

Par ailleurs, tout comme l'incarnation originelle du modèle héliocentrique d'Aristarque, *De revolutionibus* fut boudé parce que le système copernicien était moins précis que le modèle géocentrique de Ptolémée lorsqu'il s'agissait de prédire les positions futures des planètes : à cet égard, le modèle fondamentalement valide n'était pas de taille à lutter contre son rival fondamentalement erroné. Il y a deux raisons à cet étrange état de choses. Primo, le modèle de Copernic manquait d'un ingrédient vital, sans lequel ses prédictions ne pouvaient être suffisamment précises pour qu'il puisse s'imposer. Secundo, le modèle de Ptolémée était parvenu à un grand degré d'exactitude en faisant artificiellement intervenir tous ces épicycles, déférents, équants et excentriques : avec de tels rafistolages, pratiquement n'importe quel modèle aurait pu être sauvé.

Et, bien sûr, le modèle copernicien restait handicapé par toutes les questions sans réponse à l'origine de l'abandon du modèle héliocentrique d'Aristarque (voir Tableau 2, page 45). En fait, le seul avantage du modèle héliocentrique sur le modèle géocentrique de Ptolémée résidait – une fois de plus – dans sa simplicité. Bien que Copernic recourût encore à des épicycles, son modèle pouvait parvenir à un degré raisonnable d'exactitude en attribuant une orbite circulaire à chaque planète, là où le modèle de Ptolémée était excessivement complexe, avec ses épicycles, déférents, équants et excentriques subtilement ajustés pour chacun des astres.

Heureusement pour Copernic, la simplicité est un atout de taille en matière scientifique, comme l'avait fait remarquer Guillaume d'Ockham, un théologien franciscain anglais du XIVᵉ siècle, qui devint célèbre de son vivant pour avoir déclaré que les ordres religieux ne devaient posséder ni biens, ni richesses. Il exposa ses idées avec une telle ferveur qu'il fut chassé de l'université d'Oxford et s'installa à Avignon, où il accusa le pape Jean XII d'hérésie. Il fut, comme on pouvait s'y attendre, excommunié. Après avoir succombé à la Grande Peste en 1349, Ockham resta surtout connu dans l'histoire pour sa contribution à la science, une théorie connue sous le nom de Rasoir d'Ockham, selon laquelle, entre deux hypothèses ou explications concurrentes, toutes choses étant égales par ailleurs, il existe de fortes chances que la plus simple soit la bonne. Ockham exprima cet axiome en ces termes : *Pluralitas non est ponenda sine necessitate* (« La pluralité ne doit pas être invoquée sans nécessité »).

Imaginez, par exemple, qu'après une nuit de tempête, vous tombiez sur deux arbres abattus au milieu d'un champ, sans qu'aucun indice matériel ne laisse deviner la cause de leur chute. L'hypothèse la plus simple serait de penser que les arbres ont été arrachés par le vent. Une hypothèse plus compliquée consisterait à dire que deux météorites sont tombées du ciel simultanément, et qu'elles ont heurté chacune un arbre, pour finalement se percuter de plein fouet et se désintégrer, ce qui explique l'absence de toute trace des météorites. En appliquant le rasoir d'Ockham, vous déciderez que la tempête, plutôt que les deux météorites, constitue l'explication la plus vraisemblable, car la plus simple. Le rasoir d'Ockham ne vous garantit pas de trouver la bonne réponse, mais il vous met généralement sur la bonne voie. Les médecins recourent souvent au rasoir d'Ockham quand ils examinent un patient, et les étudiants en médecine se voient conseiller : « Lorsque vous entendez des bruits de sabot, pensez à un cheval, et non à un zèbre. » En revanche, les théoriciens du complot récuseraient le rasoir d'Ockham, rejetant souvent une explication simple au profit d'un cheminement de la pensée plus tortueux et énigmatique.

Le rasoir d'Ockham aurait désigné le modèle copernicien plutôt que le modèle ptoléméen, mais le rasoir d'Ockham ne crée la différence que si les deux théories à départager sont également convaincantes, et au XVIᵉ siècle, le modèle ptoléméen l'emportait nettement sur son rival, à plusieurs égards, permettant notamment des prévisions plus précises des positions des planètes. Ainsi, la simplicité du modèle héliocentrique fut jugée hors de propos. Et pour de nombreux savants, le modèle héliocentrique était encore trop radical pour être retenu, à tel point que Copernic est peut-être à l'origine de l'autre acception du mot « révolution ». Certains étymologistes prétendent en effet que le terme « révolutionnaire », qui désigne une idée bouleversant les conventions et les théories traditionnelles, a été inspiré par le titre du livre de Copernic, « Des révolutions des sphères célestes ». Non seulement le modèle héliocentrique de l'univers paraissait révolutionnaire, mais il semblait aussi aller complètement à l'encontre du sens commun. C'est la raison pour laquelle, dans le dialecte du nord de la Bavière, le terme *koepperneksch*, dérivé de la forme allemande du nom Copernic, en est venu à être utilisé pour décrire une formulation invraisemblable ou illogique.

En fin de compte, le modèle héliocentrique de l'univers constituait un concept en avance sur son temps, trop révolutionnaire, trop audacieux et trop imprécis pour avoir la moindre chance de recueillir l'adhésion du plus grand nombre. *De revolutionibus* fut rangé sur quelques étagères, dans quelques cabinets, et ne fut lu que par quelques astronomes. L'idée d'un univers héliocentrique avait été avancée pour la première fois par Aristarque au Vᵉ siècle avant notre ère, mais elle était restée sans écho ; elle était maintenant réinventée par Copernic, et elle était à nouveau ignorée. Le modèle allait entrer en hibernation, attendant qu'un nouvel esprit hardi le ressuscite, l'examine, le perfectionne, et trouve l'ingrédient manquant qui prouverait au reste du monde que le modèle copernicien de l'univers était la véritable image de la réalité. Il appartiendrait à la génération suivante d'astronomes de découvrir les preuves démontrant que Ptolémée avait tort, et Copernic, raison.

Le château des cieux

Né dans une famille de la noblesse danoise en 1546, Tycho Brahé devint durablement célèbre auprès des astronomes pour deux raisons. D'abord, en 1566, Tycho se brouilla avec son cousin Manderup Parsberg, sur le motif que celui-ci l'aurait insulté et se serait moqué de lui, l'une de ses récentes prédictions astrologiques s'étant révélée fausse. Tycho avait prédit la mort de Soliman le Magnifique, et avait inclus sa prophétie dans un poème latin, ignorant, selon toute vraisemblance, que le souverain ottoman était déjà mort depuis six mois ! Le différend se solda par un duel infamant. Pendant le combat, Parsberg trancha d'un coup d'épée le front et le nez de Tycho. À deux centimètres près, Tycho eût trépassé. Par la suite, il colla à la place de son appendice arraché un faux nez en métal, si astucieusement fabriqué avec un alliage d'or, d'argent et d'airain qu'il se fondait avec la couleur de sa peau.

La deuxième raison de la célébrité de Tycho – une raison plus sérieuse – est qu'il porta les techniques d'observation astronomique à un degré de précision jamais atteint jusque-là. Il acquit une telle réputation que le roi Frédéric II du Danemark lui offrit l'île de Hven, située à dix kilomètres des côtes, et lui accorda des fonds pour la construction d'un observatoire. Uraniborg – Palais d'Uranie, muse de l'astronomie – devint au fil des ans une vaste et somptueuse citadelle absorbant plus de 5 pour cent du produit national brut du Danemark, un record jamais battu en matière de financement d'un centre de recherches.

Uraniborg abritait une bibliothèque, un moulin pour fabriquer du papier, une imprimerie, un laboratoire d'alchimiste, un four, et une prison pour les serviteurs indisciplinés. Les tourelles d'observation contenaient des instruments géants, tels que sextants, quadrants et sphères armillaires (des instruments d'observation à l'œil nu, les astronomes n'ayant pas encore appris à exploiter les potentialités des lentilles). Chaque instrument était disponible en quatre exemplaires, afin de permettre des mesures simultanées et indépendantes à partir de différents endroits, et par là même de réduire les erreurs dans l'évaluation des positions angulaires des planètes. Les observations de Tycho étaient généralement précises au 1/30 près – cinq fois mieux que les meilleures mesures antérieures. Peut-être les mesures de l'astronome danois furent-elles facilitées par le fait qu'il lui était possible de retirer son nez et d'aligner son œil plus parfaitement !

La réputation de Tycho était telle qu'un flot continu de personnalités visita son observatoire. Intéressés par ses recherches, ces visiteurs étaient également attirés par les folles libations d'Uraniborg, célèbres dans toute l'Europe. Tycho fournissait de l'alcool à profusion et divertissait ses invités avec des automates et un nain appelé Jepp, dont on disait qu'il possédait d'extraordinaires dons de clairvoyance. Pour compléter le spectacle, l'animal de compagnie favori de Tycho, un élan, était autorisé à se promener librement dans le château (l'animal périt tragiquement en tombant au bas d'un escalier après avoir bu trop d'alcool). Uraniborg ressemblait davantage au décor d'un film de Peter Greenaway qu'à un institut de recherches.

Alors que Tycho avait été élevé dans le respect de l'astronomie antique, ses longues et patientes observations le forcèrent à reconsidérer sa confiance dans la conception traditionnelle de l'univers. Nous savons qu'il possédait un exemplaire de *De revolutionibus* dans son cabinet et qu'il n'était pas hostile aux idées de Copernic, mais, au lieu de les adopter sans réserve, il mit au point son propre modèle, un compromis entre Ptolémée et Copernic. En 1588, presque cinquante ans après la mort de Copernic, Tycho publia *De mundi aetherei recentioribus phaenomenis* (« Des phénomènes les plus récents du monde éthéré »), traité dans lequel il affirmait que toutes les planètes tournaient autour du Soleil, mais que le Soleil tournait autour de la Terre, comme le montre la Figure 12. Son esprit novateur allait jusqu'à faire du Soleil le pivot du système planétaire, mais son conservatisme l'obligeait à maintenir la Terre au centre de l'univers. Il répugnait à détrôner la Terre, car sa position centrale supposée était la seule façon d'expliquer pourquoi les objets étaient attirés vers son centre.

Avant de passer à la phase suivante de son programme d'observation et de théorisation astronomiques, Tycho essuya un grave revers de fortune : son protecteur, le roi Frédéric, était mort au lendemain d'une beuverie l'année même de la publication de *De mundi aetherei*, et le nouveau roi, Christian IV, n'était plus disposé à financer le dispendieux laboratoire de Tycho, ni à tolérer son style de vie hédoniste et débridé. Tycho n'eut d'autre ressource que d'abandonner Uraniborg et de quitter le Danemark avec sa famille, ses assistants, Jepp le nain et des charrettes entières de matériel astronomique. Par chance, les instruments

Figure 11 Uraniborg, sur l'île danoise de Hven, l'observatoire le plus généreusement financé et le plus hédoniste de l'histoire.

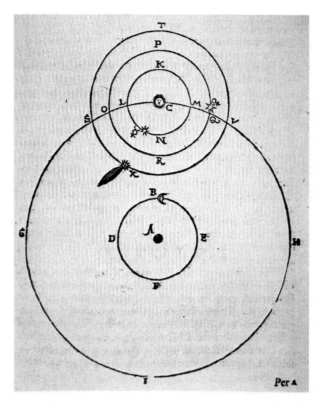

Figure 12 Le modèle de Tycho Brahé commet la même erreur que Ptolémée en plaçant au centre de l'univers la Terre, autour de laquelle tournent la Lune et le Soleil. Le grand apport de l'astronome danois fut de comprendre que les planètes (et la comète au panache de feu sur cette illustration) orbitaient autour du Soleil. Cette illustration est tirée du traité *De mundi aetherei* de Tycho Brahé.

de Tycho avaient été conçus de manière à pouvoir être transportés, car il avait parfaitement conscience qu'« un astronome doit être cosmopolite, car on ne peut attendre d'hommes d'État ignorants qu'ils apprécient à leur juste valeur leurs services ».

Tycho émigra à Prague, où l'empereur Rodolphe II le nomma Mathématicien Impérial et l'autorisa à fonder un nouvel observatoire au château de Benatky. Ce déménagement se révéla très bénéfique, car c'est à Prague que Tycho fit équipe avec un nouvel assistant, Johannes Kepler, lui aussi arrivé depuis peu dans la ville. Le luthérien Kepler avait dû abandonner précipitamment le poste qu'il occupait précédemment à Graz, en Autriche, lorsque le très catholique archiduc Ferdinand avait menacé de l'exécuter, conformément à sa déclaration selon laquelle il préférait « transformer le pays en désert plutôt que de régner sur des hérétiques ».

Le hasard faisant bien les choses, Kepler se mit en route pour Prague le 1er janvier 1600, début d'un nouveau siècle – et d'une nouvelle collaboration, qui allait déboucher sur une nouvelle conception de l'univers. Ensemble, Tycho et Kepler formaient un tandem parfait. Le progrès scientifique requiert à la fois observation et maîtrise des mathématiques, expérimentation et théorie. Tycho avait recueilli la plus extraordinaire somme d'observations de l'histoire de l'astronomie, et Kepler se révélerait un excellent interprète de ces observations. Bien que Kepler souffrît de myopie et d'une polyopie anoculaire congénitale (il voyait parfois double), il devait finir par voir plus loin que Tycho.

Leur partenariat s'était constitué à point nommé. Quelques mois après l'arrivée de Kepler, en effet, Tycho assistait à un dîner offert par le baron de Rosenberg et s'enivrait à son habitude, refusant néanmoins d'enfreindre l'étiquette en se levant de table avant le baron. Kepler rapporte la scène en ces termes : « À mesure qu'il buvait, il sentait la tension croître dans sa vessie, mais il fit passer la politesse avant sa santé. Quand il rentra chez lui, il parvint à peine à uriner. » La nuit suivante, il fut pris de fièvre, et dès lors, il alterna entre des périodes de perte de conscience et de délire. Dix jours plus tard, il n'était plus de ce monde.

Sur son lit de mort, Tycho avait déclaré plusieurs fois : « Puissé-je ne pas avoir vécu en vain ! » Il n'avait rien à craindre, car Kepler allait veiller à ce que les minutieuses observations de Tycho portent leurs fruits. On peut même penser que Tycho *devait* mourir pour que son œuvre soit reconnue, car de son vivant, il gardait soigneusement ses carnets et ne faisait jamais part à quiconque de ses observations, ayant rêvé toute sa vie de publier un chef-d'œuvre en solitaire. Si la compréhension de la signification profonde de ses propres observations excédait ses propres forces, et requérait les talents d'un mathématicien chevronné tel que Kepler, Tycho n'avait vraisemblablement jamais envisagé de travailler avec ce dernier sur un pied d'égalité – il était, après tout, un aristocrate danois, alors que Kepler était un simple paysan.

Kepler était né dans une famille pauvre luttant pour survivre aux tourments causés par la guerre, les conflits religieux, un père criminel et pervers, et une mère accusée de sorcellerie et chassée du village natal. Avec de tels antécédents, il n'est pas étonnant qu'il soit devenu un hypocondriaque éternellement angoissé, éprouvant très peu d'estime pour lui-même. Dans un horoscope auto-dévalorisant, qu'il écrivit à la troisième personne, il se décrit lui-même comme un petit chien :

> Il aime ronger des os et des croûtes de pain sec, et il est si gourmand qu'il attrape tout ce qu'il aperçoit ; cependant, tel un chien, il boit peu et se satisfait de la nourriture la plus ordinaire [...]. Il cherche continuellement à s'attirer la bienveillance des autres, dépend des autres pour tout, obéit à leurs moindres désirs, ne se met jamais en colère quand ils l'admonestent, et n'a qu'une hâte, celle de regagner leurs faveurs [...]. Tel un chien, il a horreur des bains, des teintures et des lotions. Son imprudence ne connaît aucunes limites, ce qui est sûrement dû à Mars en quadrature avec Mercure et en trin avec la Lune.

Sa passion pour l'astronomie semble avoir été la seule chose qui lui ait fait oublier de temps à autre l'aversion qu'il éprouvait pour sa propre personne. À l'âge de vingt-cinq ans, il écrivit *Mysterium cosmographicum*, le premier livre qui ait défendu le *De revolutionibus* de Copernic. Par la suite, il se fixa pour but de prouver la véracité du modèle héliocentrique en identifiant, pour commencer, les raisons de son imprécision. La plus grande imprécision touchait à la prédiction de la trajectoire de Mars. Rheticus avait été si contrarié par son incapacité à résoudre le problème posé par Mars, dit Kepler, « qu'il avait fait appel en dernier ressort à son ange gardien pour qu'il lui servît d'Oracle. Là-dessus, l'esprit mauvais avait empoigné Rheticus par les cheveux et projeté à plusieurs reprises sa tête contre le plafond, avant de lâcher son corps, qui alla s'écraser sur le sol ». Ayant finalement réussi à avoir accès aux observations de Tycho, Kepler eut bon espoir de pouvoir résoudre le problème de Mars en huit jours ; en fait, la tâche lui demanda huit années. Il est utile d'insister sur le temps que passa Kepler à perfectionner le modèle héliocentrique (huit années !), car le bref résumé qui suit pourrait facilement faire sous-estimer l'immense portée de son œuvre. Les conclusions de Kepler furent l'aboutissement de calculs ardus et tortueux qui remplirent pas moins de neuf cents pages manuscrites.

Kepler réalisa sa grande avancée en se débarrassant d'un des plus anciens postulats de l'astronomie, selon lequel les planètes décrivent toutes des trajectoires circulaires ou issues de combinaisons de cercles, pour la simple raison que le cercle est une forme parfaite, sacrée. Même Copernic était resté obstinément attaché à ce dogme du cercle, et Kepler identifia là l'une des trois assertions fausses de Copernic. Ce dernier, soutenait-il, avait affirmé à tort que :

1. les planètes décrivent des cercles parfaits,
2. les planètes se meuvent à des vitesses constantes,
3. le Soleil se trouve au centre de ces orbites.

Copernic avait certes raison quand il déclarait que les planètes tournaient autour du Soleil, et non de la Terre, mais son attachement à ces trois postulats erronés ruinait par avance tout espoir de prédire un jour les mouvements de Mars et des autres planètes avec un haut degré de précision. Kepler devait réussir là où Copernic avait échoué en rejetant ces postulats, car il était convaincu que la vérité ne se fait jour que lorsque tous les préjugés, dogmes et idéologies sont écartés. Il ouvrit ses yeux et son esprit, s'appuya sur les observations de Tycho, et bâtit son modèle sur les données recueillies par son prédécesseur. Peu à peu, un modèle non faussé de l'univers commença à émerger. Oui, les nouvelles équations de Kepler relatives aux orbites s'accordaient aux observations, et le système solaire prenait enfin forme. En exposant les erreurs de Copernic, Kepler montra que :

1. les planètes décrivent des ellipses, et non des cercles parfaits,
2. la vitesse des planètes varie constamment,
3. le Soleil ne se trouve pas tout à fait au centre de ces orbites.

Lorsqu'il sut qu'il tenait la solution du mystère des orbites planétaires, Kepler s'écria : « Ô Dieu Tout-Puissant, j'ai eu Tes pensées après Toi ! »

En fait, les deuxième et troisième points du nouveau modèle de Kepler découlaient du premier, qui affirme que les orbites des planètes sont elliptiques. Un bref exposé de ce que sont les ellipses et de la façon dont elles sont construites révèle pourquoi il en va ainsi. On peut dessiner une ellipse en fixant à l'aide d'épingles les deux extrémités d'une cordelette sur une ardoise, comme le montre la Figure 13, puis en utilisant un crayon pour tendre la cordelette. Si le crayon se déplace autour de l'ardoise, en tendant la corde, il tracera la moitié d'une ellipse. Passez de l'autre côté de la corde, et tendez-la à nouveau, la deuxième moitié de l'ellipse peut être dessinée. La longueur de la corde étant constante et les points d'attache étant fixes, l'ellipse peut être définie comme l'ensemble des points dont la distance combinée (somme des deux distances) par rapport aux deux épingles a une valeur spécifique uniforme. Sur la Figure 13, la distance combinée du crayon par rapport aux deux épingles est toujours de 10 cm. Les positions des épingles sur l'ardoise sont appelées les foyers (*foci*) de l'ellipse. S'agissant des trajectoires elliptiques suivies par les planètes, le Soleil se trouve à l'emplacement d'un des *foci*, et non au centre des orbites planétaires. De ce fait, une planète sera parfois plus proche du Soleil qu'à d'autres moments, comme si cette dernière « tombait » vers le Soleil. Ce processus de « chute » fait accélérer la planète, et, inversement, la planète ralentit quand elle s'éloigne du Soleil.

Kepler montra que lorsqu'une planète suit sa trajectoire elliptique autour du Soleil, accélérant et ralentissant alternativement, une ligne imaginaire joignant la planète au Soleil balayera des aires égales en des temps égaux. Cette affirmation quelque peu abstraite est illustrée par la Figure 14. Elle est importante parce qu'elle définit précisément comment la vitesse d'une planète varie le long de son orbite, contrairement à la thèse de Copernic selon laquelle les vitesses planétaires étaient constantes.

La géométrie de l'ellipse ayant été étudiée dès l'époque de la Grèce antique, pourquoi personne n'avait jamais émis auparavant l'idée que les orbites des planètes pouvaient être des ellipses ? Une raison, on l'a vu, était la foi inébranlable en la perfection du cercle, forme géométrique indépassable, qui semblait donner des œillères aux astronomes, et les rendre rétifs à toute autre hypothèse. Mais une autre raison tenait au fait que la plupart d'entre elles n'étant que très légèrement elliptiques, les orbites des planètes paraissaient circulaires avec les moyens d'observation de l'époque. Par exemple, le rapport entre la longueur de l'axe mineur divisé par celle de l'axe majeur (voir Figure 13) est une bonne indication du degré auquel une ellipse s'approche du cercle. Le rapport est de 1,0 pour un cercle, mais dans le cas de l'orbite de la Terre, il est de 0,99986. L'orbite de Mars, la planète qui avait donné des cauchemars à Rheticus, était très problématique, car elle est plus apla-

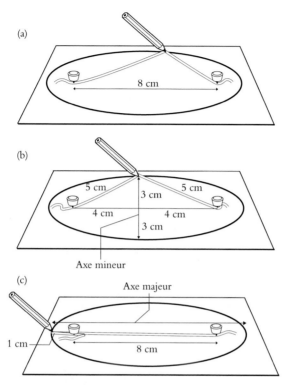

Figure 13 Une façon simple de dessiner une ellipse consiste à utiliser une corde attachée à deux épingles, comme on le voit sur le diagramme (a). Si les épingles sont distantes de 8 cm l'une de l'autre, et si la corde est longue de 10 cm, l'ellipse est formée de l'ensemble des points dont la somme des distances aux deux épingles (ou foyers) est constante.

Par exemple, sur le diagramme (b), la corde de 10 cm forme deux côtés d'un triangle, chacun de 5 cm. Selon le théorème de Pythagore, la distance entre le centre de l'ellipse et le sommet du triangle doit être de 3 cm. Cela signifie que la hauteur totale (ou *axe mineur*) de l'ellipse est de 6 cm. Sur le diagramme (c), la corde de 10 cm est tirée latéralement, dans le prolongement de l'axe formé par les deux foyers. On peut alors constater que la largeur totale de l'ellipse (son *axe majeur*) est de 10 cm (8 cm d'une épingle à l'autre, et 1 cm à chaque extrémité).

L'ellipse représentée ici est assez aplatie, son axe mineur n'étant que de 6 cm, comparés aux 10 cm de l'axe majeur. Si l'on rapprochait les deux foyers, les axes mineur et majeur de l'ellipse tendraient vers des valeurs égales, et l'ellipse serait de moins en moins aplatie. Si les deux foyers se confondaient, la corde formerait un rayon constant de 5 cm, et la forme qui en résulterait serait un cercle.

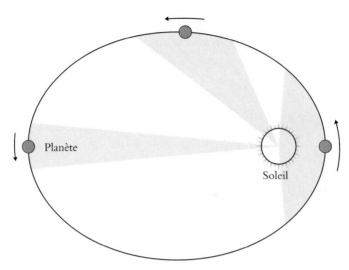

Figure 14 Ce diagramme représente une orbite planétaire fortement elliptique. La hauteur (axe mineur) de l'ellipse est égale à environ 70 % de sa largeur (axe majeur), alors que pour la plupart des orbites planétaires du système solaire, le rapport est généralement compris entre 99 et 100 %. De même, le foyer occupé par le Soleil est largement excentré, alors que dans le cas des orbites planétaires réelles, dont la plupart sont quasi circulaires, il est juste légèrement décentré. Le diagramme illustre la deuxième loi de Kepler sur le mouvement des planètes. Kepler explique que la ligne imaginaire joignant une planète au Soleil (le « rayon vecteur ») décrit des aires égales en des temps égaux (autrement dit, plus la planète se rapproche du Soleil, plus elle va vite). Les trois zones ombrées ont toutes des surfaces égales. Quand la planète se rapproche du Soleil, le rayon vecteur se raccourcit, mais cette diminution est compensée par la plus grande vitesse de l'astre, ce qui veut dire que ce dernier parcourt un plus long segment de la circonférence de l'ellipse en un temps donné. Quand la planète s'éloigne du Soleil, le rayon vecteur est beaucoup plus long, mais elle se déplace alors plus lentement, et du coup, parcourt une section plus courte de la circonférence pendant le même temps. Conclusion : l'aire balayée en un temps donné a toujours la même surface.

tie, mais le rapport entre les deux axes, dans son cas, est toujours très proche de 1 (il est de 0,99566 pour être précis). En bref, n'étant que légèrement elliptique, l'orbite de Mars a induit en erreur les astronomes, qui pensaient qu'elle était circulaire, mais elle était suffisamment elliptique pour poser de vrais problèmes à quiconque tentait de la modéliser en termes de cercles.

Les ellipses de Kepler fournirent une vision complète et précise du système solaire. Ses conclusions constituèrent un triomphe pour la science et la méthode scientifique, fruit de la combinaison de l'observation, de la théorie et des mathématiques. Kepler dévoila pour la première fois sa thèse révolutionnaire en 1609 dans un copieux traité intitulé *Astronomia Nova*, qui détaillait huit années de labeur minutieux, sans rien omettre de ses tâtonnements, fausses pistes et repentirs. Il demandait au lecteur de compatir avec lui : « Si vous êtes las de cette fastidieuse méthode de calcul, prenez pitié de moi qui ai dû la répéter au moins soixante-dix fois, pour une grande perte de temps. »

Le modèle du système solaire avancé par Kepler était simple, astucieux et indubitablement précis s'agissant de la prévision des trajectoires des planètes, et cependant personne ne crut qu'il représentait la réalité. Dans leur grande majorité, philosophes, astronomes et hauts dignitaires de l'Église y virent un bon modèle pour effectuer des calculs, mais rien ne put les faire démordre de leur conviction que la Terre était le centre de l'univers. Leur préférence pour un univers géocentrique se fondait largement sur l'incapacité de Kepler à apporter une réponse à certaines questions du Tableau 2 (page 45) – notamment touchant à la gravité : comment la Terre et d'autres planètes peuvent-elles être attirées vers le Soleil, quand tout autour de nous est attiré vers le centre de la Terre ? De même, le recours de Kepler aux ellipses, qui était contraire à la théorie des cercles, était considéré comme risible. L'homme d'Église et astronome David Fabricius fit part de son avis à Kepler dans une lettre : « Avec votre ellipse, vous abolissez la circularité et l'uniformité des mouvements, ce qui, plus j'y pense, me paraît absurde... Si seulement vous pouviez conserver l'orbite circulaire parfaite, et justifier votre orbite elliptique par un autre petit épicycle, ce serait beaucoup mieux. » Mais une ellipse ne peut être construite avec des cercles et des épicycles.

Déçu par le médiocre accueil réservé à son *Astronomia Nova*, Kepler alla de l'avant et décida d'employer ses talents à d'autres disciplines. Il était à tout jamais curieux du monde qui l'entourait, et justifiait ses incessantes explorations scientifiques en ces termes : « Nous ne nous demandons pas à quelle fin utile les oiseaux chantent, car le chant est leur plaisir puisqu'ils ont été créés pour chanter. De même, nous devons renoncer à nous demander pourquoi l'esprit humain s'inquiète à percer les secrets des cieux [...]. La diversité des phénomènes de la Nature est si grande, et les trésors cachés dans les cieux si riches, précisément afin que l'esprit humain ne puisse jamais manquer de nourriture nouvelle. »

Au-delà de ses recherches sur les orbites des planètes, Kepler se consacra à des travaux de qualité diverse. Il se fourvoya en réinventant la théorie pythagoricienne selon laquelle les planètes retentissent d'une « musique des sphères ». Selon Kepler, la vitesse de chaque planète produit des notes spécifiques (en l'occurrence, do, ré, mi, fa, sol, la, si). La Terre émet les notes fa et mi, ce qui donne le mot latin *fames*, qui signifie « famine », ce qui semblerait indiquer la véritable nature de notre planète. Il utilisa mieux son temps en rédigeant *Somnium*, l'un des ouvrages précurseurs de la science-fiction, qui relatait le voyage d'un groupe d'aventuriers dans la Lune. Et deux ans après *Astronomia Nova*, Kepler écrivit l'une de ses études les plus originales, « Des flocons de neige à six angles », dans laquelle il s'interrogeait sur la symétrie hexagonale des cristaux de neige et recourait à des conceptions atomistes pour l'expliquer.

L'étude était dédicacée à son protecteur, Johannes Matthaeus Wackher von Wackenfels, à qui on doit également d'avoir appris à Kepler la plus formidable nouvelle dont il ait jamais pris connaissance : la description d'une innovation technologique qui devait transformer l'astronomie en général, et le statut du modèle héliocentrique en particulier. La nouvelle était si stupéfiante que Kepler en parle encore dans son récit de la visite d'Herr Wackher en mars 1610 : « J'ai éprouvé une extraordinaire émotion quand j'ai appris cette curieuse histoire. J'ai été ému au plus profond de mon être. » Kepler venait d'entendre parler pour la première fois de la longue-vue, ou lunette, qu'utilisait Galilée pour explorer les cieux et révéler au monde de nouveaux objets du ciel nocturne.

Voir, c'est croire

Né à Pise le 15 février 1564, Galilée (Galileo Galilei) a souvent été qualifié de « père de la science », et de fait, sa prétention à ce titre est fondée sur une œuvre impressionnante. Il ne fut peut-être pas le premier à énoncer une théorie scientifique, ni à mener une expérimentation, ni à observer la nature, ni, même, le premier à faire une nouvelle invention, mais il fut probablement le premier à exceller dans tous ces domaines en même temps, étant un brillant théoricien, un maître expérimentateur, un observateur minutieux et un inventeur d'une rare ingéniosité. Il fit montre de l'étendue de ses talents dès l'époque où il était étudiant. Un jour, alors qu'il laissait errer son esprit pendant un office dans la cathédrale de Pise, il remarqua un candélabre qui se balançait sous la voûte. Il utilisa alors son propre pouls pour mesurer la durée de chaque oscillation et observa que la période d'un cycle complet (aller et retour) restait constante, même si l'oscillation de grande amplitude du début de l'office n'était plus à la fin qu'un faible mouvement de balancement. Une fois rentré chez lui, il passa de l'observation à l'expérimentation et joua avec des pendules de différents poids et longueurs. Il utilisa ensuite les résultats de ses expériences pour élaborer une théorie expliquant comment la période d'une oscillation est indépendante de son angle et du poids de la lentille (ou balancier), mais dépend uniquement de la longueur du pendule. Après en avoir fini avec la recherche pure, Galilée passa à l'aspect pratique des choses en collaborant à l'invention d'une *pulsilogia*, simple pendule dont le balancement régulier lui permettait de servir à mesurer le temps.

En particulier, l'instrument pouvait être utilisé pour mesurer le pouls d'un patient, les rôles dans l'observation originelle de Galilée – quand il utilisait son pouls pour mesurer la période de l'oscillation de la lampe – étant du coup inversés. Il faisait à l'époque des études de médecine, mais ce devait être sa seule contribution à cette discipline. Par la suite, il obtint de son père l'autorisation de poursuivre une carrière scientifique.

En plus de son indéniable intelligence, la réussite de Galilée en tant que savant allait reposer sur son indéniable curiosité pour le monde et tout ce qu'il contenait. Ayant bien conscience de sa nature inquisitrice, il s'écria un jour : « Quand cesserai-je de m'interroger ? »

Cette curiosité insatiable allait de pair avec un zeste d'esprit frondeur. Il n'éprouvait aucun respect pour l'autorité, d'autant qu'il n'acceptait pas qu'une théorie fût vraie pour la simple raison que des professeurs, des théologiens, ou les Grecs de l'Antiquité en avaient décidé ainsi. Par exemple, Aristote avait avancé des arguments philosophiques pour déduire que les objets lourds tombaient plus vite que les objets légers, mais Galilée mena une expérience qui prouva qu'Aristote avait tort. Il eut même l'audace de dire qu'Aristote, alors le penseur le plus vénéré de l'histoire, « avait énoncé une contre-vérité ».

Quand il entendit dire la première fois que Galilée utilisait un lunette télescopique pour explorer les cieux, Kepler crut

probablement que le jeune savant italien avait inventé cet instrument. Et en effet, de nombreuses personnes aujourd'hui
associent le nom de Galilée à l'invention de la longue-vue. En
fait, c'est Hans Lippershey, un lunetier flamand, qui mit au
point la première longue-vue en octobre 1608. Quelques mois
après cette innovation capitale, nota Galilée, « une rumeur vint
à nos oreilles selon laquelle une longue-vue avait été fabriquée
par un certain Hollandais ». L'Italien décida sur-le-champ d'en
construire une lui-même. L'apport majeur de Galilée sera de
transformer le dispositif rudimentaire de Lippershey en un instrument puissant et véritablement fonctionnel. En août 1609,
Galilée offrit au Doge de Venise la plus puissante lunette jamais
conçue. Ils grimpèrent tous les deux au sommet du clocher de
Saint-Marc, installèrent cette longue-vue – que nous appelle-
rons désormais télescope (instrument pour la vision lointaine)
– et scrutèrent le lagon. Une semaine plus tard, dans une lettre
à son beau-frère, Galilée put rapporter que le télescope avait
fonctionné « pour le plus grand émerveillement de tous ». Les
instruments concurrents avaient un coefficient de grossissement voisin de $\times$ 10, mais Galilée, qui avait une meilleure
compréhension de l'optique du télescope, était capable d'obtenir un grossissement $\times$ 60. Non seulement le télescope allait
donner aux Vénitiens l'avantage dans les combats, dans la
mesure où ils pouvaient voir l'ennemi avant que l'ennemi ne
les voie, mais il permettrait aux marchands les plus astucieux
d'apercevoir un navire arrivant au loin avec une nouvelle car-
gaison d'épices ou de tissus, et donc de vendre leurs stocks
avant que les prix du marché ne s'effondrent.

Galilée tira profit de la commercialisation de son télescope,
mais il comprit que ce dernier avait aussi une valeur scientifique. Quand Galilée braqua son télescope en direction du ciel
nocturne, l'instrument lui permit de voir plus loin, plus clairement et plus profondément dans l'espace que quiconque ne
l'avait jamais fait avant lui. Quand Herr Wackher parla à Kepler
du télescope de Galilée, l'astronome reconnut immédiatement
son potentiel et écrivit ce panégyrique : « Ô télescope, instrument de grand savoir, plus précieux qu'aucun sceptre ! Celui
qui te tient dans sa main ne devient-il pas roi et seigneur des
œuvres de Dieu ? » Galilée deviendrait ce roi et ce seigneur.

Galilée commença par étudier la Lune, pour constater qu'elle
était couverte de « vastes protubérances, de failles profondes et
de sinuosités », et ce en contradiction directe avec la concep-

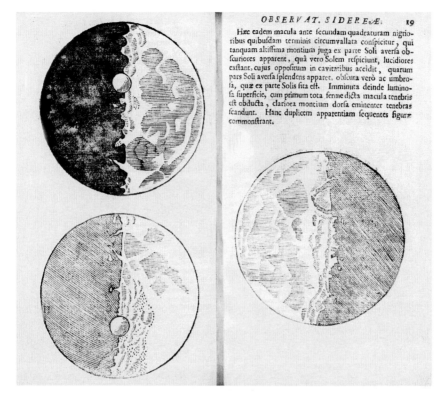

Figure 15 Dessins de la Lune, par Galilée

tion ptoléméenne selon laquelle les corps célestes étaient des sphères parfaites. L'imperfection des cieux fut confirmée par la suite quand Galilée pointa son télescope vers le Soleil et remarqua des zones sombres et autres imperfections – les taches solaires, qui, on le sait aujourd'hui, sont des plaques moins chaudes à la surface du Soleil, dont la largeur peut atteindre 100 000 km. Puis, pendant les nuits de janvier 1610, Galilée effectua une observation encore plus décisive quand il repéra dans le voisinage de Jupiter ce qu'il crut initialement être quatre étoiles fixes. Il devint bientôt évident que les objets en question n'étaient pas des étoiles (car elles se déplaçaient autour de Jupiter), mais des satellites, ou « lunes ». Jusque-là, personne n'avait jamais aperçu de lunes autres que la nôtre. Ptolémée soutenait que tous les astres tournaient autour de la Terre, mais cette découverte apportait la preuve irréfutable qu'il existait d'autres centres de mouvement dans l'univers.

Galilée, qui entretenait une correspondance avec Kepler,

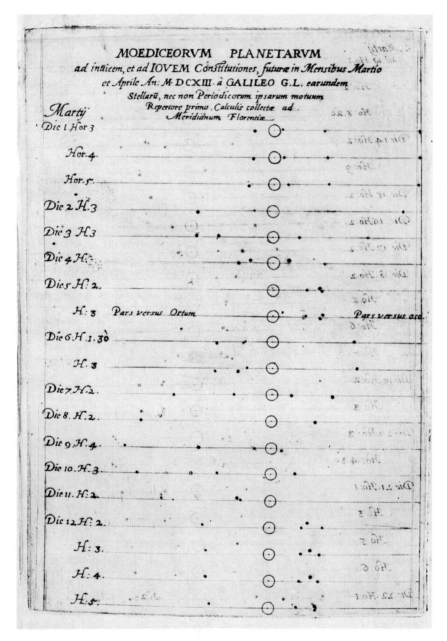

Figure 16 Dessins de Galilée représentant les positions successives des lunes de Jupiter. Les cercles représentent Jupiter, et les petits points visibles de chaque côté de l'astre correspondent aux positions des lunes. Sur chaque ligne est consignée une observation (plusieurs observations sont parfois effectuées pendant une seule et même nuit).

connaissait parfaitement la dernière version keplérienne du modèle copernicien. Il comprit que sa découverte des lunes de Jupiter apportait de l'eau au moulin du modèle héliocentrique de l'univers. Il ne faisait aucun doute pour lui que Copernic et Kepler avaient raison, et pourtant, il continua à chercher des preuves de la véracité de son modèle, dans l'espoir de convertir les autorités intellectuelles de son temps, qui restaient obstinément attachées à la conception traditionnelle d'un univers géocentrique. La seule façon de sortir de l'impasse était de formuler une prédiction claire et nette sur la base d'un des deux modèles concurrents, héliocentrique ou géocentrique. Si une telle prédiction se vérifiait, elle confirmerait un modèle et réfuterait l'autre. Une bonne science produit des théories vérifiables, et c'est par la vérification que la science progresse.

En fait, Copernic avait formulé une telle prédiction, qui attendait d'être vérifiée dès que les instruments permettant d'effectuer les observations appropriées seraient disponibles. Dans *De revolutionibus*, il avait soutenu que Mercure et Vénus présenteraient une série de phases semblables à celles de la Lune (chaque planète apparaissant pleine, ou sous la forme de quartier, de croissant, etc.). Au XVe siècle, personne ne pouvait observer une telle succession de phases, car le télescope n'avait pas encore été inventé, mais Copernic en était convaincu, ce n'était qu'une question de temps, et on finirait tôt ou tard par constater ces phénomènes : « Si le sens de la vue pouvait être rendu un jour assez puissant, nous pourrions voir les phases de Mercure et Vénus. »

Mais laissons de côté Mercure et concentrons-nous sur Vénus : la Figure 17 nous fait voir l'importance des phases. Vénus a toujours une face éclairée par le Soleil, mais comme cette face n'est pas toujours tournée vers nous, qui l'observons depuis la Terre, nous voyons Vénus passer par une série de phases. Dans le modèle géocentrique de Ptolémée, la succession des phases est déterminée par l'orbite de Vénus autour de la Terre, et non du Soleil, et par sa soumission servile à son épicycle. Cependant, dans le modèle héliocentrique, la succession des phases est différente, car déterminée par l'orbite de l'astre autour du Soleil, et non de la Terre, et sans interférence d'un quelconque épicycle. Si l'on pouvait identifier la véritable séquence des croissances et décroissances de Vénus, on saurait avec certitude quel modèle était le bon.

À l'automne 1610, Galilée devait être le premier à observer et noter les phases de Vénus. Comme il s'y attendait, ses observa-

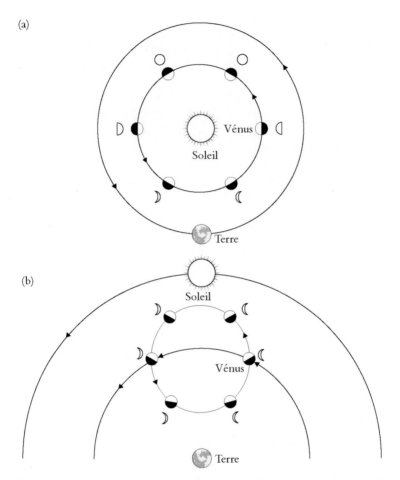

Figure 17 Les observations précises des phases de Vénus par Galilée prouvèrent que Copernic avait raison, et que Ptolémée avait tort. Dans le modèle héliocentrique de l'univers, représenté par le diagramme (a), aussi bien la Terre que Vénus orbitent autour du Soleil. Bien qu'elle soit toujours à moitié éclairée par le Soleil, depuis la Terre, Vénus semble passer par un cycle de phases, allant du croissant au disque complet. La phase est représentée à côté de chaque position de Vénus.

Dans le modèle géocentrique de l'univers, le Soleil et Vénus gravitent tous les deux autour de la Terre, et Vénus, par ailleurs, décrit son propre épicycle. Les phases dépendent de la position de Vénus sur son orbite et sur son épicycle. Sur le diagramme (b), l'orbite de Vénus se trouve à peu près à mi-chemin entre la Terre et le Soleil, les phases étant fonction de leurs positions relatives. En identifiant la véritable série de phases, Galilée est parvenu à déterminer quel modèle était le bon.

tions s'accordaient parfaitement aux prédictions du modèle héliocentrique, et corroboraient une fois de plus la révolution copernicienne. Il annonça à Kepler sa découverte dans un message codé, une formule latine des plus sibyllines : *Haec immatura a me iam frustra leguntur oy* (« Ces choses ont été essayées par moi, mais en vain »). Il devait expliquer plus tard qu'il s'agissait d'un anagramme, et qu'il fallait lire : *Cynthiae figuras aemulatur Mater Amorum* (« La Mère des Amours imite les figures de Cynthia »). Cynthia faisait référence à la Lune, dont les phases étaient déjà connues, et la Mère des Amours était une allusion à Vénus, dont Galilée venait de découvrir les phases.

Les arguments en faveur d'un univers héliocentrique se trouvaient renforcés avec chaque nouvelle découverte. Le Tableau 2 (p. 45) compare les deux modèles, hélio et géocentrique, fondés sur des observations précoperniciennes, et montre pourquoi le modèle géocentrique resta le plus intelligible des deux pendant toute la durée du Moyen Âge. Le Tableau 3 montre comment les observations de Galilée rendirent le modèle héliocentrique plus convaincant. Les seuls véritables points faibles du modèle héliocentrique devaient s'estomper plus tard, lorsque les astronomes résolurent le problème de la gravité, et expliquèrent pourquoi nous ne percevons pas le mouvement de la Terre autour du Soleil. Certes, le modèle héliocentrique semblait aller à l'encontre du bon sens (un des points mis en lumière dans le tableau), mais ce n'était pas vraiment un inconvénient, car le bon sens n'a en général pas grand-chose à voir avec la science !

À ce stade, tout astronome aurait dû faire allégeance au modèle héliocentrique, mais rien de tel ne se produisit. La plupart des astronomes avaient passé leur vie entière avec la conviction que l'univers tournait autour d'une Terre statique, et, tant d'un point de vue intellectuel que sur le plan psychologique, ils étaient incapables de sauter le pas et de se rallier à une vision héliocentrique de l'univers. Quand il entendit parler des observations de Galilée concernant les lunes de Jupiter, qui donnaient à penser que la Terre n'était peut-être pas le centre de toutes choses, l'astronome Francesco Sizi avança une étrange contre-argumentation : « Les lunes sont invisibles à l'œil nu, elles ne peuvent donc exercer aucune influence sur la Terre, et sont par là même inutiles ; par conséquent, elles ne peuvent exister. » Le philosophe Giulio Libri adopta une argumentation similaire et mit même un point d'honneur à refuser de regarder dans un

Tableau 3
Ces deux tableaux dressent la liste de dix critères importants à l'aune desquels les modèles géo et héliocentrique pouvaient être jugés, sur la base de ce que l'on savait en 1610, après les observations de Galilée. La troisième colonne résume de façon approximative les résultats obtenus par chaque théorie selon chaque critère. Un point

Critère	Modèle géocentrique	Validité
1. Bon sens	Tous les objets célestes tournent autour de la Terre, c'est une évidence	✔
2. Conscience du mouvement de la Terre	Aucun mouvement n'étant décelé, la Terre ne peut être mobile	✔
3. Chute des objets	La position centrale de la Terre explique pourquoi les objets tombent vers le bas (ils sont attirés vers le centre de l'univers)	✔
4. Parallaxe stellaire	Aucune parallaxe stellaire n'est détectée, absence compatible avec une Terre statique et un observateur stationnaire	✔
5. Prédiction des positions planétaires	Correcte	✔
6. Rétrogradations des planètes	Expliquées au moyen des épicycles et des déférents	✔
7. Simplicité	Modèle très compliqué, faisant appel à des épicycles, déférents, équants et excentriques pour chaque planète	✘
8. Phases de Vénus	Ne parvient pas à prédire les phases observées	✘
9. Taches solaires et imperfections de la surface de la Lune	Problématique. Ce modèle est issu de la vision du monde aristotélicienne, qui prétend que les cieux sont parfaits	✘
10. Lunes de Jupiter	Problématique. Tout est censé tourner autour de la Terre !	✘

d'interrogation indique une absence de données. Comparé à l'évaluation effectuée sur la base des connaissances antérieures à Copernic (voir Tableau 2, pp. 44-45), le modèle héliocentrique semble désormais plus convaincant. Ce changement est en partie dû aux nouvelles observations (points 8, 9 et 10) rendues possibles par l'avènement du télescope.

Critère	Modèle héliocentrique	Validité
1. Bon sens	Il faut beaucoup d'imagination – et renoncer à toute logique – pour se convaincre que la Terre fait le tour du Soleil	✗
2. Conscience du mouvement de la Terre	Aucun mouvement n'étant détecté, ce qui est difficile à expliquer si la Terre est mobile	✗
3. Chute des objets	Il n'y a pas d'explication évidente à la chute des objets vers le sol dans un modèle où la Terre n'occupe pas une position centrale	✗
4. Parallaxe stellaire	La Terre étant en mouvement, l'absence apparente de parallaxe stellaire doit être due aux énormes distances stellaires ; la parallaxe aurait pu être détectée avec de meilleurs instruments	?
5. Prédiction des positions planétaires	Correcte, mais pas aussi sûre qu'avec le modèle géocentrique	?
6. Rétrogradations des planètes	Une conséquence naturelle du mouvement de la Terre et de notre changement de position	✔
7. Simplicité	Très simple, toutes les planètes décrivant des cercles	✔
8. Phases de Vénus	Prédit correctement les phases observées	✔
9. Taches solaires et imperfections de la surface de la Lune	Pas de problème – ce modèle ne se préoccupe pas de la perfection ou de l'imperfection des corps célestes	✔
10. Lunes de Jupiter	Pas de problème – ce modèle tolère une multiplicité de centres	✔

télescope. Quand Libri mourut, Galilée déclara que le savant, en route vers le Paradis, allait pouvoir enfin voir les taches solaires, les lunes de Jupiter et les phases de Vénus.

De la même manière, l'Église catholique répugna à abandonner sa doctrine postulant que la Terre était fixée au centre de l'univers, même lorsque des mathématiciens jésuites eurent confirmé la supériorité du modèle héliocentrique. Par la suite, les théologiens concédèrent que ce modèle permettait d'effectuer d'excellentes prédictions à propos des orbites planétaires, mais dans le même temps, ils persistèrent à refuser de voir en lui une représentation valide de la réalité. En d'autres termes, le Vatican considérait le modèle héliocentrique de la même manière que nous considérons la phrase « *How I need a drink, alcoholic of course, after the heavy lectures involving quantum mechanics* » (littéralement, « J'ai vraiment besoin d'une boisson, alcoolisée bien sûr, après ces cours assommants où il a été question de mécanique quantique »). Cette phrase est en fait un moyen mnémotechnique permettant aux étudiants de se remémorer la valeur du nombre π. En relevant le nombre de lettres de chacun des mots de la phrase, nous obtenons 3,141 592 653 589 79, la valeur exacte de π à quatorze décimales près. Cette formule est effectivement un instrument extrêmement précis permettant de représenter la valeur de π, mais dans le même temps, nous savons que π n'a strictement rien à voir avec l'alcool. Aux yeux de l'Église, le modèle héliocentrique de l'univers jouait un rôle analogue – il était utile, mais ne reflétait pas la réalité.

De leur côté, les Coperniciens, dont Galilée s'était fait le champion, persistaient à affirmer que le modèle héliocentrique était tout à fait capable de prévoir la réalité, pour la simple raison qu'il *représentait* la réalité. Comme on pouvait s'y attendre, cette obstination suscita une réaction virulente de la part de l'Église. En février 1616, une commission de l'Inquisition déclara officiellement que la défense de la conception héliocentrique de l'univers était hérétique. L'une des premières conséquences de cet édit fut l'interdiction du livre de Copernic, *De revolutionibus*, en mars 1616, soixante-trois ans après sa publication.

Galilée ne put se résoudre à accepter la condamnation de ses conceptions scientifiques. S'il était un pieux catholique, il n'en était pas moins un rationaliste fervent, et il était parvenu à concilier ces deux systèmes de croyance. Il en était venu à penser que les savants sont les mieux placés pour effectuer des observations sur le monde matériel, les théologiens, de leur côté, étant davantage qualifiés pour émettre un avis sur le monde spirituel et la façon dont les hommes doivent se comporter ici-bas. « Les Saintes Écritures sont censées apprendre aux hommes comment se comporter pour gagner le Ciel, plaidait Galilée, et non comment se comportent les cieux. »

Si l'Église avait critiqué le modèle héliocentrique en identifiant les points faibles de sa démonstration, ou en arguant de la rareté des preuves disponibles, Galilée et ses amis auraient volontiers écouté ses arguments, mais la critique était purement idéologique. Galilée décida d'ignorer l'avis des cardinaux, et, année après année, continua à défendre la nouvelle conception de l'univers. Finalement, en 1623, il crut enfin pouvoir obtenir gain de cause quand son ami le cardinal Maffeo Barberini fut élu pape sous le nom d'Urbain VIII.

Galilée et le nouveau pape s'étaient connus à l'université de Pise. Peu après son élection, Urbain VIII accorda six audiences à Galilée. Au cours d'une audience, Galilée émit l'idée d'écrire un livre qui comparerait les deux conceptions concurrentes de l'univers, et il quitta le Vatican avec la ferme conviction qu'il avait reçu l'assentiment du pape. Il regagna son cabinet et mit en chantier le traité qui devait devenir l'un des ouvrages les plus controversés de toute l'histoire des sciences.

Dans son *Dialogo sopra i due massimi sistemi del mondo* (« Dialogue sur les Deux Grands Systèmes du Monde »), Galilée met en scène trois personnages pour exposer les mérites respectifs des visions du monde géocentrique et héliocentrique. Salviati, qui présente la propre conception héliocentrique de Galilée, est à l'évidence un homme intelligent, instruit et éloquent. Simplicio, le bouffon, tente de défendre la position géocentrique. Et Sagredo remplit le rôle de médiateur, guidant la conversation entre les deux autres personnages, même si ses préférences apparaissent de temps à autre quand il morigène et ridiculise Simplicio au cours de la discussion. Il s'agissait d'un texte très érudit, mais l'astuce consistant à utiliser des personnages pour expliquer arguments et contre-arguments le rendait accessible à un vaste lectorat. Par ailleurs, il était écrit en italien, et non en latin, l'objectif de Galilée étant de rallier un large public aux conceptions héliocentristes.

Le *Dialogue* fut finalement publié en 1632, presque dix ans après que Galilée eut apparemment obtenu l'approbation du pape. Ce délai considérable entre la mise en chantier et la publication devait avoir de graves conséquences, car la guerre de Trente

Figure 18 C'est grâce à Copernic (*en haut à gauche*), Tycho Brahé (*en haut à droite*), Kepler (en bas à gauche) et Galilée que le modèle héliocentrique de l'univers supplanta le modèle géocentrique. Prises ensemble, leurs œuvres respectives illustrent un aspect fondamental du progrès scientifique, à savoir la façon dont modèles et théories sont élaborés et perfectionnés à travers les siècles par plusieurs scientifiques marchant chacun sur les brisées de son prédécesseur.

Copernic osa accomplir le bond théorique qui relégua la Terre au rang de simple satellite et promut le Soleil au rôle central. Tycho Brahé, pourtant affligé d'une prothèse nasale en métal, fournit la masse d'observations qui allait aider plus tard Johannes Kepler à identifier le défaut principal du modèle copernicien, à savoir que les orbites planétaires ne sont pas circulaires, mais légèrement elliptiques. Finalement, Galilée découvrit à l'aide d'une lunette la preuve décisive qui acheva de convaincre les sceptiques. Il montra que la Terre n'est pas au centre de toutes choses, car Jupiter possède ses propres satellites. Il prouva également que les phases de Vénus ne sont compatibles qu'avec un modèle héliocentrique.

Ans qui faisait alors rage avait changé la donne politique et religieuse, et le pape Urbain VIII était désormais décidé à mater Galilée et à combattre ses thèses. La guerre de Trente Ans avait débuté en 1618, quand un groupe de protestants avait marché sur le Palais Royal à Prague et jeté par une fenêtre deux lieutenants-gouverneurs de la ville, événement connu sous le nom de Défenestration de Prague. La population locale avait été mécontentée par les persécutions continuelles que le roi catholique faisait subir aux protestants. En perpétrant cet attentat, elle déclencha un soulèvement des communautés réformées en Bohême, en Hongrie, en Transylvanie et dans d'autres régions de l'Europe. Quand le *Dialogue* fut enfin publié, la guerre sévissait depuis déjà quatorze ans, et l'Église catholique s'inquiétait de plus en plus de la menace protestante. Se devant d'apparaître comme le champion inflexible de la foi catholique, le pape décida, pour flatter l'opinion populaire et frapper les esprits, d'opérer un virage à 180° et de condamner les écrits blasphématoires de tout savant hérétique qui oserait remettre en question la conception géocentrique traditionnelle de l'univers.

Le revirement spectaculaire du pape pourrait aussi s'expliquer par des considérations plus personnelles. Des astronomes jaloux de la gloire de Galilée, alliés aux cardinaux les plus conservateurs, avaient en effet semé le trouble dans son esprit en dressant des parallèles entre certaines de ses déclarations antérieures – et fort naïves – sur l'astronomie, et les élucubrations du bouffon Simplicio du *Dialogue*. Par exemple, Urbain ayant soutenu, tout comme Simplicio, qu'un Dieu omnipotent avait créé l'univers sans aucun égard pour les lois de la physique, le pape fut vraisemblablement humilié par la réponse sarcastique de Salviati à Simplicio dans le *Dialogue* : « Assurément, Dieu aurait pu faire voler les oiseaux avec des os faits d'or plein, des veines remplies de mercure, une chair plus lourde que le plomb, et des ailes toutes petites. Mais il ne l'a pas fait, et cela doit signifier quelque chose. C'est uniquement pour masquer votre ignorance que vous invoquez le Seigneur à tout bout de champ. »

Peu après la publication du *Dialogue*, l'Inquisition fit comparaître Galilée, sur l'accusation de « grave soupçon d'hérésie ». Le savant ayant fait savoir qu'il était trop mal portant pour se déplacer, l'Inquisition menaça de l'arrêter et de le faire conduire à Rome chaînes aux pieds, sur quoi il acquiesça et se prépara pour le voyage. Alors qu'il attendait son arrivée, le pape tenta de faire saisir le *Dialogue* et ordonna à l'imprimeur d'envoyer l'ensemble du tirage à Rome, mais c'était trop tard : tous les exemplaires avaient déjà été vendus.

Le procès débuta en avril 1633. L'accusation d'hérésie portait essentiellement sur le conflit entre les conceptions de Galilée et l'affirmation de la Bible selon laquelle « Dieu a placé la Terre sur ses fondations, immuables pour l'éternité ». La plupart des membres de l'Inquisition adoptèrent le point de vue exprimé par le cardinal Bellarmin : « Affirmer que la Terre tourne autour du Soleil est aussi erroné que de prétendre que Jésus n'est pas né d'une vierge. » Cependant, parmi les dix cardinaux composant le tribunal s'était fait jour un clan rationaliste considérant avec sympathie les thèses de l'astronome. Ce clan était mené par Francesco Barberini, neveu du pape Urbain VIII. Pendant deux semaines, les charges s'accumulèrent contre Galilée, lequel fut même menacé de torture, mais Barberini ne cessa d'inciter ses pairs à la clémence et à la tolérance. Dans une certaine mesure, il fut entendu. Après avoir été déclaré coupable, Galilée ne fut ni exécuté, ni jeté dans un cachot, mais assigné à résidence pour une durée indéterminée, et le *Dialogue* fut ajouté à la liste des ouvrages interdits, l'*Index libororum prohibitorum*. Barberini fut l'un des trois juges qui refusèrent de signer la sentence.

Le procès de Galilée et la condamnation qui s'ensuivit constituent l'un des épisodes les plus sombres de l'histoire des sciences, un triomphe de l'irrationalité sur la science. À la fin du procès, Galilée fut contraint de se rétracter, de nier la vérité de la science. Il parvint cependant à sauver une part de sa fierté au nom de celle-ci. La légende dit qu'après avoir entendu à genoux la sentence, alors qu'il se relevait, il aurait murmuré ces mots : « *Eppur si muove !* » (« Et pourtant, elle bouge ! »). En d'autres termes, la vérité est dictée par la réalité, non par l'Inquisition. L'Église peut proclamer ce qu'elle veut, l'univers continuera à se mouvoir selon ses propres lois scientifiques immuables, et la Terre tournera quoi qu'il advienne autour du Soleil.

Galilée mena alors une vie de reclus. Confiné dans sa maison, il continua à réfléchir sur les lois gouvernant l'univers, mais ses recherches se virent gravement limitées quand il perdit totalement la vue en 1637, peut-être à cause d'un glaucome contracté en scrutant le Soleil avec sa lunette. Le grand observateur ne pouvait plus observer. Galilée mourut le 8 janvier 1642, et, pour le punir une dernière fois, l'Église refusa qu'il soit inhumé en terre consacrée.

La question ultime

Le modèle héliocentrique fut progressivement accepté par les astronomes au cours du siècle suivant, en partie parce que des preuves observationnelles furent recueillies en toujours plus grand nombre à l'aide de télescopes toujours plus performants, et en partie à cause de grandes « avancées » théoriques permettant d'expliquer les lois physiques à l'œuvre derrière le modèle. Enfin, dernière explication, une génération d'astronomes avait quitté ce monde. La mort est un facteur essentiel de l'avancement des sciences, car elle élimine les savants conservateurs de la génération antérieure qui refusent de renoncer à de vieilles conceptions erronées au profit de nouvelles théories. Leurs réticences sont compréhensibles, dans la mesure où ils ont bâti l'œuvre de leur vie autour d'un modèle unique, indiscutable – pour devoir finalement y renoncer au profit d'un nouveau modèle. Comme l'a fait remarquer Max Planck, l'un des grands physiciens du xxᵉ siècle, « une innovation scientifique importante s'impose rarement en convertissant et en ralliant progressivement à sa cause ses adversaires : il est rare que Paul devienne Pierre. La réalité est que les adversaires de l'innovation meurent progressivement, les uns après les autres, et que la génération montante se familiarise dès le départ avec les idées nouvelles ».

En même temps que l'acceptation du modèle héliocentrique de l'univers par la communauté des astronomes, il y eut aussi un changement dans l'attitude de l'Église. Les théologiens s'étaient rendu compte qu'ils finiraient par passer pour des fous s'ils persistaient à nier ce que les savants considéraient comme étant la réalité. L'Église assouplit sa position à l'égard de l'astronomie et de nombreuses autres branches de la science, ce qui donna lieu à une nouvelle période de liberté intellectuelle. Tout au long du xviiiᵉ siècle, les savants s'employèrent à répondre à toute une série de questions sur le monde qui les entourait, remplaçant mythes surnaturels, bourdes philosophiques et dogmes religieux par des explications et des réponses précises, logiques et vérifiables. Les savants étudièrent tout, de la nature de la lumière au processus de la reproduction, des composantes de la matière à la mécanique des volcans.

Cependant, une question particulière était délibérément laissée de côté, car les savants s'accordaient à considérer qu'elle excédait leur entendement, étant de fait inaccessible à toute approche rationnelle, de quelque sorte que ce soit. Personne, semble-t-il, n'était prêt à aborder la question ultime, à savoir celle de la création de l'univers. Les savants se cantonnaient eux-mêmes à l'explication des phénomènes naturels, et la création de l'univers était tenue pour un événement surnaturel. Par ailleurs, s'attaquer à une telle question risquait de compromettre le modus vivendi qui s'était instauré entre science et religion. Les notions modernes d'un Big Bang sans intervention de Dieu seraient passées pour hérétiques aux yeux des théologiens du XVIIIe siècle, tout comme l'univers héliocentrique avait offensé l'Inquisition un siècle plus tôt. En Europe, la Bible constituait encore l'autorité indiscutable sur la création de l'univers, et la grande majorité des savants reconnaissait que Dieu avait créé la Terre et les Cieux.

Le seul sujet qui semblait ouvert à une discussion était de savoir *quand* Dieu avait créé l'univers. Les érudits remontaient jusqu'à la Genèse en brassant des listes de personnages de la Bible, ajoutant les années entre chaque naissance, prenant en compte Adam, les Prophètes, les règnes des Rois, et ainsi de suite, pour tenir au fur et à mesure un compte précis. Du fait de grandes incertitudes inhérentes à ce genre de calcul, la date estimée de la création variait de plus de trois mille ans, en fonction de l'auteur du décompte. Alphonse X de Castille, le roi qui avait fait dresser les *Tables Alphonsines*, avançait la date la plus reculée dans le temps, 6904 av. J.-C., alors que Johannes Kepler optait pour la date la plus rapprochée, 3992 avant notre ère.

Le calcul le plus minutieux fut réalisé par James Ussher, qui devint archevêque d'Armagh en 1624. Il recruta un agent dans le Levant, qu'il chargea de retrouver les plus anciens textes bibliques connus, afin que son estimation ne soit pas entachée d'erreurs de transcription et de traduction. Il déploya également des efforts considérables pour faire correspondre la chronologie de l'Ancien Testament avec un événement historique connu. Il avait en effet relevé que la mort de Nabuchodonosor était indirectement mentionnée dans le Second Livre des Rois, et que de ce fait, elle pouvait être datée en termes d'histoire biblique ; comme la mort du souverain apparaissait également avec sa date dans une liste de rois babyloniens compilée par l'astronome Ptolémée, elle pouvait être reliée à la chronologie des événements connus. En conséquence, après moult calculs et recherches historiques, Ussher fut en mesure d'annoncer que la date de la création était le samedi 22 octobre 4004 av. J.-C. Pour être encore plus précis, Ussher ajouta que le temps avait commencé à 6 heures du soir ce jour-là, en se fondant sur un passage du Livre de la Genèse où il était dit : « Et le soir et le matin furent le premier jour ! »

Si elle peut apparaître aujourd'hui à nos yeux comme une interprétation absurdement littérale de la Bible, cette surprenante comptabilité revêtait un sens véritable dans une société qui considérait les Écritures comme l'autorité définitive sur la grande question de la Création. La date de l'évêque Ussher fut même reconnue par l'Église d'Angleterre en 1701, et fut par la suite reproduite dans la marge des premiers versets de la Bible du Roi James jusqu'au xxe siècle. Au milieu du xixe siècle, savants et philosophes acceptaient encore sans états d'âme la date d'Ussher.

Cependant, la remise en question de la date fatidique de 4004 av. J.-C. devint inéluctable lorsque Darwin publia *L'Origine des espèces*, où le savant anglais exposait sa théorie de l'évolution par la sélection naturelle. S'ils étaient parfaitement convaincus de la validité de cette thèse, Darwin et ses partisans devaient cependant reconnaître que l'évolution était un mécanisme laborieux et extrêmement lent, totalement incompatible avec l'affirmation d'Ussher selon laquelle le monde n'était vieux que de six mille ans. Dès lors, les savants tentèrent, par un effort concerté, de dater l'âge de la Terre par des moyens scientifiques, âge qui, vraisemblablement, allait se compter en millions, voire en milliards d'années.

Les géologues victoriens analysèrent la vitesse des processus de sédimentation, et estimèrent que la Terre était vieille de plusieurs millions d'années. En 1897, lord Kelvin utilisa une technique différente : supposant que le monde, au moment de sa formation, était une masse brûlante en fusion, il calcula que son refroidissement avait pris au moins vingt millions d'années. Deux ans plus tard, John Joly partit de présupposés différents, à savoir que les océans étaient à l'origine purs, et calcula combien de temps aurait mis le sel pour se dissoudre jusqu'à produire la salinité actuelle, ce qui laissait supposer un âge d'environ 100 millions d'années. Dans les premières années du xxe siècle, les physiciens démontrèrent que la radioactivité pouvait être utilisée pour dater la Terre, ce qui déboucha en 1905 sur une estimation de 500 millions d'années. Le perfectionnement de cette technique permit de doubler ce chiffre dès 1907. Cette course à la datation constitua un énorme défi scientifique, mais force fut de constater que la Terre vieillissait à chaque nouvelle mesure.

Au moment où les scientifiques révisaient radicalement leur perception de l'âge de la Terre, il y eut également un bouleversement majeur dans la façon dont ils considéraient l'univers. Avant le XIXe siècle, les savants souscrivaient généralement à la conception *catastrophiste*, selon laquelle les catastrophes expliquaient l'histoire de l'univers. En d'autres termes, notre monde aurait été créé et formé par une série d'événements soudains et cataclysmiques, tel le soulèvement massif de roches ayant créé les montagnes, ou le déluge de la Bible, qui aurait façonné les formations géologiques que nous connaissons aujourd'hui. De telles catastrophes étaient essentielles pour que la Terre ait pu se former en quelques milliers d'années à peine. Mais à la fin du XIXe siècle, après avoir étudié la Terre en détail, et à la lumière des plus récentes données fournies par la datation d'échantillons rocheux, les scientifiques se rallièrent à une vision uniformitarienne du monde, postulant des changements graduels et uniformes pour expliquer l'histoire de l'univers. Les uniformitariens étaient convaincus que les montagnes n'étaient pas apparues soudainement, entièrement constituées, mais qu'elles s'étaient soulevées à un rythme de quelques millimètres par an pendant plusieurs millions d'années.

Avec le succès croissant du mouvement uniformitarien, un consensus s'instaura bientôt, selon lequel la Terre était vieille de plus d'un milliard d'années, et l'univers, du même coup, encore plus ancien, voire infiniment ancien. La thèse d'un univers éternel sembla rencontrer un écho favorable au sein de la communauté scientifique, car la théorie, simple et cohérente, revêtait une certaine élégance. De plus, si l'univers existait de toute éternité, il n'était plus nécessaire d'expliquer comment il avait été créé, quand il avait été créé, pourquoi il avait été créé, et qui (ou quoi) l'avait créé. Les savants étaient particulièrement fiers d'avoir élaboré une théorie de l'univers qui se passait de l'intervention divine.

Charles Lyell, chef de file de l'uniformitarisme, soutint que l'origine des temps était « en dehors de la portée de l'entendement humain », une conception que le géologue écossais James Hutton fit également sienne : « Nos investigations actuelles nous ont amenés à la conclusion que nous n'avons trouvé aucun vestige d'un commencement, et aucune perspective de fin. » Ce point de vue aurait été approuvé par certains des premiers cosmologistes grecs, tel Anaximandre, qui estimait que les planètes et les étoiles « naissent et périssent à l'intérieur d'une infinité éternelle et sans âge ». Quelques décennies plus tard, vers 500 av. J.-C., Héraclite d'Éphèse avait réaffirmé la nature éternelle de l'univers : « Ce monde-ci, le même pour tous, aucun des dieux ni des hommes ne l'a fait, mais il était, est et sera un feu toujours vivant, feu éternel s'allumant et s'éteignant en mesure. »

Ainsi, au début du xxᵉ siècle, les scientifiques se satisfaisaient de vivre dans un univers éternel. Cette théorie, cependant, reposait sur des preuves pour le moins frêles. Si toutes les données fournies par les datations tendaient à montrer que l'univers était vraiment ancien – d'au moins plusieurs milliards d'années –, l'idée que l'univers était éternel procédait largement d'un acte de foi. Il n'existait tout simplement aucune justification scientifique à l'extrapolation d'un âge universel éternel à partir d'un âge terrestre d'au moins plusieurs milliards d'années. Certes, un univers éternel constituait une conception cosmologique cohérente, mais ce n'était rien de plus qu'un vœu pieux tant que l'on n'aurait pas trouvé une quelconque preuve scientifique permettant de l'étayer. En fait, le modèle de l'univers éternel était construit sur des fondations si fragiles qu'il méritait le qualificatif de mythe plutôt que celui de théorie scientifique. Le modèle de l'univers éternel de 1900 était aussi inconsistant que l'explication selon laquelle on devait au dieu bleu géant Wulbari d'avoir séparé le ciel de la terre.

Finalement, les cosmologistes, confrontés à cette impasse et plongés dans l'embarras, devaient passer le reste du xxᵉ siècle à tenter de remplacer ce dernier grand mythe par une explication scientifique acceptable et rigoureuse. Ils s'attelèrent à l'élaboration d'une théorie complète, et cherchèrent des preuves concrètes susceptibles de la conforter, de manière à pouvoir répondre à l'ultime question : l'univers est-il éternel, ou a-t-il été créé ?

La bataille autour de l'histoire de l'univers, fini ou infini, serait livrée par des théoriciens de génie, des astronomes héroïques, des expérimentateurs hors pair, une alliance subversive qui allait devoir vaincre les résistances et les conservatismes de l'establishment, en utilisant la technologie la plus sophistiquée, des télescopes géants aux satellites de l'espace. La réponse à cette question ultime allait donner lieu à l'un des épisodes les plus fous, les plus audacieux et les plus riches de controverses de l'histoire des sciences.

1 – AU COMMENCEMENT
EN RÉSUMÉ

AU COMMENCEMENT DES TEMPS, LES SOCIÉTÉS EXPLIQUAIENT
TOUT EN TERMES DE MYTHES, DE DIEUX ET DE MONSTRES.

(1) DANS LA GRÈCE DU VIᵉ SIÈCLE AVANT J.-C. :
LES PHILOSOPHES COMMENCENT À DÉCRIRE
L'UNIVERS EN TERMES DE PHÉNOMÈNES NATURELS
(ET NON SURNATURELS).

LES PRÉCURSEURS GRECS DE L'ESPRIT SCIENTIFIQUE
CHERCHENT À ÉLABORER DES THÉORIES ET DES MODÈLES :

ILS SONT CAPABLES DE MESURER
LA TAILLE DE LA TERRE, DU SOLEIL
ET DE LA LUNE, AINSI QUE
LES DISTANCES QUI LES SÉPARENT,
EN RECOURANT :
• À L'EXPÉRIMENTATION
ET AUX OBSERVATIONS
• À LA LOGIQUE ET À LA THÉORIE
(ET AUX MATHÉMATIQUES)

• SIMPLES
• PRÉCIS
• NATURELS
• VIABLES

LES ASTRONOMES GRECS ÉLABORENT
UN MODÈLE GÉOCENTRIQUE ERRONÉ DE L'UNIVERS ;
SELON CE MODÈLE, LE SOLEIL, LES ÉTOILES
ET LES PLANÈTES GRAVITENT AUTOUR
D'UNE TERRE FIXE.

(2) QUAND LE MODÈLE GÉOCENTRIQUE SE RÉVÈLE INSUFFISANT ET DÉFECTUEUX,
LES ASTRONOMES RECOURENT À DES CORRECTIFS AD HOC
(PAR EXEMPLE, LES ÉPICYCLES DE PTOLÉMÉE, CENSÉS EXPLIQUER
LES RÉTROGRADATIONS DES PLANÈTES).

LES THÉOLOGIENS ENCOURAGENT LES ASTRONOMES À RESTER FIDÈLES
AU MODÈLE GÉOCENTRIQUE, CAR IL EST CONFORME À LA BIBLE.

(3) AU XVIᵉ SIÈCLE :
COPERNIC ÉLABORE UN MODÈLE HÉLIOCENTRIQUE
DE L'UNIVERS – SIMPLE ET PROCHE DE LA VÉRITÉ –
DANS LEQUEL LA TERRE ET D'AUTRES PLANÈTES
ORBITENT AUTOUR DU SOLEIL.

MALHEUREUSEMENT, LE MODÈLE HÉLIOCENTRIQUE DE <u>COPERNIC</u> NE PARVIENT PAS À S'IMPOSER, CAR :

- IL EST TRÈS PEU DIFFUSÉ
- IL DÉFIE LE SENS COMMUN
- IL EST MOINS PRÉCIS QUE CELUI DE PTOLÉMÉE
- L'ORTHODOXIE RELIGIEUSE (ET SCIENTIFIQUE) RÉPRIME TOUTE PENSÉE ORIGINALE.

④ LE MODÈLE DE COPERNIC EST PERFECTIONNÉ PAR KEPLER GRÂCE AUX OBSERVATIONS DE TYCHO BRAHÉ. KEPLER MONTRE QUE LES PLANÈTES SUIVENT DES ORBITES (LÉGÈREMENT) <u>ELLIPTIQUES</u>, ET NON CIRCULAIRES. LE MODÈLE HÉLIOCENTRIQUE EST DÉSORMAIS <u>PLUS SIMPLE</u> ET <u>PLUS PRÉCIS</u> QUE LE MODÈLE GÉOCENTRIQUE.

⑤ <u>GALILÉE</u> SE FAIT LE CHAMPION DU MODÈLE HÉLIOCENTRIQUE. À L'AIDE D'UNE <u>LUNETTE</u> ASTRONOMIQUE, IL MONTRE QUE JUPITER POSSÈDE DES LUNES, LE SOLEIL, DES TACHES, ET VÉNUS, DES PHASES, CE QUI CONTREDISAIT L'ANCIENNE THÉORIE ET CONFORTAIT LA NOUVELLE.

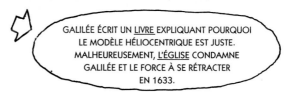

GALILÉE ÉCRIT UN <u>LIVRE</u> EXPLIQUANT POURQUOI LE MODÈLE HÉLIOCENTRIQUE EST JUSTE. MALHEUREUSEMENT, <u>L'ÉGLISE</u> CONDAMNE GALILÉE ET LE FORCE À SE RÉTRACTER EN 1633.

AU COURS DES SIÈCLES SUIVANTS, L'ÉGLISE DEVIENDRA PLUS TOLÉRANTE. LES ASTRONOMES ADOPTERONT LE MODÈLE HÉLIOCENTRIQUE ET <u>LA SCIENCE SE DÉVELOPPERA SANS ENTRAVE</u>.

⑥ À LA FIN DU XIXᵉ SIÈCLE, LES COSMOLOGISTES CONCLURENT QUE L'UNIVERS N'AVAIT PAS ÉTÉ <u>CRÉÉ</u>, MAIS QU'IL ÉTAIT <u>ÉTERNEL</u>. CETTE THÉORIE, CEPENDANT, N'ÉTAIT ÉTAYÉE PAR AUCUNE PREUVE. LA THÈSE D'UN <u>UNIVERS ÉTERNEL</u> N'ÉTAIT GUÈRE QU'UN <u>MYTHE</u>.

⑦ LES COSMOLOGISTES DU <u>XXᵉ</u> SE POSERONT À NOUVEAU LA <u>GRANDE QUESTION</u> MAIS L'ABORDERONT AVEC DES MÉTHODES SCIENTIFIQUES :

<u>L'UNIVERS A-T-IL ÉTÉ CRÉÉ ?</u>

OU

<u>A-T-IL EXISTÉ DE TOUTE ÉTERNITÉ ?</u>

2

Théories de l'univers

*[La théorie de la relativité d'Einstein] est probable-
ment à ce jour le plus grand accomplissement syn-
thétique de l'intelligence humaine.*

Bertrand Russell

*C'est comme si le mur qui nous séparait de la
Vérité s'était effondré. De plus vastes étendues et
de plus grandes profondeurs s'offrent maintenant
à l'œil scrutateur de la connaissance, des régions
entières dont nous ne soupçonnions même pas
l'existence. Nous nous trouvons maintenant beaucoup plus près du moment où nous comprendrons
le plan qui sous-tend tous les événements physiques.*

Hermann Weyl

*Les années de tâtonnements dans l'obscurité en
quête d'une vérité que l'on pressent, mais que l'on
ne peut exprimer, le désir intense de trouver et les
alternances d'enthousiasme et de découragement,
jusqu'à ce que la clarté et la compréhension se fas-
sent jour, ne peuvent être compris que par ceux
qui les ont éprouvés.*

Albert Einstein

*Il est impossible d'aller plus vite que la vitesse de
la lumière, et c'est certainement une bonne chose,
car on n'arrêterait pas de perdre son chapeau.*

Woody Allen

Tout au long du xxᵉ siècle, les cosmologistes élaborèrent et mirent à l'épreuve toutes sortes de modèles de l'univers. Ces modèles potentiels émergèrent à mesure que les physiciens acquirent une compréhension plus claire de l'univers et des lois scientifiques qui le sous-tendent. Quelles matières constituaient l'univers, et comment se comportaient-elles ? Quelle était la cause de la force de gravitation, et comment régissait-elle les interactions entre les étoiles et les planètes ? Et, l'univers étant composé d'espace, et ayant évolué dans le temps, qu'est-ce que les physiciens entendaient exactement par « espace » et « temps » ? Répondre à ces questions fondamentales et jeter les fondations de la cosmologie ne devait être possible qu'une fois que les physiciens auraient résolu un problème apparemment simple et anodin : quelle est la vitesse de la lumière ?

Si nous voyons un éclair, c'est parce que l'éclair émet de la lumière, qui peut avoir à parcourir plusieurs kilomètres dans notre direction avant d'atteindre nos yeux. Les philosophes de l'Antiquité avaient médité sur les implications de ce constat. Si la lumière avance à une vitesse finie, elle mettra un certain temps à nous atteindre, et au moment où nous voyons l'éclair, ce dernier peut ne plus exister. En revanche, si la lumière avance infiniment vite, alors la lumière atteindra nos yeux instantanément, et nous verrons l'éclair au moment où la foudre frappe. Décider de la validité de l'un ou l'autre de ces scénarios était apparemment au-dessus des capacités des Anciens.

La même question pouvait être posée à propos du son, mais cette fois, la réponse était plus évidente. Le tonnerre et l'éclair sont générés simultanément, mais nous entendons le tonnerre après avoir vu l'éclair. Pour les philosophes de l'Antiquité, on pouvait raisonnablement penser que le son avait une vitesse finie, et avançait beaucoup plus lentement que la lumière. Ils élaborèrent ainsi une théorie de la lumière et du son fondée sur cet enchaînement de raisonnements :

1. En s'abattant sur la Terre, un éclair crée de la lumière et du son.
2. La lumière avance très vite, ou à une vitesse infinie, vers nous.
3. Nous voyons l'éclair aussitôt après l'événement, ou instantanément.
4. Le son avance plus lentement (à environ 1 000 km/h).
5. De ce fait, nous entendons le tonnerre avec un certain retard, qui sera fonction de la distance par rapport à l'endroit où la foudre est tombée.

Mais la grande question concernant la vitesse de la lumière – était-elle finie ou infinie ? – continua de hanter les esprits, en Occident comme en Orient, pendant de nombreux siècles. Au IVe siècle av. J.-C., Aristote soutint que la lumière avançait à une vitesse infinie, l'événement et l'observation de l'événement étant simultanés. Au XIe siècle, les savants arabes Ibn Sina et al-Haytham émirent l'opinion opposée, convaincus que la vitesse de la lumière, bien qu'extrêmement grande, était finie, un événement ne pouvant être observé qu'*après* qu'il s'est produit.

Ainsi, deux thèses tranchées s'affrontaient, mais, en tout état de cause, le débat resta purement philosophique jusqu'en 1638, quand Galilée imagina une méthode permettant de mesurer la vitesse de la lumière. Deux observateurs munis chacun d'une lampe dotée d'un obturateur se tiennent à une certaine distance l'un de l'autre. Le premier observateur envoie un signal au second, qui renvoie immédiatement un signal. Le premier observateur peut alors estimer la vitesse de la lumière en mesurant le temps qui s'écoule entre l'envoi et la réception des signaux. Malheureusement, étant déjà aveugle et assigné à résidence quand il en eut l'idée, Galilée ne parvint jamais à réaliser cette expérience.

En 1667, vingt-cinq ans après la mort de Galilée, l'illustre Accademia del Cimento de Florence décida de mettre l'idée de l'astronome en application. Dans un premier temps, deux observateurs se tiennent relativement près l'un de l'autre. Le premier adresse un signal au second avec une lanterne, et le second aperçoit le signal et répond. Le premier homme estime le temps qui s'est écoulé entre le flash initial et le moment où il aperçoit le flash de réponse – un intervalle d'une fraction de seconde. Cet intervalle, cependant, pouvait être attribué à leurs temps de réaction. L'expérience fut renouvelée avec deux hommes plus éloignés l'un de l'autre, le temps de parcours des deux signaux étant ainsi mesuré sur des distances de plus en plus grandes. Si le temps de retour avait augmenté avec la distance, on aurait pu en conclure que la vitesse de la lumière était finie et relativement faible, mais en fait, le temps de retour restait constant. Ce constat impliquait que la vitesse de la lumière était soit infinie, soit si rapide que le temps que mettait la lumière pour aller d'un observateur à l'autre était insignifiant comparé à leur temps de réaction. Les expérimentateurs ne pouvaient que tirer la conclusion – provisoire – que la vitesse de la lumière se situait quelque part entre 10 000 km/h et l'infini. Si la lumière avait été plus lente, ils auraient détecté une augmentation régulière du délai à mesure que les hommes se seraient éloignés l'un de l'autre.

Que la vitesse de la lumière soit finie ou infinie resta une question ouverte jusqu'au jour où un astronome danois appelé Ole Römer s'attaqua au problème, quelques années plus tard. Dans sa jeunesse, il avait travaillé dans l'ancien observatoire de Tycho Brahé, à Uranienborg, déterminant la situation exacte de l'observatoire afin que les mesures de Tycho puissent être mises en relation avec celles qui avaient été réalisées ailleurs en Europe. En 1672, devenu célèbre pour ses talents d'observateur des cieux, il se vit proposer un poste à la prestigieuse Académie des Sciences de Paris, qui avait été créée pour que les savants puissent mener leurs recherches en toute indépendance, sans avoir à dépendre des caprices des rois, des reines ou des papes. C'est à Paris que Giovanni Domenico Cassini, membre lui aussi de l'Académie, encouragea Römer à étudier une étrange anomalie en relation avec les lunes de Jupiter, notamment Io. Chaque lune aurait dû tourner autour de Jupiter de façon parfaitement régulière, de même que notre Lune tourne régulièrement autour de la Terre, et pourtant, les astronomes avaient découvert à leur grande surprise que les révolutions d'Io étaient irrégulières. Parfois, Io surgissait de derrière Jupiter en avance de quelques minutes, alors qu'à d'autres moments, elle apparaissait en retard. Tout satellite étant censé posséder une orbite régulière, les astronomes furent intrigués par le comportement erratique d'Io.

Bien décidé à percer ce mystère, Römer étudia en détail la table des positions et des temps de révolution d'Io qui avait été dressée par Cassini. Après avoir longtemps cherché à trouver un sens à ces données, Römer finit par comprendre que tout pouvait s'expliquer à condition que la lumière ait une vitesse finie, comme le montre la Figure 19. Parfois, la Terre et Jupiter se trouvaient du même côté du Soleil, alors qu'à d'autres moments, elles étaient situées de part et d'autre, et plus éloignées l'une de l'autre. Quand la Terre et Jupiter se trouvaient dans cette configuration, la lumière provenant d'Io devait parcourir 300 000 000 km de plus pour atteindre la Terre que lorsque les deux planètes étaient proches l'une de l'autre. Si la lumière avait une vitesse finie, il lui fallait davantage de temps pour parcourir cette distance supplémentaire, auquel cas Io donnait l'impression d'être « en retard ». En bref, les révolutions d'Io étaient parfaitement régulières, mais leur apparente irrégularité provenait d'une illusion causée par les temps différents que mettait la lumière émise par Io pour parcourir les distances différentes qui la séparent de la Terre.

Pour mieux comprendre les phénomènes en cause, imaginez un canon tirant un boulet toutes les heures, à heure fixe. Vous entendez le canon, déclenchez votre chronomètre et commencez immédiatement à rouler en ligne droite à 100 km/h, de telle sorte que vous aurez parcouru 100 km au moment où le canon tirera à nouveau. Vous arrêtez votre voiture et entendez le bruit très faible d'un coup de canon. Étant donné que le son se propage à environ 1 000 km/h, vous constaterez que 66 minutes, et non 60, se sont écoulées entre le premier et le deuxième coup de canon. Les 66 minutes se composent des 60 minutes de l'intervalle véritable entre les tirs, et des 6 minutes correspondant au temps que met le son du deuxième coup de canon à parcourir les 100 km et vous atteindre. Le canon tire de manière parfaitement régulière, mais vous relèverez un retard de 6 minutes à cause de la vitesse finie du son et de votre nouvelle position.

Après avoir passé trois ans à analyser la cadence des apparitions d'Io et sa corrélation avec les positions relatives de la Terre et de Jupiter, Römer fut en mesure d'estimer la vitesse de la lumière à 190 000 km/s. En fait, la véritable valeur est d'un peu moins de 300 000 km/s, mais l'important est que Römer ait

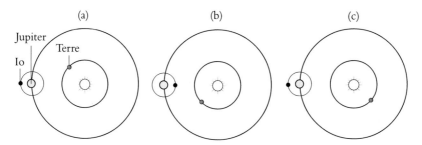

Figure 19 Ole Römer mesura la vitesse de la lumière en étudiant les mouvements d'Io, lune de Jupiter. Ces diagrammes représentent de manière schématique sa méthode. En (a), Io est sur le point de disparaître derrière Jupiter ; en (b), il a achevé une demi-révolution, et se trouve désormais devant Jupiter. Pendant ce temps-là, Jupiter a à peine bougé, mais la Terre s'est déplacée de façon significative, car la Terre tourne autour du Soleil douze fois plus vite que Jupiter. Sur Terre, un astronome mesure le temps qui s'est écoulé entre (a) et (b), soit le temps qu'a mis Io pour accomplir une demi-révolution.
En (c), Io a achevé une deuxième demi-révolution, pour revenir à son point de départ, pendant que la Terre occupe une nouvelle position beaucoup plus éloignée de Jupiter. L'astronome mesure le temps écoulé entre (b) et (c), qui devrait être le même que celui qui s'est écoulé entre (a) et (b), mais en fait se révèle légèrement plus long. La cause de ce temps supplémentaire est que la lumière met un peu plus de temps à parcourir la distance supplémentaire qui sépare Io de la Terre en (c), cette dernière étant maintenant plus loin de Jupiter. En connaissant la durée du retard et la distance entre la Terre et Jupiter, on peut estimer la vitesse de la lumière. (Les distances parcourues par la Terre sur ces diagrammes sont exagérées, car Io orbite autour de Jupiter en moins de deux jours. De même, pour la clarté de l'exposé, la position de Jupiter n'est pas exactement celle qui est représentée ici.)

démontré que la lumière avait une vitesse finie et qu'il soit parvenu à une valeur relativement proche de la vérité. La controverse pluriséculaire avait enfin été tranchée. Cependant, Cassini fut fort contrarié quand Römer annonça ses résultats, car il ne reçut aucun remerciement du Danois, alors que les mesures de ce dernier étaient largement fondées sur les données provenant de ses propres observations. Cassini critiqua avec virulence les travaux de Römer et devint le porte-parole de la majorité restant favorable à la théorie selon laquelle la vitesse de la lumière était infinie. Römer ne désarma pas, et utilisa sa vitesse de la lumière finie pour prédire que l'éclipse d'Io du 9 novembre 1676 aurait lieu avec un retard de 10 minutes par rapport aux prévisions de ses adversaires. Et en effet, en parfaite conformité avec ses prévisions, l'éclipse d'Io se produisit avec plusieurs minutes de retard. Römer avait dit juste, et il publia un autre article confirmant sa mesure de la vitesse de la lumière.

Cette prédiction aurait dû régler la question une bonne fois pour toutes. Et pourtant, comme nous l'avons déjà vu dans le cas de la controverse autour du modèle héliocentrique de Copernic, des facteurs n'ayant rien à voir avec la logique et la raison pèsent parfois sur le consensus scientifique. Plus âgé que Römer (il vécut même plus longtemps que lui), Cassini parvint, en faisant jouer son réseau d'influence, ou, tout simplement, par le simple fait de rester en vie, à faire pencher l'opinion contre la thèse de Römer selon laquelle la vitesse de la lumière avait une valeur finie. Quelques décennies plus tard, cependant, Cassini et ses semblables laissèrent place à une nouvelle génération de savants qui considérèrent sans parti pris les conclusions de Römer, les vérifièrent par eux-mêmes et les acceptèrent.

Pendant qu'ils essayaient de mesurer la vitesse de la lumière, les savants tentèrent de résoudre un autre mystère concernant sa propagation : quel était le vecteur, ou véhicule, de la lumière ? Les savants savaient que le son peut se propager sur toute sortes de véhicules – doués de parole, les humains émettent des ondes sonores qui sont portées par le véhicule de l'air gazeux, les baleines communiquent entre elles en chantant par le biais d'un autre véhicule, l'eau liquide, ou encore, nous pouvons entendre nos dents claquer via le véhicule formé par nos os situés entre nos mâchoires et nos oreilles. La lumière peut également se déplacer à travers les gaz, les solides et les liquides, tels que l'air, l'eau et le verre, mais il existe une différence fondamentale entre la lumière et le son, comme le montra Otto von Guericke, bourgmestre de Magdeburg, en Allemagne, qui mena en 1637 une série d'expériences restées célèbres.

Ayant inventé la première pompe à vide, Von Guericke entreprit de démontrer les étranges propriétés du vide. Lors d'une démonstration, il plaça face à face deux grands hémisphères en laiton et évacua l'air qu'ils contenaient, de telle sorte qu'ils se comportent comme deux ventouses extrêmement puissantes. Puis, avec un sens indéniable de la mise en scène, il démontra qu'il était impossible à deux attelages de huit chevaux de dissocier les deux hémisphères. Lors d'une expérience encore plus délicate, Von Guericke fit le vide à l'intérieur d'un récipient en verre contenant une cloche qui sonnait. Quand l'air fut entièrement évacué, l'assistance cessa d'entendre le tintement de la cloche, mais elle pouvait encore voir le battant frapper la cloche. Il était clair, par conséquent, que le son ne pouvait pas se déplacer dans le vide. En revanche, l'expérience avait montré que la lumière pouvait traverser le vide, car la cloche n'avait pas disparu et le récipient ne s'était pas obscurci. Bizarrement, si la lumière pouvait se déplacer à travers le vide, alors quelque chose pouvait se déplacer à travers rien.

Confrontés à ce paradoxe apparent, les savants commencèrent à se demander si le vide était bien vide. L'air présent dans le récipient en verre avait été évacué, mais quelque chose d'autre était peut-être resté à l'intérieur, quelque chose susceptible de constituer le véhicule de la lumière. Au XIXᵉ siècle, les physiciens devaient émettre l'idée que l'univers entier était imprégné d'une substance particulière, l'*éther luminifère*, qui servait en quelque sorte de véhicule à la lumière. Cette substance hypothétique devait posséder des propriétés remarquables, comme le fit remarquer le grand savant victorien lord Kelvin :

> Examinons maintenant la nature de l'éther luminifère. C'est une matière prodigieusement moins dense que l'air – des millions et des millions de fois moins dense que l'air. Nous pouvons entrevoir ses limites. Nous pensons qu'il s'agit d'une chose réelle, d'une grande rigidité en comparaison de sa densité : on peut le faire vibrer 400 millions de millions de fois par seconde, et cependant, sa densité est si faible qu'il n'offre pas la moindre résistance à un corps qui le traverserait.

En d'autres termes, l'éther était incroyablement rigide bien qu'étrangement immatériel. Il était également transparent, chimiquement inerte, et ne produisait aucun frottement. Il était tout autour de nous, et cependant, il était à l'évidence très difficile à identifier, car personne ne l'avait jamais vu, attrapé ou percuté. Néanmoins, Albert Michelson, premier prix Nobel américain de physique, pensa pouvoir prouver son existence.

Né dans une famille juive de Prusse, Michelson avait à peine deux ans en 1854, quand ses parents avaient fui les persécutions dont était victime leur communauté, et émigré aux États-Unis. Il passa sa jeunesse et fit ses études à San Francisco avant d'entrer à l'Académie navale, où il se classa à un médiocre vingt-cinquième rang dans les disciplines de la manœuvre et du matelotage, mais sortit premier en optique. Ce qui lui valut cette remarque acerbe du directeur de l'Académie : « Si seulement à l'avenir vous accordiez moins d'attention à ces choses scientifiques et davantage à l'artillerie navale, le jour viendra peut-être où vous en saurez assez pour être d'une quelconque utilité à votre pays. » Michelson eut la sagesse de ne pas écouter ces conseils, et il se consacra bientôt à temps plein à des recherches en matière optique. En 1878, âgé d'à peine vingt-cinq ans, il calcula que la vitesse de la lumière était de 299 910 km/s (avec une marge d'incertitude de l'ordre de ± 50 km/s), valeur vingt fois plus précise que toute autre estimation antérieure. Michelson reçut en 1907 le prix Nobel en reconnaissance d'une série de mesures de haute précision, dont celle-ci, et de diverses expériences et inventions particulièrement novatrices dans le domaine de l'optique. Paradoxalement, cependant, la seule grande contribution de Michelson à la physique dont on se souvienne encore aujourd'hui est le résultat d'une expérience ayant totalement échoué dans ses objectifs.

Dès 1880, Michelson avait imaginé une expérience qui, espérait-il, prouverait l'existence de l'éther « porteur de lumière ». Le dispositif qu'il avait inventé permettait de scinder un faisceau de lumière unique en deux faisceaux distincts et perpendiculaires. Un faisceau se déplaçait dans la même direction que le mouvement de la Terre à travers l'espace, tandis que l'autre se mouvait dans une direction perpendiculaire au premier faisceau. Les deux faisceaux parcouraient une distance égale, avant d'être réfléchis par des miroirs et de repartir en sens inverse pour former à nouveau un faisceau unique. En se combinant, ils subiraient un processus connu sous le nom d'« interférence », qui permettrait à Michelson de comparer les deux faisceaux et d'identifier le plus infime écart entre les deux temps de parcours.

Michelson savait que la Terre tourne autour du Soleil à environ 100 000 km/h, ce qui, pouvait-il penser, signifiait qu'elle traversait également l'éther à cette vitesse. Comme l'éther était censé constituer un milieu uniforme s'étendant à l'ensemble de l'univers, le déplacement de la Terre à travers l'espace devait certainement créer un *vent d'éther*. Un phénomène semblable à cette sorte de pseudo-vent que l'on ressent lorsqu'on avance à grande vitesse dans une voiture décapotable un jour de beau temps – il n'y a pas de vent, mais on a l'impression que le vent souffle à cause du mouvement de la voiture. De ce fait, si la lumière est portée dans et par l'éther, sa vitesse devait être affectée par le « vent d'éther ». Plus particulièrement, le premier faisceau de lumière devrait se déplacer dans et contre le « vent d'éther », et ainsi, voir sa vitesse affectée de manière significative, tandis que l'autre traverserait perpendiculairement le « vent », sa vitesse devant, en principe, être moins affectée. Si les temps de parcours des deux faisceaux étaient différents, Michelson serait en mesure d'utiliser cet écart comme un argument de poids en faveur de l'existence de l'éther.

Cette expérience visant à détecter le « vent d'éther » étant complexe, Michelson en expliqua les présupposés sous forme de devinette :

> Supposons une rivière de largeur w (disons 30 mètres), et deux nageurs qui nagent tous deux à la même vitesse v, disons 1,50 mètre par seconde. La rivière coule à une allure régulière de 0,9 mètre par seconde. Les nageurs font la course de la manière suivante : ils partent tous les deux d'un même point d'une des deux rives. L'un d'eux traverse directement la rivière vers le point le plus proche de la rive opposée, puis fait demi-tour et revient. L'autre reste du même côté de la rivière, descendant le courant sur une certaine distance (mesurée le long de la berge) exactement égale à la largeur de la rivière, puis revient en nageant à son point de départ. Qui est le plus rapide ? [Voir Figure 20 pour la solution.]

Pour son expérience, Michelson fit l'acquisition des meilleurs miroirs et sources de lumière disponibles, et prit toutes les précautions concevables lors de l'assemblage de son dispositif. Tout fut soigneusement aligné, nivelé, poli. Pour accentuer la sensibilité de ses appareils et réduire les risques d'erreurs, il fit même flotter le dispositif principal dans un grand bain de mercure, afin de l'isoler des influences extérieures telles que les vibrations dues à des pas, même lointains. L'objectif principal de cette expérience étant de prouver l'existence de l'éther, et Michelson ayant fait tout ce qui était en son pouvoir pour optimiser ses chances de détection, le savant fut stupéfait par son incapacité totale et absolue à détecter la moindre différence entre les temps de parcours des deux faisceaux de lumière perpendiculaires. Il n'y avait aucune trace d'éther.

Essayant désespérément de comprendre les raisons de son échec, Michelson s'assura la collaboration du chimiste Edward Morley. Ensemble, ils reconstituèrent le dispositif, perfectionnant chaque pièce de matériel pour rendre l'expérimentation encore plus sensible, puis ils refirent de nombreuses fois les mesures. Finalement, en 1887, après avoir répété pendant sept ans leur protocole, ils publièrent leurs résultats définitifs. Il n'y avait toujours aucune trace d'éther. Il ne leur resta plus qu'à conclure que l'éther n'existait pas.

Quand on pense aux extraordinaires propriétés qu'il était censé posséder simultanément – il devait constituer à la fois la substance la moins dense et la plus rigide de l'univers –, il n'était guère surprenant que l'éther ne fût qu'une fiction. Malgré tout, les scientifiques n'y renoncèrent qu'avec une grande répugnance, car c'était la seule façon d'expliquer comment la lumière se propageait. Même Michelson éprouva de grandes difficultés à admettre ses propres conclusions. Il évoqua un jour avec nostalgie « ce bon vieil éther, aujourd'hui abandonné, bien que je continue à y rester personnellement un peu attaché ».

La crise provoquée par la démonstration de l'inexistence de l'éther prit une importance exagérée, car cette mystérieuse substance était censée servir de véhicule aussi bien à la lumière qu'aux champs électriques et magnétiques. La situation a été parfaitement résumée par cette formule humoristique du journaliste scientifique Banesh Hoffmann :

> D'abord, nous avons eu l'éther luminifère,
> Ensuite nous avons eu l'éther électromagnétique,
> Et maintenant, nous n'avons plus qu'un vide délétère [1].

Ainsi, à la fin du XIXe siècle, il était prouvé, grâce à Michelson et Morley, que l'éther n'existait pas, et les physiciens durent admettre que la lumière pouvait se déplacer à travers le vide – à travers un espace dépourvu de toute substance. Les travaux des deux savants avaient nécessité la mise au point d'appareils

---

1. « And now we haven't e(i)ther. » Littéralement « ni l'un ni l'autre », si l'on peut trouver un équivalent en français au jeu de mots du texte original sur *ether* et *either*. *(N.d.T.)*

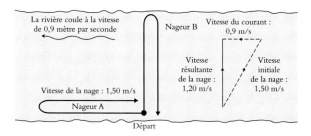

Figure 20 Albert Michelson utilisa son énigme des deux nageurs pour expliquer son expérience sur l'éther. Les deux nageurs jouent le même rôle que les deux faisceaux de lumière se propageant dans des directions perpendiculaires, avant de retourner tous au même point de départ. L'un d'eux nage d'abord avec, puis contre le courant, tandis que l'autre nage perpendiculairement au courant – tout comme un faisceau de lumière se propagerait avec, puis contre le « vent d'éther », et un autre, en travers de ce dernier. L'énigme consiste à deviner quel serait le gagnant d'une course sur une distance de 60 mètres entre deux nageurs sachant nager tous les deux à une vitesse d'1,50 mètre par seconde en eau calme. Le nageur A descend d'abord le courant sur 30 mètres, puis le remonte sur 30 mètres, pendant que le nageur B traverse la rivière, puis revient à son point de départ, après avoir parcouru lui aussi 2 × 30 mètres. La vitesse du courant est de 0,9 mètre par seconde.

Le temps mis par le nageur A, qui descend, puis remonte le courant, est facile à calculer. Avançant, avec le courant, à une vitesse moyenne de 1,5+0,9 = 2,4 m/s, le nageur met 12,5 secondes pour parcourir les 30 premiers mètres. Comme en remontant le courant, il ne nagera qu'à 1,5-0,9 = 0,6 m/s, il mettra 50 secondes pour parcourir ces derniers 30 mètres. Son temps total sera donc de 62,5 secondes sur 60 mètres.

Le nageur B, qui traverse la rivière, doit nager légèrement en biais afin de compenser la force du courant. Le théorème de Pythagore nous dit que s'il nage à la vitesse d'1,50 m/s dans la direction appropriée, sa vitesse pourra être décomposée ainsi : une composante de 0,90 m/s à rebours du courant, pour corriger l'effet de ce dernier, et une composante d'1,20 m/s perpendiculaire au courant. Il nagera ainsi les 30 premiers mètres en à peine 25 secondes, puis mettra à nouveau 25 secondes pour regagner son point de départ, soit un temps total de 50 secondes pour nager 60 mètres.

Les deux nageurs auraient nagé tous les deux à la même vitesse dans une piscine, mais le nageur nageant en travers du courant gagne la course contre le nageur qui descend, puis remonte. Michelson en conclut qu'un faisceau de lumière se propageant perpendiculairement au vent d'éther aurait un temps de parcours plus court qu'un rayon avançant dans le sens, puis dans le sens contraire du vent. Il conçut une expérience pour voir si c'était vraiment le cas.

coûteux et complexes, et plusieurs années d'efforts acharnés. À peu près à la même époque, cependant, un adolescent solitaire, ignorant tout de ces résultats fondamentaux obtenus par l'expérimentation, était parvenu à la même conclusion uniquement sur la base d'arguments théoriques. Il s'appelait Albert Einstein.

« Les expériences par la pensée » d'Einstein

Les prouesses intellectuelles du jeune Einstein, et son génie, qui devait s'épanouir pleinement plus tard, procèdent largement de son immense curiosité pour le monde qui l'entourait. Tout au long de son œuvre prolifique, révolutionnaire et visionnaire, il ne cessa de s'interroger sur les lois qui sous-tendent la marche de l'univers. Dès l'âge de cinq ans, il fut fasciné par le fonctionnement mystérieux d'une boussole que lui avait offerte son père. Quelle force invisible attirait la petite aiguille, et pourquoi pointait-elle toujours en direction du nord ? La nature du magnétisme et de la force magnétique l'intrigua toute sa vie, et ce questionnement est caractéristique de l'appétit inépuisable d'Einstein lorsqu'il s'agissait d'étudier des phénomènes apparemment triviaux. Comme il le confia à son biographe Carl Selig, « Je n'ai pas de talents particuliers. Je ne suis que passionnément curieux. » Il nota également : « L'important est de ne jamais cesser de poser des questions. On ne peut s'empêcher d'être emplis d'admiration quand on considère les mystères de l'éternité, de la vie, de la merveilleuse structure de la réalité. Il suffit d'essayer de comprendre ne serait-ce qu'une part infime de ce mystère chaque jour. » Le lauréat du prix Nobel Isidor Isaac Rabi abonde dans ce sens quand il déclare : « Je pense que les physiciens sont les Peter Pan de la race humaine. Ils ne grandissent jamais et conservent intacte leur curiosité. »

À cet égard, Einstein avait beaucoup en commun avec Galilée. Einstein écrivit un jour : « Nous sommes dans la position d'un petit enfant entrant dans une immense bibliothèque dont les murs sont couverts du sol au plafond de livres écrits en différentes langues. » Galilée avait fait une comparaison similaire, mais il avait condensé la bibliothèque entière de la nature dans un seul grand livre écrit en une seule langue, que sa curiosité lui intimait de déchiffrer – le livre de la nature : « Il est écrit dans la langue des mathématiques, et ses caractères sont des triangles, des cercles et autres figures géométriques, sans lesquelles il serait humainement impossible d'en comprendre un seul mot ; sans ces caractères, on errerait dans un labyrinthe obscur. »

Un intérêt commun pour la relativité rapproche également Galilée d'Einstein. Galilée avait découvert le principe de la relativité, mais il appartint à Einstein de l'exploiter pleinement. Pour dire les choses simplement, la relativité de Galilée postule que tout mouvement est relatif, ce qui signifie qu'il est impossible de savoir si on se déplace sans se repérer par rapport à un référentiel extérieur. Galilée a exprimé de façon très imagée dans son *Dialogue* ce qu'il avait voulu dire, et les raisons pour lesquelles il était convaincu de la validité de sa thèse :

Enfermez-vous avec un ami dans la cabine principale d'un grand navire, sous le pont, et faites en sorte que s'y trouvent également des mouches, des papillons et d'autres petits animaux volants, qu'y soit disposé un grand récipient empli d'eau dans lequel on aura mis des petits poissons ; suspendez également à bonne hauteur un petit seau et disposez-le de manière à ce que l'eau se déverse goutte à goutte dans un autre récipient à col étroit que vous aurez disposé au-dessous ; puis, alors que le navire est à l'arrêt, observez attentivement comment ces petits animaux volent avec des vitesses égales quel que soit l'endroit de la cabine vers lequel ils se dirigent ; vous pourrez voir les poissons nager indéfiniment dans toutes les directions ; les gouttes d'eau tomberont toutes dans le récipient posé à terre ; si vous lancez quelque objet à votre ami, vous ne devrez pas fournir un effort plus important selon que vous le lancerez dans telle ou telle direction, à condition que les distances soient égales ; et si vous sautez à pieds joints, comme on dit, vous franchirez des espaces semblables dans toutes les directions. Une fois que vous aurez observé tout cela [...] faites se déplacer le navire à une vitesse aussi grande que vous le souhaitez. Pourvu que le mouvement soit uniforme et ne fluctue pas de ci de là, vous n'apercevrez aucun changement dans les effets nommés, et aucun d'entre eux ne vous permettra de savoir si le navire avance ou s'il est arrêté [1].

En d'autres termes, tant qu'on se déplace à vitesse constante en ligne droite, il n'y a aucun moyen de savoir à quelle vitesse on se déplace, ni même si on se déplace tout court. Et ce parce

---

1. *Dialogue*, Première Journée, trad. F. Balibar et J.-B. Para. *(N.d.T.)*

que tout ce qui nous environne se déplace à la même vitesse, tous les phénomènes (le seau se déversant goutte à goutte, le vol des papillons) se produisant de la même manière que l'on se déplace ou que l'on soit immobilisé. Par ailleurs, le scénario de Galilée se produisant « dans la cabine principale sous le pont », l'observateur est isolé dans la cale dépourvue de hublots, ce qui ôte tout espoir de détecter le moindre mouvement relatif par rapport à un référentiel extérieur. Si on s'isole de la même manière en s'asseyant les oreilles bouchées et les yeux fermés dans un train avançant à vitesse constante sur une voie ferrée parfaitement lisse, il est très difficile de dire si le train fonce à 100 km/h ou s'il est à l'arrêt dans une gare, ce qui est une autre démonstration de la relativité galiléenne.

Il s'agit là d'une des plus grandes découvertes de Galilée, car elle a contribué à convaincre un certain nombre d'astronomes encore sceptiques que la Terre tourne effectivement autour du Soleil. Les adversaires de Copernic avaient argué du fait que la Terre ne pouvait pas tourner autour du Soleil, car les hommes éprouveraient son mouvement sous la forme d'un vent permanent, ou auraient l'impression que le sol se dérobe sous leurs pieds, et rien de tel, à l'évidence, ne se produisait. Cependant, le principe de relativité de Galilée expliquait pourquoi nous ne sentions pas l'extraordinaire vitesse de la Terre à travers l'espace, dans la mesure où tout, du sol à l'atmosphère, bouge à travers l'espace à la même vitesse que nous. Que la Terre soit en mouvement ou statique revient au même pour un observateur se tenant à sa surface. D'une manière générale, la théorie de la relativité de Galilée soutenait que l'on ne peut jamais savoir si l'on bouge rapidement ou lentement – ou si l'on bouge tout court – si l'on est isolé sur Terre, ou yeux fermés et oreilles bouchées dans un train, ou enfermé sous le pont d'un navire, ou coupé de tout référentiel extérieur d'une façon ou d'une autre.

Ignorant que Michelson et Morley avaient prouvé – bien malgré eux – que l'éther n'existait pas, Einstein utilisa le principe de relativité de Galilée comme point de départ pour déterminer si oui ou non l'éther existait. En particulier, il invoqua la relativité de Galilée dans le contexte d'une « expérience par la pensée » (en allemand, *gedanken Experiment*). Il s'agit d'une expérience imaginaire menée uniquement dans la tête du physicien, le plus souvent parce qu'elle suppose d'accomplir des actes qui ne sont pas réalisables dans la pratique dans le monde réel. Bien qu'il s'agisse d'une construction purement théorique, une « expérience par la pensée » peut souvent aboutir à une compréhension plus profonde de l'univers.

Lors d'une « expérience par la pensée » qu'il mena en 1896, alors qu'il était âgé d'à peine seize ans, Einstein se demanda ce qui arriverait s'il pouvait voyager à la vitesse de la lumière tout en tenant un miroir devant lui. Il se demanda notamment s'il parviendrait à voir son propre reflet. La théorie victorienne de l'éther voyait dans ce dernier une substance statique imprégnant l'univers entier. La lumière était censée être véhiculée par l'éther, ce qui impliquait qu'elle voyageait à la vitesse de la lumière (300 000 km/s) par rapport à l'éther. Mais dans l'« expérience par la pensée » d'Einstein, lui-même, son visage et son miroir voyageraient aussi à travers l'éther à la vitesse de la lumière. Du coup, celle-ci tenterait de quitter le visage d'Einstein et de se propager jusqu'au miroir que le jeune savant en herbe tenait dans sa main. En fait, autant le préciser tout de suite, elle ne quitterait jamais son visage, sans même parler d'atteindre le miroir, car tous les éléments de l'expérimentation se déplacent à la vitesse de la lumière. Si elle ne peut atteindre le miroir, la lumière ne peut être réfléchie, et par conséquent, Einstein ne serait pas capable de voir son propre reflet.

Ce scénario imaginaire était troublant, car il défiait totalement le principe de relativité de Galilée, selon lequel quelqu'un voyageant à vitesse constante ne doit pas être capable de déterminer s'il se déplace rapidement, lentement, en avant, ou en arrière – ou, en fait, s'il se déplace tout bonnement. L'« expérience par la pensée » d'Einstein doit être rapprochée du scénario de Galilée se déroulant dans la cale d'un navire, le marin devant comprendre que son navire avance à la vitesse de la lumière dans le cas où son reflet dans le miroir viendrait à disparaître. Cependant, Galilée avait fermement déclaré que le marin serait incapable de dire si son navire se déplaçait ou non.

Quelque chose ne collait pas. Soit la relativité galiléenne était fausse, soit l'« expérience par la pensée » d'Einstein était fondamentalement défectueuse. Au bout du compte, Einstein comprit que son « expérience par la pensée » était erronée, car fondée sur l'hypothèse d'un univers rempli d'éther. Pour résoudre ce paradoxe, il conclut que la lumière ne se propageait pas à une vitesse fixe par rapport à l'éther, qu'elle n'était pas véhiculée par l'éther, et que l'éther n'existait pas. Sans qu'Einstein le sache, c'était très exactement ce que Michelson et Morley avaient découvert.

On sera peut-être tenté de considérer avec circonspection l'« expérience par la pensée » légèrement tortueuse d'Einstein, surtout si l'on se représente la physique comme une discipline reposant sur de véritables expérimentations avec des appareils réels et des mesures réelles. De fait, les « expériences par la pensée » se situent aux marges de la physique et ne sont pas entièrement fiables, raison pour laquelle l'expérience « en vrai » de Michelson et Morley est si importante. Néanmoins, l'« expérience par la pensée » d'Einstein démontra l'intelligence remarquable du jeune esprit qui l'avait imaginée, et, ce qui est plus important, elle le mit sur la voie d'une réflexion sur ses implications dans un univers dépourvu de tout éther, et sur ce que cela signifiait quant à la vitesse de la lumière.

La notion victorienne d'éther était très rassurante, car elle offrait un support rêvé à la lumière quand il s'agissait pour les savants d'évoquer sa vitesse. Tout le monde avait admis que la lumière se propageait à une vitesse constante, 300 000 km/s, et tout le monde supposait que cela signifiait 300 000 km/s *par rapport* au milieu dans lequel elle se propageait – le très hypothétique éther. Cette thèse paraissait parfaitement valide dans l'univers victorien rempli d'éther. Mais Michelson, Morley et Einstein avaient montré que l'éther n'existait pas. Dans ces conditions, si la lumière n'avait pas besoin d'un véhicule pour se propager, que voulaient dire les savants quand ils parlaient de vitesse de la lumière ? La vitesse de la lumière était de 300 000 km/s, mais par rapport à quoi ?

Einstein revint de temps en temps sur cette question les années suivantes. Il finit par trouver une solution au problème, mais une solution qui reposait essentiellement sur son intuition. À première vue, sa solution semblait défier le sens commun, et pourtant, elle devait se révéler plus tard parfaitement juste. Selon Einstein, la lumière se propage à la vitesse constante de 300 000 km/s *par rapport à l'observateur*. En d'autres termes, quels que soient notre environnement ou les conditions dans lesquelles la lumière est émise, chacun d'entre nous mesurera la même vitesse de la lumière, qui est de 300 000 km/s, ou si l'on préfère, 300 000 000 m/s (très exactement 299 792 458 m/s). Cela paraît absurde, car cette démonstration contredit notre perception quotidienne des phénomènes physiques.

Imaginez un écolier muni d'une sarbacane tirant des boulettes de papier à une vitesse uniforme de 40 m/s. Vous êtes adossé contre un mur un peu plus loin dans la rue, à quelques dizaines de mètres de l'écolier. Ce dernier tire avec sa sarbacane dans votre direction, de telle sorte qu'une première boulette quitte la sarbacane à 40 m/s, traverse l'espace intermédiaire à 40 m/s, et quand elle vous touche, vous avez l'impression qu'elle se déplace à 40 m/s. Si l'écolier monte sur un vélo et se dirige vers vous à 10 m/s, et tire à nouveau avec sa sarbacane, la deuxième boulette quitte la sarbacane à 40 m/s, mais elle parcourra la distance qui vous sépare d'elle à 50 m/s et vous aurez l'impression qu'elle vous atteint à la vitesse de 50 m/s. La vitesse supplémentaire tient au fait que la boulette est tirée depuis un vélo en mouvement. Et si vous marchez en direction de l'écolier à 4 m/s, les choses se compliquent encore davantage, la boulette paraissant se déplacer à 54 m/s. La perception par l'observateur de la vitesse de la boulette semble changer en fonction de qui fait quoi.

Einstein était convaincu que la lumière se comportait différemment. Lorsque le garçon n'avance pas à vélo, la lumière provenant du phare de son vélo vous atteint à la vitesse de 299 792 458 m/s. Quand le vélo avance vers vous à 10 m/s, la lumière provenant du phare vous atteint *encore* à 299 792 458 m/s. Et même si vous allez à la rencontre du vélo pendant qu'il avance vers vous, la lumière vous atteindra à nouveau à 299 792 458 m/s. La lumière, insistait Einstein, se déplace à vitesse constante par rapport à l'observateur. Quiconque mesurera sa vitesse, quoi qu'il fasse, obtiendra toujours le même résultat : 299 792 458 m/s. Des expériences devaient montrer par la suite qu'il avait raison.

	Votre perception de la vitesse du projectile	Votre perception de la vitesse de la lumière
Personne ne bouge	40 m/s	299 792 458 m/s
L'écolier s'avance à bicyclette vers vous à 10 m/s	50 m/s	299 792 458 m/s
... et vous marchez vers l'enfant à 4 m/s	54 m/s	299 792 458 m/s

Einstein était convaincu que la vitesse de la lumière devait être constante pour l'observateur car il lui semblait que c'était la seule manière d'expliquer son « expérience par la pensée » avec un miroir. Nous pouvons réexaminer son expérience par la pensée en appliquant cette nouvelle règle relative à la vitesse de la lumière. S'il devait se déplacer à la vitesse de la lumière, Einstein, qui tenait le rôle de l'observateur dans son expérience par la pensée, aurait néanmoins vu la lumière quitter son visage à la vitesse de la lumière, car elle se propage par rapport à l'observateur. Ainsi, la lumière quitterait Einstein à la vitesse de la lumière, et serait réfléchie à la vitesse de la lumière, ce qui signifie qu'il serait désormais capable de voir son reflet. Exactement la même chose se produirait s'il se tenait immobile devant le miroir de sa salle de bains – la lumière quitterait son visage à la vitesse de la lumière, et serait réfléchie à la vitesse de la lumière, et il verrait son reflet. En d'autres termes, en supposant que la vitesse de la lumière était constante par rapport à l'observateur, Einstein n'aurait pas été en mesure de déterminer s'il se déplaçait à la vitesse de la lumière ou se tenait immobile dans sa salle de bains. C'est exactement ce que le principe de la relativité de Galilée disait – à savoir que l'on a la même expérience des choses, que l'on se déplace ou non.

La conclusion d'Einstein quant à la constance de la vitesse de la lumière par rapport à l'observateur devait faire date, et elle continua à dominer ses travaux. Comme il n'était encore qu'un adolescent, c'est avec l'ambition et la naïveté de la jeunesse qu'il étudia les implications de ses idées. Celles-ci devaient plus tard être révélées au monde et révolutionner la science, mais en attendant, Einstein continua à travailler pour lui-même et à suivre normalement ses études.

De manière significative, tout au long de cette période essentiellement spéculative, Einstein conserva sa verve, sa créativité et sa curiosité naturelles, malgré la discipline et l'étroitesse d'esprit qui régnaient à l'Université. Il déclara un jour : « Mes études sont la seule chose qui m'empêche d'apprendre. » Il n'avait pas une haute opinion de ses professeurs, à commencer par l'insigne Hermann Minkowski, qui le lui rendait bien en le traitant de « chien paresseux ». Un autre professeur, Heinrich Weber, lui dit un jour : « Vous êtes un garçon intelligent, Einstein, un garçon très intelligent. Mais vous avez un grand défaut : on ne peut rien vous dire. » L'attitude d'Einstein était due en partie au fait que Weber refusait d'enseigner à ses élèves les découvertes les plus récentes de la physique, ce qui expliquait aussi pourquoi Einstein l'appelait simplement Herr Weber, plutôt qu'Herr Professor Weber.

Du fait de cette inimitié réciproque, Weber refusa d'écrire la lettre de recommandation dont Einstein avait besoin pour embrasser une carrière académique. Du coup, Einstein passa les sept années qui suivirent la fin de ses études comme employé au Bureau des Brevets de Berne, en Suisse. En fait, son sort aurait pu être pire. Au lieu d'être bridé par les théories conservatrices enseignées dans les grandes universités, Einstein, assis derrière son bureau, avait désormais tout loisir de penser aux implications de « son expérience par la pensée » de sa jeunesse – exactement le type de spéculations gratuites qu'Herr Professor Weber aurait considérées avec le plus profond mépris. Ainsi, le travail de bureau prosaïque d'Einstein – initialement gratifié du titre d'« expert technique stagiaire de troisième classe » – lui permettait de concentrer toutes ses tâches en quelques heures chaque jour, ce qui lui laissait tout le temps pour mener ses recherches personnelles. S'il avait été professeur d'université, il aurait perdu son temps en des rivalités de carrière, des corvées administratives sans fin, et d'ingrates responsabilités d'enseignement.

Ces années passées au Bureau des Brevets allaient constituer l'une des périodes les plus fructueuses de sa vie intellectuelle. Dans le même temps, ce fut une période mouvementée du point de vue émotionnel pour un génie en voie de maturation. En 1902, notamment, Einstein éprouva le plus grand choc de toute sa vie quand son père tomba malade sans espoir de guérison. Sur son lit de mort, Hermann Einstein donna à Albert son consentement pour qu'il épouse Mileva Maric, sans savoir que le couple avait déjà une fille, Lieserl. En fait, les historiens ignorèrent eux aussi longtemps l'existence de la fille d'Albert et Mileva, jusqu'à ce qu'ils aient accès à la correspondance personnelle d'Einstein à la fin des années 1980. Il apparut que Mileva était retournée dans son pays natal, la Serbie, pour accoucher. Dès qu'il apprit la naissance de sa fille, Albert écrivit à Mileva : « Est-elle en bonne santé et pleure-t-elle déjà correctement ? Quelle sorte de petits yeux a-t-elle ? À qui de nous deux ressemble-t-elle le plus ? Qui lui donne son lait ? A-t-elle faim ? Est-elle complètement chauve ? Je l'aime tant, et pourtant, je ne la connais pas encore !... Assurément, elle sait déjà pleurer, mais elle apprendra à rire bien assez tôt. C'est là une vérité profonde. » Albert n'entendrait jamais sa fille rire ou pleurer. Le couple ne pouvait pas risquer la réprobation de la société en ayant une fille illégitime, et Lieserl fut placée dans une famille en Serbie pour être adoptée.

Albert et Mileva se marièrent en 1903, et leur premier fils, Hans Albert, naquit l'année suivante. En 1905, tout en jonglant entre ses responsabilités de jeune père et ses obligations d'employé au Bureau des Brevets, Einstein parvint à cristalliser ses réflexions sur la marche de l'univers. Ses recherches scientifiques trouvèrent leur aboutissement avec la publication d'une série de trois articles scientifiques dans la revue *Annalen der Physik*. Dans un article, il analysait un phénomène connu sous le nom de Mouvement Brownien, et, dans une brillante démonstration, confirmait que la matière est composée d'atomes et de molécules. Dans une autre publication, il montrait qu'un phénomène bien connu, l'effet photoélectrique, pouvait être parfaitement expliqué grâce à la toute nouvelle théorie de la physique quantique – publication qui valut à Einstein le prix Nobel.

Le troisième article, cependant, était encore plus brillant. Il synthétisait les dix ans de réflexions d'Einstein sur la vitesse de la lumière et sa valeur constante par rapport à un observateur. Bouleversant de fond en comble les fondations de la physique, l'article devait définir les règles de base de l'étude de l'univers. Ce n'était pas tant la constance de la vitesse de la lumière elle-même que les conséquences prédites par Einstein qui étaient importantes. Les répercussions de ses hypothèses dépassaient en effet l'entendement, même pour Einstein lui-même. Il était encore un jeune homme, âgé d'à peine vingt-six ans, quand il publia cet article, mais il avait traversé des périodes de doute très douloureuses alors qu'il élaborait ce qui deviendrait sa *théorie de la relativité restreinte* : « Je dois confesser qu'au tout début, quand la théorie de la relativité restreinte a commencé à germer dans mon esprit, j'ai été la proie de toutes sortes de conflits nerveux. Quand j'étais jeune, je me trouvais souvent plongé pendant plusieurs semaines dans un état de grande confusion, revivant chaque fois la stupéfaction éprouvée lors de ma première rencontre avec ces questions. »

L'une des conséquences les plus étonnantes de la théorie de la relativité restreinte d'Einstein est que l'idée que nous nous faisons habituellement du temps est fondamentalement erronée. Savants et philosophes ont toujours décrit le temps

Figure 21 Albert Einstein photographié en 1905, l'année où il devint célèbre en publiant son fameux article sur la théorie de la relativité restreinte.

comme la progression d'une sorte d'horloge universelle égrenant les secondes et les minutes sans relâche, de manière immuable – une sorte de battement de cœur cosmique, étalon par rapport auquel toutes les autres horloges peuvent être réglées. Selon le sens commun, le temps est le même pour tous, car nous vivons tous selon la même horloge universelle : le même pendule oscille au même rythme aujourd'hui et demain, à Londres ou à Sydney, pour vous et pour moi. Le temps, avait-on décrété, était absolu, régulier et universel. Non, répondait Einstein : le temps est flexible, extensible, et personnel, de telle sorte que votre temps peut être différent de *mon* temps. Notamment, une montre se déplaçant par rapport à vous bat plus lentement qu'une montre statique que vous porterez sur vous. Ainsi, si vous vous trouvez dans un train en mouvement et que, debout sur le quai d'une gare, je regarde votre montre au moment où vous passez à toute vitesse devant moi, je remarquerai que votre montre avance plus lentement que ma propre montre.

Cela semble impossible, mais pour Einstein, c'était logiquement inévitable. Les quelques paragraphes qui suivent expliquent brièvement pourquoi le temps est personnel pour l'observateur, et dépend de la vitesse de déplacement de la montre observée. Bien qu'il y ait une petite quantité de mathématiques, les formules sont très simples, et si vous pouvez suivre la logique de leur enchaînement, vous comprendrez exactement pourquoi la relativité restreinte nous force à changer notre vision du monde. Cependant, si vous êtes réfractaire aux mathématiques, ou si vous perdez le fil, ne vous inquiétez pas, car les points importants seront résumés à la fin de la démonstration.

Pour comprendre l'impact de la théorie de la relativité restreinte sur le concept de temps, considérons un inventeur, en l'occurrence une femme, Alice, et sa pendule plutôt insolite. Toutes les pendules ont besoin d'un système créant un mouvement de fréquence constante, un mécanisme au battement régulier pouvant servir à compter le temps, tel le balancier des pendules de nos grands-mères, ou le goutte à goutte régulier d'une clepsydre (horloge à eau). Dans la pendule d'Alice, ce « mouvement » est un flash de lumière vertical réfléchi par deux miroirs distants d'1,8 mètre, comme le montre la Figure 22(a). Les impulsions lumineuses sont idéales pour marquer le temps, car, la vitesse de la lumière étant constante, la pendule sera extrêmement précise. La vitesse de la lumière étant de 300 000 000 m/s (ou, si l'on préfère, pour faire bref : 3×10^8 m/s), si un battement est le temps que met un flash de lumière pour aller d'un miroir à l'autre et retourner à son point de départ, Alice constate que le temps écoulé entre deux impulsions est égal à :

$$\text{Temps}_{\text{Alice}} = \text{Distance/Vitesse} = 3{,}6 \text{ m}/3 \times 10^8 \text{ m/s} = 1{,}2 \times 10^{-8} \text{ s}$$

Alice emporte sa pendule avec elle dans un wagon, qui avance à vitesse constante en ligne droite. Elle constate que le laps de temps qui s'écoule entre deux « battements » ou impulsions reste le même – souvenez-vous, le principe de relativité de Galilée présume qu'il lui est impossible de dire si elle est immobile ou en mouvement en observant les objets qui se déplacent avec elle, dans son référentiel.

Pendant ce temps-là, Pierre, l'ami d'Alice, se tient sur le quai de la gare et voit le train passer devant lui à une vitesse égale aux 8/10e de la vitesse de la lumière, soit 0,8 c = 2,4 × 10^8 m/s (il s'agit d'un train express au sens extrême du mot !). Pierre peut voir Alice et sa pendule au travers d'une fenêtre du wagon et, de son point de vue, l'impulsion de lumière suit une trajectoire inclinée, partant du miroir inférieur à gauche pour rejoindre le miroir supérieur qui s'est déplacé avec le train (voir Figure 22b). Selon les axiomes de la relativité restreinte, ce trajet oblique est parcouru à la vitesse c de la lumière dans le vide, tandis que la vitesse horizontale est 0,8 c. Le rapport des vitesses c/0,8 c est aussi le rapport des longueurs parcourues pendant un temps donné, celles que l'on voit apparaître entre la position initiale du miroir inférieur, la position intermédiaire du miroir supérieur, et la position inchangée de Pierre. En termes de vitesses, c et 0,8 c forment respectivement l'hypoténuse et un côté de l'angle droit du triangle rectangle dont le dernier côté est la composante verticale de la vitesse de la lumière. Selon le théorème de Pythagore, cette composante est la racine carrée de la différence c^2 − (0,8 c)^2 = 0,36 c^2 = (0,6 c)^2. On remarquera que les 3 vitesses citées (c ; 0,8 c ; 0,6 c) sont dans les rapports 5-4-3, de même que les distances parcourues en un laps de temps donné.

Appliquons ce rapport à notre cas de figure. La règle verticale qui sert d'étalon commun à Alice et à Pierre, longue de 1,80 mètre, forme le deuxième côté de l'angle droit correspondant au nombre 3 du triplet 5-4-3. L'hypoténuse elle correspond au 5 de ce triplet, et sa longueur est donc (5/3) × 1,8 m = 3 mètres. Il en résulte que le trajet de la lumière observé par Pierre prend un temps distance/vitesse = 3 m / (300 000 km/s) = 1,0 × 10^{-8} s = 10 nanosecondes, si bien que le trajet complet, avec retour sur le miroir inférieur, se fera dans le temps :

$$\text{Temps}_{\text{Pierre}} = \frac{2 \text{ fois } 3 \text{ m}}{(3 \times 10^8 \text{ m/s})} = 2{,}0 \times 10^{-8} \text{ s}$$

C'est à ce stade de la démonstration que la réalité du temps prend un tour extrêmement étrange et légèrement troublant. Alice et Pierre se retrouvent et comparent leurs notes. Pierre rapporte qu'il a vu la pendule à miroirs d'Alice « battre » toutes

(a)

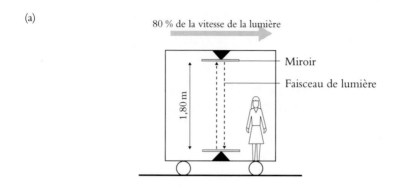

(b)

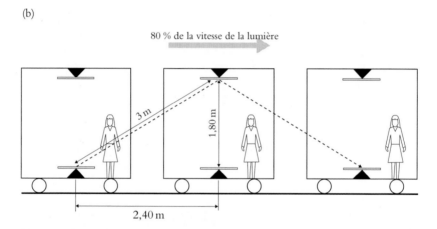

Figure 22 Le scénario suivant illustre l'une des principales implications de la théorie de la relativité restreinte d'Einstein. Alice se trouve à l'intérieur d'un wagon avec une pendule à miroirs (marquant les secondes à l'aide d'un flash lumineux réfléchi entre deux miroirs). Le diagramme (a) montre la situation du point de vue d'Alice. Le wagon avance à 80 % de la vitesse de la lumière, mais comme la pendule ne bouge pas par rapport à Alice, celle-ci constate qu'elle se comporte tout à fait normalement, marquant les secondes et les minutes comme elle l'a toujours fait.

Le diagramme (b) montre la même situation (Alice et sa pendule) du point de vue de Pierre. Le wagon avançant à 80 % de la vitesse de la lumière, Pierre voit le flash lumineux suivre une trajectoire diagonale. La vitesse de la lumière étant constante pour n'importe quel observateur, Pierre constate que le flash lumineux met davantage de temps à suivre la trajectoire diagonale, plus longue, et du coup, pense que le « tic-tac » de l'horloge est plus lent pour lui que pour Alice.

les $2,0 \times 10^{-8}$ s, alors qu'Alice prétend qu'elle bat toutes les $1,2 \times 10^{-8}$ s. Précisons ici que la pendule d'Alice fonctionne tout à fait normalement et ne présente aucune anomalie. Alice et Pierre ont regardé la même pendule, mais ils ont constaté que le temps s'écoulait à des rythmes différents.

La formule élaborée par Einstein décrit comment le temps change pour Pierre et Alice en toutes circonstances :

$$\text{Temps}_{\text{Pierre}} = \text{Temps}_{\text{Alice}} \times \frac{1}{\sqrt{1 - v^2_{\text{A}}}}$$

Elle dit que les intervalles de temps observés par Pierre sont différents de ceux observés par Alice, en fonction de la vitesse d'Alice par rapport à Pierre (v_{A}) et à la vitesse de la lumière (c). Si nous insérons les nombres correspondant au cas décrit plus haut, nous pouvons voir comment cette formule fonctionne :

$$\text{Temps}_{\text{Pierre}} = 1,2 \times 10^{-8}\text{s} \times \frac{1}{\sqrt{(1 - (0,8c))^2/c^2}}$$

$$\text{Temps}_{\text{Pierre}} = 1,2 \times 10^{-8}\text{s} \times \frac{1}{\sqrt{(1 - (0,64))}}$$

$$\text{Temps}_{\text{Pierre}} = 2,0 \times 10^{-8} \text{ s}$$

Einstein déclara un jour en plaisantant : « Mettez votre main sur un réchaud brûlant pendant une minute, et vous aurez l'impression que ça dure une heure. Passez une heure en compagnie d'une jolie fille, et vous aurez l'impression que ça n'a duré qu'une minute. La relativité, *c'est ça*. » Mais la relativité restreinte n'est pas un calembour. La formule d'Einstein décrit exactement comment tout observateur verrait véritablement le temps ralentir lorsqu'il regarderait une pendule en mouvement, phénomène connu sous le nom de *dilatation du temps*. Cette notion semble si incompréhensible qu'elle soulève immédiatement quatre questions :

1) *Pourquoi ne détecte-t-on jamais ce phénomène particulier ?*

L'ampleur de la dilatation du temps dépend de la vitesse de la pendule ou de tout autre objet par rapport à la vitesse de la lumière. Dans l'exemple ci-dessus, la dilatation du temps est importante parce que le véhicule d'Alice se déplace à 80 % de la

vitesse de la lumière, soit 240 000 000 m/s. Cependant, si le véhicule avançait à la vitesse plus raisonnable de 100 m/s (360 km/h),
la perception qu'a Pierre de la pendule d'Alice serait pratiquement
la même que la sienne. La modification des nombres de l'équation
montrerait que la différence dans leur perception du temps serait
de l'ordre d'à peine un trillionième. En d'autres termes, il est
impossible à des humains de détecter les effets quotidiens de la
dilatation du temps.

2) Cette différence de durées est-elle réelle ?

Oui, elle est tout à fait réelle. Toutes sortes d'appareils *hi-tech*
ultra-sophistiqués doivent prendre en compte la dilatation du
temps afin de fonctionner correctement. Le Global Positioning System (GPS), qui dépend des satellites pour donner avec une
extrême précision la situation à la surface de la Terre d'un marcheur, d'une voiture ou d'un bateau, ne peut fonctionner avec
exactitude que parce qu'il prend en considération les effets de la
relativité restreinte. Ces effets sont importants dans la mesure où
les satellites de GPS voyagent dans l'espace à de très grandes
vitesses, comme tous les satellites, et utilisent des mécanismes de
mesure du temps de haute précision.

3) La théorie de la relativité restreinte d'Einstein s'ap-
plique-t-elle uniquement aux horloges fonctionnant
avec des flashs de lumière ?

La théorie s'applique à toutes les horloges et, en fait, à tous les
phénomènes, la lumière déterminant dans la réalité les interactions
ayant lieu au niveau atomique. De ce fait, toutes les interactions
atomiques se produisant à l'intérieur et autour du véhicule (le
wagon) ralentissent du point de vue de Pierre. Il ne peut visualiser
ces interactions subatomiques individuelles, mais il peut voir les
effets combinés de ce ralentissent subatomique. De même que les
impulsions de la pendule à miroirs d'Alice lui apparaissent plus
lentes, Pierre la verrait agiter la main dans sa direction plus lentement au moment où elle passerait devant lui ; elle clignerait des
yeux et penserait plus lentement, et même les battements de son
cœur ralentiraient. Tout serait affecté de la même manière par la
dilatation du temps.

4) Pourquoi Alice ne peut-elle utiliser le ralentissement de
sa pendule et de ses propres mouvements pour prouver
qu'elle est en mouvement ?

Tous les phénomènes décrits *supra* sont tels qu'ils sont observés
par Pierre depuis l'extérieur du train en mouvement. Du point de
vue d'Alice, tout, à l'intérieur du train, est parfaitement normal, car

ni son horloge, ni qui que ce soit d'autre à l'intérieur de son wagon ne bouge par rapport à elle. À mouvement relatif nul, dilatation du temps nulle. Nous ne devons pas être surpris qu'aucune dilatation du temps ne soit observée, car si Alice avait remarqué le moindre changement dans son environnement immédiat du fait du déplacement de son wagon, cela contredirait le principe de la relativité de Galilée. Par ailleurs, si Alice avait regardé Pierre en passant en trombe devant lui, c'est à elle qu'il aurait semblé que Pierre et son environnement sont affectés par la dilatation du temps, car ils « se déplacent » par rapport à elle.

La théorie de la relativité restreinte a des répercussions tout aussi révolutionnaires dans d'autres domaines de la physique. Einstein montra également que lorsqu'Alice passe devant lui, Pierre constate qu'elle se contracte dans la direction de son déplacement. En d'autres termes, si Alice mesure 2 mètres et si son buste est épais de 25 centimètres, et si elle est tournée vers l'avant du train quand celui-ci traverse la gare, Pierre constatera qu'elle mesure toujours 2 mètres, mais que son buste aura rétréci en épaisseur de 10 centimètres. Elle paraîtra plus mince. Ce n'est rien d'autre qu'une illusion de perspective, mais cela n'en constitue pas moins une réalité dans la vision du monde de Pierre. Le même raisonnement nous a permis d'expliquer comment et pourquoi Pierre voit la pendule d'Alice battre plus lentement.

Ainsi, tout en mettant à mal les notions du temps traditionnelles, la relativité restreinte contraignit les physiciens à reconsidérer leurs conceptions de l'espace, lesquelles, pourtant, leur paraissaient solides comme le roc. Constants et universels jusque-là, le temps et l'espace étaient désormais flexibles et personnels. Il n'est pas surprenant qu'Einstein lui-même, en élaborant sa théorie, ait parfois éprouvé des difficultés à croire en sa propre logique et en ses propres conclusions. « La thèse est amusante et séduisante, dit-il, mais si ça se trouve, le Seigneur doit probablement rire de tout cela et me mener par le bout du nez. » Malgré tout, Einstein surmonta ses doutes et suivit à nouveau la logique de ses équations. Après la publication de ses travaux, les savants du monde entier durent reconnaître qu'un employé de bureau solitaire était l'auteur d'une des découvertes les plus importantes de l'histoire de la physique. Max Planck, père de la théorie des quanta, dit d'Einstein : « Si [la relativité] se révèle correcte, comme je m'attends à ce qu'elle le soit, il sera considéré comme le Copernic du xxe siècle. »

Les prédictions d'Einstein quant à la dilatation du temps et la contraction des longueurs devaient être toutes confirmées au bout du compte lors d'expérimentations. À elle seule, sa théorie de la relativité restreinte aurait suffi à faire de lui l'un des plus grands physiciens du xxe siècle, ayant provoqué une remise en cause radicale de la physique victorienne, mais la stature d'Einstein devait atteindre des sommets encore plus élevés. Peu après la publication de ses articles de 1905, il s'attela à un programme de recherche encore plus ambitieux. Pour la replacer dans le contexte de son œuvre entière, Einstein qualifia un jour sa théorie de la relativité restreinte de « jeu d'enfant » comparée à ce qui vint après elle. Sa grande découverte suivante devait révéler comment l'univers se comporte à plus grande échelle et fournir aux cosmologistes les outils dont ils avaient besoin pour répondre aux questions les plus fondamentales.

La bataille de la gravité : Newton contre Einstein

Les idées d'Einstein étaient si iconoclastes qu'il fallut du temps à l'establishment scientifique pour admettre dans ses rangs cet obscur employé de bureau. Bien qu'il ait divulgué sa théorie de la relativité restreinte dès 1905, ce n'est qu'en 1908 qu'il obtint son premier poste de jeune chercheur à l'université de Berne. Entre 1905 et 1908, Einstein continua à travailler au Bureau des Brevets de Berne, où il fut promu « expert technique, deuxième classe », tout en conservant la possibilité, du fait de sa modeste charge de travail, d'affiner et préciser sa théorie de la relativité.

La théorie de la relativité *restreinte* porte ce nom parce qu'elle ne s'applique qu'à des situations spéciales, celles dans lesquelles les objets se déplacent à vitesse constante. En d'autres termes, elle est valide lorsque Pierre voit le train d'Alice passer devant lui à une vitesse invariable, en ligne droite, mais elle ne s'appliquerait pas dans le cas d'un train qui ralentirait ou accélérerait. Par la suite, Einstein tenta de reformuler sa théorie de manière à ce qu'elle puisse traiter de situations impliquant accélérations et décélérations. Cette extension de la théorie de la relativité restreinte allait prendre le nom de *relativité générale*, car elle s'appliquerait aux situations plus générales.

En posant la première pierre de la relativité générale en 1907, Einstein formula ce qu'il devait appeler « la plus heureuse pensée de [sa] vie ». Celle-ci inaugura cependant huit années de tourments. Il expliqua à un ami comment cette obsession pour la relativité générale le forçait à négliger tous les autres aspects de sa vie : « Je n'arrive pas à trouver le temps pour écrire, car je suis occupé par des choses vraiment importantes. Jour et nuit, je me torture l'esprit à tenter de pénétrer plus avant dans les choses que j'ai progressivement découvertes au cours des deux dernières années, et qui représentent une avancée sans précédent s'agissant des problèmes fondamentaux de la physique. »

En parlant de « choses vraiment importantes » et de « problèmes fondamentaux », Einstein se référait au fait que la théorie de la relativité générale semblait le conduire vers une théorie de la gravité entièrement nouvelle. Si Einstein avait raison, les physiciens seraient contraints de remettre en question le monde d'Isaac Newton, l'un des plus grands génies de l'histoire.

Newton naquit dans des circonstances tragiques le jour de Noël 1642, son père étant mort à peine trois mois plus tôt. Alors qu'Isaac était encore un jeune enfant, sa mère épousa un clergyman de soixante ans, Barnabas Smith, qui refusa d'accueillir Isaac chez lui. Il revint aux grands-parents d'Isaac de l'élever, et au fil des années, l'enfant conçut une haine de plus en plus farouche à l'encontre de la mère et du beau-père qui l'avaient si cruellement abandonné. De fait, alors qu'il était collégien, il dressa une liste des péchés qu'il avait commis étant enfant, dans laquelle il reconnaissait « avoir menacé mes père et mère Smith de les brûler, et leur maison avec eux ».

De manière guère surprenante, Newton, une fois parvenu à l'âge adulte, devint un homme amer, solitaire, au caractère obsessionnel, et parfois cruel. Quand il fut nommé directeur de la Monnaie royale en 1696, il engagea une lutte implacable contre les faux-monnayeurs, veillant à ce que ceux qui étaient condamnés fussent pendus et écartelés. La contrefaçon ayant mené l'Angleterre au bord de la ruine, Newton estimait que de tels châtiments étaient nécessaires et justes. En plus de ces mesures brutales, Newton utilisa les ressources de son intellect pour sauver l'économie monétaire de son pays. L'une de ses plus importantes innovations consista à introduire le crénelage sur les pièces de monnaie afin de combattre la pratique de la rognure (les faux-monnayeurs tranchaient les bords des pièces et utilisaient les chutes pour en fabriquer de nouvelles).

En reconnaissance de la contribution de Newton au redressement économique de la nation, la formule STANDING ON THE SHOULDERS OF GIANTS (« juché sur les épaules de géants ») fut gravée sur le pourtour crénelé de la nouvelle pièce de 2 £ émise en 1997. Ces mots sont extraits d'une lettre adressée par Newton à son collègue savant Pierre Hooke, dans laquelle il écrivait : « Si j'ai vu plus loin, c'est parce que je me suis juché sur les épaules de géants. » La formule ressemble à une déclaration de modestie, à un aveu que les propres idées de Newton sont bâties sur celles d'illustres prédécesseurs tels que Galilée et Pythagore. En fait, la phrase est une allusion voilée et venimeuse au dos bossu et aux épaules voûtées de Hooke. En d'autres termes, Newton voulait faire remarquer que ce dernier n'était ni un géant physique, ni, par voie de conséquence, un géant intellectuel.

Quels que soient ses défauts personnels, Newton apporta une contribution sans précédent à la science du XVIIᵉ siècle. Il jeta les fondements d'une nouvelle ère scientifique en menant une série de recherches aux résultats prodigieux qui dura à peine dix-huit mois, culminant en 1666, année connue aujourd'hui comme l'*annus mirabilis* de Newton. Le terme était à l'origine le titre d'un poème de John Dryden inspiré par d'autres événements plus sensationnels survenus en 1666, en l'occurrence la renaissance de Londres après le Grand Incendie, et la victoire de la flotte britannique sur la marine hollandaise. Les savants, cependant, voient dans les découvertes de Newton les vrais miracles de 1666. Son *annus mirabilis* avait vu en effet des avancées majeures dans les domaines de l'arithmétique, de l'optique, et, ce qui devait valoir au savant sa célébrité, la gravitation.

En substance, la loi de gravitation de Newton affirme que tout objet dans l'univers attire n'importe quel autre objet. Plus exactement, Newton définissait la force d'attraction entre deux objets par cette formule :

$$F = \frac{G \times m_1 \times m_2}{r^2}$$

La force (*F*) entre deux objets est fonction des masses des objets (*m₁* et *m₂*). Plus grandes seront les masses, plus grande sera la force. De même, la force est inversement proportionnelle au carré de la distance entre les objets (r^2), ce qui signifie que la force diminue rapidement à mesure que les objets s'éloignent l'un de l'autre. La constante gravitationnelle (*G*) est toujours égale à $6,67 \times 10^{-11} \mathrm{N}\ \mathrm{m}^2\ \mathrm{kg}^{-2}$.

L'efficacité de cette formule tient au fait qu'elle résume toutes les théories élaborées avant Newton par Copernic, Kepler et Galilée à propos du système solaire. Par exemple, la chute d'une pomme vers le sol n'est pas due à la volonté du fruit de se rapprocher du centre de l'univers, mais, tout simplement, au fait que la Terre et la pomme, ayant chacune une masse, sont naturellement attirées l'une vers l'autre par la force de gravité. La pomme accélère vers la Terre, et dans le même temps, la Terre accélère, elle aussi, vers la pomme, même si l'effet produit sur la Terre est imperceptible, l'astre étant beaucoup plus massif que le fruit. De la même façon, l'équation de Newton relative à la gravité peut être utilisée pour expliquer comment la Lune orbite autour de la Terre, dans la mesure où les deux corps célestes possèdent une masse, et où, de ce fait, il existe une attraction mutuelle entre les deux. Là encore, la Lune tourne autour de la Terre et non le contraire, la Lune étant beaucoup moins massive que la Terre. En fait, la formule de Newton peut même être utilisée pour prédire que lunes et planètes suivront des trajectoires elliptiques – ce que Kepler avait très précisément démontré après avoir analysé les observations de Tycho Brahé.

Pendant les quelque deux siècles et demi qui suivirent la publication de sa loi de la gravité, Newton régna sur le cosmos. Estimant que le problème de la gravité avait été résolu, les savants utilisaient la formule de Newton pour tout expliquer, de la chute d'une pomme à la trajectoire d'une comète. Newton lui-même, cependant, soupçonnait que sa compréhension de l'univers était incomplète : « Je ne sais pas ce qu'il en semble au monde, mais quant à moi, il me semble que je n'ai été qu'un petit garçon jouant sur le rivage, et me divertissant de temps à autre en découvrant un galet mieux poli ou un coquillage plus beau que d'ordinaire, tandis que le grand océan de la vérité s'étendait devant moi, dans la totalité de son mystère. »

C'est Albert Einstein qui se rendit compte le premier que la gravité pouvait être plus compliquée que Newton ne l'avait imaginé. Après sa propre *annus mirabilis* de 1905, alors qu'il bâtissait une théorie générale à partir de sa théorie de relativité restreinte, Einstein commença à élaborer une interprétation radicalement différente de la gravitation fondée sur une vision fondamentalement différente de la façon dont planètes, lunes et pommes s'attirent les unes les autres.

Sa découverte de la flexibilité du temps – elle-même induite par sa théorie de la relativité restreinte – était au cœur de la nouvelle approche d'Einstein. Rappelons-nous, Pierre voit la pendule ralentir et Alice « maigrir » quand elles passent devant lui. Dans la mesure où il est constitué de trois dimensions (largeur, hauteur, profondeur), l'espace lui-même doit être flexible. En outre, il apparaît que les flexibilités de l'espace et du temps sont inextricablement liées, ce qui conduit Einstein à envisager une seule entité flexible qu'il baptise *espace-temps*. Et il s'avère que cette flexibilité de l'espace-temps est la cause sous-jacente de la gravité. Cette flexibilité omniprésente a sans aucun doute de quoi intriguer le profane : les paragraphes suivants permettront au lecteur de visualiser facilement, je l'espère, la philosophie de la gravitation d'Einstein.

L'espace-temps est composé de quatre dimensions, trois relatives à l'espace, et la quatrième, au temps. Mais comme cette notion est difficile à appréhender pour la plupart des mortels, il est généralement plus facile de considérer l'espace-temps en seulement deux dimensions. Heureusement, dans la mesure où il illustre bon nombre des caractéristiques de l'espace-temps quadridimensionnel, l'espace-temps bidimensionnel constitue une simplification commode. L'espace-temps bidimensionnel, tel qu'il est représenté sur la Figure 23(a), ressemble à une pièce de tissu élastique ; le quadrillage est là pour montrer que si rien n'occupe l'espace-temps, son « tissu » est plat, rien ne venant le déranger. La Figure 23(b) montre comment notre espace-temps bidimensionnel change du tout au tout si un objet y est introduit. Ce second diagramme pourrait représenter l'espace-temps tel qu'il est déformé par le Soleil, avec toute sa masse, un peu à la manière d'un trampoline se déformant sous le poids d'une boule de bowling.

En fait, l'analogie du trampoline peut être étendue à d'autres situations. Si la boule de bowling représente le Soleil, imaginons une balle de tennis représentant la Terre en orbite autour d'elle, comme le montre la Figure 23(c). La balle de tennis crée en fait sa minuscule dépression personnelle sur le trampoline, et se déplace avec cette dépression tout au long de son orbite autour de la boule. Si nous voulions réaliser une modélisation de la Lune, nous pourrions essayer de faire rouler une bille dans la dépression creusée par la balle de tennis et la faire tourner autour de cette dernière, tandis que la balle de tennis et sa dépression tournent autour du creux formé par la boule de bowling.

Dans la pratique, toute tentative de modéliser un système complexe sur un trampoline est vite vouée à l'échec, car les frottements du tissu du trampoline perturbent le mouvement naturel des objets. Malgré ces effets secondaires, Einstein fit valoir que le modèle de trampoline était transposable au « tissu » de l'espace-temps. Selon Einstein, chaque fois que des physiciens et des astronomes constataient des phénomènes impliquant la force d'attraction gravitationnelle, ils voyaient en fait des objets réagir à la courbure de l'espace-temps. Par exemple, Newton aurait dit qu'une pomme tombait vers la Terre à cause de la force mutuelle d'attraction gravitationnelle, mais Einstein estimait désormais avoir une compréhension plus profonde de ce qui commandait cette attraction : la pomme tombait vers la Terre parce qu'elle tombait dans la profonde dépression creusée dans l'espace-temps par la masse de la Terre.

La présence d'objets dans l'espace-temps donne naissance à une relation à double sens. La forme de l'espace-temps influe sur le mouvement des objets, et dans le même temps, ces mêmes objets déterminent la forme de l'espace-temps. En d'autres termes, les creux dans l'espace-temps qui guident le Soleil et les planètes sont causés par ces mêmes Soleil et planètes. John Wheeler, l'un des principaux avocats de la relativité générale au XXe siècle, résuma la théorie par cette formule : « La matière dit à l'espace comment se courber ; l'espace dit à la matière comment bouger. » Bien que Wheeler ait sacrifié l'exactitude au profit de la simplicité (par « espace », il faut entendre « espace-temps »), il s'agit d'un bon résumé de la théorie d'Einstein.

La notion d'espace-temps flexible peut paraître insensée, mais Einstein était convaincu qu'il avait raison. Selon ses propres critères esthétiques, le lien entre l'espace-temps flexible et la gravité *devait* exister : « Quand je juge d'une théorie, je me demande si, à la place de Dieu, j'aurais conçu le monde de cette manière. » Cependant, s'il devait convaincre le

Le roman du Big Bang

(a)

(b)

(c)

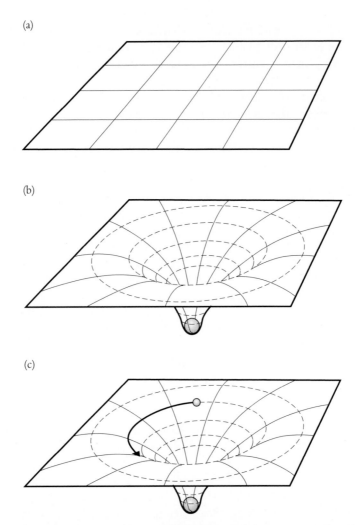

Figure 23 Ces diagrammes sont des représentations en deux dimensions de l'espace-temps à quatre dimensions, ne prenant pas en
compte la dimension temporelle, et une des trois dimensions spa-
tiales. Le diagramme (a) montre un canevas plat, lisse et intact, représentant l'espace vide. Si elle devait passer à travers cet espace, une
planète suivrait une ligne droite.
Le diagramme (b) montre l'espace déformé par un objet tel que le Soleil.
La profondeur de la dépression est fonction de la masse du Soleil.
Le diagramme (c) montre une planète orbitant autour de la dépression causée par le Soleil. La planète provoque sa propre petite
dépression dans l'espace, mais elle est trop petite pour être représentée sur ce diagramme, car la planète est relativement légère.

reste du monde qu'il avait raison, Einstein devait trouver une formule qui synthétisât sa théorie. Le grand défi auquel il se trouvait confronté allait consister à transformer la notion plutôt vague du rapport entre espace-temps et gravité décrit *supra* en une théorie formalisée de la relativité générale, exprimée dans un cadre mathématique rigoureux.

Huit ans devaient s'écouler avant qu'Einstein ne réussisse à étayer ses intuitions au moyen d'une démonstration mathématique raisonnée et argumentée – huit années durant lesquelles il connut des moments de découragement complet, ses calculs semblant ne mener nulle part. L'effort intellectuel allait pousser Einstein au bord de la dépression nerveuse. Son état d'esprit et sa frustration trouvent un écho dans les brefs commentaires qu'on relève dans certaines lettres qu'il écrivit à des amis pendant ces années. Ainsi suppliait-il Marcel Grossman : « Tu dois m'aider, ou alors, je vais perdre la raison ! » Il confia à Paul Ehrenfest que travailler sur la relativité revenait à « subir une pluie de feu et de soufre ». Dans une autre lettre, il s'inquiétait « d'avoir à nouveau énoncé quelque chose à propos de la théorie de la gravitation qui l'exposait au risque de devoir se faire interner dans un asile d'aliénés ».

On a peine à mesurer le courage dont il fallait faire preuve à l'époque pour s'aventurer dans des territoires intellectuels inexplorés. En 1913, Max Planck tenta même de dissuader Einstein de travailler sur la relativité générale : « En tant qu'ami, et aîné, je dois te mettre en garde, d'abord parce que tu ne réussiras pas, et même si tu réussissais, personne ne te croirait. »

Einstein persévéra, porta sa croix jusqu'au bout, et mit finalement la dernière main à sa théorie de la relativité générale en 1915. Comme Newton, Einstein avait fini par élaborer une formule mathématique susceptible d'expliquer et de calculer la force de gravité dans toutes les situations concevables, mais cette formule était très différente, car construite sur un postulat de départ entièrement nouveau – l'existence d'un espace-temps flexible.

La théorie de la gravité de Newton leur ayant donné satisfaction pendant les deux siècles précédents, pourquoi diable les physiciens devaient-ils tout à coup l'abandonner au profit de celle, toute nouvelle, d'Einstein ? La théorie de Newton pouvant prédire à coup sûr le comportement de tous les objets, des pommes aux planètes, en passant par les boulets de canon et les gouttes de pluie, à quoi, au juste, pouvait bien servir celle d'Einstein ?

La réponse réside dans la nature même du progrès scientifique. Les savants s'efforcent de créer des théories pour expliquer et prédire les phénomènes naturels aussi précisément que possible. Une théorie peut fonctionner de manière satisfaisante pendant quelques années, décennies ou siècles, mais au bout du compte, les scientifiques peuvent élaborer et adopter une théorie meilleure, plus précise, qui s'applique à un plus grand nombre de situations – et rend compte de phénomènes restés jusque-là inexpliqués. C'est exactement ce qui est arrivé avec les premiers astronomes et l'idée qu'ils se faisaient de la position de la Terre dans le cosmos. Initialement, les astronomes pensaient que le Soleil gravitait autour d'une Terre stationnaire et, grâce aux épicycles et déférents de Ptolémée, cette théorie connut une belle postérité. De fait, les astronomes l'utilisèrent pour prédire les mouvements des planètes avec une exactitude raisonnable. Cependant, la théorie géocentrique fut finalement remplacée par la théorie héliocentrique de l'univers, car cette nouvelle théorie, fondée sur les orbites elliptiques de Kepler, était plus exacte et pouvait expliquer les nouveaux phénomènes observés grâce au télescope, telles les phases de Vénus. La transition d'une théorie à l'autre constitua un processus long et fastidieux, mais une fois le modèle héliocentrique validé par l'expérience, tout retour en arrière devint impossible.

De la même manière, à bien des égards, Einstein avait la conviction d'offrir à la physique une théorie de la gravité plus performante, une théorie plus exacte et proche de la réalité. En particulier, Einstein soupçonnait que la théorie de la gravité de Newton pouvait être défaillante dans certaines circonstances, alors que la sienne était juste dans toutes les situations. Selon Einstein, la théorie de Newton était fausse quand il s'agissait de prédire des phénomènes dans des situations où la force gravitationnelle était extrême. Du coup, pour prouver qu'il avait raison, Einstein n'avait qu'à produire un de ces scénarios extrêmes, et mettre à l'épreuve la théorie de Newton, et la sienne. Celle des deux théories qui reproduirait avec la plus grande exactitude la réalité l'emporterait et apparaîtrait comme la seule théorie valide de la gravitation.

Le problème pour Einstein tenait au fait que tous les scénarios sur Terre se déroulaient dans le même environnement de faible gravité, et dans ces conditions, les deux théories de la gravité étaient tout aussi valides, et se valaient l'une l'autre. En conséquence, il comprit qu'il allait devoir chercher au-delà de notre planète, dans l'espace, un environnement gravitationnel extrême susceptible de révéler les failles de la théorie de Newton. Notamment, il savait que le champ gravitationnel du Soleil était extrêmement puissant et que la planète la plus proche du Soleil, Mercure, était certainement soumise à une très forte attraction. Il se demanda si l'attraction du Soleil était assez forte pour que Mercure se comporte en accord parfait avec sa théorie et, du même coup, en contradiction avec celle de Newton. Le 18 novembre 1915, Einstein tomba sur *le* cas dont il avait besoin pour son test – une particularité dans le comportement de Mercure qui intriguait les astronomes depuis des décennies.

Dès 1859, l'astronome français Urbain Le Verrier avait détecté une anomalie dans l'orbite de la planète la plus chaude du système solaire. Celle-ci décrit une orbite elliptique, mais au lieu d'être fixe, l'ellipse elle-même tourne autour du Soleil, comme le montre la Figure 24. L'orbite elliptique pivote lentement autour de son axe, dessinant un motif caractéristique rappelant un spirographe. Le périhélie (point de l'orbite où la planète se trouve le plus proche du Soleil) avançait de 574 secondes d'arc par siècle, ce qui signifiait qu'il fallait un million d'orbites et plus de deux cent mille ans pour que Mercure accomplisse un cycle complet autour du Soleil et retourne à sa position orbitale initiale.

Les astronomes avaient alors estimé que le comportement particulier de Mercure était causé par l'attraction gravitationnelle exercée sur son orbite par les autres planètes dans le système solaire, mais quand Le Verrier utilisa la loi de gravitation de Newton, il découvrit que seulement 531 des 574 secondes d'arc étaient imputables à l'effet combiné des autres planètes. Cela signifiait que l'écart de 43 secondes d'arc dans l'avance de l'orbite de Mercure restait inexpliqué. Selon certains, une influence supplémentaire, invisible, devait s'exercer sur la trajectoire de Mercure – telle une ceinture d'astéroïdes intérieure, ou une lune inconnue de Mercure. D'autres allèrent jusqu'à déduire l'existence d'une planète restant à découvrir, baptisée Vulcain, à l'intérieur de l'orbite de Mercure. En d'autres termes, les astronomes estimaient que la loi de la gravitation de Newton était correcte, et que le problème tenait au fait qu'ils ne maîtrisaient pas tous les paramètres en jeu. Une fois qu'ils auraient découvert la ceinture d'astéroïdes, la lune ou la pla-

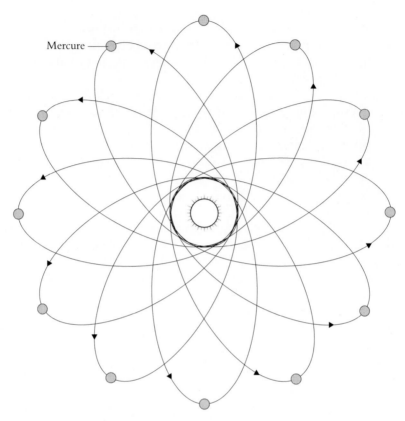

Mercure

Figure 24 Les astronomes du XIXᵉ siècle étaient intrigués par les bizar-reries de l'orbite de Mercure. Les proportions ne sont pas respectées sur ce diagramme, dans la mesure où l'orbite de Mercure est moins elliptique (plus circulaire) et où le Soleil est plus proche du centre de l'orbite. Surtout, la « précession » (décalage) de l'orbite est haute-ment exagérée. En réalité, chaque orbite n'avance que de 0,00038 ° par rapport à l'orbite précédente. Quand ils ont affaire à des angles aussi infimes, les scientifiques tendent à utiliser des minutes et des secondes d'arc plutôt que des degrés :

$$1 \text{ minute d'arc} = \frac{1}{60}°$$
$$1 \text{ seconde d'arc} = \frac{1}{60} \text{ de minute d'arc} = \frac{1}{3\,600}°$$

Ainsi, chaque orbite de Mercure avance d'environ 0,00038°, soit 0,023 minute d'arc, soit 1,383 seconde d'arc par rapport à l'orbite précédente. Mettant 88 jours terrestres pour faire le tour du Soleil, Mercure accomplira en un siècle terrestre 415 révolutions complètes, et son orbite avancera pendant la même période de 415 × 1,383 seconde (= 574 secondes d'arc).

nète inconnue, de nouveaux calculs donneraient sûrement la bonne réponse : 574 secondes d'arc.

Einstein, cependant, était certain qu'il était vain de chercher une ceinture d'astéroïdes, ou une lune, ou une planète inconnue, et que le problème tenait à la formule même de Newton. La théorie de ce dernier était valide tant qu'il s'agissait de décrire ce qui se passait dans un environnement terrestre, où la gravité est beaucoup moins forte, mais Einstein était convaincu qu'elle ne s'appliquait pas au voisinage du Soleil, où régnait un champ gravitationnel extrêmement intense. C'était l'arène idéale pour l'affrontement des deux théories rivales, et il ne faisait aucun doute pour Einstein que sa théorie rendrait exactement compte de l'avance du périhélie de Mercure.

Il s'enferma dans son bureau, effectua les calculs nécessaires à l'aide de sa formule, et obtint le résultat de... 574 secondes d'arc, en parfait accord avec les observations des astronomes. « Pendant quelques jours, écrit Einstein, j'ai été fou de joie, en proie à une excitation fébrile. »

Malheureusement, la communauté des physiciens ne fut pas entièrement convaincue par les calculs d'Einstein. L'establishment scientifique, on l'a vu, est par essence conservateur, à la fois pour des raisons pratiques et psychologiques. Si une nouvelle théorie en supplante une ancienne, cette dernière doit être abandonnée, et ce qui reste des cadres de pensée antérieurs doit être accordé à la nouvelle théorie. Un tel bouleversement n'est justifié que si l'establishment est totalement convaincu de la parfaite validité de la nouvelle idée. Autrement dit, la charge de la preuve incombe toujours aux tenants de la nouvelle théorie. La peur de la nouveauté compte également pour beaucoup. De vieux savants ayant passé leur vie entière à croire en Newton étaient naturellement réticents à rejeter ce qu'ils comprenaient et ce en quoi ils avaient confiance au profit de la dernière théorie du jour. Mark Twain est également dans le vrai quand il écrit : « Un savant ne montrera aucune tendresse pour une théorie qu'il n'a pas ébauchée lui-même. »

Comme on pouvait s'y attendre, l'establishment scientifique resta convaincu que la formule de Newton était juste et que les astronomes découvriraient tôt ou tard quelque nouveau corps céleste dont la présence expliquerait pleinement l'avance du périhélie de Mercure. Quand des recherches approfondies n'eurent révélé aucune trace d'une ceinture d'astéroïdes, d'une lune ou d'une planète, les astronomes avancèrent une autre solution pour voler au secours de la théorie de Newton défaillante. En changeant un terme de l'équation de Newton – en remplaçant r^2 par $r^{2,00000016}$ –, ils parvenaient plus ou moins à sauver l'approche traditionnelle et à expliquer l'orbite de Mercure :

$$F = \frac{G \times m_1 \times m_2}{r^{2,00000016}}$$

Mais ce n'était qu'un tour de passe-passe mathématique, sans aucune justification – un dernier effort désespéré pour sauver la loi de gravitation de Newton. De fait, de tels rafistolages relevaient de la même logique bornée qui avait vu Ptolémée ajouter sans cesse de nouveaux cercles à son modèle épicyclique – fondamentalement vicié – d'un univers géocentrique.

S'il voulait vaincre un tel conservatisme, défaire ses adversaires et détrôner Newton, Einstein devait rassembler encore plus de preuves à l'appui de sa théorie. Il devait trouver un autre phénomène susceptible d'être expliqué par sa propre théorie et non par celle de Newton, un phénomène si extraordinaire qu'il constituerait une preuve écrasante, irréfutable, en faveur de la gravité, de la relativité générale et de l'espace-temps einsteiniens.

Le partenariat ultime : la théorie et l'expérience

Si elle veut être prise au sérieux, une nouvelle théorie doit passer avec succès deux tests critiques. D'abord, elle doit être capable de produire des résultats théoriques qui s'accordent avec toutes les observations existantes de la réalité. La théorie einsteinienne de la gravité avait passé avec succès ce test, car, entre autres choses, elle avait permis de calculer l'avance du périhélie de Mercure. Le second test, qui est encore plus astreignant, est que la théorie doit prédire les résultats d'observations qui n'ont pas encore été réalisées. Dès que les scientifiques sont en mesure de faire ces observations, et si celles-ci s'accordent aux prédictions théoriques, il s'agit alors d'une preuve irrécusable de la validité de la théorie. Quand ils déclarèrent que la Terre tournait autour du Soleil, Galilée et Kepler furent rapidement en mesure de passer avec succès le premier test, en produisant des résultats théoriques s'accordant aux mouvements connus des planètes. Cependant, le deuxième test ne fut passé que lorsque l'observation par Galilée des phases de Vénus concorda avec la prédiction théorique énoncée par Copernic quelques décennies plus tôt.

La raison pour laquelle le premier type de test ne suffit pas à lui seul à convaincre les sceptiques est la crainte que la théorie ait été ajustée en vue d'obtenir le bon résultat. Cependant, il est impossible d'ajuster une théorie au résultat d'une observation qui n'a pas encore été effectuée. Imaginez que vous envisagez d'investir de l'argent soit avec Alice, soit avec Pierre, qui prétendent chacun avoir leur propre théorie pour gagner à coup sûr à la bourse. Pierre tente de vous convaincre que sa théorie est la meilleure en vous montrant les chiffres de la bourse de la veille, avant de vous révéler comment sa théorie aurait pu les prédire parfaitement. Alice, de son côté, vous montre ses prédictions pour le lendemain. Et vingt-quatre heures plus tard, celles-ci se révèlent justes. À qui allez-vous confier votre argent, à Alice, ou à Pierre ? À l'évidence, comme il y a lieu de soupçonner Pierre d'avoir ajusté sa théorie aux chiffres de la journée précédente après la clôture des marchés, sa théorie n'est pas totalement convaincante. Par contre, celle d'Alice semble parfaitement valide.

De la même façon, si Einstein voulait prouver qu'il avait raison et que Newton avait tort, il lui faudrait émettre à partir de sa théorie une prédiction exacte sur un phénomène non encore observé. Bien sûr, ce phénomène devrait se produire dans un endroit où régnerait un champ gravitationnel très intense, faute de quoi les prédictions newtoniennes et einsteiniennes coïncideraient, et il n'y aurait aucun vainqueur.

Finalement, le test décisif allait impliquer un phénomène associé au comportement de la lumière. Avant même d'avoir appliqué sa théorie à Mercure – en fait, avant même d'avoir mis la dernière main à sa théorie de la relativité générale –, Einstein avait commencé à étudier l'interaction entre la lumière et la gravité. Selon sa formulation de la gravité en rapport avec l'espace-temps, tout faisceau de lumière passant près d'une étoile ou d'une planète massive devait être attiré vers l'étoile ou la planète par la force de gravité, et la lumière devait légèrement dévier de sa trajectoire originelle. La théorie newtonienne de la gravité prédisait aussi que des objets lourds déviaient la lumière, mais à moindre degré. Par suite, si l'on pouvait mesurer la déviation de la lumière par un corps céleste massif, l'am-

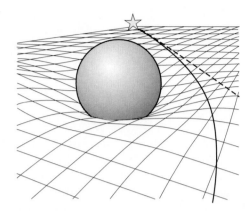

Figure 25 Einstein s'intéressait à la déflexion possible de la lumière stellaire par Jupiter, planète assez massive pour creuser une profonde dépression dans l'écheveau de l'espace-temps. Le diagramme montre une étoile lointaine émettant un rayon de lumière traversant l'espace. La trajectoire rectiligne montre comment la lumière se serait propagée à travers un espace plat si Jupiter n'avait pas été présente. La trajectoire incurvée montre comment la lumière est défléchie du fait de la déformation de l'espace par Jupiter. Malheureusement pour Einstein, la déflexion de la lumière stellaire par Jupiter était trop faible pour être détectée.

pleur de cette « déflexion » (déviation optique) – légère, ou très légère – désignerait celui qui, de Einstein ou Newton, avait raison.

Dès 1912, Einstein commença à réfléchir avec Erwin Freundlich à la meilleure manière de procéder à cette mesure cruciale. Si Einstein était un théoricien, Freundlich était pour sa part un astronome accompli, et, partant, mieux placé pour mettre au point le protocole de l'expérience qui permettrait de discerner le gauchissement optique prédit par la relativité générale. Pour commencer, ils se demandèrent si Jupiter, la planète la plus massive du système solaire, pouvait être assez grosse pour défléchir la lumière provenant d'une étoile lointaine, comme le montre la Figure 25. Mais quand Einstein effectua le calcul adéquat à l'aide de sa formule, il apparut clairement que l'amplitude de la déflexion causée par Jupiter serait trop faible pour être détectée, même si la planète avait 300 fois la masse de la Terre. Einstein écrivit à Freundlich : « Si seulement la nature nous avait donné une planète plus grosse que Jupiter ! »

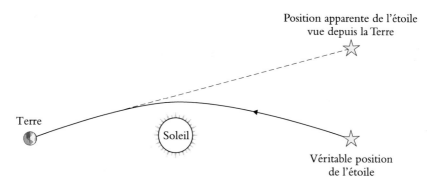

Position apparente de l'étoile
vue depuis la Terre

Terre

Soleil

Véritable position
de l'étoile

Figure 26 Einstein espérait que la déflexion de la lumière stellaire par le Soleil pourrait servir à prouver sa théorie de la relativité générale. Masquée par le Soleil, une étoile lointaine n'est pas visible depuis la Terre, mais du fait de la déformation de l'espace-temps par la masse du Soleil, la lumière de l'étoile, défléchie, suit une trajectoire incurvée qui lui permet d'atteindre notre planète. Le bon sens nous dictant que la lumière se propage en ligne droite, nous pensons que le faisceau émis par l'étoile a suivi la trajectoire rectiligne que nous croyons observer, et nous avons l'impression que l'étoile s'est déplacée par rapport à la position qu'elle devrait occuper. La théorie de la gravité d'Einstein prévoyant un décalage stellaire apparent plus important que la loi de gravitation newtonienne, la mesure de ce décalage allait indiquer quelle théorie de la gravité était la bonne.

Ensuite, leur attention se porta sur le Soleil, qui est mille fois plus massif que Jupiter. Cette fois, les calculs d'Einstein montrèrent que l'attraction gravitationnelle exercerait une influence significative sur des rayons de lumière issus d'une étoile lointaine, et que la déviation de la lumière serait détectable. Par exemple, si une étoile se trouvait derrière le disque du Soleil, et donc à l'écart de l'axe de visée de l'observateur terrestre, celui-ci devait s'attendre à ne pas la voir depuis la Terre (Figure 26). Cependant, l'énorme force gravitationnelle du Soleil et la courbure de l'espace-temps devaient dévier la lumière de l'étoile vers la Terre, et la rendre visible. Alors qu'elle se trouverait encore derrière le Soleil, l'étoile apparaîtrait juste à côté du Soleil. Le décalage entre la position réelle et la position apparente serait peu important, mais il serait suffisant pour indiquer qui avait raison, car la formule de Newton prédisait un écart encore plus faible que celui obtenu grâce à celle d'Einstein.

Mais un problème demeurait : une étoile dont la lumière

serait déviée par le Soleil, de telle sorte que l'astre apparaîtrait dans le voisinage de ce dernier, ne pourrait être vue à cause de l'éclat éblouissant du Soleil. En fait, la région autour de notre étoile-mère est toujours parsemée d'étoiles, mais elles restent toutes invisibles, car leur brillance est négligeable en comparaison de celle du Soleil. Il y a cependant une circonstance où les étoiles situées derrière le Soleil deviennent visibles... En 1913, Einstein écrivit à Freundlich pour lui suggérer de rechercher des écarts dans les positions des étoiles pendant une éclipse solaire totale.

Quand la Lune masque complètement le Soleil au cours d'une éclipse, le jour laisse place momentanément à la nuit, et les étoiles surgissent. Le disque de la Lune recouvre si parfaitement le Soleil qu'il devrait être possible de distinguer une étoile distante d'une fraction de degré du limbe du Soleil – ou, plus exactement, une étoile dont la lumière a été déviée de telle manière qu'elle semble se trouver à une fraction de degré du disque solaire.

Einstein demanda à Freundlich d'examiner des plaques photographiques d'éclipses passées, sans l'espoir qu'il y décèle les variations dont il avait besoin pour prouver que sa loi de gravitation était valide, mais il apparut très vite que ces données de deuxième main ne suffiraient pas. L'exposition et le cadrage des plaques photographiques devaient être parfaits pour la détection de légères variations dans les positions des étoiles, et les prises de vue d'éclipses anciennes ne répondaient pas à ces conditions.

Il n'y avait qu'une seule solution. Freundlich allait devoir organiser une expédition spéciale pour photographier la prochaine éclipse solaire, qui serait observable à partir de la Crimée le 21 août 1914. Comme il y allait de sa réputation, Einstein était prêt à financer lui-même cette mission capitale. L'affaire lui tenait tellement à cœur qu'il alla un jour dîner de façon impromptue chez les Freundlich, avala à toute vitesse son repas et se mit à griffonner des calculs sur la nappe, vérifiant les résultats avec son partenaire pour s'assurer qu'il ne faisait aucune erreur. Par la suite, la veuve de Freundlich devait amèrement regretter d'avoir lavé la nappe ornée des gribouillis d'Einstein car elle aurait valu une fortune.

Freundlich quitta Berlin pour la Crimée le 19 juillet. Rétrospectivement, c'était une folie que d'entreprendre ce voyage, car l'archiduc François-Ferdinand avait été assassiné à Sarajevo le mois précédent, et le processus qui allait précipiter l'Europe dans la Première Guerre mondiale était largement entamé. Freundlich arriva en Russie à temps pour installer son télescope et se préparer pour le jour de l'éclipse, apparemment sans savoir que l'Allemagne avait déclaré la guerre à l'empire des tsars pendant son voyage. Des ressortissants allemands transportant des longues-vues et des appareils photographiques au fin fond de la Russie ne pouvaient que s'attirer des ennuis, et ce qui devait arriver arriva : soupçonnés d'espionnage, Freundlich et son équipe furent arrêtés. Pis, l'éclipse ayant eu lieu pendant qu'ils étaient en prison, l'expédition fut un échec complet. Heureusement pour Freundlich, l'Allemagne ayant arrêté un groupe d'officiers russes à peu près au même moment, un échange de prisonniers fut organisé et Freundlich put rentrer sain et sauf à Berlin le 2 septembre.

Cette aventure à l'issue malheureuse est symbolique de la manière dont la guerre allait « geler » tout progrès dans les domaines de la physique et de l'astronomie pendant les quatre années à venir. La science pure fut paralysée dans ses œuvres, toutes les recherches devant se focaliser sur l'obtention de la victoire, et un grand nombre des plus jeunes brillants esprits du temps se portèrent volontaires pour aller combattre au service de leur patrie. Par exemple, Harry Moseley, qui s'était fait un nom comme physicien atomiste à l'université d'Oxford, s'engagea dans une des divisions de la Nouvelle Armée de Kitchener. Il gagna par bateau Gallipoli à l'été 1915 pour rejoindre les forces alliées qui se battaient en territoire turc. Dans une lettre à sa mère, il décrivit le lot quotidien du soldat sur le front des Dardanelles : « Les mouches constituent notre seule et unique préoccupation. Pas de moustiques, mais des mouches le jour, et des mouches la nuit, des mouches dans l'eau, des mouches dans la nourriture. » Le 10 août à l'aube, trente mille soldats turcs lancèrent un assaut massif, qui déboucha sur l'un des combats corps à corps les plus acharnés de toute la guerre. Moseley périt sur le champ de bataille. Même les journaux allemands déplorèrent sa mort, y voyant « une grave perte » (*eine schwerer Verlust*) pour la science.

De même, Karl Schwarzschild, directeur de l'Observatoire de Potsdam, en Allemagne, s'engagea comme volontaire pour combattre pour son pays. Il continua à écrire des articles au fond des tranchées, dont l'un sur la théorie de la relativité générale d'Einstein, qui devait permettre plus tard de mieux comprendre les trous noirs. Le 24 juin 1916, Einstein présenta l'article à l'Académie de Prusse. À peine quatre mois plus tard, Schwarzschild n'était plus de ce monde. Il avait contracté une maladie mortelle sur le front de l'Est.

Alors que Schwarzschild s'était porté volontaire, son homologue à l'Observatoire de Cambridge, Arthur Eddington, avait refusé par principe de s'enrôler. Né dans une famille de quakers convaincus, Eddington ne faisait aucun mystère de ses convictions : « Mon refus de la guerre repose sur des fondements religieux [...]. Même si l'abstention des objecteurs de conscience devait faire la différence entre la victoire et la défaite, nous ne pouvons servir véritablement la nation en désobéissant délibérément à la volonté divine. » Les collègues d'Eddington implorèrent le gouvernement de l'exempter du service militaire en arguant du fait qu'il serait plus utile au pays en tant que savant, mais le Home Office rejeta leur requête. La position d'objecteur de conscience d'Eddington semblait le conduire inévitablement dans un camp de détention, quand Frank Dyson, l'« Astronome Royal » de l'Observatoire de Greenwich, vola à son secours.

Dyson, en effet, savait qu'une éclipse solaire totale aurait lieu le 29 mai 1919, avec en arrière-plan l'amas brillant des Hyades, de la constellation du Taureau – un scénario idéal pour mesurer la déviation gravitationnelle de la lumière stellaire. La bande de totalité de l'éclipse passant par l'Amérique du Sud et l'Afrique centrale, de telles observations requéraient l'organisation d'une grande expédition sous les Tropiques. Dyson fit comprendre à l'Amirauté qu'Eddington pouvait se rendre utile à son pays en dirigeant une telle expédition, et qu'en attendant, il lui fallait rester à Cambridge pour se consacrer aux préparatifs. Il jeta dans la balance un argument hautement patriotique, laissant entendre qu'il était du devoir de tout Anglais de défendre la gravité newtonienne contre la théorie allemande de la relativité générale. En son for intérieur, Dyson était favorable à Einstein, mais il espérait, par ce subterfuge, convaincre les autorités. Ses interventions produisirent leur effet. Le camp de détention fut épargné au savant, et Eddington continua à travailler dans son observatoire et à se préparer pour l'éclipse de 1919.

Comme on devait s'en rendre compte plus tard, Eddington était l'homme idéal pour tenter une vérification de la théorie d'Einstein. Il était animé depuis toujours par une passion pour les mathématiques et l'astronomie, passion qui remontait à son enfance, quand, à l'âge de quatre ans, il avait entrepris de compter toutes les étoiles du ciel. Il devint par la suite un brillant élève, ce qui lui valut une bourse de l'université de Cambridge, où il se classa premier de son année, avec le titre de Senior Wrangler[1]. Il maintint sa réputation en obtenant son diplôme final un an avant tous ses compagnons de classe. En tant que chercheur, il se fit connaître pour ses prises de position en faveur de la relativité générale, avant d'écrire *The Mathematical Theory of Relativity*, qu'Einstein loua comme étant « la meilleure présentation du sujet qui ait jamais été écrite dans n'importe quelle langue. » Eddington devint si étroitement associé à cette théorie que le physicien Ludwig Silberstein, qui se considérait lui-même comme une autorité en matière de relativité générale, lui déclara un jour : « Vous devez être l'une des trois seules personnes au monde à comprendre la relativité générale. » Pour toute réponse, Eddington le regarda en silence. Silberstein ayant ajouté qu'il ne devait pas se montrer si modeste, Eddington rétorqua : « Au contraire, j'essaie de me rappeler qui est la troisième personne. »

Tout en étant suffisamment sûr de lui et doué intellectuellement pour diriger une expédition, Eddington était assez résistant pour survivre aux rigueurs d'une aventure sous les Tropiques. C'était important, car les expéditions astronomiques du passé s'étaient souvent transformées en périples harassants, poussant les savants jusqu'aux limites de leurs forces. À la fin du xviiie siècle, par exemple, le savant et abbé français Jean Chappe d'Auteroche avait mis sur pied deux expéditions pour observer le passage de la planète Vénus devant le disque du Soleil. D'abord, en 1761, il s'était rendu en Sibérie où il avait dû se faire escorter par des Cosaques, car les habitants du pays pensaient que les étranges instruments qu'il pointait en direction du Soleil étaient responsables des terribles crues de printemps ayant récemment dévasté leur région. Puis, huit ans plus tard, il renouvela ses observations du transit de Vénus, cette fois depuis la péninsule de Basse-Californie, au Mexique, mais une épidémie de typhus coûta la vie à Chappe

---

1. Littéralement, le « Grand Chamailleur ». Terme propre à l'université de Cambridge : élève de la première classe de mathématiques classé premier à l'examen dans cette matière. *(N.d.T.)*

et à deux membres de son expédition, ne laissant qu'un seul survivant pour rapporter ses précieuses mesures à Paris.

D'autres expéditions furent moins dangereuses pour la santé physique de leurs membres, mais encore plus éprouvantes pour l'esprit. Guillaume Le Gentil, l'un des compagnons de Chappe, projeta lui aussi d'observer en 1761 le transit de Vénus, mais il se rendit pour sa part dans le comptoir français de Pondichéry, en Inde, pour assister à l'événement. Quand il atteignit sa destination, les Anglais étaient en guerre contre les Français, Pondichéry était soumis à un siège en règle, et Le Gentil ne put débarquer en Inde. Il décida à la place d'établir sa base d'opérations à l'île de France (future île Maurice) et gagna sa vie en commerçant pendant les huit années qui suivirent, en attendant le transit de 1769. Cette fois, il parvint à gagner Pondichéry, et jouit de plusieurs semaines de temps ensoleillé jusqu'à ce que des nuages apparaissent dans le ciel au moment crucial, obscurcissant totalement la vue. « Je fus plus de quinze jours dans un abattement singulier », écrit-il le 4 juin 1769, « à n'avoir presque pas le courage de prendre la plume pour continuer mon journal, et elle me tomba plusieurs fois des mains lorsque le moment vint d'annoncer en France le sort de mon opération ». Après une absence de onze années, six mois et treize jours, il finit par rentrer en France, pour découvrir que sa maison avait été pillée. Il s'acquitta de ses dettes en écrivant ses Mémoires, qui connurent un grand succès.

Le 8 mars 1919, Eddington et son équipe quittèrent Liverpool à bord du HMS *Anselm* et mirent le cap sur l'île de Madère, où les savants se séparèrent en deux groupes. Un détachement resta à bord de l'*Anselm* et gagna le Brésil pour y observer l'éclipse depuis Sobral, dans la jungle brésilienne, tandis qu'Eddington et le deuxième groupe montaient à bord du cargo *Portugal* et gagnaient l'île de Principe, au large de la Guinée Equatoriale, sur la côte ouest de l'Afrique. On pouvait espérer que si un temps nuageux masquait l'éclipse en Amazonie, l'équipe africaine aurait plus de chance, et vice versa. Les deux expéditions étant tributaires des caprices du temps, les équipes commencèrent par rechercher le lieu d'observation le plus propice dès leur arrivée sur leur site respectif. Eddington utilisa l'une des toutes premières automobiles à quatre roues motrices pour explorer Principe. Il décida finalement d'installer son matériel dans la plantation de Sundy, située en altitude dans le nord-ouest de l'île, qui semblait moins sujet aux ciels nuageux. Son équipe se mit au travail, prenant les premières plaques-tests et vérifiant la bonne marche des instruments, afin de s'assurer que tout serait au point pour le jour J.

Les observations de l'éclipse pouvaient aboutir à trois résultats possibles. La lumière des étoiles serait peut-être très légèrement défléchie, comme le prédisait la théorie de la gravitation de Newton. Ou, comme l'espérait Einstein, une déviation plus importante serait constatée, conformément à sa théorie de la relativité générale. À moins que les résultats se trouvent en contradiction avec les deux théories, ce qui impliquerait que Newton et Einstein avaient tous les deux tort. Einstein avait prédit qu'une étoile apparaissant juste à l'extérieur de la couronne solaire serait défléchie de 1,74 seconde d'arc (0,0005°), écart que les instruments d'Eddington pouvaient tout juste observer, et qui représentait le double de la déviation prédite par Newton. Une telle déviation angulaire équivaut au déplacement d'une bougie d'1 cm sur la gauche à 1 km de distance.

Alors que le jour de l'éclipse approchait, des nuages menaçants s'amoncelèrent au-dessus de Sobral et de Principe, accompagnés de grondements de tonnerre. Heureusement, l'orage s'éloigna du site d'Eddington juste une heure avant que le disque de la Lune ne touche celui du Soleil, mais le ciel restant chargé, les conditions d'observation ne furent guère idéales. La mission paraissait compromise. Eddington nota dans son carnet ce qui se passa ensuite : « La pluie cessa vers midi, et vers 13 h 30, alors que la phase partielle était bien entamée, nous commençâmes à apercevoir le Soleil. Nous dûmes exécuter notre programme de photographies à l'aveuglette. Je ne voyais pas l'éclipse, trop occupé à changer les plaques, hormis un coup d'œil pour m'assurer qu'elle avait commencé, et un autre à mi-parcours pour voir si le ciel était nuageux... »

L'équipe d'observateurs agit avec une précision militaire. Les plaques successives furent montées, exposées, puis retirées à la seconde près. Eddington écrit : « Nous ne sommes conscients que de la pénombre dans laquelle est plongé le paysage et de l'accalmie de la nature, rompue seulement par les appels des observateurs, et par le battement du métronome égrenant les 302 secondes que dure l'éclipse complète. »

Sur les seize photographies prises par l'équipe de Principe, la plupart furent gâchées par les nuées qui masquaient les étoiles. En fait, pendant les brefs et précieux instants où le ciel fut dégagé, il ne fut possible de prendre qu'une seule photographie présentant une valeur scientifique. Dans son livre *Space, Time and Gravitation*, Eddington évoque ce cliché miraculeux :

> Celui-ci fut examiné [...] quelques jours après l'éclipse au moyen d'un appareil de mesure micrométrique. Le problème était de déterminer de quelle manière les positions apparentes des étoiles étaient affectées par le champ gravitationnel du Soleil, comparées aux positions normales relevées sur une photographie prise quand le Soleil ne se trouvait pas dans l'axe de visée. Des photographies normales avaient été prises aux fins de comparaison avec le même télescope en Angleterre en janvier. La photographie de l'éclipse et une photographie sans le Soleil furent placées film contre film dans l'appareil de mesure afin que les images correspondantes soient parfaitement superposées, et les petits écarts furent mesurés dans deux directions perpendiculaires. À partir de là, les décalages relatifs des étoiles purent être déterminés [...]. Les résultats obtenus grâce à cette plaque firent apparaître un décalage incontestable, parfaitement en accord avec la théorie d'Einstein, et en contradiction avec les prévisions newtoniennes.

Les étoiles situées juste à côté de l'éclipse avaient été occultées par la couronne solaire, qui apparut sous la forme d'un halo brillant dès que la Lune eut entièrement recouvert le disque du Soleil. Cependant, les étoiles situées un peu plus loin du Soleil étaient visibles, et elles avaient été défléchies d'environ 1 seconde d'arc par rapport à leurs positions habituelles. Eddington calcula ensuite par extrapolation l'écart des étoiles imperceptibles censées se trouver sur le pourtour immédiat du Soleil, et estima la déflexion maximale à 1,61 seconde d'arc. Ayant calculé, après avoir pris en compte d'éventuels défauts d'alignement et autres inexactitudes possibles, que la marge d'erreur portant sur la déflexion maximale ne pouvait excéder 0,3 seconde d'arc, Eddington conclut que la déflexion gravitationnelle causée par le Soleil était de $1,61 \pm 0,3$ seconde d'arc. Einstein avait prédit une déflexion d'1,74 seconde d'arc. Cela signifiait que la prédiction d'Einstein était en accord avec la mesure réelle, alors que la prédiction newtonienne, qui n'était que de 0,87 seconde d'arc, était beaucoup trop basse. Eddington adressa à ses collègues restés en Angleterre un télégramme raisonnablement optimiste : « À travers les nuages, ai bon espoir. Eddington. »

Alors que ce dernier regagnait l'Angleterre, l'équipe brésilienne entreprit également son voyage de retour. Les pluies à Sobral avaient cessé plusieurs heures avant l'éclipse, nettoyant l'air de toute impureté et offrant aux savants des conditions d'observation idéales. Les plaques brésiliennes ne purent être examinées qu'après le retour de l'expédition en Europe, car elles étaient d'un type qui ne pouvait être développé dans le climat torride et humide de l'Amazonie. Fondés sur la mesure de la position de plusieurs étoiles, les résultats qu'elles livrèrent révélèrent une déflexion maximale d'1,98 seconde d'arc, valeur supérieure à la prédiction d'Einstein, mais toujours en accord avec la théorie de ce dernier, compte tenu de la marge d'erreur. Les données ainsi recueillies corroboraient les conclusions de l'équipe de Principe.

Avant même d'avoir été officiellement annoncés, les résultats d'Eddington firent l'objet de rumeurs qui se répandirent très vite à travers l'Europe. Ils parvinrent notamment très vite aux oreilles du physicien néerlandais Hendrik Lorentz, qui apprit à Einstein qu'Eddington avait rapporté des preuves solides à l'appui de la théorie de la relativité générale et de sa loi de gravitation. Einstein adressa alors lui-même à sa mère une carte postale : « Très bonne nouvelle aujourd'hui. H.A. Lorentz m'a télégraphié que l'expédition anglaise avait enfin prouvé de façon certaine la déflexion de la lumière par le Soleil. »

Le 6 novembre 1919, les résultats d'Eddington furent officiellement présentés lors d'une réunion conjointe de la Royal Astronomical Society et de la Royal Society. Le mathématicien et philosophe Alfred North Whitehead assista à l'événement : « L'atmosphère d'attention intense et recueillie était celle d'une tragédie grecque : nous étions le chœur commentant le décret du Destin tel qu'il avait été divulgué au cours d'un événement extraordinaire. Il y avait quelque chose de théâtral dans la mise en scène elle-même – le cérémonial traditionnel, et à l'arrière-plan, le portrait de Newton, qui nous rappelait que la plus grande des généralisations scientifiques allait désormais, après plus de deux siècles, faire l'objet de sa première modification. »

Eddington prit la parole et décrivit avec clarté et passion les observations qu'il avait réalisées, avant de conclure par une explication de leurs stupéfiantes implications. Son discours fut un morceau de bravoure, prononcé par un homme convaincu

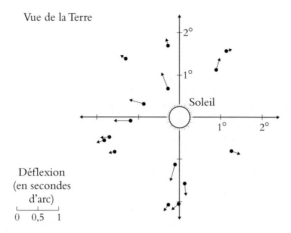

Figure 27 Les mesures effectuées par Eddington lors de l'expédition de l'éclipse de 1919 furent confirmées en 1922 par une équipe d'astronomes qui observa une autre éclipse solaire depuis l'Australie. Sur cette carte, les points représentent les positions réelles de quinze étoiles autour du Soleil, et les pointes des flèches, les positions observées, qui toutes traduisent une déflexion radiale vers l'extérieur. La figure 26 explique pourquoi la déviation de la lumière d'une étoile par le Soleil donne l'impression que l'étoile s'éloigne du Soleil.
Ici, les positions réelles des étoiles sont marquées en degrés par rapport au Soleil, alors que les déviations sont indiquées selon une échelle distincte en secondes d'arc (elles seraient en effet trop infimes pour être visibles sur ce diagramme).

que les plaques photographiques prises à Principe et au Brésil prouvaient de manière indiscutable que la conception de l'univers d'Einstein était juste. Cecilia Payne, qui allait devenir une astronome célèbre, était une étudiante d'à peine dix-neuf ans quand elle assista à l'intervention d'Eddington : « Il en résulta une transformation complète de l'image que je me faisais du monde. Mon univers fut à tel point ébranlé que je fis une sorte de dépression nerveuse. »

Cependant, quelques voix discordantes se firent entendre, notamment celle du pionnier de la radio Oliver Lodge. Né en 1851, Lodge avait tout du savant victorien, ne jurant que par Newton. En fait, il croyait encore dur comme fer à l'existence de l'éther, et il ne devait jamais en démordre : « La première chose à comprendre à propos de l'éther est sa continuité absolue. Un poisson des grandes profondeurs n'a probablement aucun moyen d'appréhender l'existence de l'eau ; il est trop uniformément immergé en elle : et c'est notre situation par rapport à l'éther. » Lodge et ses contemporains tentèrent désespérément de sauver leur vision d'un univers newtonien baigné par l'éther, mais leur combat d'arrière-garde était dérisoire face aux preuves qui étaient présentées.

J.J. Thomson, président de la Royal Society, résuma la séance en ces termes : « S'il s'avère que le raisonnement d'Einstein tient bon – et il a survécu à deux tests très sévères en relation avec le périhélie de Mercure et la présente éclipse –, alors on pourra dire qu'il est le résultat d'un des plus hauts accomplissements de la pensée humaine. »

Le lendemain, le *Times* était le premier à annoncer la nouvelle, titrant en une : *Révolution dans la science – Nouvelle théorie de l'univers – Les Idées newtoniennes supplantées*. Quelques jours plus tard, le *New York Times* proclamait à son tour : *La lumière va de travers dans les cieux, la théorie d'Einstein triomphe*. Soudain, Einstein était devenu la première superstar de la Science de l'histoire. Il avait fait montre d'une compréhension sans égale des forces qui régissaient l'univers, et il était en même temps charismatique, spirituel et philosophe. Un journaliste ne pouvait rêver mieux. Bien qu'il ait dans un premier temps apprécié l'attention dont il faisait l'objet, Einstein ne tarda pas à se lasser de la frénésie des médias, exprimant son inquiétude dans une lettre au physicien Max Born : « Votre excellent article dans le *Frankfurter Zeitung* m'a fait grand plaisir. Mais désormais, vous-même, tout comme moi, allez être persécuté par la presse et toute cette racaille, bien qu'à un moindre degré que moi. C'est si contrariant que j'arrive à peine à souffler, sans parler de travailler correctement. »

En 1921, Einstein effectua le premier d'une série de voyages aux États-Unis, et chaque fois, il déplaça des foules immenses et donna des conférences dans des auditoriums pleins à craquer. Aucun physicien auparavant – et depuis – n'a joui d'une telle célébrité dans le monde, ou fait l'objet d'une telle admiration et d'une telle adulation. L'ascendant exercé par Einstein sur le grand public a peut-être été résumé de la plus belle manière par ce journaliste un brin hystérique décrivant les suites d'une conférence donnée par Einstein à l'American Museum of Natural History de New York :

> La foule, qui s'était rassemblée devant le grand auditorium au milieu des météorites, fut scandalisée de voir les appariteurs en

uniforme tenter de refouler les personnes qui n'avaient pas de billet. Craignant de ne pouvoir assister à la conférence, un groupe de jeunes gens fonça soudain sur les quatre ou cinq appariteurs qui gardaient l'entrée de la Salle des Indiens d'Amérique du Nord [...]. Une fois les appariteurs débordés, les hommes, femmes et enfants de la salle des météorites firent tous irruption. Les moins agiles furent renversés et piétinés. Des femmes se mirent à crier. Dès qu'ils purent se frayer un passage, les appariteurs brutalisés se portèrent à leur secours. Le portier téléphona à la police, et quelques minutes plus tard, des hommes en uniforme entrèrent précipitamment dans la grande institution, chargés d'une mission sans précédent dans l'histoire du Département de la Police – réprimer une émeute scientifique.

Bien que la théorie de la relativité générale fût entièrement son œuvre, Einstein avait bien conscience du fait que les observations d'Eddington avaient joué un rôle crucial dans la reconnaissance de ses idées, qui révolutionnaient la physique. Einstein avait mis au point la théorie ; Eddington avait vérifié qu'elle correspondait bien à la réalité. Observation et expérience sont les arbitres ultimes de la vérité, et la relativité avait soutenu victorieusement l'épreuve.

Au plus fort de sa gloire, Einstein ne se départit jamais de son sens de l'humour. Quand un étudiant lui demanda un jour comment il aurait réagi si l'on avait finalement constaté que l'univers de Dieu se comportait différemment des prédictions de la théorie de la relativité générale, Einstein répondit, un rien provocateur : « J'aurais été désolé pour le Bon Dieu. La théorie est juste de toute façon. »

L'univers d'Einstein

La loi de gravitation de Newton est encore largement utilisée aujourd'hui pour calculer toutes sortes de choses, du vol d'une balle de tennis aux forces en jeu dans un pont suspendu, en passant par le balancement d'un pendule et la trajectoire d'un missile. La formule newtonienne reste tout à fait valide quand elle est appliquée à des phénomènes ayant lieu dans un environnement de gravité terrestre peu intense, où les forces sont relativement faibles. Cependant, la théorie de la gravitation d'Einstein est en dernière analyse plus performante car elle peut être appliquée tout autant au faible champ gravitationnel

Figure 28 Albert Einstein, qui élabora le cadre théorique de la relativité générale, et sir Arthur Eddington, qui la vérifia en observant l'éclipse de 1919. Cette photographie fut prise en 1930, quand Einstein se rendit à Cambridge pour y recevoir un doctorat *honoris causa*.

de la Terre qu'aux environnements de gravité intense qui entourent les étoiles. Bien que la théorie d'Einstein soit supérieure à celle de Newton, le créateur de la relativité générale était prompt à louer le géant du XVIIᵉ siècle « sur les épaules duquel il s'était juché ». Il déclara un jour, s'adressant à lui : « Vous avez trouvé la seule voie qui, à votre époque, était à peu près possible pour un penseur bénéficiant des plus hautes capacités créatrices et intellectuelles. »

Un parcours quelque peu tortueux nous a conduit jusqu'à la théorie de la gravitation d'Einstein, via la mesure de la vitesse de la lumière, la preuve de l'inexistence de l'éther, la relativité galiléenne, la relativité restreinte, et finalement, la relativité générale. Après tous les tours et détours de notre exposé, la seule chose vraiment importante à se rappeler à ce stade est que les astronomes disposaient désormais d'une nouvelle théorie de la gravitation précise et fiable.

Comprendre la gravitation est crucial en matière d'astronomie et de cosmologie, car la gravité est la force qui régit les mouvements et interactions de tous les corps célestes. La gravité détermine si un astéroïde entrera en collision avec la Terre, ou passera au large sans causer de dommages ; elle dicte comment deux étoiles graviteront l'une autour de l'autre dans un système stellaire binaire ; et elle explique pourquoi une étoile particulièrement massive pourrait finalement s'effondrer sous son propre poids pour former un trou noir.

Ayant hâte de voir comment sa nouvelle théorie affecterait notre compréhension de l'univers, Einstein écrivit en février 1917 un article intitulé « Considérations cosmologiques sur la théorie de la relativité générale ». Le terme clé, dans ce titre, est « cosmologique ». Einstein ne s'intéressait plus à l'avance du périhélie de notre voisine Mercure ou à la déviation de la lumière des étoiles par notre Soleil local, préférant plutôt se concentrer sur le rôle de la gravité à l'échelle du cosmos.

Einstein voulait comprendre les propriétés et interactions de l'univers entier. Quand Copernic, Kepler et Galilée avaient formulé leur vision de l'univers, ils avaient tout naturellement concentré leur attention sur le système solaire, mais Einstein s'intéressait désormais à l'ensemble de l'univers, aussi loin que les télescopes pouvaient voir, sinon au-delà. Peu après avoir publié son article, Einstein fit cette remarque : « L'état d'esprit qui permet à un homme de faire ce genre de travail [...] est semblable à celui du fidèle d'un culte religieux ou d'un homme amoureux ; l'effort quotidien ne procède pas d'une intention ou d'un programme délibéré, mais vient droit du cœur. »

Utiliser une loi de gravitation pour prédire le comportement de l'orbite de Mercure n'impose rien de plus que la mise en équation de quelques masses et distances, et le tour est joué. Faire la même chose pour l'univers entier exigerait de prendre en considération toutes les étoiles et planètes, connues et inconnues. Cet objectif semble pour le moins absurde – un tel calcul est-il même possible ? Mais Einstein simplifia sa tâche en formulant une seule hypothèse simplificatrice à propos de l'univers.

L'hypothèse d'Einstein est connue sous le nom de *principe cosmologique*, qui postule que l'univers est plus ou moins le même partout. Plus spécifiquement, le principe suppose que l'univers est *isotrope*, ce qui signifie qu'il présente les mêmes propriétés dans toutes les directions – ce qui semble assurément être le cas lorsque les astronomes regardent au plus profond de l'espace. Le principe cosmologique dit aussi que l'univers est *homogène*, ce qui veut dire que les propriétés sont les mêmes partout où l'on se place dans l'univers, ce qui est une autre façon de dire que la Terre n'y occupe pas une place particulière.

Quand il appliqua la relativité générale et sa loi de gravitation à l'univers entier, Einstein fut un peu surpris et déçu par les prédictions de sa théorie concernant le fonctionnement de l'univers. Ce qu'il découvrit impliquait que l'univers était dangereusement instable. La loi de gravitation einsteinienne indiquait que tout objet dans l'univers est attiré vers les autres objets à une échelle cosmique. Selon cette loi, tous les objets seraient voués à se rapprocher les uns des autres. L'attraction aurait d'abord la forme d'un lent déplacement régulier, pour se transformer graduellement en une avalanche, qui se terminerait en une gigantesque implosion – l'univers étant apparemment destiné à s'auto-détruire. Si l'on se reporte à notre analogie entre un trampoline et l'écheveau de l'espace-temps, nous pouvons imaginer une toile élastique géante occupée par plusieurs boules de bowling, chacune créant son propre creux. Tôt ou tard, deux des boules s'entrechoqueront, et formeront un creux encore plus profond, lequel attirera à son tour d'autres boules, jusqu'à ce qu'elles s'abîment toutes dans un unique puits très profond.

Cela n'avait ni queue ni tête. Comme on l'a vu au chapitre 1, la communauté scientifique au début du xxᵉ siècle était convaincue que l'univers était statique et éternel, et non en contraction et temporaire. Il n'est donc pas étonnant qu'Einstein n'appréciât guère la notion d'un univers s'effondrant sur lui-même : « Admettre une telle possibilité me paraît insensé. »

Bien que différente, la loi de gravitation newtonienne prévoyait elle aussi l'effondrement de l'univers sur lui-même, et Newton avait lui-même été troublé par cette implication de sa théorie. L'une des solutions qu'il avait avancées consistait à envisager un univers infini et symétrique, dans lequel chaque objet serait de ce fait attiré de manière égale dans toutes les directions, et il n'y aurait plus ni mouvement général, ni effondrement. Malheureusement, il se rendit vite compte que cet univers soigneusement équilibré était instable. Un univers infini en équilibre pouvait théoriquement exister, mais en pratique, la plus infime perturbation gravitationnelle rompait cet équilibre et provoquerait une catastrophe. Par exemple, une comète traversant le système solaire accroîtrait momentanément la densité de masse de chaque partie de l'espace à travers laquelle elle passerait, attirant davantage de matière vers ces régions et, ainsi, déclenchant le processus d'effondrement total. Le seul fait de tourner la page d'un livre altérerait l'équilibre de l'univers et, au bout du compte, déclencherait lui aussi un cataclysme. Pour résoudre ce problème, Newton avait suggéré que Dieu intervenait de temps en temps pour maintenir les étoiles et autres objets célestes à distance les uns des autres.

Einstein n'était pas disposé à concéder un rôle à Dieu dans le maintien de l'équilibre de l'univers, mais dans le même temps, son souci était de trouver un moyen de préserver le modèle d'un univers éternel et statique, conformément aux idées scientifiques de son temps. Après avoir réexaminé sa théorie de la relativité générale, il découvrit une astuce mathématique permettant de sauver l'univers de l'effondrement. Sa loi de gravitation pouvait en effet être adaptée de façon à inclure un nouveau paramètre appelé *constante cosmologique*. Selon cette nouvelle hypothèse, l'espace vide était le siège d'une pression intrinsèque empêchant les différents éléments de l'univers de se rapprocher. En d'autres termes, la constante cosmologique faisait naître dans l'ensemble de l'univers une nouvelle force de répulsion agissant de manière effective *contre* l'attraction gravitationnelle de toutes les étoiles. C'était une sorte d'anti-gravité, dont la force dépendait de la valeur attribuée à la constante (qui en théorie pouvait revêtir n'importe quelle valeur arbitraire). Einstein estima qu'en définissant soigneusement la valeur de la constante cosmologique, il pourrait exactement contrebalancer l'attraction gravitationnelle conventionnelle et empêcher l'univers de s'effondrer.

Il faut surtout retenir que cette anti-gravité était significative sur d'immenses distances cosmiques, mais négligeable au niveau local. De ce fait, elle ne remettait pas en question la capacité avérée de la relativité générale à modéliser la gravité sur des échelles terrestres et stellaires relativement modestes. En bref, la formule révisée de la relativité générale pouvait se targuer de trois succès distincts en termes de description la gravité. Elle pouvait :

1. expliquer le caractère statique et éternel de l'univers,
2. s'appliquer avec le même succès que la loi de Newton dans les environnements de gravité faible (par ex. la Terre),

3. réussir là où Newton avait échoué, dans les environnements de gravité intense (par ex. Mercure).

De nombreux cosmologistes accueillirent avec satisfaction la constante cosmologique d'Einstein, car elle semblait concilier l'inconciliable – en rendant la relativité générale compatible avec un univers statique et éternel. Mais personne n'avait la moindre idée de ce que la constante cosmologique représentait réellement. À certains égards, elle pouvait être rapprochée des épicycles de Ptolémée, dans la mesure où il s'agissait d'un correctif *ad hoc*, rajouté a posteriori, qui permettait à Einstein d'obtenir le résultat adéquat. Penaud, Einstein reconnut lui-même implicitement l'analogie avec son grand devancier quand il confessa que la constante cosmologique avait été « nécessaire à seule fin d'obtenir une distribution quasi statique de la matière ». Autrement dit, Einstein avait triché pour parvenir au résultat qu'il attendait, en l'occurrence un univers stable et éternel.

Einstein reconnut aussi qu'il jugeait la constante cosmologique « laide ». Parlant de son rôle dans la relativité générale, il dit un jour d'elle qu'« elle portait gravement préjudice à la beauté formelle de la théorie ». C'était un problème, car les physiciens sont souvent motivés dans leurs théorisations par la quête de la beauté. Tout le monde s'accorde à penser que les lois de la physique doivent être élégantes, simples et harmonieuses, et ces qualités sont souvent pour les physiciens d'excellents indices de la validité d'une nouvelle loi (à l'inverse, une formule laide aura de fortes chances d'être fausse). Dans n'importe quel contexte, la beauté est difficile à définir, mais nous la reconnaissons tous quand nous l'avons sous les yeux, et quand il considérait sa constante cosmologique, Einstein était obligé d'admettre qu'elle n'était pas très engageante. Néanmoins, il était prêt à sacrifier la dimension esthétique de sa formule, car cet accroc permettait d'accorder sa théorie de la relativité générale au postulat d'un univers éternel – ce qu'exigeait l'orthodoxie scientifique.

Pendant ce temps-là, un autre savant avait adopté un point de vue opposé, et placé la beauté au-dessus de l'orthodoxie, en proposant un modèle de l'univers radicalement différent. Après avoir lu avec enthousiasme l'article cosmologique d'Einstein, Alexandre Friedmann allait remettre en question le rôle

Figure 29 Alexandre Friedmann, le mathématicien russe dont le modèle cosmologique laissait entrevoir un univers en expansion et en évolution.

de la constante cosmologique et défier l'establishment scientifique.

Né à Saint-Pétersbourg en 1888, Friedmann avait grandi dans une situation politique troublée, et appris très tôt à défier les autorités, quelles qu'elles fussent. Activiste dès son adolescence, il fomenta des grèves dans son école lors du mouvement de protestation national contre la politique répressive du gouvernement tsariste du début du xxᵉ siècle. La révolution de 1905 qui fit suite aux émeutes déboucha sur un régime semi-constitutionnel, et une période de calme relatif, bien que le tsar Nicolas II restât au pouvoir.

Entré à l'université de Saint-Pétersbourg en 1906 pour étudier les mathématiques, Friedmann devint le protégé du professeur Vladimir Steklov, lui-même farouchement hostile au régime impérial, qui l'encouragea à s'attaquer à des problèmes qui auraient intimidé de nombreux autres étudiants. Steklov, qui tenait un journal extrêmement détaillé, rapporte ce qui se passa quand il posa à Friedmann un redoutable problème mathématique en rapport avec l'équation de Laplace : « J'avais abordé ce problème dans ma thèse de doctorat, mais je ne l'avais pas traité en détail. Je suggérai à M. Friedmann d'essayer de le résoudre, eu égard à ses connaissances et ses extraordinaires capacités de travail, comparées à celles d'autres personnes de son âge. Au mois de janvier de cette année, M. Friedmann me soumit une étude circonstanciée de cent trente pages, dans laquelle il apportait une solution tout à fait satisfaisante au problème. »

S'il avait à n'en point douter une passion, et du talent, pour les mathématiques (discipline parfois extrêmement abstraite), Friedmann cultivait aussi un penchant pour la science et la technologie, et il n'hésita pas à s'engager dans des recherches pour le compte de l'armée pendant la Première Guerre mondiale. Il se porta même volontaire pour des missions de bombardement et appliqua ses talents mathématiques au problème pratique de la précision des largages de bombes. Il écrivit à Steklov : « J'ai eu récemment l'occasion de vérifier mes idées pendant une sortie au-dessus de Przemysl ; j'ai pu constater que les bombes tombaient quasiment de la manière prédite par ma théorie. Pour recueillir des preuves irréfutables de sa validité, je vais voler à nouveau dans quelques jours. »

Après la Première Guerre mondiale, Friedmann subit également les affres de la Révolution de 1917 et de la guerre civile qui suivit. Quand il retourna finalement à sa vie de chercheur, il dut surmonter le handicap du retard avec lequel la théorie de la relativité générale avait atteint la Russie. La thèse d'Einstein avait en effet mûri pendant plusieurs années en Europe occidentale avant de parvenir à la connaissance des cercles académiques russes. Mais c'est peut-être l'isolement même de la Russie par rapport à la communauté scientifique occidentale qui permit à Friedmann d'ignorer les conceptions cosmologiques d'Einstein et de forger son propre modèle de l'univers.

Alors qu'Einstein était parti du présupposé selon lequel l'univers était éternel, avant de faire intervenir sa constante cosmologique pour que sa théorie s'accorde avec les résultats escomptés, Friedmann adopta la position inverse. Il prit comme point de départ la théorie de la relativité générale dans sa forme la plus simple et la plus séduisante esthétiquement – sans la constante cosmologique –, ce qui lui conférait la liberté de voir quelle sorte d'univers émergerait logiquement de la théorie. C'était une approche typiquement mathématique, car Friedmann était un mathématicien dans l'âme. À l'évidence, il espérait que son approche plus pure déboucherait sur une description plus exacte de l'univers, mais à ses yeux, c'était la beauté de l'équation et la majesté de la théorie qui devaient primer sur la réalité – ou, plus exactement, sur les résultats escomptés.

Les recherches de Friedmann trouvèrent leur aboutissement en 1922, quand il publia un article dans la revue *Zeitschrift für Physik*. Alors qu'Einstein avait plaidé en faveur d'une constante cosmologique soigneusement ajustée et d'un univers subtilement équilibré, Friedmann décrivait désormais comment différents modèles de l'univers pouvaient être créés avec différentes valeurs de la constante cosmologique. Surtout, il décrivait dans ses grandes lignes un modèle de l'univers dans lequel la constante cosmologique était ramenée à zéro. Un tel modèle était effectivement fondé sur la loi de gravitation originelle d'Einstein, sans la constante cosmologique. Sans constante cosmologique pour contrebalancer l'attraction gravitationnelle, le modèle de Friedmann était vulnérable à la force de traction implacable de la gravité. Cette nouvelle approche devait déboucher sur un modèle dynamique et évolutif de l'univers.

Pour Einstein et ses disciples, une telle dynamique vouait l'univers à un effondrement cataclysmique. Du coup, la plupart des cosmologistes le jugèrent impensable. Pour Friedmann, en revanche, un tel dynamisme était associé à un univers en expansion né d'une explosion initiale, l'impulsion qui en était résultée s'opposant à l'attraction de la gravité. Il s'agissait d'une vision radicalement nouvelle de l'univers.

Friedmann explique comment son modèle de l'univers pouvait réagir à la gravité de trois manières différentes, en fonction de la vitesse à laquelle l'univers avait entamé son expansion et de la quantité de matière qu'il contenait. Selon la première hypothèse, la densité moyenne de l'univers était élevée, avec un grand nombre d'étoiles dans un volume donné. La présence d'un grand nombre d'étoiles entraînait une forte attraction gravitationnelle, qui finissait par stopper l'expansion de l'univers, et provoquer sa contraction progressive jusqu'à son effondrement complet. La seconde variante du modèle de Friedmann prévoyait que la densité moyenne des étoiles était faible, auquel cas l'attraction gravitationnelle ne serait jamais en mesure d'arrêter l'expansion de l'univers, qui de ce fait poursuivrait à jamais son expansion. Selon la troisième variante, la densité se situait entre les deux extrêmes, conduisant à un univers dans lequel la gravité ralentirait, mais ne stopperait jamais complètement l'expansion. Ainsi, il n'y aurait, dans ce dernier cas, ni effondrement, ni expansion jusqu'à l'infini de l'univers.

Une analogie utile consiste à imaginer un boulet tiré par un canon et fendant l'air à vitesse constante. L'expérience est tentée sur trois planètes, chacune de taille différente (voir Figure 30). Si la planète est massive, le boulet de canon volera sur quelques centaines de mètres dans l'air, puis la très forte gravité le fera retomber sur le sol. Ce scénario est semblable au premier modèle de Friedmann, celui d'un univers très dense qui se dilate, puis s'effondre. Si la planète est très petite, elle a une faible gravité et le boulet s'envole dans l'espace pour y disparaître à tout jamais, scénario à rapprocher du second modèle de Friedmann (un univers qui se dilate jusqu'à l'infini). Cependant, si la planète a la taille intermédiaire adéquate, avec la gravité adéquate, le boulet présentera d'abord une trajectoire en ligne droite, puis se mettra en orbite, gravitant ni trop loin, ni trop près de la planète, ce qui est conforme au troisième scénario de Friedmann.

Une notion est commune aux trois conceptions du monde de Friedmann : celle d'un univers changeant. Le savant russe croyait en un univers qui était différent hier et serait à nouveau différent demain. C'est là l'apport révolutionnaire de Friedmann à la cosmologie : la perspective d'un univers qui évolue à l'échelle cosmique, plutôt que de rester statique pour l'éternité.

Mais, face à ce trop-plein d'hypothèses, faisons provisoirement le point. Einstein avait proposé deux versions de la relativité générale, l'une avec la constante cosmologique, l'autre sans. Il avait créé ensuite un modèle statique de l'univers fondé sur sa théorie postulant l'existence d'une constante cosmologique, alors que Friedmann avait élaboré un modèle (à trois variantes) basé sur une théorie dépourvue de constante cosmologique. Bien sûr, il peut y avoir de nombreux modèles, mais il n'existe qu'une seule réalité. La question qui se pose alors est la suivante : quel modèle correspond à la réalité ?

Du point de vue d'Einstein, la réponse était évidente : il avait raison et Friedmann avait tort. Il insinua même que les travaux du savant russe étaient mathématiquement défectueux, et le fit savoir à la revue qui avait publié l'article de Friedmann : « Les résultats concernant le monde non-stationnaire, contenus dans les travaux [de Friedmann], me semblent douteux », écrivait-il

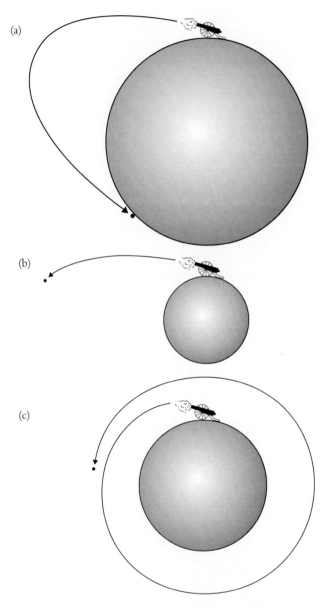

Figure 30 Un boulet est tiré par un canon à la même vitesse sur trois planètes de taille différente. La planète (a) est si massive et son attraction gravitationnelle si forte que le boulet retombe sur le sol. La planète (b) est si légère et son attraction gravitationnelle si faible que le boulet disparaît dans l'espace. La planète (c), enfin, a la masse idéale pour que le boulet de canon puisse se mettre en orbite.

dans un commentaire qui fut publié par la revue. « En réalité, il apparaît que la solution qui y est donnée ne satisfait pas aux équations [de la relativité générale]. » En fait, les calculs de Friedmann étaient corrects, et ses modèles, mathématiquement valides, même si leur ressemblance avec la réalité était discutable. Peut-être Einstein s'était-il borné à lire en diagonale l'article, et avait-il estimé qu'il était erroné simplement parce qu'il était en désaccord avec sa théorie d'un univers statique.

Friedmann l'ayant prié de revenir sur ses propos et de publier un « correctif » à sa note, Einstein reconnut humblement dans une lettre qu'« [il était] convaincu que les résultats de M. Friedmann étaient à la fois corrects et éclairants. Ils montrent qu'en plus des solutions statiques aux équations [de la relativité générale], il existe des solutions variant en fonction du temps avec une structure spatialement symétrique ». Bien qu'il reconnût désormais que les solutions dynamiques de Friedmann étaient mathématiquement correctes, Einstein persistait à considérer qu'elles n'étaient pas pertinentes scientifiquement. De manière significative, dans la formulation originelle de sa « rétractation », Einstein avait dénigré les solutions de Friedmann en prétendant « qu'une signification physique peut à peine leur être attribuée », mais il avait ensuite biffé cette critique, s'étant probablement rappelé qu'il était censé présenter ses excuses.

En dépit des objections d'Einstein, Friedmann continua à défendre ses idées. Cependant, avant d'avoir pu entamer sérieusement les certitudes de la communauté scientifique, il fut frappé par le sort. En 1925, son épouse s'apprêtant à donner naissance à leur premier enfant, Friedmann avait tout pour être heureux. Alors qu'il travaillait loin de chez lui, il lui écrivit une lettre : « Maintenant que tout le monde est parti de l'Observatoire, et que je suis seul parmi les statues et les portraits de mes prédécesseurs, mon âme, après l'agitation de la journée, devient de plus en plus calme, et je suis heureux de penser qu'à des milliers de kilomètres, le petit cœur bien-aimé est en train de battre, et qu'une nouvelle vie grandit [...], une vie dont l'avenir est un mystère, et qui n'a pas de passé. » Mais Friedmann ne devait pas être là pour assister à la naissance de son enfant. Il contracta une grave maladie, probablement la fièvre typhoïde, et mourut en proie au délire. Un journal de Leningrad rapporta qu'il avait essayé d'effectuer des calculs sur son lit de mort, tout en s'adressant à un auditoire imaginaire.

Friedmann avait élaboré une nouvelle vision de l'univers, et pourtant, il mourut dans un quasi-anonymat. Ses travaux avaient été publiés de son vivant, mais très peu de gens les avaient lus, aussi restèrent-ils largement ignorés. Ce défaut de reconnaissance, il est vrai, était en grande partie dû au fait que Friedmann – à l'instar de son grand devancier Copernic – était tout simplement trop radical.

Le savant russe avait aggravé son cas en ayant été condamné par Einstein, l'autorité suprême en matière de cosmologie. Certes, Einstein lui avait présenté – du bout des lèvres – ses excuses dans une lettre qui avait été rendue publique, mais la publication de cette rétractation était restée confidentielle, et du coup, la réputation de Friedmann était restée ternie. De même, étant davantage, par ses antécédents, un mathématicien qu'un astronome, Friedmann était considéré comme un outsider par la communauté des cosmologistes. Pour couronner le tout, Friedmann était tout simplement en avance sur son temps. Les astronomes n'étaient pas encore en mesure de réaliser le type d'observations détaillées susceptibles de corroborer un modèle décrivant un univers en expansion. Friedmann admettait ouvertement qu'aucune preuve ne pouvait étayer ses modèles : « Tout cela doit être considéré à présent comme des faits curieux qui ne peuvent être confirmés de manière certaine par les données expérimentales, inadéquates, de l'astronomie. »

Heureusement, l'idée d'un univers en expansion et en constante évolution ne disparut pas complètement. Elle refit surface quelques années après la mort de Friedmann, mais à nouveau, le Russe n'en fut pratiquement pas crédité, et ce, parce que le modèle d'un univers en expansion avait été indépendamment et entièrement réinventé par Georges Lemaître, prêtre et cosmologiste belge dont les études avaient été gravement perturbées par la Première Guerre mondiale.

Né à Charleroi en 1894, Lemaître avait obtenu un diplôme d'ingénieur à l'université de Louvain, mais il avait dû abandonner ses études au moment de l'invasion de la Belgique par les forces allemandes. Il passa les quatre années suivantes dans l'armée, présent lors des premières attaques aux gaz asphyxiants, et sa bravoure lui valut une croix de guerre. La paix revenue, il reprit ses études à Louvain, mais cette fois il renonça à sa profession d'ingénieur au profit de la physique théorique. Deux ans plus tard, en 1920, il entrait au séminaire de Malines. Il fut ordonné prêtre en 1923, et pour le restant de sa vie poursuivit deux carrières parallèles, celle de physicien et celle de prêtre. « Il y avait deux voies pour parvenir à la vérité, déclara-t-il. J'ai décidé de les emprunter toutes les deux. »

Après son ordination, Lemaître passa une année à Cambridge avec Arthur Eddington, qui le décrivit comme « un élève très brillant, extrêmement vif d'esprit et clairvoyant, et développant de grands talents de mathématicien ». L'année suivante, il se rendit en Amérique, partageant son temps entre ses mesures astronomiques à l'observatoire d'Harvard, et la préparation de sa thèse de doctorat au Massachusetts Institute of Technology. Lemaître réussit à s'intégrer dans la communauté des cosmologistes et des astronomes, et se familiarisa avec l'aspect observationnel de ces disciplines, pour compléter ses compétences de théoricien.

En 1925, il retourna à l'université de Louvain, où il reçut un poste, et commença à élaborer ses propres modèles cosmologiques fondés sur les lois de la relativité générale d'Einstein, mais en laissant le plus souvent de côté la constante cosmologique. Au cours des deux années suivantes, il redécouvrit les modèles décrivant l'expansion de l'univers, sans savoir que Friedmann avait suivi le même cheminement au début de la même décennie.

Lemaître, cependant, alla plus loin que son prédécesseur en explorant inlassablement les implications d'un univers en expansion. Alors que Friedmann était un mathématicien, Lemaître était un cosmologiste désirant comprendre la réalité sous-jacente, au-delà des équations. Il s'intéressa notamment à l'histoire physique du cosmos. S'il se dilate vraiment, l'univers devait être plus petit hier qu'il ne l'est aujourd'hui – et il devait être encore plus petit l'an dernier, et ainsi de suite. Logiquement, si on remontait suffisamment loin dans le temps, la totalité de l'espace devait être initialement comprimée dans une minuscule région. En d'autres termes, Lemaître était prêt à explorer le passé aussi loin que nécessaire, jusqu'à atteindre un commencement apparent de l'univers.

L'intuition maîtresse de Lemaître était que la relativité générale impliquait que l'univers était né à un instant particulier. Bien que sa quête de la vérité théologique n'ait jamais influé sur sa recherche de la vérité scientifique, une telle prise de conscience trouva certainement un écho dans l'esprit du jeune prêtre. Lemaître conclut que l'univers avait débuté sous la

Figure 31 Georges Lemaître, prêtre et cosmologiste belge, ressuscita sans le savoir le modèle d'un univers en évolution et en expansion élaboré avant lui par Friedmann. Sa théorie selon laquelle l'univers était né lors de l'explosion d'un atome primitif annonça le modèle du Big Bang.

forme d'une petite région compacte à partir de laquelle il s'était dilaté et avait évolué à travers le temps pour devenir l'univers que nous connaissons aujourd'hui. Par ailleurs, il était convaincu que l'univers continuerait à évoluer dans l'avenir.

Après avoir bâti son modèle de l'univers, Lemaître entreprit de rechercher les lois physiques susceptibles de corroborer ou d'expliquer sa théorie de la création et de l'évolution du cosmos. Il jeta son dévolu sur une discipline qui retenait de plus en plus l'attention des astronomes, à savoir la physique des rayonnements cosmiques. Dès 1912, le physicien autrichien Viktor Hess avait atteint l'altitude de 6 000 mètres en ballon et détecté des particules hautement énergétiques en provenance de l'espace. Lemaître connaissait également bien le processus de *désintégration radioactive*, au cours duquel de grands atomes d'uranium se brisent en atomes plus petits, en émettant particules, radiations et énergie. Lemaître émit l'hypothèse qu'un processus similaire, quoique sur une beaucoup plus vaste échelle, aurait pu donner naissance à l'univers. En extrapolant loin dans le temps, Lemaître estima que toutes les étoiles avaient pu être comprimées à l'intérieur d'un univers ultra-compact, qu'il appela *atome primitif*. Il identifia ensuite l'instant où l'univers avait été créé avec le moment où cet unique atome englobant tout se serait soudainement désintégré, générant toute la matière de l'univers.

Lemaître supputait que ces rayons cosmiques observables de nos jours pouvaient être les vestiges de cette désintégration initiale, et que la plus grande part de la matière éjectée s'était condensée à travers le temps pour former les étoiles et les planètes d'aujourd'hui. Il devait par la suite résumer sa théorie en ces termes : « L'hypothèse de l'atome primitif est une hypothèse cosmogonique qui décrit l'univers actuel comme étant le résultat de la désintégration progressive d'un atome. » En outre, l'énergie libérée lors de cette gigantesque désintégration radioactive était vraisemblablement à l'origine de l'expansion qui occupait une place si importante dans son modèle de l'univers.

En résumé, Lemaître était le premier savant qui ait donné une description raisonnablement fiable et détaillée de ce que nous appelons aujourd'hui le modèle de la création de l'univers – le Big Bang. En fait, il soutenait qu'il ne s'agissait pas d'*un* modèle, mais *du* modèle de l'univers. Il avait commencé avec la théorie de la relativité générale d'Einstein, élaboré un modèle théorique de la création et de l'expansion du cosmos, pour finalement l'intégrer aux observations connues de phénomènes tels que les rayonnements cosmiques et la désintégration radioactive.

L'instant premier de la création était au cœur du modèle de Lemaître, mais ce dernier s'intéressait aussi aux processus qui, à partir d'une explosion chaotique, avaient créé les étoiles et les planètes que nous voyons aujourd'hui. Il élabora une théorie de la création, de l'évolution et de l'histoire de l'univers. Ses recherches étaient logiques et rationnelles, mais il les évoquait en termes poétiques : « L'évolution de l'univers peut être comparée à un feu d'artifice qui vient de se terminer : quelques mèches rouges, cendres et fumées. Debout sur une escarbille mieux refroidie, nous voyons doucement s'éteindre les soleils, et cherchons à reconstituer l'éclat disparu de la formation des mondes. »

En couplant la théorie et l'observation, et en plaçant son Big Bang à l'intérieur du cadre de la physique et de l'astronomie observationnelle, Lemaître était allé bien au-delà des travaux antérieurs de Friedmann. Néanmoins, quand le prêtre belge dévoila sa théorie de la création en 1927, elle fut accueillie par le même silence assourdissant que les modèles de son devancier russe. Et le fait que Lemaître ait choisi de publier ses travaux dans une revue confidentielle belge, les *Annales de la Société scientifique de Bruxelles*, n'avait pas arrangé les choses.

Celles-ci empirèrent quand Lemaître rencontra Einstein, peu après avoir publié son *Hypothèse de l'atome primitif*. Lemaître assistait au Congrès Solvay de 1927, à Bruxelles, symposium réunissant les plus grands physiciens de la planète, où son col romain le fit très vite remarquer. Il parvint à aborder Einstein et à lui expliquer sa vision d'un univers créé et en expansion. Einstein lui répondit en lui signalant qu'il avait déjà entendu parler d'une idée similaire chez un savant russe, Friedmann – dont Lemaître apprit ainsi pour la première fois l'existence. Puis Einstein mit abruptement fin à la conversation : « Vos idées sont correctes, mais votre physique est abominable. »

Einstein eut ainsi à deux reprises l'occasion de faire sien, ou, du moins, d'envisager le scénario du Big Bang – d'un univers en expansion –, mais il rejeta l'idée les deux fois. En l'absence de preuves physiques et tangibles, l'assentiment ou la condamnation d'Einstein avaient le pouvoir de faire ou défaire une théorie naissante. Einstein, qui avait été autrefois le rebelle par excellence, était devenu à son corps défendant un dictateur. Il finit cependant par mesurer l'ironie de sa situation, et se lamenta un jour en ces termes : « Pour me punir de mon mépris de l'autorité, la Destinée a fait de moi une autorité. »

Lemaître fut anéanti par sa rencontre de Solvay et renonça à faire connaître ses idées plus avant. Il resta convaincu de la justesse de son modèle d'un univers en expansion, mais il n'exerça aucune influence sur l'establishment scientifique et ne vit pas l'utilité de continuer à défendre un modèle que tout le monde jugeait dénué de sens. À cette époque, le monde n'avait d'yeux que pour le modèle statique d'Einstein – un modèle, il est vrai, parfaitement légitime, bien que sa constante cosmologique *ad hoc* parût quelque peu factice. En tous les cas, un univers statique étant cohérent avec la foi prédominante en un univers éternel, toute tentative de remise en cause scientifique de ce dogme était regardée de haut.

Avec le recul, on s'aperçoit que les deux modèles comportaient des points forts et des points faibles similaires, et qu'ils étaient tous les deux sur un pied d'égalité. Après tout, ils étaient tous les deux mathématiquement cohérents et scientifiquement valides : ils procédaient tous les deux de la théorie de la relativité générale et aucun des deux n'était contredit par aucune loi physique connue. Cependant, les deux théories souffraient d'un manque total de données observationnelles ou expérimentales susceptibles de les corroborer. C'est cette absence de preuves qui permit aux scientifiques de se laisser influencer par des idées préconçues, favorisant le modèle éternellement statique d'Einstein au détriment de la théorie d'un univers en expansion – né d'un « Big Bang » – élaborée par Friedmann et Lemaître.

En fait, les cosmologistes évoluaient encore dans ce no man's land inconfortable qui se situe entre le mythe et la science. S'ils voulaient progresser, et cesser de spéculer *in abstracto*, ils allaient devoir trouver des preuves concrètes. Les théoriciens se tournèrent alors vers les astronomes observationnels : en scrutant les profondeurs de l'espace, peut-être ces derniers parviendraient-ils à départager les deux modèles concurrents, prouvant la véracité de l'un et la fausseté de l'autre. Les astronomes allaient effectivement passer le reste du xxᵉ siècle à construire des télescopes de plus en plus volumineux, perfectionnés et puissants, et finir par effectuer l'observation qui allait transformer notre conception de l'univers.

2 – THÉORIES DE L'UNIVERS
EN RÉSUMÉ

(1) EN <u>1670,</u> <u>CASSINI</u> PROUVE QUE LA LUMIÈRE A UNE VITESSE FINIE EN OBSERVANT L'UNE DES LUNES DE JUPITER. DES CALCULS ULTÉRIEURS DEVAIENT ÉVALUER LA <u>VITESSE DE LA LUMIÈRE</u> À <u>300 000 KM/S.</u>

(2) LES <u>VICTORIENS</u> PENSAIENT QUE L'UNIVERS
ÉTAIT REMPLI PAR L'<u>ÉTHER,</u> SUPPORT,
OU « VÉHICULE » DE LA LUMIÈRE.
ON PENSAIT QUE LA VITESSE DE LA LUMIÈRE
TELLE QU'ELLE ÉTAIT MESURÉE ÉTAIT SA
VITESSE <u>PAR RAPPORT</u> À L'ÉTHER.

DU COUP, COMME LA TERRE SE DÉPLACE DANS L'ESPACE,
ELLE DOIT SE DÉPLACER À TRAVERS L'ÉTHER, DONNANT
AINSI NAISSANCE À UN « <u>VENT D'ÉTHER</u> ».
PAR CONSÉQUENT, LA VITESSE D'UN FAISCEAU
DE LUMIÈRE ALLANT CONTRE LE VENT D'ÉTHER
DOIT ÊTRE DIFFÉRENTE DE CELLE D'UN FAISCEAU
SE PROPAGEANT PERPENDICULAIREMENT AU VENT.

<u>ANNÉES 1880</u> : <u>MICHELSON</u> ET <u>MORLEY</u> MÈNENT
UNE EXPÉRIENCE DANS CE SENS, MAIS ILS NE CONSTATENT
AUCUNE DIFFÉRENCE ENTRE LES DEUX DIRECTIONS,
<u>CE QUI PROUVE QUE L'ÉTHER N'EXISTE PAS.</u>

(3) LA LUMIÈRE NE SE PROPAGEANT PAS PAR RAPPORT À UN SUPPORT (L'ÉTHER)
QUI N'EXISTE PAS, <u>ALBERT EINSTEIN</u> AFFIRME QUE :
<u>LA VITESSE DE LA LUMIÈRE EST CONSTANTE PAR RAPPORT À L'OBSERVATEUR</u>
– ASSERTION EN CONTRADICTION AVEC TOUT CE QUE NOUS SAVONS
DES AUTRES FORMES DE MOUVEMENT.

<u>EINSTEIN A RAISON</u> :

À PARTIR DE CE POSTULAT (ET EN SE FONDANT SUR
LA RELATIVITÉ GALILÉENNE), EINSTEIN ÉLABORE SA <u>THÉORIE
DE LA RELATIVITÉ RESTREINTE (1905),</u> SELON LAQUELLE
L'ESPACE ET LE TEMPS SONT TOUS LES DEUX FLEXIBLES,
ET FORMENT UNE ENTITÉ UNIFIÉE – L'<u>ESPACE-TEMPS.</u>

<u>1915</u> : EINSTEIN ÉLABORE SA <u>THÉORIE DE LA RELATIVITÉ GÉNÉRALE,</u> QUI
CONSTITUE UNE NOUVELLE THÉORIE DE LA GRAVITÉ, PLUS PERFORMANTE
QUE LA LOI DE GRAVITATION NEWTONIENNE, PUISQU'ELLE S'APPLIQUE AUSSI
À DES ENVIRONNEMENTS OÙ L'ATTRACTION GRAVITATIONNELLE EST TRÈS FORTE
(EX. : LES ÉTOILES).

④ LES THÉORIES DE LA GRAVITATION D'EINSTEIN ET DE NEWTON
SONT TESTÉES GRÂCE À L'ÉTUDE DE L'ORBITE DE MERCURE
ET DE LA DÉFLEXION (DÉVIATION) DE LA LUMIÈRE À PROXIMITÉ
DU SOLEIL (1919). DANS LES DEUX CAS, C'EST EINSTEIN QUI
AVAIT RAISON, ET NEWTON TORT.

⑤ AVEC SA NOUVELLE THÉORIE DE LA GRAVITATION,
EINSTEIN ÉTUDIE L'UNIVERS ENTIER :

PROBLÈME : DU FAIT DE L'ATTRACTION GRAVITATIONNELLE,
           L'UNIVERS DEVRAIT SE CONTRACTER ET S'EFFONDRER.
SOLUTION : EINSTEIN INTRODUIT LA CONSTANTE COSMOLOGIQUE
           DANS SA THÉORIE DE LA RELATIVITÉ GÉNÉRALE. CETTE CONSTANTE :
• PRODUIT UN EFFET ANTI-GRAVITATIONNEL
• EMPÊCHE DE CE FAIT L'UNIVERS DE S'EFFONDRER
• S'ACCORDE AVEC LA CONCEPTION GÉNÉRALE D'UN UNIVERS STATIQUE ET ÉTERNEL.

⑥ DANS LE MÊME TEMPS :
FRIEDMANN ET LEMAÎTRE SE PASSENT
DE LA CONSTANTE COSMOLOGIQUE,
ENTENDANT DÉMONTRER QUE L'UNIVERS
EST DYNAMIQUE.

ILS IMAGINENT UN UNIVERS EN EXPANSION.
LEMAÎTRE DÉCRIT UN « ATOME PRIMITIF », COLOSSAL ET COMPACT, QUI A EXPLOSÉ
ET S'EST DILATÉ POUR DEVENIR L'UNIVERS QUE L'ON CONNAÎT AUJOURD'HUI.

➪ ON PEUT VOIR DANS LA THÉORIE DE LEMAÎTRE L'UN DES PREMIERS MODÈLES
DU « BIG BANG » À L'ORIGINE DE L'UNIVERS.

DEUX THÉORIES S'AFFRONTENT :
L'UNIVERS EST-IL NÉ D'UN BIG BANG ?
OU
EST-IL STATIQUE ET ÉTERNEL ?

FRIEDMANN ET LEMAÎTRE, ET LEUR UNIVERS EN EXPANSION, PASSENT
INAPERÇUS. SANS AUCUNE PREUVE OBSERVATIONNELLE POUR L'ÉTAYER,
LE MODÈLE DU BIG BANG EST IGNORÉ.

LA MAJORITÉ DES SCIENTIFIQUES CONTINUE À CROIRE EN UN UNIVERS
ÉTERNEL ET STATIQUE.

3

Le Grand Débat

Le connu est fini, l'inconnu est infini ; intellectuellement, nous nous tenons sur un îlot au milieu d'un océan illimité d'inexplicabilité. Notre tâche, à chaque génération, est de gagner un peu plus de terre.

T.H. Huxley

Moins on en sait sur l'univers, plus il est facile de l'expliquer.

Leon Brunschvicg

Les erreurs fondées sur des données inadéquates sont beaucoup moins nombreuses que celles fondées sur aucune donnée.

Charles Babbage

Les théories s'effondrent, mais les bonnes observations demeurent.

Harlow Shapley

D'abord, obtenez des faits, vous pourrez ensuite les déformer selon votre bon plaisir.

Mark Twain

Le ciel tourne autour de vous, vous montrant ses beautés éternelles, et pourtant, vos yeux fixent le sol.

Dante

L a Science est faite de deux éléments complémentaires, la théorie et l'expérience. Alors que les théoriciens tentent de comprendre comment le monde fonctionne et élaborent des modèles de la réalité, il revient aux expérimentateurs d'éprouver ces modèles en les confrontant à cette dernière. En matière de cosmologie, des théoriciens comme Einstein, Friedmann et Lemaître ont conçu des modèles concurrents de l'univers, mais l'opération consistant à les tester était problématique : comment mener une expérience avec l'univers entier ?

Quand on en vient aux expérimentations, l'astronomie et la cosmologie se tiennent à part du reste de la Science. Les biologistes peuvent toucher, sentir, tâter, voire goûter les organismes qu'ils étudient. Les chimistes peuvent faire bouillir, brûler et mélanger des substances chimiques dans une éprouvette pour en savoir davantage sur leurs propriétés. Et les physiciens peuvent facilement modifier le poids d'un pendule et faire varier sa longueur pour essayer de comprendre comment il oscille et à quelle cadence. Mais les astronomes ne peuvent que contempler, car la grande majorité des objets célestes sont si éloignés qu'ils ne peuvent être étudiés qu'en détectant les rayons de lumière qu'ils envoient vers la Terre. Au lieu de se livrer activement à toutes sortes d'expériences, les astronomes ne peuvent qu'observer passivement l'univers. En d'autres termes, les astronomes peuvent regarder, mais pas toucher.

Malgré ces handicaps de taille, les astronomes sont parvenus à recueillir une masse considérable d'informations sur l'univers et les objets qu'il contient. Par exemple, en 1967, l'astronome anglaise Jocelyn Bell découvrit un nouveau type d'étoile, le pulsar (étoile émettant de très brefs signaux lumineux). Quand elle décela pour la première fois un signal lumineux émettant des pulsations régulières sur sa bande d'enregistrement, elle le baptisa « LGM », pour « *Little Green Men* » (« Petits hommes verts »), car l'information recueillie ressemblait à un signal émis par une créature douée d'intelligence. Aujourd'hui, quand elle donne des conférences sur les pulsars, le professeur Bell Burnell (son nom d'aujourd'hui) fait passer un petit bout de papier dans l'assistance. On peut y lire : « En dépliant ce petit bout de papier, vous avez dépensé mille fois plus d'énergie que tous les télescopes du monde entier n'en ont reçue de tous les pulsars connus. » Autrement dit, les ondes issues de ces pulsars lointains et faiblement lumineux transportent de l'énergie, mais les astronomes n'ont collecté qu'une infime quantité d'énergie en provenance de ces derniers en près de quatre décennies d'intenses observations. Néanmoins, même avec des données aussi ténues, les astronomes ont été capables d'acquérir plusieurs certitudes sur les pulsars. Par exemple, ils ont déterminé qu'il s'agit d'étoiles en fin de vie, constituées de neutrons, qu'elles ont en général 10 km de diamètre et qu'elles sont si denses qu'une seule cuillerée de matière de pulsar pèse un milliard de tonnes.

Ce n'est que lorsque le maximum d'informations a été recueilli par l'observation que les astronomes peuvent commencer à examiner les modèles proposés par les théoriciens et tester leur validité. Et pour tester les plus grands modèles entre tous – les modèles concurrents du Big Bang et de l'univers éternel –, les astronomes allaient devoir repousser les limites de la technologie observationnelle. Ils allaient devoir construire des télescopes géants dotés d'immenses miroirs, et installés dans des observatoires de la taille d'immenses entrepôts au sommet des montagnes. Avant d'examiner les découvertes autorisées par les grands télescopes du XXe siècle, nous devons d'abord retracer l'évolution du télescope jusqu'en 1900, et voir comment les premiers instruments de ce type ont contribué à changer notre regard sur l'univers.

Regarder au plus profond de l'espace

Après Galilée, le grand pionnier de la conception et de l'utilisation du télescope fut Friedrich Wilhelm Herschel. Né à

Hanovre en 1738, il exerça d'abord la profession de musicien, suivant son père dans la fanfare de la Garde hanovrienne, mais il décida de donner une nouvelle orientation à sa carrière après avoir failli perdre la vie sous la mitraille à la bataille d'Hastenbeck, en 1747, au plus fort de la guerre de Sept Ans. Il quitta l'armée et son pays, pour mener une vie plus tranquille de musicien à l'étranger. Il opta pour l'Angleterre, car l'Hanovrien Georg-Ludwig était monté sur le trône anglais sous le nom de George Ier dès 1714, fondant ainsi la dynastie hanovrienne, et Herschel espérait y être bien accueilli. Il anglicisa son prénom, se faisant désormais appeler William, acheta une maison à Bath et gagna correctement sa vie comme hautboïste, chef d'orchestre, compositeur et professeur de musique. Cependant, à mesure que les années passaient, Herschel s'intéressa de plus en plus à l'astronomie, qui, de passe-temps occasionnel, devint bientôt une véritable passion, et il se consacra finalement à plein temps à l'observation des étoiles. En fait, Herschel allait devenir le plus grand astronome du XVIIIe siècle.

Herschel effectua sa plus fameuse découverte en 1781, alors qu'il observait les étoiles depuis son jardin au moyen d'un télescope qu'il avait entièrement construit lui-même. Il identifia un nouvel objet se déplaçant lentement dans le ciel plusieurs nuits d'affilée. Il pensa d'abord avoir affaire à une comète inconnue, mais il s'aperçut bientôt que l'objet était dépourvu de queue, et qu'il s'agissait en fait d'une nouvelle planète, une découverte capitale pour la connaissance de notre système solaire. Depuis des millénaires, les astronomes ne connaissaient que les cinq autres planètes visibles à l'œil nu (Mercure, Vénus, Mars, Jupiter et Saturne), mais cette fois, Herschel avait détecté un astre entièrement nouveau. Il le baptisa Georgium Sidus (l'Étoile de George), en l'honneur de son souverain, le roi George III, son compatriote, hanovrien comme lui, mais les astronomes français préférèrent donner à la nouvelle planète le nom de son découvreur, Herschel. Finalement, la nouvelle venue devait être baptisée Uranus, du nom du père de Saturne et du grand-père de Jupiter dans la mythologie romaine.

William Herschel, qui travaillait dans son jardin derrière sa maison, avait réussi là où les observatoires généreusement financés des Cours européennes avaient échoué. Sa sœur Caroline, qui lui servait d'assistante, joua un rôle crucial en l'aidant dans ses découvertes. Bien qu'elle fût elle-même une brillante astronome, découvrant huit comètes pendant sa carrière, elle

Figure 32 William Herschel, le plus célèbre astronome du XVIIIe siècle, chaudement couvert pour une nuit d'observation des étoiles.

se dévoua quasi entièrement à son frère. Elle œuvra à ses côtés pendant les jours difficiles qu'il passa à construire de nouveaux télescopes, et elle l'assista ensuite pendant les longues nuits glaciales d'observation, le forçant à manger quand il refusait de s'arrêter pour se restaurer : « Il profitait avec fébrilité de chaque moment libre pour reprendre quelque travail en cours, sans prendre le temps de se changer, et nombreuses furent les manchettes de dentelle éclaboussées de poix fondue [...]. Je fus même obligée de le nourrir en lui mettant les aliments par morceaux dans la bouche », écrivit-elle.

La poix mentionnée par Caroline Herschel servait à fabriquer des outils pour polir les miroirs, et son frère était très fier de construire ses propres télescopes. Bien que totalement autodidacte en la matière, il assembla les plus remarquables télescopes de son temps. L'un d'eux offrait un grossissement de × 2 010, contre × 270 pour le meilleur télescope de l'astronome royal. Le grossissement est important pour tout télescope, mais la qualité de son système optique, ainsi que son aptitude à capter la lumière (qui dépend du diamètre de la lentille ou du miroir principal, ou *ouverture*), le sont encore plus. Seules quelques milliers d'étoiles sont assez lumineuses pour être vues à l'œil nu. Une très petite lunette, comme celle qu'utilisait Galilée, montrera des étoiles légèrement au-dessous de la visibilité à l'œil nu, mais des astres un peu moins lumineux ne seront pas détectables, quel que soit le grossissement de l'oculaire. Ce qui compte ici est l'ouverture. Un télescope avec une large ouverture captera, concentrera et intensifiera une beaucoup plus grande quantité de lumière stellaire, de telle sorte que des étoiles beaucoup plus faiblement lumineuses et éloignées (et qui seraient autrement invisibles) deviennent visibles. Imaginez que vous êtes perdus en pleine nuit dans une forêt très sombre et que vous voulez éviter de vous cogner contre les arbres. Grossir les arbres ne vous aiderait pas à les voir mieux ; par contre, le fait que vos yeux soient davantage sensibles à la plus infime lumière vous sera d'une plus grande utilité.

En 1789, Herschel mit la dernière main à un télescope doté d'un miroir de 48 pouces (1,20 m), ce qui lui conférait la plus large ouverture de l'époque. Malheureusement, il était long de 40 pieds (12 m), ce qui le rendait si difficile à manier qu'un temps d'observation précieux était perdu chaque fois qu'il fallait le pointer dans la bonne direction. Par ailleurs, le miroir avait dû être renforcé avec du cuivre pour soutenir son propre poids, ce qui fit qu'il se ternit rapidement, et son pouvoir de captation de la lumière par ailleurs excellent s'en trouva atténué. Herschel abandonna ce monstre en 1815, et utilisa dès lors, pour la plupart de ses observations, un télescope de 20 pieds (6 m), avec une ouverture de 18,7 pouces (0,475 m), un compromis entre sensibilité et maniabilité.

L'un des principaux projets de recherche d'Herschel consistait à utiliser ses télescopes révolutionnaires pour mesurer les distances de centaines d'étoiles, en partant du postulat un peu hâtif selon lequel toutes les étoiles émettent la même quantité de lumière, et en se fondant sur le fait que leur brillance diminue à raison du carré de la distance. Par exemple, si une étoile est trois fois plus éloignée qu'une autre étoile ayant le même éclat, elle apparaîtra neuf fois moins brillante ($1/3^2$ ou $1/9$). À l'inverse, Herschel estimait qu'une étoile apparemment neuf fois moins brillante qu'une autre étoile était environ trois fois plus lointaine. Utilisant Sirius, l'étoile la plus brillante dans le ciel nocturne, comme étoile de référence, il définit toutes ses mesures stellaires en termes de multiples de la distance entre la Terre et Sirius, unité qu'il baptisa « siriomètre ». Ainsi, une étoile apparemment 49 fois ($1/7^2$, ou $1/49$) moins brillante est approximativement sept fois plus lointaine que Sirius ; ou si l'on préfère, sept siriomètres la séparent de la Terre. Bien qu'il eût conscience que toutes les étoiles n'étaient probablement pas aussi brillantes les unes que les autres, et que sa méthode était de ce fait inexacte, Herschel avait la conviction d'élaborer une carte des cieux en trois dimensions à peu près valide.

Alors qu'on pouvait à bon droit supposer que dans un univers infini, les étoiles étaient également réparties dans toutes les directions, les données recueillies par Herschel tendaient fortement à indiquer que les étoiles étaient en fait agglutinées dans un disque ayant approximativement la forme d'un *pancake*, ou crêpe épaisse. Cette crêpe mesurait 1 000 siriomètres de diamètre, et 100 d'épaisseur. Au lieu d'occuper un espace infini, les étoiles de l'univers d'Herschel formaient un groupe étroitement soudé. Pour se représenter la répartition des étoiles selon Herschel, on peut imaginer un *pancake* contenant des raisins, chacun de ces derniers figurant une étoile.

Cette conception de l'univers était parfaitement compatible avec l'une des plus fameuses caractéristiques du ciel nocturne. Si nous imaginons que la Terre est située quelque part à l'intérieur de ce *pancake* d'étoiles, nous devrions voir un grand nombre d'étoiles autour de nous, à gauche, à droite, devant et derrière, mais un moins grand nombre au-dessus et au-dessous, la « crêpe » étant somme toute relativement fine. Du coup, depuis notre position dans le cosmos, nous devrions nous attendre à voir une concentration de lumière stellaire autour de nous, et de fait, une telle bande peut être aperçue, dessinant un arc à travers le ciel nocturne (à condition de se trouver loin des lumières brillantes des villes). Ce phénomène céleste était bien connu des astronomes de l'Antiquité. En latin, il fut appelé Via Lactea (« Voie lactée »). Si les Anciens ne pouvaient s'en rendre compte, en revanche, la première génération d'astronomes utilisant des télescopes put constater que la Voie lactée était en fait une concentration d'étoiles trop éloignées pour être individualisées à l'œil nu. Ils purent voir que la bande

Figure 33 Après avoir découvert Uranus, Herschel s'installa à Slough, qui jouissait d'un climat plus clément que Bath. Sa nouvelle résidence lui avait également permis de se rapprocher de son mécène, le roi George III, qui lui avait accordé une pension annuelle de 200 £, et avait financé son nouveau télescope de 48 pouces (1,25 m) de diamètre et long de 12 mètres, avec lequel il allait établir de nouveaux records.

était composée des étoiles situées dans les confins les plus lointains de la « crêpe ». Une fois ce modèle de l'univers accepté, le terme Voie lactée entra bientôt dans la langue courante.

Comme la Voie lactée était censée contenir toutes les étoiles de l'univers, la première et le second ne faisaient qu'un, les dimensions de l'une se confondant avec celles de l'autre. Herschel évalua le diamètre de la Voie lactée par rapport à la distance Terre-Sirius, mais il mourut en 1822 sans connaître la taille de notre « Galaxie » en valeur absolue, car la distance à Sirius – et en fait, la distance à n'importe quelle étoile – restait à mesurer. Seize ans après sa mort, cependant, des astronomes purent remplacer le siriomètre par une mesure absolue. En 1838, l'astronome allemand Friedrich Wilhelm Bessel fut le premier à mesurer la distance entre notre planète et une étoile.

L'énigme des distances stellaires avait été un casse-tête pour des générations d'astronomes, et leur incapacité à le résoudre avait jeté un doute sur la théorie de Copernic, selon laquelle la Terre tourne autour du Soleil. Dans le chapitre 1, nous avons vu comment, une fois admis que la Terre gravite autour du Soleil, les étoiles devraient apparemment changer de position lorsque nous les observons des deux côtés opposés du Soleil, à six mois d'intervalle, effet que nous connaissons sous le nom de parallaxe. Rappelez-vous, si vous tenez votre doigt en l'air à la hauteur de votre visage et le regardez d'un seul œil, et que vous modifiez votre point de vue en changeant d'œil, le doigt paraîtra se déplacer par rapport à l'arrière-plan. Quand le point de vue de l'observateur change, peut-on généraliser, l'objet observé semble bouger. Cependant, les étoiles paraissaient fixes, un fait que les tenants du modèle géocentrique mettaient en avant pour étayer leur thèse d'une Terre trônant, immobile, au milieu de l'univers. Les avocats du modèle héliocentrique répondaient en faisant valoir que la parallaxe diminue avec la distance, le fait que le déplacement de la position des étoiles était imperceptible voulant simplement dire que les étoiles devaient être incroyablement éloignées.

Les efforts de Bessel pour mettre des chiffres consistants derrière la formule vague « incroyablement éloignées » commencèrent en 1810, quand le roi de Prusse Frédéric-Guillaume III l'invita à construire un nouvel observatoire à Königsberg. Ce dernier devait abriter les meilleurs instruments astronomiques d'Europe. Ce leadership était en partie dû au fait que le Premier ministre anglais, William Pitt, avait ruiné l'industrie du verre de son pays avec son impôt coercitif sur les fenêtres, permettant ainsi aux Allemands de devenir les meilleurs fabricants de télescopes d'Europe. Les lentilles allemandes étaient remarquablement façonnées, et un nouvel oculaire à trois lentilles réduisit le problème de l'aberration chromatique, difficulté que rencontraient les astronomes lorsqu'ils devaient focaliser (concentrer) des rayons lumineux, et qui s'expliquait par le fait que la lumière blanche est une combinaison de couleurs, défléchies chacune différemment par le verre.

Après vingt-huit années passées à Königsberg, à aiguiser et affiner ses observations, Bessel réalisa sa découverte décisive. En ne négligeant aucune donnée, et en prenant méticuleusement des mesures tous les six mois, il put affirmer qu'une étoile appelée 61 Cygni changeait de position selon un angle de 0,6272 seconde d'arc, soit environ un six millième de degré. Cette parallaxe décelée par Bessel était infime – l'équivalent de ce que l'on percevrait en changeant d'œil en observant son index à bout de bras... si ce bras était long de 30 kilomètres !

La Figure 34 montre le principe de la mesure de Bessel. Quand il observa 61 Cygni depuis la Terre en position A, il le fit selon un axe de visée particulier. Six mois plus tard, quand il observa à nouveau l'étoile depuis la Terre en position B, il remarqua que son axe de visée s'était légèrement déplacé. Le triangle rectangle formé par le Soleil, 61 Cygni et la Terre lui permit d'utiliser la trigonométrie pour estimer la distance entre la Terre et l'étoile, car il connaissait déjà la distance Terre-Soleil et l'un des deux autres angles du triangle. Les mesures de Bessel laissaient entendre que la distance entre notre planète et 61 Cygni était d'environ 100 milliards de kilomètres. Nous savons aujourd'hui que cette mesure était inférieure à la vérité d'environ 10 %, les estimations modernes plaçant 61 Cygni à environ 1 083 101 400 000 000 km, soit 720 000 fois la distance Terre-Soleil. Comme il est expliqué dans la légende de la Figure 34, cette distance équivaut à 11,4 années-lumière. Les Coperniciens avaient donc raison. Les étoiles se déplaçaient bel et bien. Les « sauts » stellaires étaient restés jusque-là imperceptibles parce que les étoiles étaient « si incroyablement éloignées », et il avait fallu attendre deux siècles, après l'invention du télescope, que l'optique astronomique fût assez perfectionnée pour mesurer des déplacements aussi infimes. En attendant, les astronomes étaient pour la plupart effarés par la distance qui séparait 61 Cygni de notre planète, d'autant plus qu'il s'agissait, selon leurs observations, d'une des étoiles les plus proches de la Terre. On mettra en perspective cette perplexité, somme toute compréhensible, au moyen d'une simple analogie. Imaginons un univers miniaturisé, de telle sorte que notre système solaire – tout ce qu'il contient, du Soleil à l'orbite de Pluton – tienne à l'intérieur d'une maison : les étoiles les moins éloignées se trouveraient alors à des dizaines de kilomètres de distance. Dans de telles conditions, il ne fait aucun doute que la densité de notre Voie lactée est très faible, et que celle-ci ne contient qu'une poussière d'étoiles très clairsemée.

Bessel fut malgré tout couvert d'éloges par ses contemporains pour ses mesures. Le physicien et astronome Wilhelm Olbers déclara qu'elles « plaçaient pour la première fois nos idées relatives à l'univers sur une fondation solide ». De même, John Herschel, le fils de William, qui devait lui aussi devenir un astronome célèbre, vit dans ce résultat « le plus grand et plus

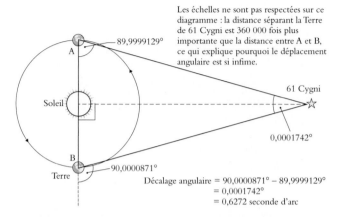

Les échelles ne sont pas respectées sur ce diagramme : la distance séparant la Terre de 61 Cygni est 360 000 fois plus importante que la distance entre A et B, ce qui explique pourquoi le déplacement angulaire est si infime.

Décalage angulaire = 90,0000871° – 89,9999129°
= 0,0001742°
= 0,6272 seconde d'arc

Figure 34 En 1838, Friedrich Bessel effectua la première mesure de la parallaxe stellaire, le décalage apparent de la position d'une étoile dû au mouvement de la Terre. La Terre tournant autour du Soleil, et se déplaçant du point A au point B, une étoile proche du système solaire (par exemple, 61 Cygni) apparaîtra dans des positions légèrement différentes selon qu'on l'observera depuis A, ou B. La distance entre la Terre et 61 Cygni peut être mesurée à l'aide de calculs trigonométrique simples. L'angle aigu du triangle rectangle = (0,0001742°/2), soit 0,0000871°, et le petit côté du triangle correspond à la distance Terre-Soleil.

Bessel évalua la distance à 61 Cygni à environ 100 000 000 000 000 km, et aujourd'hui, nous savons qu'elle est de 108 000 000 000 000 km.

Le kilomètre étant une unité de mesure trop faible pour les distances stellaires, les astronomes préfèrent utiliser l'année-lumière – la distance parcourue par la lumière en une année – comme unité de longueur. Une année équivalant à 31 557 600 secondes, et la lumière se propageant à 299 792 km/s,

$$1 \text{ année-lumière} = 31\ 557\ 600 \text{ s} \times 299\ 792 \text{ km/s}$$
$$= 9\ 460\ 000\ 000\ 000 \text{ km}$$

61 Cygni est donc située à 11,4 années-lumière de la Terre. L'« année-lumière » nous rappelle que les télescopes ne sont rien d'autre que des machines à remonter le temps. Parce que la lumière met un temps fini à parcourir n'importe quelle distance, nous ne voyons les objets célestes qu'avec retard. La lumière du Soleil mettant 8 minutes à nous atteindre, nous voyons le Soleil tel qu'il était il y a 8 minutes. Si le Soleil explosait soudainement, 8 minutes s'écouleraient avant que nous le sachions. L'étoile 61 Cygni étant distante quant à elle de 11,4 années-lumière, nous la voyons telle qu'elle se présentait il y a 11,4 ans. Plus les télescopes nous permettront de voir loin dans les profondeurs de l'univers, plus nous remonterons et verrons loin dans le temps.

glorieux triomphe auquel l'astronomie pratique ait jamais assisté ».

Non seulement les astronomes connaissaient désormais la distance entre la Terre et 61 Cygni, mais ils pouvaient également évaluer la taille de la Voie lactée. En comparant la brillance de 61 Cygni avec celle de Sirius, il était possible de convertir le « siriomètre » – l'unité de distance d'Herschel – en années-lumière, ce qui permit aux astronomes d'estimer que la Voie lactée était large de 10 000 années-lumière, et épaisse de 1 000 années-lumière. En fait, ils sous-estimaient les dimensions de notre galaxie, dix fois supérieures (nous savons aujourd'hui que la Voie lactée est large de 100 000 années-lumière, et épaisse de 10 000 années-lumière).

Ératosthène avait lui-même été ébahi quand il avait mesuré la distance Terre-Soleil, et Bessel avait été tout autant stupéfait par la distance séparant la Terre des étoiles les plus proches, mais les dimensions de la Voie lactée étaient proprement inimaginables. Dans le même temps, les astronomes avaient conscience que la vastitude de la Voie lactée était elle-même insignifiante par rapport à l'infinité supposée de l'univers. En bonne logique, certains savants et philosophes commencèrent à s'interroger sur l'espace situé au-delà de la Voie lactée. Était-il complètement vide, ou était-il peuplé d'autres objets ? L'attention des astronomes se porta bientôt sur les nébuleuses, de curieuses taches ou nuées lumineuses dans le ciel nocturne qui semblaient très différentes des petits points de lumière nettement individualisés correspondant aux étoiles. Certains astronomes suggérèrent que ces mystérieux objets célestes étaient disséminés dans l'ensemble de l'univers. D'autres pensaient qu'il s'agissait d'objets ordinaires situés à l'intérieur de notre propre Voie lactée.

L'étude des nébuleuses avait débuté avec les astronomes de l'Antiquité, qui avaient aperçu dans le ciel une poignée de nébuleuses en utilisant leurs seuls yeux, mais le télescope en révéla des quantités surprenantes. Le premier astronome qui dressa un catalogue détaillé des nébuleuses fut le Français Charles Messier, qui commença à travailler à ce projet en 1764. Auparavant, Messier avait déjà réussi à identifier deux comètes, ce qui lui avait valu d'être surnommé par le roi Louis XV le « Furet des Comètes », mais son chemin devait être semé d'embûches, car il était facile de confondre de prime abord une comète avec une nébuleuse, les deux types d'objets se présentant comme de minuscules taches dans le firmament. Comme les comètes se déplacent à travers le ciel, elles finissent par révéler leur vraie nature, mais Messier voulait dresser un inventaire des nébuleuses pour ne plus perdre son temps à observer par erreur un objet statique, en attendant en vain qu'il bouge. Il publia un catalogue de cent trois nébuleuses en 1781, et aujourd'hui, ces objets sont encore désignés par les *nombres de Messier* : par exemple, la Nébuleuse du Crabe porte la dénomination M1, et la Nébuleuse d'Andromède, M31. Le dessin qu'a laissé Messier de la Nébuleuse d'Andromède est reproduit Figure 35.

C'est après avoir reçu un exemplaire du catalogue de Messier que William Herschel tourna son regard vers les nébuleuses, mettant ses télescopes géants au service d'une exploration exhaustive des cieux. Herschel alla beaucoup plus loin que Messier : il distingua au total pas moins de deux mille cinq cents nébuleuses, et, au cours de ses observations, commença à spéculer sur leur nature. Parce qu'elles ressemblaient à des nuages (*nebula*, en latin), il considéra qu'il s'agissait de vastes nuées de gaz et de poussières. Herschel parvint notamment à distinguer des étoiles isolées à l'intérieur de certains de ces nuages, ce qui lui fit dire que les nébuleuses étaient de jeunes étoiles entourées de débris, et que ces débris étaient vraisemblablement en passe de s'agglutiner pour former des planètes. Tout compte fait, Herschel estima que ces nébuleuses étaient des étoiles dans la première phase de leur vie, et que, comme toutes les autres étoiles, elles étaient situées à l'intérieur de la Voie lactée.

Alors qu'aux yeux d'Herschel la Voie lactée était le seul et unique agrégat d'étoiles de tout l'univers, le philosophe allemand du xviiie siècle Emmanuel Kant avait adopté le point de vue opposé et émis l'hypothèse qu'au moins certaines des nébuleuses étaient des groupes d'étoiles indépendants, semblables à la Voie lactée sous le rapport de la taille, mais situés largement au-delà de son périmètre. Selon Kant, la raison pour laquelle elles ressemblaient à des nuages tenait au fait qu'elles contenaient des millions d'étoiles, et celles-ci étaient si éloignées qu'elles se fondaient en un seul halo de lumière. Pour étayer ses dires, le philosophe faisait remarquer que la plupart des nébuleuses avaient une apparence elliptique, exactement ce à quoi on devait s'attendre si elles avaient la même structure en forme de crêpe que la Voie lactée. Si elle ressemblait à un

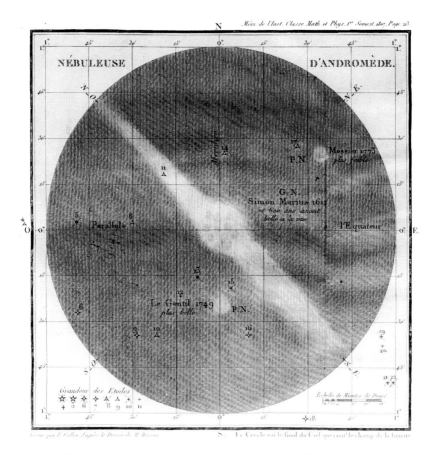

Figure 35 Après deux décennies d'observation, Charles Messier publia un catalogue de cent trois nébuleuses en 1781. Son croquis détaillé de la Nébuleuse d'Andromède, 31ᵉ entrée de son catalogue, illustre la différence entre une nébuleuse, qui montre une structure étendue bien définie, et une étoile, qui a l'aspect d'un point de lumière.

disque quand elle était vue d'en haut, et à une ligne fine vue de profil, la Voie lactée semblait elliptique quand on la regardait de trois quarts. Kant voyait dans les nébuleuses des « univers-îles », car il se représentait le cosmos comme un océan d'espace parsemé d'îles d'étoiles distinctes. Notre Voie lactée n'était qu'une de ces îles d'étoiles. Aujourd'hui, nous désignons de tels systèmes d'étoiles isolés sous le nom de *galaxies*.

Bien qu'elle s'appuyât sur des observations, l'idée de Kant selon laquelle les nébuleuses étaient des galaxies extérieures à la Voie lactée avait également des fondements théologiques.

Kant faisait valoir que Dieu était omnipotent, et que de ce fait, l'univers devait être à la fois éternel et infiniment riche dans son contenu. Il lui semblait absurde que l'œuvre de Dieu dût se limiter à la Voie lactée, objet céleste fini :

> Étendre l'espace dans lequel s'est révélée la puissance créatrice de Dieu à une sphère du rayon de la Voie lactée, ce n'est pas s'approcher plus de sa grandeur infinie que de le limiter à une sphère d'un pouce de diamètre. Tout ce qui est fini, tout ce qui a des limites et un rapport déterminé à l'unité est également loin de l'infini. [...] Pour cette raison, le champ de la manifestation de ces propriétés divines doit être tout aussi infini qu'elles. L'éternité ne suffit pas à englober les manifestations de l'Être suprême, si elle n'est pas liée à l'infinité de l'espace.

Les lignes de front étaient d'ores et déjà tracées. Les partisans d'Herschel estimaient que les nébuleuses étaient de jeunes étoiles entourées de nuées de débris et situées à l'intérieur de la Voie lactée, tandis que les disciples de Kant soutenaient qu'il s'agissait de galaxies, systèmes stellaires indépendants, situées largement en dehors des limites de la Voie lactée. La controverse ne serait tranchée que lorsque de meilleures données observationnelles seraient disponibles, et celles-ci commencèrent à être collectées au milieu du xixe siècle, grâce à l'extraordinaire William Parsons, troisième comte de Rosse.

Ayant épousé une riche héritière, et hérité du château de Birr, situé au milieu d'un grand domaine en Irlande, Lord Rosse avait la chance de pouvoir mener en toute tranquillité une vie de gentleman-savant. Ayant décidé de construire le plus grand et le meilleur télescope du monde, il n'avait pas peur de payer de sa personne. Un reporter du *Bristol Times* fit en ces termes le récit de sa visite au château de Birr :

> J'ai vu le Comte, le constructeur de télescopes en personne, non pas avec sa couronne et sa robe d'hermine, mais en manches de chemise, ses bras nus tannés par le soleil. Il venait de quitter l'étau sur lequel il travaillait, et, tout poudré de filaments d'acier, il se lavait les mains et le visage dans une bassine de porcelaine grossière placée sur le billot d'une enclume, tandis que deux forgerons s'échinant sur une barre en fusion projetaient une pluie d'étincelles sur Sa Seigneurie, mais cette dernière ne leur prêtait guère attention, comme si le Comte était le Roi du Feu.

Le façonnage du miroir du télescope géant constitua à lui seul un extraordinaire exploit technologique. Il requit 80 mètres cubes de tourbe pour fondre les composants du miroir, qui devait peser trois tonnes, et mesurer 1,8 mètre de diamètre. Le Dr Thomas Romney Robinson, directeur de l'observatoire d'Armagh, assista à l'opération :

> Ceux qui ont eu la chance d'être présents n'oublieront jamais la sublime beauté du spectacle. Au-dessus de nos têtes, le ciel, couronné d'étoiles et illuminé par la Lune la plus brillante, semblait contempler avec bienveillance le travail [de ces hommes]. Au-dessous, les fournaises déversaient d'immenses colonnes de flammes jaunes quasi monochromatiques, et les creusets embrasés pendant leur passage à travers l'air formaient des fontaines de lumière rouge.

En 1845, après trois années de labeur inlassable, et alors qu'il avait dépensé l'équivalent d'1 million de livres sur ses fonds personnels, Lord Rosse acheva son gigantesque télescope long de 16,5 mètres (voir Figure 36), et fit ses premières observations. Mais la fin des travaux de construction coïncida avec le début de la Grande Famine, tragédie que Rosse avait tenté de prévenir en prônant la mise en œuvre de nouvelles pratiques agricoles susceptibles de réduire le risque de la maladie de la pomme de terre. Il interrompit sur-le-champ ses explorations des cieux et consacra son temps et son argent à venir en aide aux habitants de son village. Il refusa également les redevances de ses tenanciers et acquit la réputation d'un homme politique actif, ayant pris fait et cause pour la population rurale en cette sombre période de l'histoire de l'Irlande.

Quand il recommença quelques années plus tard à étudier les étoiles, Lord Rosse fit ses observations perché en équilibre sur les échafaudages entourant son magnifique télescope. Dans le même temps, il devait garder son équilibre, pendant que cinq ouvriers manœuvraient manivelles, cales et poulies mécaniques pour hisser le télescope jusqu'à la bonne hauteur. Lord Rosse et son équipe se colletèrent nuit après nuit à ce monstre, qui fut surnommé pour cette raison le « Léviathan de Parsonstown ».

Rosse fut récompensé de ses efforts en recueillant des images spectaculaires du ciel nocturne. Johnstone Stoney, l'assistant de Rosse, testa l'efficacité du télescope en le pointant en direction d'étoiles très faiblement lumineuses : « De telles étoiles sont brillantes dans le grand télescope. Elles ont habituelle-

Figure 36 Avec sa formidable ouverture d'1,8 mètre, le « Léviathan de Parsonstown » de Lord Rosse était le plus grand télescope du monde quand il fut construit. Parsonstown était l'ancien nom de Birr, la ville où était installé le télescope.

ment l'aspect de boules de lumière, de la taille de petits pois, scintillant fortement du fait de la perturbation atmosphérique [...]. Le test, de fait, approcha de très près la perfection théorique. »

Le seul problème était que ce Léviathan était situé au beau milieu de l'Irlande, pays qui n'est pas spécialement réputé pour ses cieux clairs et dégagés. En dehors des « *fogs from the bogs* » (« les brouillards montant des tourbières »), on dit que deux types de temps y règnent, « juste avant la pluie », et « pluvieux ». Modèle de patience, le lord écrivit un jour à son épouse : « Le temps ici reste contrariant ; mais il n'est pas absolument épouvantable. »

Bon an mal an, Rosse parvint malgré tout à effectuer entre les nuages d'extraordinaires observations des nébuleuses. Au lieu d'apparaître comme des taches informes, les nébuleuses commencèrent à laisser entrevoir leur structure interne. La première nébuleuse à succomber au Léviathan fut la M51 de la liste de Messier, qui fit l'objet d'un étonnant dessin détaillé de Rosse (Figure 37). Ce dernier put facilement constater que M51 présentait une structure en spirale. Il remarqua notamment un

Figure 37 À gauche, dessin de Lord Rosse de la « Nébuleuse du Tour-billon » (M51), et à droite, une photographie de la galaxie prise récem-ment depuis l'observatoire de La Palma, qui témoigne de la puissance du télescope de Rosse et de la précision de ses observations.

mini-tourbillon à l'extrémité d'un des bras de la spirale, raison pour laquelle M51 fut parfois désignée sous le nom de « Point d'interrogation de Lord Rosse ». Le dessin de Rosse ne tarda pas à être connu à travers l'Europe, et on a même prétendu qu'il inspira la *Nuit étoilée* de Vincent Van Gogh, sur laquelle figure une nébuleuse spirale accompagnée d'un tourbillon.

Sa ressemblance avec un tourbillon valut à M51 un autre sur-nom, la « Nébuleuse du Tourbillon ». Elle inspira aussi à Rosse cette conclusion évidente : « Qu'un tel système existe sans mouvement interne me paraît improbable au plus haut degré. » L'astronome pensait aussi que la masse tourbillonnante était plus qu'un simple nuage gazeux : « Nous avons ainsi constaté qu'à chaque accroissement de la puissance optique, la structure est devenue plus compliquée [...]. La nébuleuse elle-même, en attendant, est indubitablement parsemée d'étoiles. »

Il devenait clair qu'au moins certaines des nébuleuses étaient des groupes d'étoiles, mais cela ne prouvait pas nécessairement la validité de la théorie de Kant selon laquelle les nébuleuses étaient des galaxies équivalentes à, et indépendantes de notre propre Voie lactée. De telles nébuleuses devaient être gigan-

tesques, distinctes les unes des autres, et extrêmement lointaines, mais peut-être la Nébuleuse du Tourbillon était-elle un
sous-groupe relativement modeste d'étoiles situées à l'intérieur
ou en bordure de notre Voie lactée. La question cruciale était
donc l'évaluation de la distance. Si quelqu'un parvenait à mesurer les distances séparant la Terre de ces nébuleuses, il serait
facile de déterminer si elles se trouvaient à l'intérieur de la Voie
lactée, à proximité de la Voie lactée, ou loin au-delà du périmètre de la Voie lactée. Mais l'observation de la parallaxe, la
meilleure technique pour mesurer les distances stellaires, ne
pouvait être appliquée aux nébuleuses. Après tout, comme il
était à peine possible de mesurer les déplacements angulaires
des étoiles les plus proches, l'identification d'un déplacement
angulaire associé à une nébuleuse floue aux confins de la Voie
lactée – voire encore plus lointaine – était hors de question. Le
statut des nébuleuses devait rester entre parenthèses pendant
encore longtemps.

Au fil des décennies, les astronomes investirent toujours
davantage d'argent dans la construction de télescopes de plus
en plus puissants, installés le plus souvent dans des régions de
haute altitude bénéficiant (à la différence de l'Irlande) de cieux
sans nuages. Bien qu'occupés par d'autres problèmes importants à résoudre, les astronomes étaient particulièrement impatients de découvrir la véritable identité des nébuleuses, en
mesurant leur distance, ou, à défaut, en trouvant quelque autre
indice décisif susceptible de révéler leur nature.

Après Lord Rosse, le grand constructeur de télescopes de la
fin du XIXᵉ siècle fut le millionnaire excentrique George Ellery
Hale, qui était encore plus obsédé par sa passion que son
devancier. Hale naquit en 1868, au 236 North LaSalle Street à
Chicago, et en 1870 ses parents déménagèrent dans la banlieue
de Hyde Park, juste à temps pour éviter le Grand Incendie de
Chicago de 1871, qui réduisit en cendres dix-huit mille mai-
sons, dont leur ancienne demeure. La ville devint un eldorado
pour les architectes, et le Home Insurance Building, à neuf
étages – premier gratte-ciel de l'histoire –, inaugura la tendance
architecturale qui devait marquer dans les années à venir Chicago et de nombreuses autres villes américaines. Le père de
Hale, William, industriel et homme d'affaires, fonda à l'aide
d'un emprunt une société de construction d'ascenseurs, et
devint le fournisseur des gratte-ciel de Chicago. Il devait même
plus tard construire l'ascenseur de la tour Eiffel.

Une fois sa fortune faite, William Hale put se permettre de satisfaire l'intérêt du jeune George pour les microscopes et les télescopes. Mais il ne savait pas que cette passion d'enfance se transformerait, à l'âge adulte, en une véritable obsession. En fait, Hale devait devenir un constructeur de télescopes en série de classe internationale. Il mit en chantier son premier instrument après avoir récupéré des lentilles auprès d'astronomes de la côte ouest ayant renoncé à construire leur propre télescope. L'ambition de Hale était d'incorporer ces lentilles dans un télescope à réfraction de 40 pouces (1 mètre), et de construire autour de ce dernier un grand observatoire.

Hale sollicita pour ce double projet l'appui financier de Charles Tyson Yerkes, magnat des transports ayant bâti sa fortune en construisant le réseau de voies ferrées aériennes de Chicago, encore en service aujourd'hui. Comme Yerkes était aussi un homme d'affaires au passé douteux, ayant eu maille à partir avec la justice pour avoir été mêlé à des scandales financiers, Hale tenta de le convaincre que le fait de financer un observatoire astronomique pourrait faciliter son intégration dans la haute société. Hale exploita aussi le goût de Yerkes pour la rivalité permanente en lui faisant valoir que le riche investisseur foncier James Lick avait financé l'observatoire californien qui portait son nom. Il tenta de convaincre Yerkes en imaginant pour lui le slogan « *Lick the Lick* » (littéralement : « Flanquons une raclée à Lick »), car le nouveau télescope dépasserait largement en taille tous les dispositifs de son rival de la côte ouest.

Capitulant face aux demandes pressantes de Hale, Yerkes annonça bientôt qu'il débloquait un demi-million de dollars, et l'observatoire de Yerkes fut fondé au sein de l'université de Chicago. Au lendemain de la pose de la première pierre, un quotidien annonça en une le nouveau départ de l'ancien escroc : « Yerkes fait son entrée dans la société ». Malheureusement pour le magnat, les journalistes s'étaient montrés trop optimistes. Il ne devait jamais parvenir à se faire accepter de l'élite de Chicago, et il finit par émigrer à Londres, où il joua un rôle de premier plan dans la construction du métro souterrain, notamment de la Piccadilly Line.

L'Observatoire Yerkes était situé à cent vingt kilomètres au nord de Chicago, sur la commune de Williams Bay. Les habitants du village utilisant encore des bougies et des lampes à kérosène pour s'éclairer, les astronomes savaient que l'observation des faibles lumières célestes ne serait pas perturbée par un éclairage de ville électrique trop vif. Lake Geneva, la localité la plus proche qui fût équipée à l'électricité, était située à plus de dix kilomètres. Mesurant vingt mètres de long et pesant six tonnes, le télescope fut achevé en 1897. Il était manœuvré par vingt tonnes de machinerie spécialement conçue pour pointer le télescope dans la bonne direction, et, surtout, le synchroniser imperceptiblement avec la rotation de la Terre. De cette manière, l'étoile ou la nébuleuse observée restait dans le champ de visée de l'instrument. Il s'agissait, et il s'agit encore aujourd'hui, du plus grand télescope de ce type au monde.

Hale, cependant, n'était pas satisfait. Dix ans plus tard, il recueillit des fonds auprès de l'Institut Carnegie et repoussa encore plus loin les limites de la technique optique en construisant un télescope de 60 pouces (1,50 m), sur le mont Wilson (Mount Wilson), près de Pasadena, en Californie. Cette fois, il eut recours à un miroir plutôt qu'à une lentille, dans la mesure où une lentille d'1,50 mètre s'affaisserait sous son propre poids. Il décrivit son désir de mettre au point des télescopes toujours plus larges, plus longs et plus sensibles comme un symptôme de l'« Americanitis » – l'inextinguible aspiration de ses compatriotes à l'excellence. Malheureusement, l'obsession de Hale pour la perfection et la lourde responsabilité de la mise en œuvre de grands projets finirent par devenir autodestructrices. Le stress eut raison de ses nerfs, et il dut passer plusieurs mois dans un établissement psychiatrique du Maine.

Sa santé mentale devait se détériorer encore davantage quand il se lança dans un troisième projet, la construction d'un télescope de 100 pouces (2,50 m) sur le mont Wilson. Pour servir de base à son miroir, Hale commanda un disque de verre de cinq tonnes en France, « la marchandise la plus précieuse qui ait jamais traversé l'Atlantique », comme l'annonça la presse. Quand le disque arriva à destination, cependant, les collaborateurs de Hale nourrirent des craintes quant à la résistance et à la qualité optique du verre, qui s'avéra renfermer de minuscules bulles d'air. Evelina Hale assista aux souffrances que ce dernier projet infligea à son mari, et en vint à haïr la lentille géante qui le tourmentait : « J'aurais préféré voir ce verre couler au fond de l'eau. »

Le projet semblait voué à l'échec, et pendant des périodes d'extrême tension, Hale, pris d'hallucinations, recevait la visite d'un elfe vert, qui devint bientôt la seule personne à laquelle il confiât

Figure 38 Andrew Carnegie et George Ellery Hale à Mount Wilson en 1910, devant la coupole abritant le télescope de 60 pouces (1,50 m). Le millionnaire Carnegie *(à gauche)* se tient plus haut sur la pente pour paraître plus grand – astuce à laquelle il recourait souvent quand il était photographié avec d'autres personnes.

ses projets concernant le télescope. L'elfe était en général bien-veillant, mais parfois, il accablait de sarcasmes l'astronome. Hale se plaignit auprès d'un ami : « Comment échapper à cette nouvelle forme de tourment, qui est incessant, je l'ignore. »

Financé par le roi de la quincaillerie californien, John Hoo-ker, le télescope Hooker de 100 pouces (2,50 m) fut finalement achevé en 1917. Dans la nuit du 1er novembre, Hale eut l'hon-neur d'être la première personne à regarder dans l'oculaire – mais il eut la désagréable surprise de voir six Jupiters superpo-sées au lieu d'une seule. Ce défaut optique fut immédiatement imputé aux bulles d'air du verre, mais des esprits plus réfléchis avancèrent une autre explication. Des ouvriers avaient laissé le toit de l'observatoire ouvert ce jour-là, pendant qu'ils ache-vaient l'installation, de telle sorte que les rayons du soleil avaient chauffé le miroir, lequel, du coup, avait peut-être été déformé. Les astronomes se donnèrent rendez-vous pour un nouvel essai à 3 heures du matin, le temps, espéraient-ils, que le miroir se refroidisse et que le problème disparaisse. Dans le froid de la nuit, Hale observa à nouveau les cieux, et la vue qu'il obtint n'avait jamais été aussi claire et précise. Le télescope Hooker était capable de révéler des nébuleuses qui, trop faiblement lumineuses, n'étaient jamais apparues jusque-là dans aucun télescope. Il était si sensible qu'il aurait pu détecter une bougie à une distance de 15 000 kilomètres.

Mais Hale n'était toujours pas satisfait. Mû par sa devise « Toujours plus de lumière ! », il mit en chantier un télescope de 200 pouces (5 m). Confinant à la folie, et tournant au supplice, son obsession serait immortalisée plus tard par un épisode de la série télévisée *X-Files*. Mulder explique à Scully comment l'elfe donne des conseils à Hale pour le financement de ses projets : « En fait, il lui suggéra pour la première fois de se faire sponsoriser par des magnats un soir qu'il jouait au billard. L'elfe grimpa sur sa fenêtre et lui conseilla de demander de l'argent à la Fondation Rockefeller pour un télescope. » Scully fait remarquer à Mulder qu'il doit être rassuré de savoir qu'il n'est pas le seul à voir des elfes verts, mais Mulder répond : « Moi, je vois des petits hommes verts. »

Malheureusement, Hale ne serait plus là pour voir aboutir son projet de télescope de 5 mètres. Il avait pu toutefois constater les formidables avancées rendues possibles par ses devanciers d'1, 1,5 et 2,5 mètres, chacun d'entre eux ayant apporté une foule de renseignements sur les nébuleuses, dans toute leur diversité. Cependant, la localisation exacte de ces objets célestes restait un mystère. Faisaient-elles partie de notre galaxie, la Voie lactée, ou constituaient-elles elles-mêmes de lointaines galaxies ?

La question vint sur le devant de la scène – au point d'intéresser directement le grand public – en avril 1920, quand la National Academy of Sciences de Washington accueillit dans son enceinte ce qu'on devait bientôt appeler le Grand Débat. L'Académie avait décidé de mettre en présence les deux camps opposés qui s'affrontaient sur la nature des nébuleuses, en les invitant à débattre de la question devant les plus éminents scientifiques de l'époque. La thèse selon laquelle la Voie lactée englobait l'univers entier, et notamment les nébuleuses, était défendue avec ardeur par les astronomes de l'observatoire de Mount Wilson, qui dépêchèrent un jeune chercheur talentueux, Harlow Shapley, pour parler en leur nom. La thèse opposée, selon laquelle les nébuleuses étaient elles-mêmes des galaxies, était soutenue par l'observatoire de Lick, qui envoya Heber Curtis défendre sa position.

Par le plus grands des hasards, les deux astronomes rivaux se retrouvèrent dans le même train pour se rendre de Californie à Washington. Ce fut un voyage insolite, tellement la situation était inconfortable – deux astronomes défendant des thèses radicalement opposées se retrouvant enfermés dans le même wagon sur quatre mille kilomètres, chacun évitant soigneusement d'engager prématurément le débat prévu pour plus tard. La situation fut rendue encore plus embarrassante par leurs personnalités, que tout opposait.

Curtis était un astronome réputé et brillant, conscient de sa supériorité, et connu pour parler avec aisance et autorité. Il avait hâte de se mesurer à son rival. En comparaison, Shapley était nerveux et peu sûr de lui. Fils d'un pauvre fermier faneur du Missouri, il était venu à l'astronomie plus par hasard que par vocation. Adolescent, il avait voulu suivre des cours de journalisme au collège, mais la matière ayant été supprimée, il avait dû trouver une nouvelle discipline : « J'ai ouvert le livret d'accueil de l'école, et lu la liste alphabétique des cours. Le premier était a-r-c-h-é-o-l-o-g-i-e, mais je n'ai pas réussi à prononcer le mot ! [...] J'ai tourné la page, et j'ai vu a-s-t-r-o-n-o-m-i-e. Cette fois, le mot était prononçable, et c'est ce qui arrêta mon choix ! »

En 1920, l'année du Grand Débat, Shapley faisait déjà partie de la nouvelle génération d'astronomes prometteurs, mais il restait impressionné par la prestance de Curtis. C'est pourquoi il saisit avec empressement l'occasion d'échapper à la personnalité intimidante de son adversaire quand leur train du Southern Pacific fut immobilisé sur la voie en Alabama pendant plusieurs heures. Shapley tua le temps en se promenant le long des rails à la recherche de fourmis, qu'il étudiait et collectionnait depuis de nombreuses années.

Quand le soir du Grand Débat arriva finalement, les nerfs de Shapley furent mis à rude épreuve pendant l'interminable cérémonie de remise de prix qui précéda l'événement. Les allocutions en l'honneur des récipiendaires et leurs discours de réponse semblèrent ne jamais finir. Il n'y avait pas une seule goutte de vin pour détendre l'atmosphère, la prohibition étant entrée en vigueur au début de l'année. Dans l'assistance, Albert Einstein chuchota à son voisin : « Je viens de trouver une nouvelle théorie de l'Éternité. »

Finalement, les protagonistes du Grand Débat montèrent à la

Figure 39 Les deux principaux protagonistes du Grand Débat : le jeune Harlow Shapley *(à gauche)*, qui pensait que les nébuleuses se trouvaient à l'intérieur de la galaxie de la Voie lactée ; et son aîné Heber Curtis, qui estimait qu'il s'agissait de galaxies indépendantes, très éloignées de la Voie lactée.

tribune et le principal événement de la soirée put commencer. Défendant la thèse selon laquelle les nébuleuses se trouvent à l'intérieur de la Voie lactée, Shapley prit le premier la parole. Dans son intervention, il s'appuya sur deux types de preuves pour étayer son argumentation. D'abord, il fit un exposé sur la répartition des nébuleuses. On les trouvait en général au-dessus et au-dessous du plan de la Voie lactée en forme de *pancake*, mais rarement dans le plan lui-même, une bande qui devint connue sous le nom de *zone d'évitement* (*zone of avoidance*) ou *zone aveugle*. Shapley expliqua cet état de fait en soutenant que les nébuleuses étaient des nuages de gaz servant de nurseries aux jeunes étoiles et planètes. Il estimait que de tels nuages existaient seulement aux confins supérieurs et inférieurs de la Voie lactée, dérivant vers le plan central de cette dernière à mesure qu'étoiles et planètes arrivaient à maturation. Du coup, il pouvait expliquer l'existence de la *zone d'évitement* en arguant du fait que la Voie lactée était l'unique galaxie du cosmos. Il se tourna alors vers ses adversaires et fit valoir que la *zone d'évitement* était incompatible avec leur modèle de l'univers : si les nébuleuses n'étaient autres que des galaxies disséminées dans l'ensemble de l'univers, elles devraient apparaître indifféremment dans n'importe quelle région de la Voie lactée.

La deuxième pièce à conviction de Shapley était une nova apparue dans la Nébuleuse d'Andromède en 1855. Une nova n'est pas, comme son nom semblerait l'indiquer, une nouvelle étoile, mais une étoile très faiblement lumineuse qui présente brusquement un éclat très vif, alimenté par de la matière « volée » à une étoile jumelle. La nova de 1855 représentait un dixième de la brillance de la Nébuleuse d'Andromède tout entière, ce qui n'avait de sens que si Andromède était un simple amas d'étoiles situé à l'intérieur des limites de notre propre galaxie. Si elle était elle-même une galaxie, comme ses contradicteurs le prétendaient, Andromède regrouperait des milliards d'étoiles, et la nova (un dixième de l'éclat d'Andromède) aurait été aussi brillante que des centaines de millions d'étoiles ! Shapley déclara que c'était absurde, et que la seule conclusion sensée était que la Nébuleuse d'Andromède n'était pas une galaxie distincte, mais simplement une partie de notre galaxie, la Voie lactée.

Pour certains, la démonstration était parfaitement convaincante. L'historienne de l'astronomie Agnès Clerke, qui connaissait déjà les arguments de Shapley, avait écrit précédemment : « On peut affirmer sans se tromper qu'aucun penseur compétent, avec toutes les données disponibles sous les yeux, ne peut désormais soutenir qu'une nébuleuse puisse former à elle seule un ensemble d'étoiles du même rang que la Voie lactée. »

Pour Curtis, cependant, la question était loin d'être tranchée. La démonstration de Shapley, à ses yeux, ne tenait pas, et il s'empressa d'attaquer ses deux principaux arguments. Les deux hommes disposaient chacun de trente-cinq minutes pour emporter la conviction du public, mais leurs styles différaient du tout au tout. Alors que Shapley avait évité les développements trop techniques, pour se faire comprendre de scientifiques issus d'une grande variété de disciplines, Curtis se lança dans des démonstrations savantes, en n'hésitant pas à entrer dans les détails.

En ce qui concerne la fameuse « *zone d'évitement* », Curtis estimait qu'il s'agissait d'une illusion. Il fit valoir que les nébuleuses, étant des galaxies, étaient éparpillées symétriquement tout autour et loin au-delà de la Voie lactée. Selon Curtis, la seule raison pour laquelle les astronomes ne pouvaient voir de nombreuses nébuleuses dans le plan de la Voie lactée tenait au fait que leur lumière était masquée par les étoiles et la poussière interstellaire qui occupent le plan de la galaxie.

Quand il en vint ensuite à l'autre pilier de la démonstration de Shapley, la nova de 1855, Curtis le démolit en y voyant une simple anomalie. De nombreuses autres novas avaient été observées à l'intérieur des bras spiralés de nébuleuses, et elles étaient toutes beaucoup moins lumineuses que la fameuse nova d'Andromède. En fait, la plupart des novas observées dans les nébuleuses étaient si faiblement lumineuses que, selon Curtis, cela prouvait que les nébuleuses devaient être extrêmement éloignées des limites extérieures de la Voie lactée. En bref, Curtis n'était pas disposé à renoncer à son modèle juste à cause d'une unique nova brillante observée trente-cinq ans plus tôt. Curtis déclara un jour, à propos de son modèle à galaxies multiples, dont la véracité restait à démontrer :

> Peu de concepts plus importants que celui-là ont jamais éclos dans l'esprit de l'homme pensant. À savoir que nous, habitants microscopiques d'un satellite mineur d'un des millions de soleils formant notre galaxie, puissions regarder au-delà de ses confins et apercevoir d'autres galaxies similaires, mesurant des milliers d'années-lumière de diamètre, composées chacune, comme la nôtre, de plus d'une dizaine de milliers de soleils, et que, ce faisant, nous pénétrons dans des régions du vaste cosmos situées à des distances comprises entre un demi-million et une centaine de millions d'années-lumière.

Pendant son intervention, Curtis avança divers autres arguments, certains à l'appui de sa théorie, d'autres contre celle de Shapley. Il était certain d'avoir fait une démonstration convaincante, comme en témoigne le message qu'il adressa peu après à sa famille : « Le débat à Washington s'est bien déroulé, et tout le monde m'a assuré que j'ai largement eu le dessus. » La vérité est qu'il n'y eut pas de vainqueur nettement identifiable, et si Curtis eut finalement légèrement l'avantage sur son concurrent, Shapley imputa sa défaite à la forme plutôt qu'au fond : « Pour autant que je m'en souvienne, j'ai lu mon papier, mais Curtis a présenté le sien en ne se référant que rarement à ses notes, car c'est un orateur né, n'ayant peur de rien. »

Le Grand Débat avait eu toutefois le mérite d'attirer l'attention du public sur une grande question qui était loin d'être résolue. Il illustre par ailleurs à merveille la manière dont les recherches étaient alors menées aux frontières de la Science, chacun des camps en lice fourbissant ses armes rudimentaires — de maigres données lacunaires et imparfaites – avant de s'affronter. Les observations utilisées par chaque partie pour étayer son propre point de vue manquaient de rigueur, de précision et de substance, et il était très facile pour des contradicteurs de qualifier n'importe quelle donnée de fausse, inexacte ou sujette à toutes sortes d'interprétations. Tant qu'un astronome ne serait pas parvenu à effectuer une série d'observations concrètes et indiscutables, permettant notamment de calculer de façon certaine la distance entre la Terre et les nébuleuses, les théories en présence ne seraient rien d'autre que des spéculations. Dans l'immédiat, la reconnaissance dont jouissait telle ou telle théorie semblait dépendre davantage de la personnalité de ses avocats que de la matérialité des preuves sur lesquelles elle reposait.

En fin de compte, l'enjeu du Grand Débat était ni plus ni moins la place de l'humanité au sein du cosmos, et seule une avancée majeure dans le domaine de l'astronomie permettrait de trancher la question. Certains scientifiques, tel Robert Ball, auteur d'ouvrages de vulgarisation astronomique, estimaient qu'une telle percée était impossible. Dans *The Story of the Heavens* (« La grande aventure des cieux »), il émit l'opinion que les astronomes avaient atteint les limites de la connaissance : « Nous avons déjà atteint le point où l'intelligence de l'homme ne parvient plus à lui apporter la lumière, et où son imagination lui fait défaut quand il tente de prendre ne serait-ce que la mesure des connaissances qu'il a acquises. »

Des déclarations analogues auraient probablement pu être faites par certains Grecs de l'Antiquité écartant par avance la possibilité d'évaluer un jour la taille de la Terre, ou la distance séparant le Soleil de notre planète. Cependant, les pionniers de l'esprit scientifique, au nombre desquels figuraient Ératosthène et Anaxagore, inventèrent des techniques qui leur permirent de mesurer le globe et le système solaire. Puis Herschel et Bessel utilisèrent la brillance et la parallaxe pour évaluer les dimensions de la Voie lactée et la distance entre la Terre et les étoiles. Maintenant, il était temps que quelqu'un invente l'étalon à l'aune duquel il serait possible de mesurer le cosmos – et qui révélerait la vraie nature des nébuleuses.

Étoiles intermittentes

Issu d'une riche et influente famille du Yorkshire, Nathaniel Pigott était un gentleman-astronome de premier plan. Ami intime de William Herschel, Pigott effectua des observations détaillées de deux éclipses solaires et du transit de Vénus en 1769. Il construisit également l'un des trois observatoires privés qui existaient en Angleterre à la fin du XVIIIᵉ siècle. Ce fut donc tout naturellement que son fils Edward grandit au milieu de télescopes et d'autres instruments astronomiques. Bientôt fasciné par le ciel nocturne, Edward devait surpasser son père tant dans sa passion pour l'astronomie que par l'étendue de ses connaissances.

Edward Pigott s'intéressait principalement aux « étoiles variables ». Les novas figurent au nombre des étoiles variables, car elles se mettent brusquement à briller après une longue période d'éclat relativement faible, avant de retrouver progressivement leur faible luminosité première. D'autres étoiles voient leur éclat osciller plus régulièrement, telle Algol, dans la Constellation de Persée, surnommée le « Démon scintillant ». Ces étoiles variables étaient importantes pour les astronomes dans la mesure où elles contredisaient directement le vieux postulat selon lequel les étoiles étaient immuables, ce qui força les scientifiques à coordonner leurs efforts pour comprendre les causes de leurs fluctuations.

Âgé d'à peine vingt ans, Edward Pigott s'était lié d'amitié avec un jeune adolescent sourd-muet pris de passion pour la Science, John Goodricke. À cette époque, les pédagogues s'attaquaient pour la première fois au problème de l'éducation des enfants sourds. Goodricke avait suivi les cours de la première école d'Angleterre pour sourds, ouverte à Édimbourg en 1760 par Thomas Braidwood. L'école jouissait d'une si excellente réputation que l'auteur et lexicographe Samuel Johnson l'avait visitée en 1773. Il aurait fort bien pu y rencontrer Goodricke, écolier âgé alors de neuf ans. Johnson s'intéressait particulièrement à l'éducation des enfants sourds, car, nouveau-né, contaminé par sa nourrice, il avait contracté dès son plus jeune âge la tuberculose, avant d'être frappé par la scarlatine, et les effets combinés de ces deux maladies l'avaient rendu sourd d'une oreille et partiellement malvoyant. Johnson fut si impressionné par l'« Académie » de Braidwood qu'il la mentionne dans son *Voyage aux Îles Occidentales de l'Écosse* (*Journey to the Western Islands of Scotland*) :

J'ai visité cette école et y ai trouvé certains des écoliers en train d'attendre leur maître, que, dit-on, ils accueillent à son entrée dans la classe le visage rayonnant et les yeux brillants, impatients qu'ils sont de découvrir de nouvelles idées. L'une des jeunes écolières avait devant elle son ardoise, sur laquelle j'écrivis une question consistant en un nombre à trois chiffres, à multiplier par un nombre à deux chiffres. Elle considéra le problème, et, agitant ses doigts d'une manière que je jugeai tout à fait adorable (sans savoir si elle le faisait par affectation ou par jeu), multiplia la somme comme il se doit sur deux lignes, en indiquant les retenues.

Puis, à l'âge de quatorze ans, Goodricke quitta Braidwood pour l'Académie de Warrington, où il put étudier en compagnie d'élèves bien entendants. Ses professeurs le décrivirent comme un « littéraire passable, mais excellent mathématicien ». Quand il rentra chez lui à York, il poursuivit ses études sous la direction d'Edward Pigott, qui lui enseigna l'astronomie, et lui fit voir notamment toute l'importance des étoiles variables.

Goodricke se révéla un excellent astronome. Il avait acquis une acuité et une sensibilité visuelles sans équivalent, et il était capable d'évaluer avec une grande précision les variations de luminosité d'une étoile d'une nuit sur l'autre. C'était un véritable tour de force, car il devait prendre en compte les effets des conditions atmosphériques et l'éclat du clair de lune pour obtenir un degré de précision suffisant. Pour estimer la luminosité d'une étoile variable, Goodricke la comparait avec les brillances constantes d'étoiles voisines non variables. L'une de ses premières observations porta sur les subtiles oscillations d'Algol entre novembre 1782 et mai 1783. Il dressa avec soin un graphique représentant les variations de la luminosité en fonction du temps, montrant que la brillance de l'étoile atteignait un minimum toutes les soixante-huit heures et cinquante minutes. Les variations d'Algol sont représentées Figure 40.

L'intelligence de Goodricke était aussi aiguisée que sa vue. De l'étude de la cadence des pulsations d'Algol, il déduisit qu'il ne s'agissait pas d'une étoile solitaire, mais d'une étoile double – deux étoiles orbitant l'une autour de l'autre, une configuration (nous le savons aujourd'hui) relativement courante pour des étoiles. Dans le cas d'Algol, Goodricke estima qu'une des deux étoiles était beaucoup plus faible que l'autre et que la variation de la luminosité globale était due au passage de l'étoile peu lumineuse devant l'étoile brillante au cours de

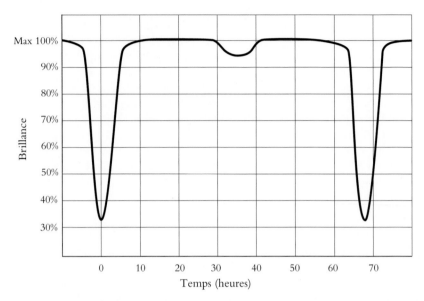

Figure 40 La variation de la brillance de l'étoile Algol est symétrique et périodique, avec un minimum toutes les soixante-huit heures et cinquante minutes.

leurs évolutions mutuelles. En d'autres termes, la variabilité était un effet d'éclipse.

Goodricke était âgé d'à peine dix-huit ans, et son analyse d'Algol était juste de bout en bout. La récurrence de la baisse de luminosité était régulière et symétrique, à l'instar d'une éclipse, phénomène régulier et symétrique. Par ailleurs, la brillance du système formé par le couple d'étoiles était le plus souvent très élevée, la baisse de luminosité étant relativement courte, ce qui à nouveau est caractéristique d'un phénomène d'éclipse. En fait, le comportement d'une bonne part des étoiles variables peut être expliqué de cette manière. Les travaux de Goodricke furent reconnus par la Royal Society, qui lui décerna la prestigieuse Médaille Copley pour « la découverte scientifique la plus importante de l'année ». Trois ans plus tôt, elle avait été accordée à William Herschel, et, bien plus tard, elle serait attribuée à Dmitri Mendeleiev pour sa table périodique, à Einstein pour ses travaux sur la relativité, et à Francis Crick et James Watson pour avoir dévoilé les secrets de l'ADN.

Le phénomène des étoiles doubles à éclipse constitua une découverte majeure de l'histoire de l'astronomie, mais celle-ci ne devait jouer aucun rôle dans la grande question des nébuleuses. Par contre, c'est une série d'observations effectuées par Goodricke et Pigott en 1784 qui devaient finalement apporter la solution au Grand Débat à venir. Dans la nuit du 10 septembre, Pigott nota en effet que l'éclat de l'étoile Eta Aquilae variait. Un mois plus tard, le 10 octobre, Goodricke fit la même constatation à propos de Delta Cephei. Personne n'avait remarqué précédemment la variabilité de ces étoiles, mais Goodricke et Pigott n'avaient pas leurs pareils pour détecter les plus subtils changements de brillance. Goodricke étudia les variations des deux étoiles sur la durée et montra qu'Eta Aquilae variait tous les sept jours, tandis que Delta Cephei ne mettait que cinq jours pour faire la même chose, ce qui signifiait que les deux astres avaient une période de variation nettement plus longue qu'Algol. Mais ce qui rendait Eta Aquilae et Delta Cephei encore plus remarquables était le profil général de la variation de leur luminosité.

Le graphique de la Figure 41 représente la variation de Delta Cephei. Le trait le plus frappant est l'absence de symétrie. Alors que le graphe d'Algol (Figure 40) comporte une série de « vallées » étroites et symétriques, l'éclat de Delta Cephei atteint son maximum en à peine un jour pour retrouver sa valeur minimale en quatre jours. Eta Aquilae reproduit le même schéma en dents de scie, ou en « aileron de requin ». Ce type de pulsation ne pouvant être expliqué par aucune sorte d'effet d'éclipse, les deux jeunes astronomes estimèrent que le phénomène à l'origine de la variabilité des deux étoiles devait leur être intrin-

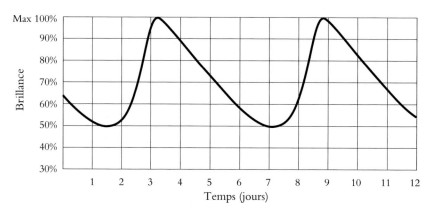

Figure 41 La variation de la brillance de l'étoile Delta Cephei est asymétrique, l'éclat de l'astre augmentant rapidement et diminuant lentement.

sèque. Ils décidèrent qu'Eta Aquilae et Delta Cephei appartenaient à une nouvelle catégorie d'étoiles variables, que nous
appelons aujourd'hui céphéides variables, ou simplement
céphéides. Les variations de certaines céphéides (telle l'Étoile
Polaire, la plus proche du système solaire) sont très subtiles.
William Shakespeare ignorait tout de la variabilité de l'étoile en
faisant s'exclamer Jules César, dans la pièce du même nom :
« Mais je suis aussi constant que l'Étoile du Nord ! » S'il est vrai
que cette étoile est « constante », dans la mesure où elle
indique toujours le nord, sa luminosité, en revanche, varie
selon une période d'environ quatre jours.

Aujourd'hui, nous savons ce qui se passe à l'intérieur d'une
céphéide variable, nous connaissons les causes de sa variabilité
asymétrique, et ce qui la rend différente des autres étoiles. La
plupart des étoiles connaissent un état d'équilibre stable, ce
qui veut dire, pour l'essentiel, que l'énorme masse d'une étoile
tend à s'effondrer sur elle-même du fait de la force de gravité,
mais que celle-ci est contrebalancée par la pression vers l'extérieur causée par la chaleur intense de la matière à l'intérieur
de l'étoile. C'est un peu comme un ballon, qui est en équilibre,
car l'enveloppe en caoutchouc externe tend à se contracter vers
l'intérieur, tandis que la pression de l'air interne la repousse
vers l'extérieur. Placez le ballon dans un réfrigérateur quelques
heures, et l'air dans le ballon se refroidira, la pression de l'air
à l'intérieur du ballon diminuera et le ballon se contractera
pour trouver un nouvel état d'équilibre.

Cependant, les céphéides variables ne connaissent pas d'équilibre stable, mais fluctuent. Quand une céphéide est relativement
« froide », elle est incapable de s'opposer à la force gravitationnelle, qui provoque alors la contraction de l'étoile. Ce phénomène comprime le combustible situé au cœur de l'étoile et
favorise en retour la production d'énergie, ce qui chauffe l'étoile
et entraîne sa dilatation. Une certaine quantité d'énergie est libérée pendant et après l'expansion, sur quoi l'étoile refroidit et se
contracte, et le processus se répète à nouveau indéfiniment. On
notera surtout que la phase de contraction comprime la couche
externe de l'étoile, ce qui la rend plus opaque, phase correspondant à la baisse de luminosité de la céphéide.

Bien que Goodricke fût incapable d'expliquer la variabilité
des céphéides, la découverte de ce nouveau type d'étoiles était
en soi un exploit. Âgé d'à peine vingt et un ans, il se vit décer-
ner une nouvelle distinction : il fut fait membre (*Fellow*) de la

Royal Society. Mais deux semaines plus tard jour pour jour, la vie de ce brillant jeune astronome trouva prématurément son terme. Goodricke mourut d'une pneumonie contractée pendant les longues nuits glaciales passées à scruter les astres. Son ami et collaborateur Pigott le pleura en ces termes : « Ce jeune homme valeureux n'est plus de ce monde ; il n'est pas seulement regretté par de nombreux amis, car son décès apparaîtra très certainement comme une grande perte pour l'astronomie, comme les découvertes qu'il a si promptement réalisées le démontrent. » En l'espace d'une carrière qui n'avait duré que quelques années, Goodricke avait apporté une contribution exceptionnelle à l'astronomie. Bien qu'il n'en eût pas conscience, sa découverte des céphéides allait être déterminante pour la résolution du Grand Débat et le développement de la cosmologie en général.

Au cours du siècle suivant, les chasseurs de céphéides devaient découvrir trente-trois étoiles présentant des variations caractéristiques en « aileron de requin ». Leur éclat augmentait et diminuait selon des périodes variant entre moins d'une semaine et plus d'un mois. Cependant, un problème grevait l'étude des céphéides, à savoir la subjectivité. En fait, ce problème était général à l'astronomie. Quand des observateurs voyaient un phénomène dans le ciel, ils l'interprétaient en le déformant inévitablement, surtout si le phénomène en question était fugitif et si l'interprétation reposait sur la mémoire. De même, l'observation ne pouvait être notée qu'au moyen de mots ou d'un dessin, lesquels ne pouvaient être fiables à cent pour cent.

C'est alors qu'en 1839, Louis Daguerre inventa le daguerréotype, procédé permettant l'impression chimique d'une image sur une plaque métallique. Soudain, la daguerréomanie s'empara du monde, les gens faisant la queue pour se faire photographier. Comme c'est le cas de toute nouvelle technologie, des voix discordantes se firent entendre, comme en témoigne cet extrait d'un article paru dans un journal de Leipzig : « Le désir de capturer des reflets évanescents est non seulement impossible [...], mais ce seul désir, la seule volonté d'agir de la sorte, est un blasphème. Dieu a créé l'homme à Son image, et aucune machine fabriquée de la main de l'homme ne peut fixer l'image de Dieu. Peut-on imaginer que Dieu ait renoncé à Ses principes éternels, et permis à un Français [...] de donner au monde une invention du diable ? »

John Herschel, fils de William et désormais président de la

Figure 42 Sir John Herschel, fils de William Herschel, par la célèbre photographe portraitiste Julia Margaret Cameron. À droite, la première photographie sur verre, prise par John Herschel lui-même en 1839. Elle montre une image du télescope de son père, également représenté sur la gravure de la Figure 33 (p. 175).

Royal Astronomical Society, fut l'un des premiers scientifiques à adopter cette nouvelle technologie. Quelques semaines après l'annonce de l'invention de Daguerre, il parvint à reproduire le procédé et prit la première photographie sur verre (Figure 42), qui montrait le plus grand télescope de son père juste avant qu'il ne soit démonté. Il devait grandement contribuer par la suite au perfectionnement du procédé photographique, forgeant de nombreux termes propres à cette technique, tels « *photograph* », « *snapshot* » (cliché), ou « *negative* » (négatif). En fait, Herschel ne fut que l'un des nombreux astronomes qui exploitèrent toutes les potentialités de la photographie dans le but de saisir les objets célestes les plus faiblement lumineux. La raison pour laquelle les astronomes adoptèrent avec ferveur la photographie tenait au fait qu'elle leur offrait enfin l'objectivité qu'ils recherchaient. Quand il essayait de décrire la brillance d'une étoile, Herschel devait jusque-là écrire : « Alpha Hydrae est largement inférieure à Gamma Leonis, et plutôt inférieure à Beta Aurigae. » De telles notations pouvaient désormais être remplacées par une photographie, plus objective et précise.

Malgré ses avantages, la photographie fit l'objet de soupçons de la part de traditionalistes s'inquiétant des implications de cette nouvelle technologie. Dans le passé, les astronomes qui effectuaient leurs observations à l'œil nu se méfiaient des télescopes, craignant que les lentilles ne génèrent des taches et des imperfections pouvant être confondues avec des étoiles. Désormais, les astronomes-dessinateurs se méfiaient de la photographie, cette technologie risquant de faire apparaître dans le ciel nocturne de nouveaux objets qui ne seraient que des artefacts du procédé chimique du développement. Par exemple, des résidus chimiques ne risquaient-ils pas d'être confondus avec une nébuleuse ? Du coup, pour lever toute ambiguïté, l'origine – « visuelle », ou « photographique » – de chaque observation dut désormais être précisée.

Une fois la technique parvenue à maturation, et les conservatismes naturels surmontés, les scientifiques s'accordèrent à considérer que la photographie était la meilleure méthode pour consigner des observations. En 1900, un astronome de l'observatoire de Princeton déclara que les photographies constituaient « un document permanent, authentique et libre de toute déformation subjective propre à l'imagination et aux hypothèses, qui compromettent si gravement la crédibilité de tant d'observations oculaires ».

La photographie rendit des services inestimables en permettant de consigner des observations avec précision et objectivité, mais tout aussi importante était sa capacité à détecter des objets jusque-là invisibles. Si un télescope est pointé en direction d'un objet très éloigné, la lumière qui atteint l'œil humain est parfois trop faible pour être perçue, même si le télescope a une large ouverture. Si, cependant, l'œil est remplacé par une plaque photographique, celle-ci peut être exposée pendant plusieurs minutes, voire plusieurs heures, capturant de plus en plus de lumière sur la durée. L'œil humain absorbe la lumière, la traite et s'en débarrasse en un instant, pour ensuite recommencer de zéro, alors que la plaque photographique ne cesse d'accumuler la lumière, constituant une image qui gagne en substance au fil des minutes. En bref, l'œil a une sensibilité limitée, un télescope doté d'une large ouverture amplifie cette sensibilité, et ce même télescope couplé avec une plaque photographique est encore plus sensible. Par exemple, l'amas d'étoiles des Pléiades (ou Sept Sœurs) contient sept étoiles visibles à l'œil nu, mais Galilée pouvait voir quarante-sept étoiles dans cette région. À la fin des années 1880, deux astronomes français, les frères Prosper et Paul Henry, prirent une photographie à longue exposition de cette partie du ciel et comptèrent 2 326 étoiles.

Une institution, l'observatoire du collège Harvard, joua un rôle crucial dans la révolution photographique en matière d'astronomie, en grande partie grâce à son premier directeur, William Cranch Bond, qui prit le premier daguerréotype d'une étoile de nuit, Vega, dès 1850. Par ailleurs, l'astronome amateur Henry Draper, dont le père, John Draper, avait pris la première photographie de la Lune, légua sa fortune personnelle à Harvard pour photographier et cataloguer toutes les étoiles observables.

Cette manne permit à Edward Pickering, devenu directeur de l'observatoire en 1877, de lancer un programme intensif de photographie des cieux. L'observatoire allait engranger un demi-million de plaques photographiques au cours des décennies à venir, et l'un des plus grands défis de Pickering serait de mettre sur pied un système d'analyse des photographies à échelle industrielle. Chaque plaque contenait des centaines d'étoiles, et il allait falloir évaluer la brillance et la localisation de chaque point. Pickering recruta une équipe exclusivement masculine de jeunes secrétaires travaillant comme *computers* (« calculateurs »), terme initialement utilisé pour désigner des employés manipulant des données et effectuant des calculs.

Malheureusement, il fut vite contrarié par le manque de concentration de ses collaborateurs et le peu d'attention qu'ils accordaient aux détails. Un jour, à bout de patience, il s'exclama que « sa bonne écossaise serait capable de faire mieux ! ». Pour joindre les actes à la parole, il licencia sur-le-champ toute l'équipe, recruta des femmes pour la remplacer, et nomma à leur tête... sa domestique. Williamina Fleming avait exercé la profession d'institutrice en Écosse avant d'émigrer en Amérique, où elle avait été abandonnée par son mari alors qu'elle attendait un enfant, ce qui l'avait contrainte à travailler comme gouvernante. Désormais, elle allait diriger une équipe surnommée « Le harem de Pickering », et examiner la plus vaste collection d'images astronomiques au monde.

Pickering a été universellement loué pour la générosité de sa politique de recrutement, mais dans une certaine mesure, ses motivations étaient peut-être plus terre-à-terre qu'on ne le pense. Les femmes étaient peut-être plus précises et méticuleuses que les hommes qu'elles avaient remplacés, mais elles

Figure 43 Les « calculatrices » (*computers*) d'Harvard au travail, occupées à examiner des plaques photographiques sous la surveillance d'Edward Pickering et Williamina Fleming. Sur le mur du fond sont accrochés deux graphiques représentant les variations de l'éclat de plusieurs étoiles.

acceptaient d'être payées entre 25 et 30 cents de l'heure, alors que les hommes en exigeaient 50. De même, les femmes étaient cantonnées dans le rôle de « calculatrices », et n'avaient pas la possibilité d'effectuer elles-mêmes des observations. Il est vrai que les télescopes étaient installés dans des observatoires froids et obscurs, lieux considérés comme inappropriés au sexe faible. Par ailleurs, les sensibilités victoriennes auraient été offensées à la simple pensée qu'un homme et une femme puissent travailler ensemble jusqu'à une heure avancée de la nuit – et contempler de concert le spectacle romantique de la voûte étoilée. Mais au moins les femmes pouvaient-elles désormais examiner les résultats photographiques des observations nocturnes, et apporter leur pierre à l'astronomie, discipline dont elles avaient été largement écartées par le passé.

Bien que cantonnées en principe à la tâche ingrate de l'analyse des photographies prises par leurs collègues masculins, les

« calculatrices » de Miss Fleming ne tardèrent pas à tirer leurs propres conclusions scientifiques. En passant des jours et des jours à étudier les plaques photographiques, elles acquirent une connaissance intime des objets stellaires qu'elles étaient chargées d'examiner. L'une d'elles, Annie Jump Cannon, catalogua environ cinq mille étoiles par mois entre 1911 et 1915, notant l'emplacement, la brillance et la couleur de chacune. Elle profita de son expérience de première main pour apporter une contribution majeure au système de classification stellaire encore en usage aujourd'hui (avec seulement des modifications mineures). Les étoiles étaient divisées en sept classes (O, B, A, F, G, K, M), et aujourd'hui les étudiants en astronomie anglo-saxons apprennent encore ces classifications stellaires à l'aide de ce moyen mnémotechnique : « *Oh, Be A Fine Guy – Kiss Me !* » (« Oh, soit un chic type – embrasse-moi ! »). En 1925, Annie Cannon devint la première femme à recevoir un doctorat honoris causa de l'université d'Oxford, en reconnaissance de ses longs et fastidieux travaux. En 1931, elle fut élue au nombre des douze femmes américaines de l'année, et fut la première femme à recevoir la prestigieuse Médaille d'Or Draper de l'American National Academy of Sciences.

Annie Cannon avait contracté la scarlatine étant enfant, ce qui l'avait rendue quasi sourde, tout comme, avant elle, le découvreur des céphéides, John Goodricke. Probablement compensèrent-ils leur infirmité auditive en aiguisant leurs facultés visuelles, ce qui leur permit de remarquer des détails qui auraient échappé à d'autres. Par ailleurs, la plus célèbre membre du « harem de Pickering », Henrietta Leavitt, était également sourde. C'est elle qui détecta sur les plaques photographiques l'objet qui devait permettre de trancher le Grand Débat une bonne fois pour toutes et de mesurer la distance des nébuleuses, influençant ainsi la cosmologie pour les décennies à venir.

Fille d'un pasteur de l'Église congrégationaliste, Henrietta Leavitt était née en 1868 à Lancaster, dans le Massachusetts. Le professeur Solon Bailey, qui la connut à l'observatoire du collège d'Harvard, précise de quelle manière son caractère fut façonné par son éducation religieuse :

> Très attachée à son cercle familial, elle était attentionnée et désintéressée dans ses amitiés, inébranlable dans ses principes, et profondément droite et sincère dans sa dévotion à sa religion et à son Église. Elle possédait l'heureuse faculté d'apprécier tout ce qui

était précieux et aimable chez les autres, et était douée d'une nature si rayonnante que, pour elle, la vie tout entière était belle et pleine de sens.

En 1892, Henrietta sortit diplômée du collège Radcliffe de l'université Harvard, qui à l'époque s'appelait la Société pour l'Instruction universitaire des femmes (Society for the Collegiate Instruction of Women). Pendant les deux années qui suivirent, elle cessa toute activité, se remettant d'une grave maladie, probablement une méningite, à l'origine de sa surdité. Quand elle fut rétablie, elle travailla comme bénévole à l'observatoire d'Harvard, examinant à longueur de journées les plaques photographiques, à la recherche d'étoiles variables, qu'elle était chargée de cataloguer. La photographie avait revolutionné l'étude des étoiles variables, car deux plaques de verre photographiques prises lors de nuits différentes pouvaient être superposées et directement comparées, ce qui permettait de détecter beaucoup plus facilement les moindres variations de luminosité. Tirant tout le profit possible de cette technologie balbutiante, Henrietta Leavitt devait découvrir plus de 2 400 étoiles variables, environ la moitié de toutes celles qui étaient connues à son époque. Le professeur Charles Young, de l'université de Princeton, fut si impressionné qu'il la surnomma la « fanatique des étoiles variables ».

De tous les types d'étoiles variables, Henrietta Leavitt se prit d'une passion particulière pour les céphéides. Après avoir passé des mois à mesurer des étoiles de ce type, elle aspira à comprendre ce qui déterminait le rythme de leurs fluctuations. Pour résoudre ce mystère, elle porta son attention sur les deux seuls paramètres tangibles concernant n'importe quelle céphéide : sa période de variation et son éclat. Idéalement, elle aurait voulu savoir s'il existait une relation entre la période et la luminosité – si les étoiles les plus brillantes avaient une période de variation plus longue que les étoiles faibles, et inversement. Malheureusement, il semblait quasi impossible de tirer le moindre enseignement des données disponibles concernant l'éclat des étoiles. Par exemple, une céphéide brillante en apparence pouvait en fait être une étoile faiblement lumineuse, mais proche, tandis qu'une céphéide faible en apparence pouvait en fait être une étoile brillante très lointaine.

Les astronomes s'étaient depuis longtemps rendu compte qu'ils ne pouvaient percevoir que l'éclat apparent d'une étoile,

Figure 44 Auteur de l'une des découvertes les plus importantes du xxᵉ siècle dans le domaine de l'astronomie, Henrietta Leavitt avait commencé sa carrière comme bénévole à l'observatoire d'Harvard.

et non son éclat réel. La situation semblait sans espoir, et la plupart des astronomes auraient renoncé, mais grâce à sa patience, sa persévérance et sa concentration, Miss Leavitt eut bientôt une idée astucieuse et... lumineuse. Elle fit sa découverte capitale en concentrant son attention sur un amas stellaire baptisé Petit Nuage de Magellan, du nom du fameux explorateur portugais du xvi ͤ siècle qui l'avait aperçu alors qu'il naviguait dans les mers du Sud, lors de son tour du monde. Comme le Petit Nuage de Magellan n'est visible que depuis l'hémisphère Sud, Henrietta Leavitt dut utiliser des photographies prises à partir de la station australe d'Harvard, installée à Arequipa, au Pérou. Elle parvint à identifier vingt-cinq céphéides variables à l'intérieur du Petit Nuage de Magellan. Elle ne connaissait pas la distance entre la Terre et ce dernier, mais elle soupçonnait qu'il était relativement éloigné et que les céphéides qu'il contenait étaient relativement proches les unes des autres. En d'autres termes, les vingt-cinq céphéides se trouvaient toutes plus ou moins à la même distance de la Terre. Soudain, Henrietta Leavitt comprit qu'elle tenait exactement ce qu'elle cherchait. Si les céphéides du Petit Nuage de Magellan étaient toutes à peu près à la même distance, et si une de ces céphéides était plus brillante qu'une autre, il ne s'agirait pas de sa luminosité apparente, mais de son éclat absolu (elle serait *intrinsèquement* plus lumineuse).

L'hypothèse selon laquelle les étoiles du Petit Nuage de Magellan étaient toutes approximativement équidistantes de la Terre tenait plus du pari que d'une hypothèse scientifiquement fondée, mais c'était un pari raisonnable. Le raisonnement d'H. Leavitt était analogue à celui d'un observateur voyant un vol de vingt-cinq oiseaux dans le ciel et supposant que la distance entre chacun d'eux est relativement faible comparée à celle séparant l'observateur de l'ensemble des oiseaux. De ce fait, si un oiseau paraissait plus petit que les autres, il y avait de fortes chances qu'il soit véritablement plus petit. En revanche, si l'on voit vingt-cinq oiseaux éparpillés dans le ciel et que l'un d'eux paraît plus petit que les autres, on ne peut pas être sûr que cet oiseau soit véritablement plus petit, ou simplement plus éloigné.

Henrietta Leavitt était maintenant prête à étudier le rapport entre la période et la brillance des céphéides. Se fondant sur l'hypothèse selon laquelle l'éclat apparent de chaque céphéide du Petit Nuage de Magellan constituait un indice fiable de son éclat absolu en relation avec les autres céphéides du Nuage, elle dessina un graphique montrant la relation entre la luminosité apparente et la période de variation des vingt-cinq céphéides. Le résultat fut étonnant. La Figure 45(a) montre comment les céphéides fluctuant sur une longue période sont significativement plus brillantes, et, surtout, comment les relevés correspondant aux données semblent globalement dessiner une courbe régulière. La Figure 45(b) reprend les mêmes données, mais avec un changement d'échelle pour la période de variation, qui révèle plus clairement la relation entre brillance et période. En 1912, Henrietta Leavitt publia ses conclusions : « Joignant les séries de points correspondant respectivement aux maxima et aux minima, deux lignes droites peuvent être facilement tracées, ce qui montre qu'il existe une relation simple entre les brillances des variables et leurs périodes. »

Henrietta Leavitt avait ainsi découvert une relation mathématique indiscutable entre la luminosité absolue d'une céphéide

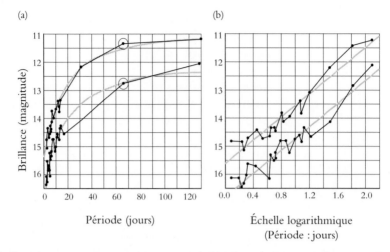

Figure 45 Ces deux graphiques représentent les observations relatives aux étoiles variables de type céphéides du Petit Nuage de Magellan réalisées par Henrietta Leavitt. Le graphique (a) met en rapport la brillance (axe vertical) et la période, mesurée en jours (axe horizontal), et chaque point correspond à une céphéide. Les deux lignes (supérieure et inférieure) représentent respectivement les brillances maximale et minimale de chaque étoile variable.

Pour faciliter la compréhension du graphique, les points entourés d'un cercle représentent une céphéide ayant une période d'environ soixante-cinq jours, sa brillance variant entre 11,4 et 12,8. Deux courbes régulières peuvent être tracées en reliant les différents points. Certains points ne sont pas situés exactement sur les courbes, mais une fois tenu compte des erreurs d'observation, la validité des courbes ne semble faire aucun doute.

La brillance des étoiles est mesurée en termes de « magnitude », unité de mesure insolite, car plus l'éclat de l'étoile est vif, plus la magnitude est faible, ce qui explique pourquoi l'échelle verticale va de 16 à 11. La magnitude est par ailleurs mesurée selon une *échelle logarithmique*. Il n'est pas nécessaire pour notre propos de définir ce qu'est une échelle logarithmique ; nous avons juste besoin de savoir que la relation entre brillance et période de variation devient plus claire si la période est également représentée selon une échelle logarithmique, comme sur le graphe (b). Les points sont tous désormais raisonnablement situés à proximité des deux lignes droites, ce qui indique qu'il existe une relation mathématique simple entre la période de variabilité d'une céphéide et sa brillance.

et la période de variation de sa brillance apparente : plus la céphéide était lumineuse, plus la période entre ses deux pics de luminosité était longue. H. Leavitt était convaincue que cette règle pouvait s'appliquer à n'importe quelle céphéide dans l'univers, et que son graphique restait valable pour les céphéides affichant de très longues périodes. C'était un résultat capital, aux répercussions incalculables, mais le titre de l'article dans lequel il apparut pour la première fois n'en laissait rien supposer : « Périodes des vingt-cinq étoiles variables dans le Petit Nuage de Magellan. »

Grâce à la découverte d'Henrietta Leavitt, il était désormais possible de comparer en toutes circonstances deux céphéides dans le ciel et de déterminer leurs distance respectives par rapport à la Terre. Par exemple, si on pouvait trouver deux céphéides dans différentes parties du ciel qui variaient toutes les deux avec des périodes similaires, on pouvait dire que leur éclat était à peu près équivalent – le graphique de la Figure 45 permettant de prédire qu'à une certaine période correspond une certaine luminosité absolue. Ainsi, si une des étoiles semble être neuf fois plus faible qu'une autre, elle doit être plus éloignée. En fait, si elle est neuf fois plus faible, elle doit être exactement trois fois plus lointaine, car la brillance diminue avec le carré de la distance, et $3^2 = 9$. Ou si l'une des céphéides semble être 144 fois plus faible qu'une autre avec une période analogue, elle doit être 12 fois plus éloignée, car $12^2 = 144$.

S'ils pouvaient utiliser le graphe d'Henrietta Leavitt pour étalonner la brillance des céphéides et évaluer la distance relative entre deux céphéides, les astronomes, en revanche, ne connaissaient pas encore la distance absolue d'aucune d'entre elles. Ils pouvaient prouver qu'une céphéide était, disons, 12 fois plus éloignée qu'une autre, mais c'était tout. Si seulement la distance séparant la Terre d'une seule céphéide pouvait être évaluée, il serait possible de calibrer l'échelle de mesure de Leavitt et de déterminer la distance de chaque céphéide en particulier.

Les observations décisives qui rendirent ces évaluations possibles, et, partant, permirent d'étalonner l'échelle de distance des céphéides furent réalisées par une équipe d'astronomes comprenant Harlow Shapley et le savant danois Ejnar Hertzsprung. Cette équipe utilisa une combinaison de techniques, notamment la parallaxe, pour mesurer la distance d'une céphéide, grâce à quoi les recherches d'Henrietta Leavitt fournirent la base de la méthode qui allait permettre de connaître de manière infaillible les distances à l'intérieur du cosmos. Les étoiles variables de type céphéides allaient servir d'étalon à l'univers.

En résumé, un astronome pouvait désormais mesurer la distance à n'importe quelle céphéide en suivant un simple processus en trois étapes. *Primo*, relever la cadence de ses pulsations, ce qui renseigne sur sa brillance absolue. *Secundo*, constater sa brillance apparente. *Tertio*, évaluer la distance en comparant brillance absolue et brillance apparente.

Pour utiliser une analogie grossière, imaginons qu'une céphéide est un phare émettant un flash à intervalles réguliers. Et imaginons que le temps qui s'écoule entre deux flashes soit fonction de la brillance du phare (comme dans le cas de la céphéide), de telle sorte qu'un phare de 3 kW émettra trois flashes par minute, et un phare de 5 kW en émettra cinq. Si un marin en mer par une nuit sans lune aperçoit au loin le faisceau du phare, il pourra évaluer la distance qui le sépare de ce dernier grâce à la même méthode en trois phases. D'abord, il comptera la fréquence à laquelle le faisceau balaie l'océan, ce qui lui donnera immédiatement la luminosité réelle du phare. Ensuite, il notera sa luminosité visible. Enfin, il évaluera la distance en comparant l'éclat apparent et la brillance « absolue ».

De même, le marin peut estimer la distance séparant son navire d'un village de la côte situé sur le même axe de visée que le phare, car il peut supposer que le village est à peu près aussi éloigné que le phare dont il vient d'évaluer la distance. Il est certes possible que le village soit très éloigné de la côte, ou que le phare se trouve sur une presqu'île ou un îlot rocheux en pleine mer, à plusieurs milles du village, mais en général, le phare sera près du village et l'estimation sera correcte. De la même manière, un astronome souhaitant déterminer la distance à une céphéide variable connaît aussi la distance approximative séparant la Terre de toutes les autres étoiles situées à proximité. La méthode n'est pas infaillible, mais elle est efficace dans la plupart des cas.

En 1924, le professeur Gösta Mittag-Leffer, de l'Académie des Sciences suédoise, fut si impressionné par Henrietta Leavitt et l'ingéniosité de sa méthode d'étalonnage au moyen des céphéides qu'il voulut la proposer pour un prix Nobel. Cependant, quand il chercha à se renseigner sur les recherches scientifiques ultérieures d'Henrietta Leavitt, il découvrit avec stupeur qu'elle était décédée d'un cancer trois ans plus tôt, le 12 décembre 1921, à l'âge de cinquante-trois ans à peine. Henrietta Leavitt n'était pas un de ces savants prestigieux parcourant le monde de congrès en symposiums, mais une humble chercheuse qui avait patiemment et scrupuleusement étudié ses plaques photographiques, ce qui explique que son décès soit passé quasiment inaperçu en Europe. Non seulement elle n'avait pas vécu assez longtemps pour recevoir la reconnaissance qu'elle méritait, mais elle n'avait jamais connu l'impact décisif de ses travaux sur le Grand Débat concernant la nature des nébuleuses.

Le Titan de l'astronomie

L'astronome qui devait pleinement exploiter le potentiel de la découverte d'Henrietta Levitt fut Edwin Powell Hubble, qui peut à bon droit être considéré comme le plus grand astronome de sa génération. Il était né dans le Missouri en 1889, de John et Jennie Hubble, qui s'étaient rencontrés alors que John venait de subir un grave accident sur une ferme. À Jennie, fille du médecin du village, était revenue la tâche de le ramener à la vie et de le soigner. Couvert de sang et de blessures, il était en si piètre état qu'elle déclara initialement qu'elle « ne voulait plus jamais revoir John Hubble de sa vie ». Mais quand il eut recouvré la santé, elle tomba amoureuse de lui, et ils se marièrent en 1884.

Edwin eut une enfance heureuse dans l'ensemble, mis à part un incident traumatisant alors qu'il était âgé de sept ans. Voyant d'un mauvais œil leur petite sœur Virginia, âgée de quatorze mois, accaparer toute l'attention de leurs parents, son frère William et lui-même s'étaient vengés en lui marchant délibérément sur les doigts pour la faire pleurer. Quelques jours plus tard, elle contracta une grave maladie non diagnostiquée, qui se révéla fatale. Bouleversé et désemparé, Edwin s'attribua la responsabilité de ce décès, même si la maladie de sa sœur était sans rapport avec ses actes antérieurs. Comme un membre de sa famille se rappelle : « Edwin tomba psychologiquement malade et, sans la compréhension et l'intelligence de ses parents, cette paranoïa aurait pu provoquer une autre tragédie dans la famille. » Edwin était particulièrement proche de sa mère, et c'est elle qui l'aida à surmonter cet épisode traumatisant de son enfance.

Edwin était aussi très attaché à son grand-père, Martin Hubble, qui l'initia à l'astronomie en lui construisant un télescope pour son huitième anniversaire. Martin convainquit ses parents de le laisser veiller tard dans la nuit pour contempler les myriades de petits points stellaires du ciel noir du Missouri. Edwin devint à tel point fasciné par les étoiles et les planètes qu'il décida d'écrire un article sur Mars, qui fut publié dans le journal local alors qu'il était encore lycéen. L'un de ses professeurs, Miss Harriet Grote, nota la passion croissante d'Edwin pour l'astronomie : « Edwin Hubble sera l'un des hommes les plus brillants de sa génération. » Tous les professeurs disent probablement la même chose de leur élève préféré, mais dans le cas d'Edwin Hubble, la prédiction de Miss Grote devait se réaliser pleinement.

Hubble poursuivit ses études au Wheaton College, espérant obtenir une bourse d'une grande université. Lors de la cérémonie finale de remise des diplômes, où de telles bourses étaient annoncées, le directeur du collège mortifia le jeune élève en proclamant : « Edwin Hubble, je vous observe depuis quatre ans et je ne vous ai jamais vu étudier pendant plus de dix minutes d'affilée. » Après une pause très étudiée, digne des plus grands comédiens, il poursuivit : « Voici une bourse de l'université de Chicago ! »

Hubble avait l'intention d'étudier l'astronomie à Chicago, mais son tyran de père l'obligea à passer un diplôme de droit à cause du revenu régulier que ce dernier garantirait. Dans sa jeunesse, John Hubble avait trimé dur pour gagner décemment sa vie, et il n'avait acquis une sécurité financière que sur le tard, lorsqu'il était devenu courtier en assurances. Il était très fier de la profession qui avait fait des Hubble une famille de la classe moyenne respectée. « La meilleure définition que l'on a trouvé de la civilisation, disait-il, est qu'un homme civilisé fait ce qui est le mieux pour tous, alors que le sauvage fait ce qui est le mieux pour lui-même. La civilisation n'est qu'une immense compagnie d'assurance mutuelle contre l'égoïsme humain. »

Edwin résolut le conflit entre sa propre ambition et le pragmatisme paternel en faisant officiellement des études de droit pour rassurer son père, tout en suivant des cours de physique pour devenir un jour un astronome, son rêve d'enfant. Le département de physique de Chicago était dirigé par Albert Michelson, qui avait prouvé – bien malgré lui – que l'éther n'existait pas, et avait été le premier Américain à recevoir le prix Nobel de physique en 1907. L'université bénéficiait également de l'enseignement de Robert Millikan, qui devint le second lauréat américain du prix Nobel de physique, et recruta Hubble comme assistant laborantin à temps partiel alors qu'Edwin était encore étudiant. Ce fut une collaboration brève, mais déterminante, car Millikan aida Hubble à atteindre son objectif suivant, l'obtention d'une bourse Rhodes pour aller étudier à l'université d'Oxford.

Créées en 1903, les bourses Rhodes étaient financées par la fortune du bâtisseur de l'empire britannique victorien Cecil Rhodes, décédé l'année précédente. Elles étaient attribuées à de jeunes Américains qui faisaient montre à la fois d'une grande force de caractère et de grands talents intellectuels. George Parker, qui participa à la gestion du fonds, déclara que les trente-deux bourses étaient destinées à des candidats « susceptibles de devenir un jour président des États-Unis, président du tribunal de la Cour suprême, ou ambassadeur des États-Unis en Grande-Bretagne ». Millikan remit en temps voulu à Hubble une recommandation des plus élogieuses : « J'estime que [Mr.] Hubble est un homme à la prestance magnifique, aux compétences scientifiques admirables, et au caractère des plus estimables et amènes [...]. J'ai rarement rencontré un homme qui paraisse mieux qualifié pour répondre aux conditions imposées par le fondateur des bourses Rhodes que Mr. Hubble. » Grâce à ce soutien, venant d'un des scientifiques américains les plus renommés de l'époque, Hubble atteignit son objectif – il obtint sa bourse – et partit pour l'Angleterre en septembre 1910. Seule déception pour Hubble, qui devait satisfaire les exigences de son père, le sujet principal qu'il était censé étudier à Oxford restait le droit.

Pendant ses deux années à Oxford, Hubble devint un anglophile fanatique, adoptant tout du mode de vie britannique, de la tenue vestimentaire à l'accent aristocratique. Un autre lauréat de la bourse Rhodes, Warren Ault, fut désagréablement surpris lorsqu'il rencontra Hubble vers la fin de son séjour en Angleterre : « Il était en tenue de golf, portait une veste de Norfolk avec des boutons en cuir, et une énorme casquette. Il arborait également une canne et parlait anglais avec un accent que je pouvais à peine comprendre [...]. Ces deux années l'avaient transformé, semblait-il, en un faux Anglais, aussi faux que son accent. » Quant à John Larsen, étudiant originaire de l'Iowa et camarade de classe de Hubble au Queen's College, il ne se laissa pas impressionner : « Nous riions des efforts qu'il déployait pour acquérir une prononciation parfaite, alors que de notre côté, nous tentions de conserver l'accent que nous

Figure 46 Edwin Powell Hubble, le plus grand astronome observationnel de sa génération, tirant sur sa pipe de bruyère dont il ne se
séparait jamais.

avions apporté de chez nous. Nous avons toujours considéré
qu'il ne pouvait pas être cohérent avec lui-même. »

Le séjour de Hubble en Angleterre prit brutalement fin quand
son père tomba gravement malade et mourut le 19 janvier 1913.
Il dut rentrer aux États-Unis, arborant toujours sa cape d'Oxford
et son pseudo accent anglais, pour assurer la subsistance de
sa mère et des quatre autres enfants de la famille : au deuil,
en effet, s'ajoutait une situation financière catastrophique,
Mr. Hubble père s'étant montré très imprudent dans ses inves-
tissements. Hubble prit un emploi de professeur, tout en travaillant à temps partiel dans un cabinet de juristes, ce qui lui permit
de rétablir promptement les finances familiales. Par la suite,
s'étant acquitté de ses devoirs envers les siens, et désormais
affranchi de l'influence d'un père dominateur et manquant de
jugement, Hubble fut soudain libre de réaliser son rêve d'en-

fance : devenir astronome. « L'astronomie ressemble à la prêtrise, dit-il un jour. Personne ne devrait s'y consacrer sans être animé par une vocation. J'avais à n'en point douter cette vocation, et je savais que même si j'étais devenu un savant de deuxième ou troisième ordre, seule l'astronomie comptait. » Il revint plus tard sur le sujet dans une remarque qui semblait destinée à feu son père : « Je préférerais de loin être dernier parmi les astronomes que premier parmi les juristes. »

Hubble commença à rattraper le temps qu'il avait perdu en suivant des cours de droit, et s'engagea sur le long chemin au terme duquel il allait devenir un astronome professionnel. Grâce à ses relations à l'université de Chicago, il obtint un poste de jeune assistant doctorant à l'observatoire voisin de Yerkes, où, on l'a vu, Hale avait installé son premier grand télescope. Il passa ensuite un doctorat, une étude consacrée aux nébuleuses, qu'il appelait parfois par leur nom allemand, *nebelflecken*. Hubble savait que sa thèse était un travail solide et documenté, à défaut d'être une œuvre inspirée : « Elle n'apportera pas grand-chose à la somme des connaissances humaines. Un jour, j'espère étudier la nature de ces *nebelflecken* à quelque fin utile. »

Pour réaliser ce nouveau rêve, Hubble comprit qu'il devait obtenir un poste de chercheur dans n'importe quel observatoire, pourvu qu'il fût équipé des meilleurs télescopes. Il déclara un jour : « Doté de ses cinq sens, l'homme explore l'univers autour de lui et donne à cette aventure le nom de science. » Le sens primordial, pour les astronomes, étant la vue, quiconque aurait accès aux meilleurs télescopes verrait plus loin et plus nettement. Mount Wilson était par conséquent le lieu idoine : il était déjà pourvu du grand télescope de 60 pouces (1,50 m), et le télescope de 100 pouces (2,50 m), encore plus grand, était en voie d'achèvement. En fait, l'équipe de l'observatoire californien avait déjà entendu parler des potentialités de Hubble et avait bien l'intention de l'embaucher. Et c'est donc avec le plus grand plaisir qu'il reçut une offre d'emploi de Mount Wilson en novembre 1916. Sa nomination fut cependant ajournée, car à cette époque, les États-Unis venaient d'entrer en guerre aux côtés des Alliés, et Hubble se sentait tenu de contribuer à la défense de la Grande-Bretagne, le pays qu'il aimait par-dessus tout. Il arriva en Europe trop tard pour participer aux combats, mais il resta encore pendant quatre mois en Allemagne après l'armistice au sein des forces d'occupation. Il retarda son retour en Amérique pour entreprendre un long périple dans son Angleterre bien-aimée, et prit finalement ses fonctions à l'observatoire de Mount Wilson à l'automne 1919.

Bien qu'il ne fût encore qu'un jeune astronome peu expérimenté, Hubble devint vite une figure clé de l'observatoire. Un de ses assistants a laissé une description haute en couleurs de Hubble occupé à prendre des photographies avec son télescope d'1,50 m :

> Sa silhouette élancée et vigoureuse, pipe à la bouche, se détachait nettement sur le ciel. Une petite brise plaquait son trench-coat militaire contre son corps et faisait voler de temps à autre des étincelles de sa pipe dans l'obscurité de la coupole. Les observations de ce soir-là furent jugées extrêmement médiocres à l'aune de Mount Wilson, mais quand il revint de la chambre obscure où il avait développé ses plaques, Hubble jubilait. « S'il s'agit d'un exemple de conditions d'observation médiocres, dit-il, je parviendrai toujours à obtenir des photographies utilisables avec les instruments. » La confiance et l'enthousiasme dont il fit montre ce soir-là étaient caractéristiques de la façon dont il abordait tous les problèmes. Il était sûr de lui – de ce qu'il voulait faire, et de la manière dont il devait s'y prendre pour le faire.

Quand on lui demanda de choisir son camp dans le Grand Débat, Hubble se rangea à l'avis selon lequel les nébuleuses étaient des galaxies indépendantes. Cette position était légèrement embarrassante, car Mount Wilson était dominé par des astronomes qui restaient convaincus que la Voie lactée était l'unique galaxie, et que les nébuleuses se trouvaient à l'intérieur de son périmètre. Harlow Shapley, qui avait défendu la théorie de la galaxie unique à Washington, vit d'un mauvais œil l'arrivée de ce jeune nouveau, dont les opinions et le comportement le choquaient. Les manières humbles de Shapley étaient à l'opposé de celles d'un homme qui faisait une fixation sur l'aristocratie anglaise, arborait une veste en tweed d'Oxford, et s'écriait « By Jove ! » et « What ho ! » plusieurs fois par jour. Hubble aimait être au centre de toutes les attentions. L'un de ses tours favoris consistait à frotter une allumette et, d'une pichenette, la faire tourner en l'air de 360°, pour ensuite la rattraper et allumer avec elle sa pipe de bruyère. C'était un comédien né, alors que Shapley était tout son contraire, méprisant le penchant du jeune astronome pour la forfanterie. Mais le pire pour Shapley – qui s'était opposé avec virulence à l'en-

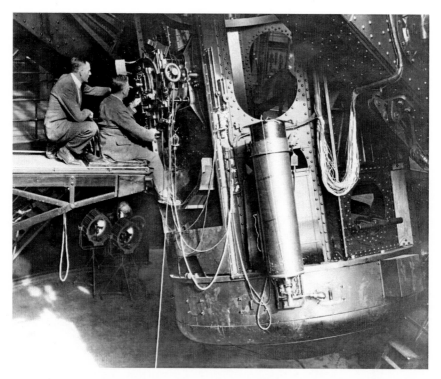

Figure 47 Edwin Hubble *(à gauche)* photographié à côté du télescope Hooker de 2,50 mètres à l'observatoire de Mount Wilson. La Figure 48 montre le télescope dans sa totalité.

trée en guerre des États-Unis – était qu'Hubble persistait à porter son trench-coat de l'armée dans l'enceinte de l'observatoire.

L'affrontement permanent entre les deux personnalités prit fin en 1920, quand Shapley quitta Mount Wilson pour devenir directeur de l'observatoire d'Harvard. C'était sur le papier une belle promotion pour Shapley, dont le rôle de premier plan dans le Grand Débat – qui attendait encore d'être tranché – était ainsi reconnu, mais son départ pour la côte est se révéla en fait désastreux. S'il avait échappé à Hubble et pris une direction prestigieuse, Shapley laissait également derrière lui l'observatoire qui allait dominer l'astronomie pendant les quatre décennies à venir. Mount Wilson possédait les télescopes les plus puissants du monde, et ce sont ses équipes qui devaient réaliser la prochaine percée majeure en matière d'astronomie.

Hubble gravit les échelons de la hiérarchie. Il fut autorisé à passer de plus en plus de temps derrière les télescopes, et s'employa à prendre les meilleures images possibles des nébuleuses. Chaque fois qu'il réussissait à mettre son nom sur le planning des observations, il empruntait la route abrupte et sinueuse menant au sommet du Mount Wilson, haut de 1 740 mètres. Il séjournait ensuite pendant plusieurs jours dans le « Monastère » si bien nommé – les quartiers (interdits aux femmes) où vivaient en reclus les chercheurs qui coupaient tout contact avec le monde extérieur pour se consacrer à l'observation de l'espace. On pourrait penser que les astronomes formaient une race à part d'hommes portés à la méditation, et passant leurs nuits à contempler le ciel et à s'émerveiller, mais dans la réalité, l'observation était un travail ingrat et difficile. Elle exigeait des heures de concentration intense et de privation de sommeil – de plus en plus pénible à mesure que l'heure avançait dans la nuit. Pour couronner le tout, les températures à haute altitude étaient souvent glaciales, ce qui signifiait que les délicats ajustements de l'orientation du télescope devaient être effectués avec des doigts gourds et endoloris, tandis que les cils de l'observateur pouvaient se coller contre l'oculaire quand les larmes gelaient. On peut lire dans le journal de l'observatoire diverses mises en garde de ce type : « Quand vous êtes fatigués, et que vous avez froid et sommeil, ne manœuvrez jamais le télescope ou la coupole sans avoir fait une pause et réfléchi à ce que vous allez faire. » Seuls les observateurs les plus diligents et déterminés réussissaient. Dans une démonstration de discipline mentale et physique suprême, les astronomes les plus aguerris étaient capables de contrôler leurs propres frissons, pour ne pas faire vibrer le télescope et gâcher les photographies qu'ils étaient en train de prendre.

Dans la nuit du 4 octobre 1923, quatre ans après son arrivée à Mount Wilson, Hubble observait le ciel avec le télescope de 100 pouces (2,50 m). Les conditions d'observation, notées 1, ne pouvaient être plus médiocres, mais il parvint à prendre une photographie à longue exposition (de 40 minutes) de M31, la Nébuleuse d'Andromède. Après avoir développé et étudié la photographie dans la clarté du jour, il repéra un nouveau petit point lumineux, qui, à son opinion, était soit un artefact photographique, soit une nova. La nuit suivante, la dernière de son tour d'observation, le temps était beaucoup plus dégagé, et il renouvela l'exposition, qu'il prolongea de cinq minutes dans l'espoir d'obtenir la confirmation qu'il s'agissait bien d'une nova. Le petit point était toujours là, mais cette fois deux autres

Figure 48 Le télescope Hooker de 2,50 mètres dans sa coupole de l'observatoire de Mount Wilson. Il s'agissait du télescope le plus puissant au monde quand Hubble effectua son observation historique de 1923.

novas potentielles l'avaient rejoint. Il marqua sur la plaque un « N » à côté de chaque nova putative, et, une fois son temps derrière le télescope terminé, il retourna à son bureau et à la bibliothèque des plaques photographiques de Santa Barbara Street, à Pasadena.

Hubble avait hâte de comparer cette nouvelle plaque avec des plaques antérieures de la même nébuleuse pour voir si les objets détectés étaient bien des novas. Toutes les plaques photographiques de l'observatoire étaient conservées dans une chambre forte construite selon les normes antisismiques. Chaque image était soigneusement cataloguée et archivée, et il était facile de trouver les plaques appropriées et de vérifier si l'on avait bien affaire à des novas. La bonne nouvelle était que deux des petits points étaient bien des novas. Autre nouvelle encore plus réjouissante, le troisième point était une étoile variable, une céphéide. Cette troisième étoile apparaissait sur certaines plaques antérieures, mais pas sur d'autres, ce qui était un indice de sa variabilité. Hubble venait de réaliser la plus grande découverte de sa carrière. Il barra aussitôt d'une croix le « N » et griffonna, triomphalement, « VAR ! », comme le montre la Figure 49.

C'était la première fois qu'une céphéide était découverte à l'intérieur d'une nébuleuse. Ce qui rendait cette découverte si importante était que les céphéides pouvaient être utilisées pour mesurer la distance : Hubble pouvait désormais calculer la distance entre la Terre et la Nébuleuse d'Andromède, et, du coup, trancher définitivement le Grand Débat. Les nébuleuses étaient-elles des entités à l'intérieur de notre Voie lactée, ou constituaient-elles des galaxies distinctes et beaucoup plus lointaines ? La brillance de la nouvelle céphéide variant selon une période de 31,415 jours, Hubble pouvait utiliser la méthode d'H. Leavitt pour calculer la brillance absolue de l'étoile. Il s'avéra que la céphéide était 7 000 fois plus lumineuse que le Soleil. En comparant sa brillance absolue à son éclat apparent, Hubble déduisit sa distance.

La portée de ce résultat était incalculable. La céphéide, et par conséquent la Nébuleuse d'Andromède dans laquelle elle se trouvait, semblait être distante d'environ 900 000 années-lumière de la Terre.

Comme le diamètre de la Voie lactée était d'environ 100 000 années-lumière, Andromède, à l'évidence, ne pouvait faire partie de notre galaxie. Par ailleurs, si Andromède était aussi éloignée, elle devait être extrêmement brillante, puisqu'elle était encore visible à l'œil nu. Enfin, une telle brillance impliquait l'existence d'un système contenant des millions et des millions d'étoiles. La Nébuleuse d'Andromède devait tout simplement être une autre galaxie. Le Grand Débat était clos. La Galaxie d'Andromède – tel était son nouveau nom – et la plupart des autres nébuleuses étaient en fait des galaxies indépendantes, aussi gigantesques et magnifiques que notre propre Voie lactée, et situées très loin au-delà des limites de cette dernière. Hubble avait prouvé que Curtis avait raison et que Shapley avait tort.

La distance à Andromède était toutefois si considérable que Hubble décida de ne pas divulguer ses résultats tant qu'il ne disposerait pas d'autres preuves sûres. À Mount Wilson, il était entouré de partisans de la théorie de la galaxie unique, et il ne

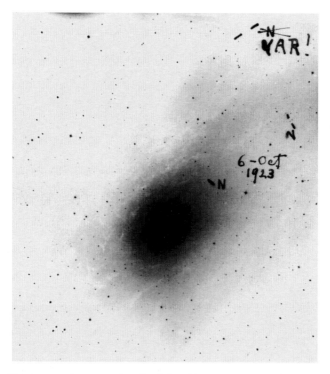

Figure 49 En octobre 1923, Hubble détecta trois novas potentielles – marquées chacune d'un « N » – dans la Nébuleuse d'Andromède. L'une de ces novas s'étant révélée être une céphéide, une étoile dont les variations de brillance peuvent être prévues, Hubble biffa le « N » et le remplaça par un « VAR ! » triomphal. Les céphéides pouvant être utilisées pour mesurer les distances, Hubble put évaluer celle qui séparait la Terre de la Nébuleuse d'Andromède et apporter un point final au Grand Débat.

voulait pas crier trop tôt victoire, de peur de se tromper. Il fit preuve d'autodiscipline et de patience, prenant d'autres photographies d'Andromède et découvrant une autre céphéide, plus faible, qui corrobora ses résultats initiaux. Finalement, en février 1924, il rompit son silence en révélant ses résultats dans une lettre à Shapley, le principal avocat de la théorie de la galaxie unique. Shapley avait participé à l'étalonnage de l'échelle de distance d'H. Leavitt, fondée sur l'observation des céphéides et ce faisant, il avait donné des armes à ses adversaires et miné sa propre position dans le Grand Débat. Quand il reçut le courrier de Hubble, Shapley fit cette remarque : « Voici la lettre qui a détruit mon univers. »

Figure 50 Les galaxies n'étant plus considérées comme des nébuleuses, la Nébuleuse d'Andromède est aujourd'hui connue sous le nom de Galaxie d'Andromède. Cette photographie a été prise depuis l'observatoire de La Palma en l'an 2000. Elle montre qu'Andromède est composée de millions d'étoiles et qu'elle constitue une galaxie à part entière.

Shapley tenta de mettre en doute la justesse des données de Hubble en laissant entendre que les céphéides ayant des périodes supérieures à vingt jours étaient des indicateurs non fiables, car très peu de céphéides à longue période avaient été étudiées. Il fit également valoir que la variabilité supposée des étoiles d'Andromède n'était peut-être rien d'autre qu'une bizarrerie du processus de développement photographique ou un artefact dû à une exposition trop longue. Hubble savait que ses observations n'étaient pas exemptes d'erreurs, mais si erreurs il y avait, aucune d'entre elles n'était susceptible de ramener Andromède à l'intérieur de la Voie lactée. En fait, des erreurs avaient été commises, mais dans le sens opposé : aujourd'hui, nous savons que la Galaxie d'Andromède est située à plus de 2 millions d'années-lumière de la Terre, et que la grande majorité des galaxies sont encore plus éloignées. Seules faisaient exception à cette règle quelques galaxies naines, tel le Petit Nuage de Magellan étudié par Henrietta Leavitt. Il est désormais établi qu'il s'agit d'une petite galaxie satellite rattachée par la gravitation au système formé par notre Voie lactée.

Le terme « nébuleuse » avait été utilisé à l'origine pour désigner n'importe quel objet céleste ayant la forme d'un nuage, mais désormais, la plupart des nébuleuses furent reclassées dans la catégorie des galaxies. Il apparut cependant que quelques nébuleuses étaient de simples nuages de gaz et de poussières à l'intérieur de la Voie lactée, et le terme « nébuleuse » finit par désigner spécifiquement de tels nuages. L'existence de ces nuées de gaz et de poussières relativement petites et proches n'est pas incompatible avec le fait que la grande majorité des nébuleuses originelles, telle Andromède, constituent des galaxies à part entière et sont très éloignées de notre Voie lactée. La question centrale du Grand Débat était de savoir si l'univers était rempli de telles galaxies, et Hubble avait montré que c'était effectivement le cas.

Mais qu'en était-il de la nova de 1885 observée dans la Galaxie d'Andromède ? Shapley avait tenté de démontrer que sa brillance apparente prouvait qu'Andromède n'était pas une galaxie indépendante et lointaine, car la nova ne pouvait être aussi lumineuse. En fait, nous savons aujourd'hui que l'événement de 1885 n'était pas une nova, mais une supernova, un phénomène cataclysmique d'une tout autre échelle, au cours duquel une étoile implose et s'effondre sur elle-même, après avoir brillé pendant un court instant davantage que des milliards d'étoiles réunies. Les supernovas sont des événements rares, et leur brillance n'avait pas encore été étudiée quand Curtis et Shapley avaient défendu leurs thèses respectives en 1920.

Et que penser de l'autre « pilier » de la contre-argumentation de Shapley ? Si l'univers était peuplé de galaxies, soutenait-il, elles devaient être visibles dans toutes les directions. On peut en voir des quantités au-dessus et au-dessous du plan de la Voie lactée, faisait-il remarquer, mais très peu dans le plan lui-même, appelé « zone d'évitement ». On s'aperçut en fait que Curtis avait eu raison en affirmant que la zone d'évitement était la conséquence de la poussière interstellaire se trouvant dans le plan de la Voie lactée en forme de *pancake*, et cachant à notre vue les galaxies situées au-delà. Les télescopes modernes ont, depuis, été capables de pénétrer la poussière, et nous savons maintenant qu'il y a tout autant de galaxies dans cette zone « vide » que dans les autres directions.

Quand la nouvelle de la découverte de Hubble devint connue, ses pairs commencèrent à le féliciter d'avoir réussi à mettre un terme à l'une des plus longues controverses de l'histoire de l'astronomie. Henry Norris Russell, directeur de l'observatoire de Princeton, écrivit à Hubble : « C'est un beau travail, et vous méritez tout le crédit qu'il vous apportera, qui sera sans aucun doute considérable. Quand allez-vous annoncer la chose en détails ? » Les résultats furent officiellement présentés à la conférence de 1924 de l'American Association for the Advancement of Science, où Hubble partagea un prix de 1 000 dollars pour l'article le plus remarquable. Le co-lauréat était Lemuel Cleveland, pour ses travaux révolutionnaires sur les... protozoaires intestinaux des termites. Une lettre du Conseil de l'American Astronomical Society insistait sur la portée des travaux de Hubble : « Ils nous ouvrent des profondeurs de l'espace jusque-là inaccessibles à l'investigation et laissent entrevoir de plus grandes avancées dans un proche avenir. En attendant, ils ont déjà multiplié par cent le volume connu de l'univers matériel et ont apparemment réglé la question – restée si longtemps en suspens – de la nature des [nébuleuses spirales], montrant qu'il s'agit de gigantesques agglomérations d'étoiles presque comparables par leur étendue à notre propre galaxie. »

Avec une seule observation, saisie sur une seule plaque photographique, Hubble avait bouleversé nos conceptions de l'univers et nous forçait à reconsidérer notre position à l'intérieur de ce dernier. Notre minuscule Terre semblait plus insignifiante que jamais – une simple planète parmi de nombreuses autres, tournant autour d'une étoile parmi de nombreuses autres, à l'intérieur d'une galaxie parmi de nombreuses autres. En effet, on s'apercevrait bientôt que les galaxies se comptent par milliards, et que chacune d'elles renferme des milliards d'étoiles. De même, les dimensions de l'univers étaient encore plus considérables que l'on ne l'imaginait jusqu'alors. Shapley avait soutenu que toute la matière de l'univers était contenue dans le disque de la Voie lactée, d'un diamètre de l'ordre de 100 000 années-lumière, mais Hubble avait prouvé qu'il existait d'autres galaxies, situées à plus d'un million d'années-lumière de la Voie lactée, voire au-delà. Aujourd'hui, nous avons connaissance de galaxies éloignées de milliards d'années-lumière.

Les astronomes savaient déjà que d'immenses distances séparaient le Soleil et les planètes, et ils avaient également conscience des distances encore plus considérables séparant les étoiles, mais ils devaient désormais considérer les gigantesques espaces vides entre les galaxies. Hubble utilisa ses observations pour tenter de répondre à la question de la densité de l'univers : il parvint à la conclusion que si toute la matière des étoiles et des planètes était également répartie à travers l'espace, la densité cosmique moyenne équivaudrait à un seul gramme de matière dans un volume de la taille d'un millier de Terres. Cette densité, qui n'est pas très éloignée des estimations actuelles, montre que nous habitons une zone de l'espace très riche à l'intérieur d'un espace généralement vide. «Aucune planète, étoile ou galaxie ne peut être considérée comme caractéristique [de la structure de l'espace], car le Cosmos est, pour l'essentiel, vide », écrit l'astronome Carl Sagan. « Le seul lieu caractéristique, à l'intérieur du vide immense, froid, universel, est la nuit éternelle de l'espace intergalactique, un endroit si étrange et désolé qu'en comparaison, planètes, étoiles et galaxies semblent extrêmement rares et belles. »

La portée des mesures de Hubble était proprement confondante, et Hubble lui-même fut le sujet de nombreux articles dans la presse et de débats dans l'opinion. Un journaliste le surnomma « le Titan de l'astronomie ». Il reçut également de nombreux prix et récompenses, à la fois dans son propre pays et à l'étranger, et la communauté scientifique le couvrit d'éloges. Herbert Turner, professeur (Savilian Professor) d'astronomie à l'université d'Oxford, déclara pour sa part : « Des années s'écouleront avant qu'Edwin prenne conscience de l'ampleur de ce qu'il a réalisé. Rares sont les hommes à qui il arrive une telle chose, et ils ont de la chance. »

Mais Hubble était appelé à révolutionner à nouveau de fond en comble l'astronomie quelques années plus tard, cette fois avec une observation d'une portée encore plus considérable, qui allait contraindre les cosmologistes à reconsidérer leur postulat d'un univers éternellement statique. Pour réaliser cette nouvelle percée, il eut besoin d'exploiter une quasi-innovation technologique, qui utilisait à plein la puissance du télescope et la sensibilité de la photographie. Cet instrument, le *spectroscope*, allait permettre aux astronomes d'extraire la plus minuscule parcelle d'information du plus infime faisceau de lumière qui atteindrait leurs télescopes géants. C'était un instrument qui tirait ses origines des ambitions et des espoirs de la science du XIXe siècle.

Un univers en mouvement

En 1842, le philosophe français Auguste Comte avait tenté d'identifier les domaines de la connaissance qui resteraient à jamais hors de la portée de la recherche scientifique. Par exemple, il estimait que certaines propriétés des étoiles ne pourraient jamais être évaluées : « On voit comment on peut déterminer leurs formes, leurs distances, leur masse, leurs mouvements, mais nous ne pourrons jamais connaître quelque chose à propos de leur structure chimique ou minéralogique. »

En fait, Comte serait contredit deux ans avant sa mort, quand les savants commencèrent à identifier les atomes contenus dans l'étoile la plus proche de notre planète, le Soleil. Pour comprendre comment les astronomes allaient percer le mystère de la chimie des étoiles, il est d'abord nécessaire de comprendre la nature de la lumière dans ses grandes lignes. Trois points fondamentaux sont à retenir.

D'abord, les physiciens voient la lumière comme une vibration des champs électriques et magnétiques, ce qui explique pourquoi la lumière et les formes de rayonnements associées sont connus sous le nom de rayonnements électromagnétiques. Ensuite, et plus simplement, nous pouvons assimiler la lumière ou les rayonnements électromagnétiques à une onde. Enfin, troisième point clé, la distance entre deux crêtes ou pics voisins d'une onde lumineuse (ou deux creux successifs), la longueur d'onde, nous dit pratiquement tout ce que nous avons besoin de savoir sur une onde lumineuse. Des exemples d'ondes lumineuses sont représentés Figure 51.

Par ailleurs, la lumière est une forme d'énergie, et la quantité d'énergie véhiculée par une onde lumineuse particulière est inversement proportionnelle à la longueur d'onde. En d'autres termes, plus la longueur d'onde est longue, plus l'énergie de l'onde lumineuse est faible. À notre niveau humain, nous sommes peu concernés par l'énergie d'une onde lumineuse, et préférons utiliser la couleur comme trait distinctif pour distinguer un rayonnement d'un autre. Le bleu, l'indigo et le violet correspondent aux ondes lumineuses à longueurs d'onde courtes et énergies élevées, tandis que l'orange et le rouge correspondent aux longueurs d'onde longues et basses énergies. Le vert et le jaune correspondent à des longueurs d'onde et des énergies intermédiaires.

Le violet et le rouge, notamment, ont des longueurs d'onde

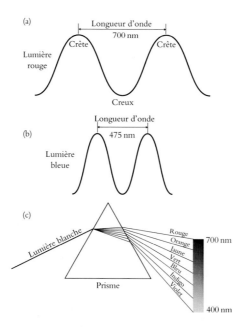

Figure 51 La lumière peut être comparée à une onde. La longueur d'onde d'une onde de lumière correspond à la distance entre deux crêtes ou creux successifs, et elle nous dit presque tout ce qu'on a besoin de savoir sur le rayonnement lumineux en question. En particulier, la longueur d'onde est liée à la couleur et à l'énergie du rayonnement. Le diagramme (a) montre un rayonnement de lumière rouge, avec une longueur d'onde longue (basse fréquence) et une énergie faible, et le diagramme (b), un rayonnement de lumière bleue, avec des fréquences et des énergies élevées. Les longueurs d'onde correspondant à la lumière visible sont inférieures à un millième de millimètre, variant d'environ 0,0004 mm pour le violet à 0,0007 mm pour le rouge. Habituellement, les longueurs d'onde sont mesurées en nanomètres (nm) ; 1 nm égale 1 milliardième de mètre. La lumière rouge a donc une longueur d'onde d'environ 700 nm.

Il existe des rayonnements lumineux dont les longueurs d'onde sont plus courtes que le bleu (rayonnement ultraviolet, rayons X) et plus longues que le rouge (infrarouge, micro-ondes), mais ils sont invisibles pour l'œil humain.

Un faisceau de lumière est un mélange de couleurs et de rayonnements qui deviennent apparents quand ils traversent un prisme de verre, les différents rayonnements composant le faisceau se scindant pour former un arc-en-ciel, comme le montre le diagramme (c). Ce phénomène est dû au fait que chaque onde se comporte différemment. En particulier, chaque rayonnement est défléchi selon un angle différent quand il traverse le verre.

respectives d'environ 0,0004 et 0,0007 mm. Il existe des ondes de fréquences plus courtes et plus longues, mais nos yeux ne peuvent les percevoir. Le mot « lumière » est généralement utilisé pour décrire uniquement les ondes que l'on peut voir, mais les physiciens emploient le terme de manière plus large pour décrire toute forme de rayonnement électromagnétique, visible ou invisible à l'œil nu. La lumière ayant une longueur d'onde encore plus courte et des énergies encore plus hautes que le violet comprend les rayonnements ultraviolets et les rayons X, tandis que celle caractérisée par des longueurs d'onde encore plus longues et des énergies encore plus basses que le rouge comprend les rayonnements infrarouges et les micro-ondes.

Les étoiles émettant des ondes lumineuses, les astronomes virent très vite tout le parti qu'ils allaient pouvoir tirer de cette propriété : les longueurs d'onde de la lumière stellaire, espéraient-ils, allaient leur livrer des informations capitales sur l'étoile qui les émettait, notamment sa température. Par exemple, une fois qu'il a atteint 500 °C, un objet a juste assez d'énergie pour émettre de la lumière rouge visible. Il est alors littéralement incandescent. À mesure que la température augmente, l'objet a plus d'énergie et émet une plus grande proportion de rayonnements bleus, à ondes courtes et haute énergie, et sa couleur passe du rouge au blanc, car il émet désormais diverses longueurs d'onde comprises entre le rouge et le bleu. Atteignant une température approximative de 3 000 °C, le filament d'une ampoule standard est « chauffé à blanc ». En évaluant la couleur de la lumière stellaire et la proportion des différentes longueurs d'onde émises par une étoile, les astronomes comprirent qu'ils pouvaient évaluer sa température. La Figure 52 montre la distribution des longueurs d'onde émises par des étoiles ayant des températures de surface différentes.

Après avoir réussi à mesurer la température d'une étoile, les astronomes réussirent à mettre au point une méthode permettant d'analyser la lumière stellaire, afin d'identifier les « ingrédients » d'un astre. La technique qu'ils devaient utiliser était fondée sur une découverte remontant à 1752, lorsque le physicien écossais Thomas Melvill avait fait une curieuse observation. Il avait soumis diverses substances à une flamme et remarqué que chacune produisait une couleur caractéristique. Par exemple, le sel fin émettait un flash de couleur orange vif. On peut facilement observer la signature orange du sel en en répandant une minuscule quantité au-dessus d'un brûleur de cuisinière.

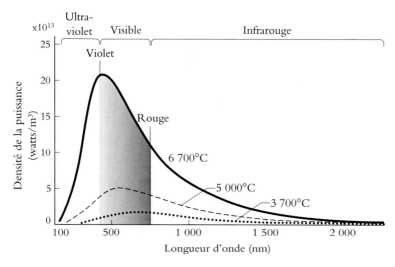

Figure 52 Ce graphique montre le spectre des rayonnements de lumière émis par trois étoiles ayant des températures de surface différentes. La courbe principale montre la distribution des longueurs d'onde émises par une étoile ayant une température de surface de 6 700 °C. Le pic de distribution se situe dans le bleu et le violet, mais l'astre émet d'autres couleurs dans le spectre visible. Cette étoile émet aussi de grandes quantités de rayonnements infrarouges et d'ultraviolets, dont les longueurs d'onde sont respectivement plus longues et plus courtes que celles de la lumière visible. La courbe du milieu représente la distribution des longueurs d'onde émises par une étoile dont la surface est moins chaude (5 000 °C). Son pic correspondant à une fréquence plus longue au milieu du domaine visible, l'étoile émet un mélange de couleurs plus équilibré. La courbe inférieure, enfin, représente la distribution des longueurs d'onde émises par une étoile encore moins chaude (3 700 °C). La fréquence moyenne de ses rayonnements est encore plus longue, s'agissant essentiellement de lumière rouge et d'une grande quantité de rayonnements infrarouges invisibles. Cette étoile a un aspect rouge-orangé.

En examinant le spectre des longueurs d'onde émises par une étoile, un astronome sur Terre peut en déduire la température de l'étoile. La distribution des longueurs d'onde est ainsi un indicateur de la température. En résumé, moins une étoile sera chaude, plus elle aura tendance à émettre des rayonnements de longues fréquences et plus elle paraîtra rouge. À l'inverse, plus une étoile sera chaude, plus elle aura tendance à émettre de courtes longueurs d'onde et plus elle apparaîtra bleue.

La couleur distinctive associée au sel peut être mise en rapport avec sa structure au niveau atomique. Le sel porte également le nom de chlorure de sodium, et la lumière orangée est générée par les atomes de sodium à l'intérieur des cristaux de chlorure de sodium. Cela explique aussi pourquoi l'éclairage de ville au sodium est orangé. En faisant passer la lumière provenant du sodium au travers d'un prisme, il est possible d'analyser exactement quelles longueurs d'onde sont émises, et les deux émissions dominantes se situent toutes deux dans la région orange du spectre, comme le montre la Figure 53.

Chaque type d'atome a la capacité d'émettre des rayonnements de lumière (ou couleurs) particuliers, en fonction de sa structure atomique particulière. Les longueurs d'onde correspondant aux éléments autres que le sodium sont également représentées Figure 53. Le néon émet des rayonnements qui se trouvent à

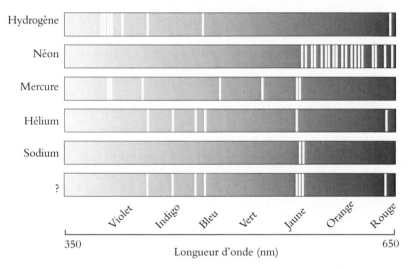

Figure 53 Les principaux rayonnements de lumière visible émis par le sodium apparaissent sur le cinquième spectre. On distingue deux longueurs d'onde dominantes d'environ 0,000589 mm (589 nm), ce qui correspond à une couleur orange. Cette bande représente la « signature » du sodium. De fait, chaque atome laisse sa propre empreinte sous forme de raies, chacune correspondant à une longueur d'onde différente. Un atome peut laisser une empreinte légèrement différente selon son environnement, par exemple quand il est soumis à des pressions élevées. Le spectre inférieur porte la « signature » d'un gaz inconnu. En comparant les longueurs qu'il émet à celles d'autres spectres, on constate qu'il contient de l'hélium et du sodium.

l'extrémité rouge du spectre, ce qui n'est pas étonnant quand on connaît l'éclairage au néon. Par contre, le mercure émet plusieurs rayonnements dans le bleu, ce qui explique la couleur bleutée de l'éclairage au mercure. Tout comme les concepteurs d'éclairage, les artificiers s'intéressent également aux rayonnements émis par différentes substances et les utilisent pour créer les effets qu'ils désirent. Par exemple, les fusées contenant du baryum produiront une lumière verte, tandis que celles contenant du strontium seront de couleur rouge.

Les longueurs d'onde émises par chaque atome faisant office d'empreinte, c'est en étudiant les rayonnements émis par une substance chauffée qu'on peut identifier les atomes de cette substance. Le spectre apparaissant au bas de la Figure 53 provient d'un gaz inconnu, mais en confrontant les longueurs d'onde émises à d'autres spectres, il est possible de voir que le gaz contient de l'hélium et du sodium.

Cette science des atomes, de la lumière, des longueurs d'ondes et des couleurs a pour nom *spectroscopie*. Le processus par lequel une substance émet de la lumière est appelé *émission* spectroscopique. Le processus opposé, *l'absorption* spectroscopique, existe également – lorsque des rayonnements de lumière spécifiques sont absorbés par un atome. Ainsi, si toute une série de rayonnements lumineux sont dirigés sur du sel vaporisé, la plus grande partie de la lumière le traversera sans en être affectée, mais quelques rayonnements clés seront absorbés par les atomes de sodium dans le sel, comme le montre la Figure 54. Les longueurs d'ondes absorbées par le sodium sont exactement les mêmes que celles qui sont émises, et cette symétrie entre absorption et émission est vraie pour tous les atomes.

Figure 54 L'absorption spectroscopique est le processus opposé de l'émission spectroscopique. Le spectre d'absorption du sodium (ci-dessus) est identique à celui apparaissant Figure 53, à cette réserve près qu'il est noir sur fond gris, et non blanc sur fond gris, car nous voyons toutes les longueurs d'onde, à l'exception de deux longueurs d'onde, absorbées par le sodium.

En fait, c'est l'absorption plutôt que l'émission qui attira d'abord l'attention des astronomes, qui firent ensuite sortir la spectroscopie du laboratoire pour la faire entrer dans l'observatoire. Ils réalisèrent ensuite que l'absorption pouvait aussi fournir des indices de la composition des étoiles, à commencer par celle du Soleil. La Figure 55 montre comment on peut faire passer la lumière du Soleil à travers un prisme de telle sorte que la gamme complète des longueurs d'onde puisse être étudiée. Le Soleil est assez chaud pour émettre des rayonnements couvrant l'ensemble du spectre de la lumière visible, mais les physiciens du début du XIXe siècle remarquèrent que des longueurs d'onde spécifiques manquaient à l'appel. Ces longueurs d'ondes se révélèrent sous la forme de fines raies noires dans le spectre solaire. On se rendit très vite compte que ces longueurs d'onde manquantes avaient été absorbées par des atomes présents dans l'atmosphère du Soleil. En effet, ces longueurs d'onde manquantes pouvaient être utilisées pour identifier les atomes constituant l'atmosphère du Soleil.

Si le gros des recherches préparatoires fut réalisé par Joseph von Fraunhofer, pionnier de l'optique allemande, c'est à Robert Bunsen et Gustav Kirchhoff qu'il revint d'effectuer la percée décisive vers 1859. Ils construisirent ensemble un spectroscope, un instrument spécialement conçu pour mesurer avec précision les longueurs d'onde de la lumière émise par un objet. Ils l'utilisèrent pour analyser la lumière du Soleil et établirent que deux des rayonnements manquants étaient associés au sodium, ce qui leur permit de conclure que le sodium devait exister dans l'atmosphère du Soleil.

« À présent, Kirchhoff et moi-même sommes engagés dans un travail commun qui nous empêche de dormir, écrivit Bunsen. Kirchhoff a fait une découverte magnifique, et totalement inattendue, en découvrant la cause des raies sombres dans le spectre solaire [...]. Un moyen a ainsi été trouvé de déterminer la composition du Soleil et des étoiles fixes avec la même précision que nous déterminons celle de l'acide sulfurique, du chlore, etc., avec nos agents chimiques réactifs. » L'assertion de Comte selon laquelle les humains ne parviendraient jamais à identifier les éléments constituants des étoiles était d'ores et déjà infirmée.

Kirchhoff continua à chercher des traces d'autres matières, tels les métaux lourds, dans l'atmosphère du Soleil. Son banquier ne fut guère impressionné par ses travaux, puisqu'il lui demanda un jour « à quoi servirait de savoir qu'il existe de l'or

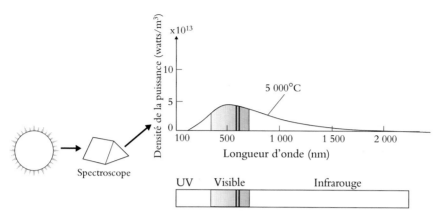

Figure 55 Le Soleil est assez chaud pour émettre le spectre complet des rayonnements, qui va du rouge au violet, ainsi que des rayons ultraviolets et infrarouges. La lumière du Soleil peut être étudiée en la faisant traverser un spectroscope, qui comprend un prisme de verre ou d'autres dispositifs permettant de disperser la lumière de façon à faire apparaître ses différentes longueurs d'onde. Le graphe montre la distribution des longueurs d'onde que l'on s'attend à voir émettre par un corps aussi chaud que le Soleil, à l'exception de deux longueurs d'onde manquantes. Ces dernières correspondent aux raies d'absorption du sodium. Le spectre sous le graphique montre comment les raies d'absorption apparaissent habituellement sur une plaque photographique, à cette réserve près que des mesures véritables sont parfois beaucoup moins nettes. En réalité, des études approfondies de la lumière du Soleil ont montré qu'il existe des centaines de longueurs d'onde manquantes dans le spectre du Soleil. Ces longueurs d'onde ont été absorbées par divers atomes de l'atmosphère du Soleil, et en mesurant les longueurs d'onde de ces raies d'absorption sombres, il a été possible d'identifier les atomes qui constituent le Soleil.

dans le Soleil si l'on ne peut pas le ramener sur Terre ». Longtemps après, quand il reçut une médaille d'or pour ses recherches, Kirchhoff, triomphant, rendit visite à son banquier si étroit d'esprit, et lui dit : « Voilà l'or du Soleil ! »

La méthode de la spectroscopie stellaire était si efficace qu'en 1868, l'Anglais Norman Lockyer et le Français Jules Janssen découvrirent indépendamment un élément dans le Soleil avant même qu'il ne fût découvert sur Terre. Ayant identifié une raie d'absorption dans la lumière du Soleil qui ne pouvait être associée à aucun atome connu, Lockyer et Janssen considérèrent leur découverte comme la preuve de l'existence d'un type d'atome entièrement nouveau. Ils le baptisèrent hélium, du nom d'Helios, le dieu du Soleil chez les Grecs. Bien qu'il constitue un quart de la masse du Soleil, l'hélium est très rare sur Terre. Il ne devait être découvert sur notre planète que vingt-cinq ans plus tard, ce qui valut à Lockyer d'être fait chevalier.

Un autre astronome, William Huggins, sut lui aussi tirer tout le parti de la nouvelle science spectroscopique. Jeune adulte, il avait dû succéder à son père, marchand de tissus de son état, mais il avait décidé très vite de céder l'affaire familiale et de réaliser son rêve, utilisant le produit de la vente pour fonder un observatoire à Upper Tulse Hill, aujourd'hui dans la banlieue de Londres. Quand il entendit parler des découvertes spectroscopiques de Bunsen et Kirchhoff, Huggins exulta : « Cette nouvelle fut pour moi comme la découverte d'une source d'eau dans un désert aride et désolé. »

Pendant les années 1860, Huggins appliqua la spectroscopie aux étoiles et confirma qu'elles contenaient elles aussi les éléments que l'on trouve sur la Terre. Par exemple, il constata que le spectre de l'étoile Bételgeuse contenait des raies sombres correspondant à des longueurs d'onde absorbées par des atomes tels que le sodium, le magnésium, le calcium, le fer et le bismuth. Les philosophes de l'Antiquité avaient soutenu que les étoiles étaient faites de *quintessence*, un cinquième élément, en plus des éléments terrestres sublunaires que sont l'air, la terre, le feu et l'eau, mais Huggins réussit à démontrer que Bételgeuse, et probablement, l'univers entier, était composé des mêmes matériaux que ceux que l'on trouve sur Terre. Huggins en tira la conclusion suivante : « À notre grande satisfaction, il a été possible de répondre par l'affirmative à une importante question soulevée par cette première étude spectroscopique de la lumière des étoiles et d'autres corps célestes, à savoir si les mêmes éléments chimiques que ceux de notre Terre sont présents dans l'ensemble de l'univers : oui, une chimie commune, comme il a été démontré, existe dans l'ensemble de l'univers. »

Huggins continua à étudier les étoiles pendant le restant de sa vie, avec sa femme Margaret et son chien Kepler à ses côtés. Margaret Huggins, de vingt-quatre ans sa cadette, était elle-même une astronome accomplie. Quand William approcha de ses quatre-vingt-cinq ans – et de la fin de sa carrière d'astronome –, il put compter sur sa fringante épouse de soixante ans pour manœuvrer son télescope et effectuer les ajustements nécessaires. « Les astronomes auraient bien besoin de joints de cardan et de vertèbres en caoutchouc indien », se plaignait-elle

Figure 56 M. et Mme Huggins, premiers astronomes à avoir appliqué la spectroscopie à l'astronomie pour mesurer la vitesse des étoiles.

malgré tout. Ensemble, Mr et Mrs Huggins mirent au point une application entièrement nouvelle de la spectroscopie, qui devait transformer notre vision de l'univers. En plus de déterminer les éléments constituants d'une étoile, ils montrèrent comment la spectroscopie pouvait être utilisée pour mesurer la vitesse d'une étoile.

Depuis Galilée, les astronomes considéraient que les étoiles étaient stationnaires. Certes, elles traversaient toutes le ciel de part en part chaque nuit, mais, aux yeux des astronomes, ce mouvement apparent était causé par la rotation de la Terre. En particulier, ils estimaient que les positions des étoiles les unes par rapport aux autres restaient les mêmes. En fait, ils se trompaient, comme l'avait fait remarquer dès 1718 l'astronome anglais Edmund Halley. Même après avoir pris en compte le mouvement de la Terre, il avait remarqué de subtils écarts dans les positions des étoiles Sirius, Arcturus et Procyon quand on les comparait aux mesures effectuées par Ptolémée de nombreux siècles plus tôt. Halley avait compris que ces différences n'étaient pas dues à des mesures inexactes, mais qu'elles étaient le résultat de véritables déplacements de ces étoiles au fil du temps.

Avec des instruments de mesure infiniment précis et des télescopes infiniment puissants, les astronomes auraient été capables de détecter le « mouvement propre » de chaque étoile, mais en réalité, les étoiles changent de position si imperceptiblement que même les astronomes modernes peuvent à peine détecter leurs déplacements. En règle générale, la détection des mouvements propres exigeait d'observer méticuleusement des étoiles les plus proches du système solaire sur plusieurs années, comme le montre la Figure 57. En d'autres termes, il était extrêmement difficile de mesurer un mouvement propre même dans notre environnement stellaire le plus immédiat. Une autre limitation à l'étude du mouvement propre tenait au fait qu'on ne pouvait mesurer que des mouvements à travers le ciel, les mesures ne permettant aucunement de savoir si les astres observés s'éloignaient ou se rapprochaient de la Terre, mouvements réunis sous le nom de *vitesse radiale*. Au total, la détection des mouvements propres n'avait donné qu'un très faible aperçu des vitesses stellaires.

William Huggins, cependant, sut exploiter toutes les ressources de la spectroscopie pour compenser les deux limitations inhérentes à la mesure des mouvements propres. Sa nouvelle technique spectroscopique allait pouvoir être utilisée pour mesurer avec précision la vitesse radiale de n'importe quelle étoile, et elle pouvait même s'appliquer aux étoiles les

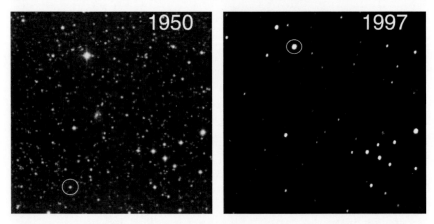

Figure 57 L'Étoile de Barnard (entourée d'un cercle) est la deuxième étoile la plus proche de notre système solaire, et l'une de celles qui possèdent le plus grand mouvement propre. Elle se déplace à travers le ciel de 10 secondes d'arc chaque année. Prises à presque un demi-siècle d'intervalle, ces images montrent que l'étoile s'est déplacée de manière significative par rapport à toutes les autres étoiles. On peut constater l'ampleur du déplacement en prenant comme repère le groupe d'étoiles formant un < dans le quart inférieur droit des images.

plus éloignées. Son idée reposait sur le couplage du spectroscope avec un phénomène physique découvert quelques temps plus tôt par le physicien autrichien Christian Doppler.

En 1842, Doppler avait annoncé que le mouvement d'un objet pouvait affecter les ondes qu'il émettait, qu'il s'agisse d'ondes aquatiques, d'ondes sonores ou d'ondes lumineuses. Pour une illustration simple de cet *effet Doppler*, imaginons une grenouille reposant sur un nénuphar au milieu d'un bassin, et frappant de sa patte palmée l'eau chaque seconde, générant une série d'ondes espacées chacune d'un mètre et se propageant à la vitesse d'1 m/s, comme le montre la Figure 58. Si nous regardons la scène depuis le ciel et si le nénuphar est immobile, nous verrons les crêtes des ondes former une série d'anneaux symétriques concentriques, comme le montre la colonne (a) de la Figure 58. Des observateurs postés de chaque côté du bassin verront les vagues arriver espacées d'un mètre.

Mais tout change si la grenouille se déplace, comme le montre la colonne (b). Imaginons que le nénuphar et la grenouille dérivent vers la rive droite du bassin à la vitesse de 0,5 m/s, que la grenouille continue de générer une vague par seconde, et que les vagues se propagent toujours à la vitesse d'1 m/s. Cette fois, on constate une compression des vagues, ou ondes, dans la direction dans laquelle la grenouille se déplace, et un espacement accru des vagues dans la direction opposée. Un observateur sur la rive droite voit arriver les vagues espacées de seulement 0,50 mètre, tandis que l'autre observateur constate un espacement d'1,50 mètre. Un observateur voit la longueur d'onde augmenter, et l'autre, diminuer. Tel est l'effet Doppler.

En résumé, quand un objet émettant une onde se dirige vers un observateur, ce dernier perçoit une diminution de la longueur d'onde, alors que lorsque l'émetteur s'éloigne de l'observateur, ce dernier perçoit une augmentation de la longueur d'onde. La situation inverse est également possible, avec un émetteur stationnaire et un observateur en mouvement, auquel cas les mêmes effets seront constatés.

L'effet Doppler fut testé avec des ondes sonores en 1845 par le météorologue néerlandais Christophe Buys-Ballot, qui en fait voulait prouver... qu'il n'existait pas ! Pour les besoins de l'expérience, des trompettistes avaient été répartis en deux groupes, et on leur avait demandé de jouer la même note, un mi bémol. Un groupe de trompettistes prit place dans un

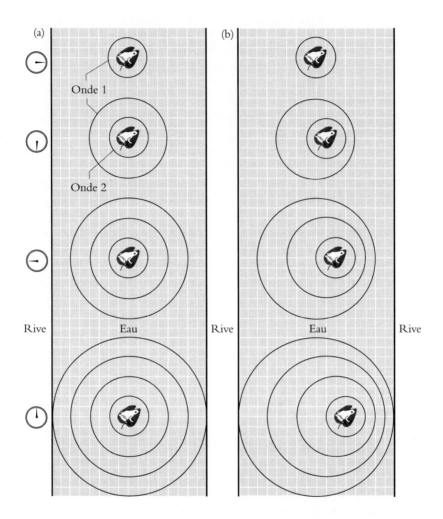

Figure 58 Une grenouille sur un nénuphar émet toutes les secondes à la surface de l'eau des vagues (ondes) espacées d'un mètre. Quand la grenouille est stationnaire, comme le montre une série de diagrammes dans la colonne (a), les observateurs sur les deux rives voient les vagues arriver à des intervalles d'1 mètre. Cependant, quand la grenouille dérive vers la rive droite à une vitesse régulière de 0,5 m/s, colonne (b), les observateurs constatent deux effets différents. Dans la direction dans laquelle le grenouille avance, les ondes semblent se comprimer, alors qu'elles paraissent plus espacées dans la direction opposée. Il s'agit d'un exemple de l'effet Doppler appliqué au milieu aquatique.

wagon à ciel ouvert sur un tronçon de la toute nouvelle voie ferrée Utrecht-Maarsen, tandis que l'autre groupe restait sur le quai. Alors que le wagon était encore en gare, à l'arrêt, les deux groupes jouèrent la note, et l'on constata que les deux notes étaient identiques, mais lorsque le wagon, que l'on avait éloigné, revint vers la gare, une oreille musicalement éduquée put détecter que la note était devenue plus aiguë, et elle le devint encore davantage quand la locomotive tractant le wagon accéléra. Quand le wagon dépassa la gare et s'éloigna, par contre, la note devint plus grave. Ce changement dans la hauteur du son est en fait dû à un changement dans la fréquence des ondes sonores.

De nos jours, nous pouvons entendre le même effet avec la sirène d'une ambulance, qui semble émettre une note plus aiguë (due à un raccourcissement de la longueur d'onde) quand le véhicule se rapproche de nous, et une note plus grave (due à un allongement de la longueur d'onde), quand il s'éloigne. La transition entre la note aiguë et la note grave au moment où l'ambulance passe devant nous est clairement audible. Les voitures de Formule 1, du fait de leur vitesse plus élevée, engendrent un effet Doppler encore plus marqué quand elles passent devant la tribune d'un Grand Prix – leur moteur produisant un bruit caractéristique (« ouaaaaaaaaaaaooooooooooooooooooooooow »), passant d'une note aiguë à une note grave.

La modification des longueurs d'onde et des hauteurs de note est parfaitement prévisible, grâce à une équation élaborée par Doppler. La longueur d'onde captée (λ_t) dépend de la longueur d'onde initialement émise (λ), et du rapport entre la vitesse de l'émetteur (v_e) et celle de l'onde (v_w). Si l'émetteur se déplace vers l'observateur, v_c est positive, et s'il s'éloigne, négative :

$$\lambda_t = \lambda \times (1 - \frac{v_e}{v_w})$$

Au moyen d'un calcul simple, nous pouvons maintenant évaluer la variation de la longueur d'onde d'une sirène telle que nous la percevons quand l'ambulance passe à grande vitesse devant nous. La vitesse des ondes sonores (v_w) dans l'air étant d'environ 1 000 km/h, et la vitesse d'une ambulance (v_e) étant, mettons, de 100 km/h, la longueur d'onde augmente ou diminue de 10 % selon la direction de l'ambulance.

Un calcul analogue nous permet d'évaluer la variation de la longueur d'onde du gyrophare bleu de l'ambulance. Cette fois, les ondes se propageant à la vitesse de la lumière, v_w est d'environ 300 000 km/s, soit 1 000 000 000 km/h, la vitesse de l'ambulance (v_e) étant toujours de 100 km/h. De ce fait, la longueur d'onde ne varie que de 0,00001 %. Cette différence de longueur d'onde et de couleur serait imperceptible pour l'œil humain. En fait, au niveau quotidien, nous ne percevons jamais le moindre décalage Doppler en rapport avec la lumière, car même nos véhicules les plus rapides sont extrêmement lents comparés à la vitesse de la lumière. Cependant, Doppler avait prédit que son effet optique s'appliquait aussi aux ondes lumineuses et qu'il pourrait être un jour détecté, à condition que l'émetteur se déplace assez rapidement et que les instruments de détection soient assez sensibles.

De fait, William et Margaret Huggins parvinrent en 1868 à détecter un décalage Doppler dans le spectre de l'étoile Sirius. Les raies d'absorption de Sirius étaient quasi identiques à celles du spectre du Soleil, à cette différence près que la longueur d'onde de chaque raie avait augmenté de 0,015 %. Cet écart était probablement dû au fait que Sirius s'éloignait de la Terre. Rappelez-vous, quand un émetteur s'éloigne d'un observateur, la longueur d'onde de sa lumière paraîtra plus longue à ce dernier. Un allongement de la longueur d'onde est souvent appelée *redshift*, ou décalage vers le rouge, car le rouge correspond aux plus grandes longueurs d'onde du spectre visible. Dans le cas contraire, le rétrécissement de la longueur d'onde constaté lorsque l'émetteur se rapproche de l'observateur sera appelé *blueshift*. Les deux types de décalages sont représentés Figure 59.

L'équation de Doppler allait devoir par la suite être ajustée à la théorie de la relativité d'Einstein, mais sa version du XIXe siècle suffisait aux besoins d'Huggins. Le savant anglais put ainsi calculer la vitesse à laquelle Sirius s'éloignait de la Terre. Comme il avait mesuré que les longueurs d'onde des rayonnements émis par Sirius augmentaient de 0,015 %, la relation entre les longueurs d'onde reçues et les longueurs d'onde standard était de $\lambda_t = \lambda \times 1,00015$. Et comme il savait que la vitesse des ondes équivalait à la vitesse de la lumière, v_w était égal à 300 000 km/s. En réajustant l'équation et en introduisant les bons chiffres, il pouvait montrer que Sirius reculait à la vitesse de 45 km/s :

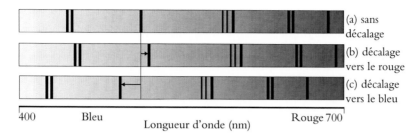

400   Bleu   Rouge 700

Longueur d'onde (nm)

Figure 59 Ces trois spectres montrent comment la lumière émise par une étoile dépend de son mouvement radial. Le spectre (a) montre les longueurs d'onde de quelques raies d'absorption provenant d'une étoile (par exemple, le Soleil) immobile par rapport à la Terre. Le spectre (b) montre des raies d'absorption « décalées vers le rouge » d'une étoile qui s'éloigne de la Terre – les raies sont identiques, sauf qu'elles sont toutes décalées vers la droite. Le spectre (c) montre des raies d'absorption « décalées vers le bleu » d'une étoile qui se rapproche de la Terre – à nouveau, les raies sont identiques, sauf qu'elles sont toutes décalées vers la gauche. L'étoile « décalée vers le bleu » se rapproche plus rapidement vers nous que l'étoile « décalée vers le rouge » ne s'éloigne, car le blueshift est plus important que le redshift.

$$\text{Nous savons que } \lambda_t = \lambda \times (1 - v_e/v_w) \text{ et que } \lambda \times 1,00015$$
$$\text{Donc, } 1,00015 = (1 - v_e/v_w)$$
$$v_e = -0,00015 \times v_w = -0,00015 \times 300\ 000 \text{ km/s} = -45 \text{ km/s}$$

William Huggins, l'ancien marchand de tissus qui avait réalisé son rêve de devenir astronome, avait prouvé qu'il pouvait mesurer la vitesse des étoiles. Sa méthode ouvrait des perspectives illimitées, car les rayonnements de chaque étoile ou de chaque nébuleuse visible pouvaient être analysées à l'aide d'un spectroscope, lequel permet de déterminer le décalage de leurs ondes dû à l'effet Doppler et, partant, sa vitesse. En plus du mouvement propre d'une étoile à travers le ciel, il était désormais possible de mesurer sa vitesse radiale, qu'elle s'approche ou s'éloigne de la Terre.

Utiliser l'effet Doppler pour mesurer la vitesse est une technique méconnue, et pourtant, la méthode est très efficace. Elle est de fait si fiable que dans certains pays, la police l'utilise pour arrêter les chauffards. Un policier émet une impulsion d'ondes radio (partie invisible du spectre de la lumière) en direction d'une voiture venant vers lui, puis capte les ondes réfléchies par le véhicule. Celles-ci ayant été émises par un objet en mouvement, la voiture, leur décalage sera fonction de la vitesse du véhicule. Plus celle-ci sera grande, plus le décalage sera important, et plus l'amende sera élevée ! À l'inverse, on raconte qu'un astronome se rendant à son observatoire tenta d'utiliser l'effet Doppler pour se montrer plus malin que la police. Ayant été surpris en train de griller un feu, l'homme expliqua que le feu lui était apparu vert, car il se dirigeait vers lui, et ses ondes avaient été « décalées vers le bleu »... Le policier lui présenta ses excuses et déchira la contravention qu'il lui avait infligée pour avoir brûlé le feu rouge, et à la place doubla l'amende et lui remit une contravention pour excès de vitesse ! Pour obtenir un décalage « vers le bleu » aussi spectaculaire, l'astronome aurait dû foncer à environ 200 000 000 km/h.

Au début du xxe siècle, la spectroscopie était devenue une technologie parfaitement rodée. Les spectroscopes pouvaient être couplés avec les nouveaux télescopes géants et les plaques photographiques ultrasensibles les plus perfectionnées. Cette trinité technologique allait permettre aux astronomes d'étudier la composition et la vitesse des étoiles avec une précision sans précédent. En analysant les raies d'absorption associées à une étoile particulière, les astronomes pouvaient identifier ses éléments constitutifs – de l'hydrogène et de l'hélium, le plus souvent. Puis en mesurant le décalage de ces raies, les astronomes pouvaient constater que certaines étoiles se rapprochaient de la Terre, tandis que d'autres s'en éloignaient, les plus lentes parcourant péniblement quelques kilomètres par seconde, et les plus rapides filant à 50 km/s. Pour donner une idée d'une telle vitesse, si un avion pouvait voler aussi vite que la plus rapide des étoiles, il serait capable de traverser l'Atlantique en deux minutes.

En 1912, un ancien diplomate devenu astronome, Vesto M. Slipher, appliqua la méthode de l'effet Doppler à un nouvel objet d'étude, en étant le premier à mesurer le décalage des rayonnements émis par une nébuleuse. Il utilisa le télescope Clarke, un réfracteur de 24 pouces (60 cm) installé à l'observatoire Lowell, à Flagstaff, en Arizona. La construction de ce télescope avait été financée par une donation de Percival Lowell, un riche membre de la haute société bostonienne, qui était persuadé que Mars abritait une vie intelligente et n'avait de cesse de trouver des preuves de l'existence d'une civilisation martienne. Les préoccupations de Slipher étaient plus orthodoxes que celles de Lowell, et chaque fois que cela lui était possible, il pointait le télescope en direction des nébuleuses.

Slipher exposa une plaque pendant quarante heures aux très

faibles rayonnements en provenance de la Nébuleuse d'Andromède, dont le statut de galaxie serait confirmé plus tard, et mesura un décalage vers le bleu équivalent à 300 km/s, six fois plus rapide que pour n'importe quelle étoile. Comme, en 1912, l'opinion majoritaire était qu'Andromède se trouvait à l'intérieur de notre Voie lactée, les astronomes ne pouvaient croire qu'un objet céleste situé dans notre voisinage puisse avoir une vitesse aussi élevée. Même Slipher doutait de ses propres mesures, et pour vérifier qu'il n'avait fait aucune erreur, il braqua son téléscope sur la nébuleuse appelée aujourd'hui galaxie du Sombrero. Cette fois, il découvrit un décalage vers le rouge, et non vers le bleu, et l'effet Doppler était encore plus accusé. Le Sombrero affichait un tel décalage vers le rouge qu'il devait s'éloigner de la Terre à 1 000 km/s. Si un avion pouvait voler à cette vitesse, il parcourrait la distance entre Paris et New York en six secondes – une vitesse approchant 1 % de celle de la lumière.

Au cours des années suivantes, Slipher mesura les vitesses d'un nombre croissant de galaxies, et il devint clair qu'elles se déplaçaient à des vitesses phénoménales. Cependant, une nouvelle énigme se fit jour. Les deux premières mesures avaient montré qu'une galaxie se rapprochait (affichant un blueshift) et que l'autre s'éloignait (affichant un redshift). Les dix mesures suivantes montrèrent que les galaxies qui reculaient étaient légèrement plus nombreuses que celles qui avançaient. En cinq ans, Slipher mesura les décalages de vingt-cinq galaxies : sur ce nombre, vingt et une s'éloignaient, et quatre se rapprochaient. Au cours de la décennie qui suivit, vingt autres galaxies furent ajoutées à la liste, et toutes reculaient. Pratiquement chaque galaxie semblait s'écarter de la Voie lactée, comme si notre galaxie les faisait fuir.

Certains astronomes s'attendaient à ce que les galaxies soient à peu près statiques, flottant tout simplement dans le vide. D'autres pensaient que leurs vitesses s'équilibreraient, les galaxies qui reculaient étant aussi nombreuses que celles qui avançaient. Le fait que les galaxies avaient une nette tendance à s'éloigner plutôt qu'à se rapprocher trompèrent toutes leurs attentes. Slipher et d'autres astronomes tentèrent de trouver un sens au tableau qui se dessinait, et des explications aussi diverses qu'échevelées furent misent en avant. Malheureusement, aucun consensus ne se fit jour.

Le cas de la récession des galaxies demeura un mystère jusqu'à ce qu'Edwin Hubble emploie son télescope, et toutes les ressources de son intelligence, à résoudre le problème. Quand il se joignit au débat, il n'éprouva pas le besoin de théoriser de manière irréfléchie, d'autant que le gigantesque télescope de 2,50 mètres de Mount Wilson promettait de fournir de nouvelles données. Il s'était donné pour règle de ne jamais « s'engager dans les domaines hasardeux de la spéculation tant que l'on n'a pas épuisé les résultats empiriques ».

Hubble n'allait pas tarder à effectuer les observations cruciales qui permettraient aux astronomes d'élaborer à partir des mesures de Slipher un nouveau modèle cohérent de l'univers. Hubble s'apprêtait sans le savoir à fournir la première preuve majeure venant étayer le modèle de création cosmologique de Lemaître et Friedmann.

La loi de Hubble

Après avoir mesuré les distances des nébuleuses et prouvé que nombre d'entre elles étaient des galaxies indépendantes, Hubble avait consolidé son ascendant sur le monde de l'astronomie. Dans le même temps, un autre événement important avait affecté sa vie personnelle : il avait rencontré Grace Burke, fille d'un banquier californien millionnaire, et en était tombé amoureux. De son côté, Grace s'était éprise de Hubble quand elle avait visité Mount Wilson et avait vu l'astronome absorbé dans l'examen de la plaque photographique d'un champ d'étoiles. Elle rapporterait par la suite qu'il ressemblait à « un Olympien, grand, fort et beau, avec les épaules de l'Hermès de Praxitèle [...]. À le voir, on avait une impression de puissance, canalisée et dirigée dans une aventure qui n'avait rien à voir avec l'ambition personnelle, et les inquiétudes et appréhensions qui l'accompagnent. Tous ses efforts étaient tendus vers ce but, et cependant, il manifestait un grand détachement. Son énergie était parfaitement maîtrisée ».

Grace était déjà mariée quand elle rencontra pour la première fois Hubble, mais elle devint veuve en 1921 quand son mari Earl Leib, géologue, fit une chute mortelle alors qu'il recueillait des échantillons de minéraux dans un puits de mine. Après avoir renoué et s'être à nouveau fréquentés, Edwin épousa Grace, le 26 février 1924.

Du fait de la résolution par Hubble du Grand Débat, et de la publicité qui avait été donnée à l'événement, Edwin et Grace devinrent du jour au lendemain des célébrités. Mount Wilson se trouvant à moins de vingt-cinq kilomètres de Los Angeles, ils devinrent de grandes figures des soirées d'Hollywood. Les Hubble dînèrent avec des acteurs tels que Douglas Fairbanks, et frayèrent avec des artistes de l'envergure d'Igor Stravinski, tandis que des grands noms du jazz ou du septième art comme Leslie Howard ou Cole Porter visitaient Mount Wilson et apportaient à l'observatoire une touche de glamour.

Hubble tirait une grande satisfaction de sa position de plus grand astronome de l'époque, adulé de tous, et régalait invités, étudiants et journalistes d'anecdotes sur son passé mouvementé. Il racontait souvent, par exemple, comment il avait affronté des ours et des voleurs quand il avait travaillé comme arpenteur, étant étudiant, et il aimait faire le récit de ses duels en Europe. Après avoir été tyrannisé par son père tout au long de sa jeunesse, Hubble prenait maintenant sa revanche en épatant un public pâmé d'adoration. Quand son père avait entendu parler de ses exploits en Europe, il l'avait dûment sermonné et lui avait rappelé qu'« une blessure gagnée dans un duel n'était pas un gage de bravoure ».

Malgré son nouveau style de vie d'homme couvert de gloire, Hubble n'oublia jamais qu'il était d'abord et avant tout un astronome dont les travaux avaient révolutionné sa discipline. Il se considérait comme un géant « juché sur les épaules de géants », héritier naturel du trône occupé auparavant par Copernic, Galilée et Herschel. Pendant son voyage de noces en Italie, il avait même emmené Grace sur la tombe de Galilée pour rendre hommage à l'homme dont les travaux avaient jeté les fondations lointaines de ses propres découvertes.

Naturellement, quand Hubble apprit que Slipher avait constaté une prépondérance des galaxies présentant un décalage dans le rouge, il se décida de s'attaquer au problème et de résoudre le mystère. Il jugea de son devoir, en sa qualité de plus grand astronome de son temps, de donner une explication à la fuite des galaxies. Il se mit au travail à Mount Wilson, dont le télescope de 2,50 mètres recueillait dix-sept fois plus de lumière que celui de Slipher à l'observatoire de Lowell. Il passa des nuits entières à travailler dans une obscurité quasi permanente, de façon à ce que ses yeux deviennent de plus en plus sensibles à l'obscurité du ciel nocturne. La seule source de lumière susceptible de rompre la monotonie des ténèbres qui régnaient à l'intérieur de la coupole du grand observatoire était, de temps à autre, le faible rougeoiement de sa pipe de bruyère.

Hubble avait trouvé un assistant des plus efficaces en la personne de Milton Humason, qui, après avoir commencé au bas de l'échelle, était devenu le meilleur photographe astronomique de son époque. Humason avait quitté l'école à l'âge de quatorze ans, et travaillé ensuite comme groom à l'hôtel Mount Wilson, où descendaient les astronomes en visite. Il devint ensuite le muletier de l'observatoire, chargé d'acheminer provisions et matériel jusqu'au sommet de la montagne, avant d'occuper un emploi de gardien : chaque nuit qui passait, il en apprenait davantage sur le travail des astronomes et les techniques photographiques qu'ils utilisaient. Il convainquit même un des étudiants de lui donner des cours de mathématiques. La rumeur se répandit qu'un jeune gardien du Mount Wilson pouvait en remontrer à bon nombre de chercheurs de l'observatoire sous le rapport des connaissances, et trois ans après son recrutement, il fut nommé au service photographique. Deux ans plus tard, il devint assistant à part entière.

Hubble se prit d'amitié pour Humason, et les deux hommes formèrent un tandem singulier. Hubble affichait toujours les façons d'un gentleman anglais distingué, tandis qu'Humason passait les nuits nuageuses à jouer aux cartes et à boire un breuvage alcoolisé illicite baptisé « jus de panthère ». Leur relation était fondée sur la conviction de Hubble selon laquelle « l'histoire de l'astronomie est une histoire d'horizons sans cesse en recul », et Humason était capable de fournir les images qui permettaient à Hubble de pénétrer au plus profond de l'univers. Quand il photographiait une galaxie, il gardait ses doigts posés en permanence sur les boutons commandant le télescope, maintenant la galaxie à étudier dans son champ de visée et corrigeant les moindres erreurs du mécanisme de compensation de la rotation de la Terre. Hubble admirait la patience d'Humason et l'attention qu'il portait aux moindres détails.

Pour percer le mystère du redshift (décalage Doppler vers le rouge) révélé par les travaux de Slipher, les deux hommes se partagèrent la tâche. Pendant qu'Humason mesurerait les décalages des galaxies, Hubble estimerait leurs distances. Le télescope fut équipé d'une nouvel appareil de prise de vue et d'un nouveau spectroscope, grâce auxquels les photographies qui nécessitaient jusque-là plusieurs nuits d'exposition pouvaient désormais être prises en quelques heures. Hubble et Humason commencèrent par confirmer les redshifts galactiques mesurés précédemment par Slipher, et dès 1929, ils furent en mesure de révéler les redshifts et les distances de quarante-six galaxies. Malheureusement, la marge d'erreur pour la moitié des mesures était trop importante. Par prudence, Hubble ne retint que les mesures galactiques dont il était parfaitement sûr et élabora un graphique représentant le rapport entre la vitesse et la distance de chaque galaxie, comme le montre la Figure 60.

Dans presque tous les cas, les galaxies présentaient un redshift, ce qui signifiait qu'elles reculaient. De même, les points du graphique semblaient indiquer que la vitesse d'une galaxie dépendait fortement de sa distance. Hubble traça une ligne droite entre les points caractéristiques, démontrant ainsi que la vitesse d'une galaxie donnée était proportionnelle à sa distance par rapport à la Terre. En d'autres termes, si une galaxie était deux fois plus éloignée qu'une autre galaxie, elle semblait

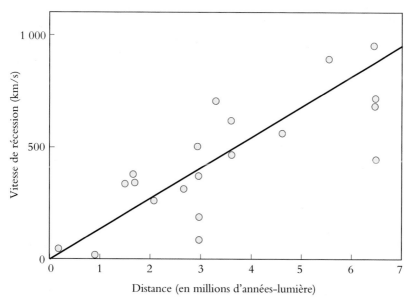

Figure 60 Ce graphique présente la première série de données recueillies par Hubble (en 1929), montrant les « décalages Doppler » des galaxies. L'axe horizontal représente la distance, et l'axe vertical, la vitesse de récession, chaque point figurant les mesures relatives à une galaxie particulière. Même si certains points sont relativement éloignés de la ligne transversale, une tendance générale se dégage, qui laisse entendre que la vitesse d'une galaxie est proportionnelle à sa distance.

s'éloigner environ deux fois plus vite. Ou si une galaxie était trois fois plus éloignée, elle semblait reculer trois fois plus vite.

Si Hubble disait vrai, les répercussions de ses résultats seraient immenses. Les galaxies ne fonçaient pas au hasard à travers le cosmos, mais leurs vitesses étaient liées mathématiquement à leurs distances, et quand les scientifiques constatent une telle corrélation, ils cherchent à lui trouver une signification plus profonde. En l'occurrence, la conclusion fondamentale à tirer était qu'à un moment de l'histoire de l'univers, toutes les galaxies s'étaient trouvées comprimées dans la même petite région. C'était la première observation laissant entendre que l'explosion primordiale que nous appelons aujourd'hui le Big Bang avait pu se produire un jour. C'était le premier indice laissant supposer que l'univers avait eu un commencement.

Le lien entre les données recueillies par Hubble et ce commencement était simple. Prenez une galaxie qui s'éloigne de la Voie lactée à une certaine vitesse aujourd'hui, et voyons ce qui se produit si nous remontons dans le temps. Hier, la galaxie devait être plus proche de la Voie lactée qu'elle ne l'est actuellement, et la semaine dernière, elle était encore plus proche, et ainsi de suite. En fait, en divisant la distance actuelle de la galaxie par sa vitesse, nous pouvons déterminer le moment où la galaxie se superposait à notre Voie lactée (en supposant que sa vitesse soit restée constante). Ensuite, nous choisissons une galaxie deux fois plus éloignée que la première et suivons le même processus, pour déterminer le moment où cette galaxie se trouvait à proximité de notre Voie lactée. Le graphique indique qu'une galaxie deux fois plus lointaine que la première galaxie se déplace deux fois plus vite. Par conséquent, si l'on remonte dans le temps, la deuxième galaxie mettra exactement autant de temps que la première pour retourner à la Voie lactée. En fait, si chaque galaxie a une vitesse proportionnelle à sa distance par rapport à la Voie lactée, à un moment du passé, elles se sont toutes trouvées simultanément au même endroit que notre Voie lactée, comme le montre la Figure 61.

Ainsi, tout dans l'univers semble avoir surgi d'une seule région extrêmement dense à un moment unique. Et si l'on redescend dans le temps à partir de l'instant zéro, on entrevoit un univers en évolution et en expansion. C'est exactement ce que Lemaître et Friedmann avaient envisagé dans leurs théories. C'était le Big Bang.

Hubble avait certes recueilli les données relatives à la fuite des

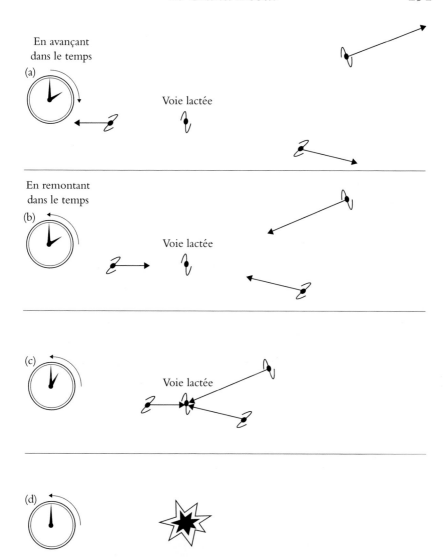

En avançant dans le temps

(a)

Voie lactée

En remontant dans le temps

(b)

Voie lactée

(c)

Voie lactée

(d)

Figure 61 Les observations de Hubble semblent impliquer l'idée d'un commencement de l'univers. Le diagramme (a) représente l'univers aujourd'hui (à « 2 heures »), avec juste trois autres galaxies pour la simplicité de l'exposé. Plus une galaxie est éloignée, plus elle recule rapidement, comme l'indique la longueur des flèches. Cependant, si nous remontons dans le temps (diagramme (b)), les galaxies paraissent se rapprocher. À « 1 heure » (diagramme (c)), les galaxies seront plus proches de nous. À « minuit » (diagramme (d)), elles se confondent toutes avec notre Voie lactée. C'est à ce moment-là que le Big Bang se serait produit.

galaxies, mais il se désintéressa totalement de ses implications, et n'encouragea jamais personnellement la moindre réflexion sur les premiers temps de l'univers. Il publia son graphique dans un article de six pages modestement intitulé « A Relation Between Distance and Radial Velocity Among Extra-Galactic Nebulae » (« Une relation entre la distance et la vitesse radiale parmi les nébuleuses extragalactiques »). N'en faisant qu'à sa tête, Hubble ne s'intéressait ni aux spéculations sur l'origine de l'univers, ni aux grandes questions philosophiques de la cosmologie. Son seul souci avait été d'effectuer des observations fiables, et d'obtenir des données précises. Il en avait été de même lors de sa précédente grande découverte. Il avait prouvé que certaines nébuleuses existaient loin au-delà de la Voie lactée, mais il était revenu à d'autres astronomes de tirer la conclusion que ces nébuleuses étaient elles-mêmes des galaxies. Hubble semblant pathologiquement incapable de discerner la signification profonde des données qu'il avait lui-même collectées, c'est à ses pairs qu'il incomba d'interpréter son graphique du rapport entre la distance et la vitesse des galaxies.

Mais avant de spéculer sérieusement sur les observations de Hubble, il fallut d'abord s'assurer que ses mesures étaient exactes. Malheureusement, en effet, de nombreux astronomes mettaient en doute la validité du graphique de Hubble. Après tout, un certain nombre de points se situaient assez loin de la ligne diagonale reliant les valeurs significatives. Les points dessinaient-ils une ligne droite, ou une courbe ? Ou peut-être n'y avait-il ni ligne droite, ni ligne courbe, les points apparaissant de manière aléatoire ? Les preuves présentées devaient être irréfutables, car les implications d'un éventuel rapport distance-vitesse étaient considérables. Hubble avait besoin de meilleures mesures, et en plus grand nombre.

Pendant deux ans, Hubble et Humason continuèrent à passer des nuits exténuantes derrière leur télescope, poussant leurs instruments aux limites de leurs capacités. Leurs efforts furent payants, car ils parvinrent à mesurer des galaxies vingt fois plus éloignées que la plus lointaine de celles dont il avait été question dans leur article de 1929. En 1931, Hubble publia un autre article contenant un nouveau graphique (Figure 62). Cette fois, les points se tenaient strictement au garde-à-vous le long de la ligne de Hubble. Plus aucun doute n'était possible, les conclusions à tirer étaient claires. L'univers était véritablement en expansion, et de façon systématique. La relation de proportionnalité entre la vitesse et la distance d'une galaxie prit le nom de *loi de Hubble*. Il ne s'agit pas à proprement parler d'une loi (telle la loi de gravitation, qui donne la valeur exacte de la force d'attraction gravitationnelle entre deux objets), mais plutôt d'une règle descriptive assez large, généralement valide, mais qui tolère aussi des exceptions.

Par exemple, Vesto Slipher avait identifié antérieurement quelques galaxies présentant un blueshift (décalage vers le bleu), ce qui contredisait totalement la loi de Hubble. Ces galaxies étaient proches de notre Voie lactée, et si la vitesse d'une galaxie est proportionnelle à sa distance, elles auraient dû avoir une vitesse de récession relativement faible. Cepen-

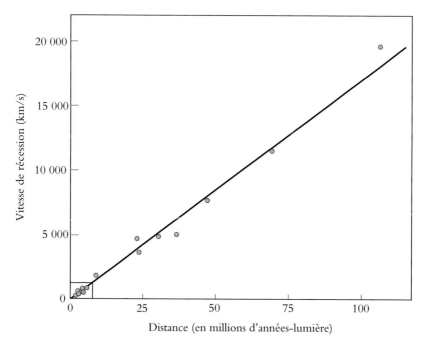

Figure 62 Comme sur son graphique de 1929 (Figure 60), chaque point du graphique réalisé par Hubble en 1931 représente les mesures relatives à une galaxie particulière. Les mesures sont bien plus précises et significatives que celles de l'article de 1929. En particulier, Hubble avait pu observer des galaxies beaucoup plus lointaines, à tel point que tous les points de l'article de 1929 sont contenus dans le petit rectangle dans l'angle inférieur gauche. Cette fois, l'alignement des points le long de la ligne transversale est beaucoup plus évident.

dant, si leurs vitesses escomptées étaient assez faibles, elles pouvaient être inversées par la force d'attraction gravitationnelle de notre Voie lactée ou d'autres galaxies de notre voisinage. En bref, on pouvait ne pas tenir compte de ces galaxies présentant un léger blueshift, en tant qu'anomalies locales ne satisfaisant pas à la loi de Hubble. Ainsi, en général, il est vrai de dire que les galaxies de l'univers reculent par rapport à nous avec une vitesse proportionnelle à leur distance. La loi de Hubble peut être exprimée par une simple équation :

$$v = H_0 \times d$$

Cette formule dit que la vitesse (v) de n'importe quelle galaxie est en général égale à la distance de cette dernière (d) par rapport à la Terre, multipliée par un nombre fixe (H_0), appelé constante de Hubble. La valeur de la constante de Hubble dépend des unités utilisées pour la vitesse et la distance. La vitesse est généralement mesurée en kilomètres par seconde, mais pour simplifier leurs calculs, les astronomes préfèrent souvent mesurer la distance en mégaparsecs (Mpc), 1 Mpc étant égal à 3 260 000 années-lumière, soit 30 900 000 000 000 000 000 km. En utilisant le mégaparsec comme unité, Hubble calcula que sa constante avait une valeur de 558 km/s / Mpc.

La valeur de la constante de Hubble a deux implications. Premièrement, si une galaxie est située à 1 Mpc de la Terre, elle doit se déplacer à environ 558 km/s, ou si une galaxie se trouve à 10 Mpc de la Terre, elle doit se déplacer à environ 5 580 km/s. En fait, si la loi de Hubble est correcte, nous pouvons déduire la vitesse de n'importe quelle galaxie en mesurant simplement sa distance, ou à l'inverse, nous pouvons déterminer sa distance à partir de sa vitesse.

La deuxième implication de la constante de Hubble est qu'elle nous renseigne sur l'âge de l'univers. Quand toute la matière de l'univers a-t-elle émergé d'une seule et unique région dense ? Si la constante est de 558 km/s/Mpc, une galaxie située à 1 Mpc se déplace à 558 km/s, et on peut donc déterminer le temps que cette galaxie aura mis pour parcourir cette distance, en supposant qu'elle a voyagé à la vitesse constante de 558 km/s. Le calcul est facile si nous convertissons la distance en kilomètres, ce que nous pouvons faire, puisque nous savons qu'1 Mpc est égal à 30 900 000 000 000 000 000 km.

$$\text{temps} = \frac{\text{distance}}{\text{vitesse}}$$

$$\text{temps} = \frac{30\ 900\ 000\ 000\ 000\ 000\ 000\ \text{km}}{558(\text{km/s})}$$

$$\text{temps} = 55\ 400\ 000\ 000\ 000\ 000\ \text{s}$$

$$\text{temps} = 1\ 800\ 000\ 000\ \text{années}$$

Ainsi, conformément aux observations de Hubble et Humason, on pouvait affirmer que toute la matière de l'univers était concentrée dans une région relativement restreinte il y a environ 1,8 milliard d'années, et qu'elle s'est depuis lors dilatée. Ce tableau contredisait totalement la conception bien établie d'un univers immuable. Il corroborait l'idée avancée par Lemaître et Friedmann selon laquelle l'univers était né d'une gigantesque explosion, un « Big Bang ».

Les astronomes avaient déjà dû reconnaître que l'univers évoluait, ne fût-ce que de façon minimale, car ils avaient constaté de leurs propres yeux des changements tels que l'apparition des novas et supernovas. Mais les astronomes avaient estimé que la mort d'une étoile était compensée par l'émergence d'une nouvelle étoile ailleurs, ce qui maintenait la stabilité et l'équilibre général de l'univers. En d'autres termes, la naissance occasionnelle d'une nova n'affectait pas le caractère général de l'univers. Cependant, ces dernières découvertes impliquaient une évolution continuelle sur une échelle cosmique gigantesque. Les observations de Hubble et sa loi d'expansion signifiaient que l'ensemble de l'univers était dynamique et en évolution, les distances augmentant, et la densité générale de l'univers diminuant avec le temps.

Naturellement, la plupart des cosmologistes, foncièrement conservateurs, rejetèrent l'idée d'un univers en expansion ayant eu un commencement, à l'instar de leurs prédécesseurs qui avaient combattu l'idée que les nébuleuses étaient des galaxies lointaines, ou que la lumière se propageait à une vitesse finie, ou que la Terre tournait autour du Soleil. Du seul point de vue de l'ex-muletier de Mount Wilson, de telles considérations revenaient à débattre du sexe des anges. Humason estimait s'être acquitté de sa mission en mesurant les redshifts, et leur interprétation ne le concernait pas : « J'ai toujours été

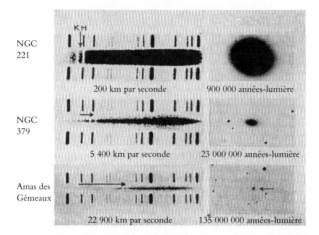

NGC 221

K H

200 km par seconde

900 000 années-lumière

NGC 379

5 400 km par seconde

23 000 000 années-lumière

Amas des Gémeaux

22 900 km par seconde

135 000 000 années-lumière

Figure 63 À la différence du spectre d'absorption schématisé de la Figure 54, ces spectres montrant certaines mesures réelles effectuées par Hubble et Humason sont difficiles à interpréter, chaque rangée montrant les longueurs d'onde absorbées pour une seule galaxie, à côté d'une image de la galaxie en question sur la droite.

La première galaxie, NGC 221, est située à 0,9 million d'années-lumière. Les mesures spectroscopiques d'Humason renseignent sur la vitesse de la galaxie. La bande horizontale centrale représente la lumière émise par la galaxie, et la raie verticale entourée d'un rectangle, un rayonnement de lumière absorbé par le calcium de la galaxie. Cette barre verticale est en fait décalée vers la droite par rapport à l'endroit où elle devrait se trouver, ce qu'on appelle un redshift (décalage vers le rouge, voir Figure 59), impliquant une vitesse de récession de 200 km/s. L'ampleur du redshift est mesurée par rapport à l'échelle de calibrage située au-dessus et au-dessous des raies relatives à NGC 221.

La deuxième série de mesures concerne la galaxie NGC 379, distante de 23 millions d'années-lumière, ce qui explique pourquoi elle semble plus petite que NGC 221 sur la photographie. Le point à retenir est que la raie d'absorption du calcium (encadrée) est décalée encore plus loin vers la droite, ce qui signifie un redshift plus important – de fait, sa vitesse de récession est de 2 250 km/s. NGC 379 est 26 fois plus éloignée que NGC 221 et se déplace 27 fois plus vite. On peut en déduire que l'augmentation de la vitesse est à peu près proportionnel à l'accroissement de la distance.

La troisième série de mesures concerne une galaxie de l'amas des Gémeaux, distante de 135 millions d'années-lumière. La raie du calcium (encadrée) est décalée encore plus loin vers la droite, ce qui correspond à un redshift encore plus important, et à une vitesse de 23 000 km/s. Elle est une centaine de fois plus éloignée que NGC 221 et se déplace à peu près 100 fois plus vite.

plutôt satisfait que ma part du travail ait été, pourrait-on dire, fondamentale – personne ne pourra rien y changer – quelles que soient les conclusions qui seront tirées quant à sa signification. Ces raies se trouvent toujours à l'endroit où je les ai mesurées, et les vitesses – que vous les appeliez ainsi, ou redshifts, ou comme il vous plaira en fin de compte de les appeler – resteront toujours les mêmes. »

Hubble, doit-on répéter, se garda lui aussi de toute spéculation. Il avait fourni les mesures, mais il ne prit aucune part au débat cosmologique. L'article scientifique de Hubble et Humason contenait cette déclaration : « Les auteurs se sont vus dans l'obligation de décrire les "déplacements-vitesses apparents" sans s'aventurer dans leur interprétation et la recherche de leur signification cosmologique. »

Ainsi, au lieu de s'impliquer dans le nouveau Grand Débat, Hubble préféra jouir pleinement de sa célébrité sans cesse croissante. En 1937, il fut l'invité d'honneur de Frank Capra à la soirée de remise des Oscars Awards. Capra, président de la Motion Picture Academy, ouvrit la manifestation en présentant « le plus grand astronome au monde ». Les vedettes d'Hollywood jouèrent ce soir-là les seconds rôles en s'effaçant devant Hubble, qui se leva pour recevoir leurs applaudissements sous les projecteurs. Il avait passé sa vie à regarder les étoiles avec émerveillement, et maintenant, c'était les étoiles qui le regardaient avec un égal ravissement.

Chacun dans l'assistance mesurait l'ampleur de ce qu'avait accompli Hubble. C'était l'homme dont les mesures de distances avaient considérablement élargi notre vision de l'univers, lequel, réduit auparavant à une unique Voie lactée finie, apparaissait maintenant comme un espace infini parsemé d'autres galaxies. C'était l'homme qui avait montré que le cosmos était en expansion et, que lui-même l'admette ou non, cette découverte semblait impliquer que l'univers avait une histoire limitée et qu'il avait consisté au début des temps en un embryon de matière compacte prêt à exploser et à se dilater. Sans le vouloir, Edwin Hubble avait découvert la première preuve réelle de la création de l'univers. Enfin, le modèle du Big Bang était davantage qu'une simple théorie.

3 – LE GRAND DÉBAT
EN RÉSUMÉ

① LES ASTRONOMES CONSTRUISENT DES <u>TÉLESCOPES</u> DE PLUS EN PLUS GRANDS ET DE PLUS EN PLUS PUISSANTS. ILS EXPLORENT LE CIEL ET MESURENT LES DISTANCES DES ÉTOILES.

② AU XVIIIe SIÈCLE, <u>HERSCHEL</u> MONTRE QUE LE SOLEIL FAIT PARTIE D'UN GROUPE D'ÉTOILES – <u>LA VOIE LACTÉE</u>. C'EST NOTRE GALAXIE. EST-CE L'UNIQUE GALAXIE ?

③ 1781 : <u>MESSIER</u> ÉTABLIT UN CATALOGUE DES NÉBULEUSES (TACHES INDISTINCTES FAIBLEMENT LUMINEUSES), QUI SEMBLENT NE PAS ÊTRE DES ÉTOILES (PETITS POINTS DE LUMIÈRE). LE <u>GRAND DÉBAT</u> VA PORTER SUR LA NATURE DE CES NÉBULEUSES :

➩ S'AGIT-IL D'OBJETS SITUÉS À L'INTÉRIEUR DE NOTRE VOIE LACTÉE ? <u>OU</u>
➩ S'AGIT-IL DE GALAXIES INDÉPENDANTES ?

> NOTRE GALAXIE EST-ELLE L'UNIQUE GALAXIE ?
>
> OU
>
> L'UNIVERS EST-IL PARSEMÉ DE GALAXIES ?

④ 1912 : <u>HENRIETTA LEAVITT</u> ÉTUDIE LES <u>ÉTOILES VARIABLES DE TYPE CÉPHÉIDES</u> ET MONTRE COMMENT LEUR PÉRIODE DE VARIABILITÉ PEUT ÊTRE UTILISÉE POUR CALCULER LEUR BRILLANCE ABSOLUE ET ESTIMER LEUR <u>DISTANCE</u>.

> LES ASTRONOMES DISPOSENT DÉSORMAIS D'UN ÉTALON POUR MESURER L'UNIVERS.

⑤ 1923 : <u>EDWIN HUBBLE</u> IDENTIFIE UNE ÉTOILE VARIABLE DE TYPE CÉPHÉIDE DANS UNE NÉBULEUSE ET PROUVE QU'ELLE EST SITUÉE BIEN AU-DELÀ DES LIMITES DE LA VOIE LACTÉE ! ON PEUT EN CONCLURE QUE LA PLUPART DES <u>NÉBULEUSES SONT DES GALAXIES INDÉPENDANTES</u>, CHACUNE D'ELLES ÉTANT COMPOSÉE DE MILLIARDS D'ÉTOILES, TOUT COMME NOTRE VOIE LACTÉE.

L'UNIVERS EST REMPLI DE GALAXIES

⑥ <u>SPECTROSCOPIE</u> : DES ATOMES DIFFÉRENTS ÉMETTANT/ABSORBANT
DES LONGUEURS D'ONDE (RAYONNEMENTS) DE LUMIÈRE
SPÉCIFIQUES, LES ASTRONOMES ÉTUDIENT LA LUMIÈRE STELLAIRE
POUR DÉTERMINER LA COMPOSITION DES ÉTOILES

LONGUEUR D'ONDE

LES ASTRONOMES REMARQUENT QUE LES LONGUEURS D'ONDE DE LA LUMIÈRE
STELLAIRE SONT LÉGÈREMENT DÉCALÉES. CE PHÉNOMÈNE PEUT ÊTRE EXPLIQUÉ
PAR L'<u>EFFET DOPPLER</u> :   – LA LUMIÈRE D'UNE ÉTOILE S'APPROCHANT DE LA TERRE EST DÉCALÉE
                              VERS LES LONGUEURS D'ONDE PLUS COURTES (DÉCALAGE VERS
                              LE BLEU, OU <u>BLUESHIFT</u>)
                              – LA LUMIÈRE D'UNE ÉTOILE S'ÉLOIGNANT DE LA TERRE EST DÉCALÉE
                              VERS LES LONGUEURS D'ONDE PLUS LONGUES (DÉCALAGE VERS
                              LE ROUGE, OU <u>REDSHIFT</u>)

LA PLUPART DES GALAXIES SONT DÉCALÉES VERS LE ROUGE ET, DONC,
SEMBLENT FUIR LA VOIE LACTÉE !

⑦ 1929 : <u>HUBBLE</u> MONTRE QU'IL EXISTE UNE RELATION DIRECTE
ENTRE LA DISTANCE ET LA VITESSE D'UNE GALAXIE. C'EST
CE QU'ON APPELLE LA <u>LOI DE HUBBLE</u> :

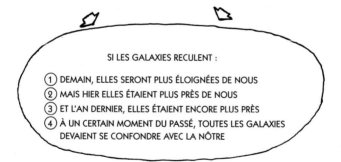

SI LES GALAXIES RECULENT :

① DEMAIN, ELLES SERONT PLUS ÉLOIGNÉES DE NOUS
② MAIS HIER ELLES ÉTAIENT PLUS PRÈS DE NOUS
③ ET L'AN DERNIER, ELLES ÉTAIENT ENCORE PLUS PRÈS
④ À UN CERTAIN MOMENT DU PASSÉ, TOUTES LES GALAXIES
   DEVAIENT SE CONFONDRE AVEC LA NÔTRE

LES MESURES DE HUBBLE SEMBLENT IMPLIQUER L'IDÉE QUE L'UNIVERS ÉTAIT INITIALEMENT
CONDENSÉ EN UN MÊME PETIT POINT DE L'ESPACE. IL S'EST ENSUITE DILATÉ, ET CONTINUE
DE SE DILATER AUJOURD'HUI.

<u>EST-CE LA PREUVE QUE LE BIG BANG A BIEN EU LIEU ?</u>

4

Les francs-tireurs du cosmos

L'hypersystème des galaxies se disperse comme le ferait un nuage de fumée. Je me demande quelquefois s'il n'y a pas un plus haut degré d'existence des choses, et si, à ce niveau, ce ne serait pas qu'un nuage de fumée.

Arthur EDDINGTON

La nature ne nous fait voir que la queue du lion, mais je ne doute pas que le lion ne s'y trouve tout entier, même si, étant donné sa taille, il ne peut se révéler à nous d'un seul coup. On ne le voit qu'à la manière d'un pou accroché à sa crinière.

Albert EINSTEIN

Les cosmologistes sont souvent dans l'erreur, mais jamais dans le doute.

Lev LANDAU

En 1894, Albert Michelson, le savant qui avait aboli l'éther quelques années plus tôt, prononça un discours à l'université de Chicago, dans lequel il proclama : « Les lois et faits les plus importants de la physique ont tous été découverts, et ils sont maintenant si fermement établis que l'éventualité de les voir réfutés à la suite de nouvelles recherches est infiniment faible... Nos découvertes futures se situeront à la sixième décimale. »

De fait, la seconde moitié du XIXᵉ siècle avait été une époque glorieuse pour la physique. Beaucoup de grandes énigmes avaient été résolues, mais en déduire qu'il ne restait plus qu'à améliorer la précision des mesures devait se révéler manifestement absurde. En fait, Michelson vécut assez vieux pour voir s'écrouler son audacieuse affirmation. En quelques décennies, le développement de la physique quantique et de la physique nucléaire devait ébranler les fondations mêmes de la science, et les cosmologistes durent revoir entièrement leur manière d'appréhender l'univers.

Vers la fin du XIXᵉ siècle, on considérait celui-ci comme un cosmos éternel et largement invariable. Cependant, tandis que les Années Folles battaient leur plein et que les marchés boursiers s'effondraient, les savants des années 1920 se virent obligés de prendre en considération un modèle cosmique rival. Celui-ci décrivait un univers en expansion qui était né un ou deux milliards d'années auparavant. Il y a deux manières de provoquer un tel bouleversement de la pensée scientifique. La première fait appel à des théoriciens qui sont susceptibles de parvenir à une conclusion surprenante en appliquant les lois de la physique d'une manière nouvelle. L'autre fait intervenir des expérimentateurs ou des observateurs capables de mesurer quelque chose qui les pousse à mettre en question des hypothèses antérieures. Le bouleversement qui intervint en cosmologie dans les années 1920 eut quelque chose d'inhabituel, car le modèle admis d'un univers éternel fit l'objet d'attaques menées sur les deux fronts. Georges Lemaître et Alexander Friedmann s'étaient servis de la théorie pour développer l'idée d'un univers en expansion, tandis que parallèlement Edwin Hubble observait des décalages galactiques vers le rouge, qui poussaient à la même conclusion.

Friedmann ne put avoir connaissance des observations de Hubble, et mourut totalement méconnu. En revanche, Lemaître fut plus heureux. Dans son article de 1927, où il proposa son modèle du Big Bang de l'univers, il prédit qu'à la suite du Big Bang, les galaxies s'éloigneraient à des vitesses proportionnelles à leurs distances. Au début, ses travaux passèrent inaperçus, car ils n'étaient étayés par aucun fait, mais deux années plus tard Hubble publia ses observations, qui montraient que les galaxies s'éloignaient bel et bien, et l'apport de Lemaître fut enfin reconnu.

Lemaître avait auparavant fait part de son modèle du Big Bang dans une lettre à Arthur Eddington, mais il n'avait pas reçu de réponse. Lorsque la découverte de Hubble fut connue du grand public, Lemaître écrivit à nouveau à Eddington, dans l'espoir que, cette fois-ci, le distingué astrophysicien se rendrait compte que sa théorie collait parfaitement aux données nouvelles. George McVittie était étudiant auprès d'Eddington à l'époque, et il nota la réaction de son directeur de thèse à cette supplique renouvelée : « Eddington, assez gêné, me montra une lettre de Lemaître qui lui rappelait la solution que, lui, Lemaître, avait déjà donnée au problème. Eddington avoua que, bien qu'il ait eu entre les mains l'article de Lemaître de 1927, il l'avait ensuite complètement oublié jusqu'à ce moment. Cette négligence fut rapidement réparée par une lettre d'Eddington, publiée dans *Nature* le 7 juin 1930, dans laquelle il attirait l'attention sur les brillants travaux de Lemaître, antérieurs de trois ans à cette date. »

Eddington avait peut-être commencé par négliger les recherches de Lemaître, mais il semblait maintenant leur donner sa caution en les mettant en valeur. Outre sa lettre à *Nature*, Eddington traduisit également l'article de Lemaître et le publia dans les notices mensuelles de la Royal Astronomical Society. Il le qualifia même de « brillante solution » et de « réponse exhaustive au problème posé ». Peu à peu, les milieux scientifiques en prirent connaissance, et une certaine admiration se manifesta envers la parfaite harmonie qui réunissait les prévisions théoriques de Lemaître et les observations de Hubble. Jusque-là, tous les cosmologistes avaient consacré leur attention au modèle éternellement statique de l'univers que leur fournissait Albert Einstein, mais désormais une minorité significative d'entre eux considérait que le modèle de Lemaître était de loin le plus puissant, à la lumière des observations de Hubble. En 1929, le physicien italo-polonais Ludwik Silberstein avait écrit un livre sur la théorie cosmologique sans connaître les travaux de son collègue belge. Lors de sa publication, en 1930, Eddington le critiqua comme étant dépassé, et souligna que le modèle de Lemaître « rendait obsolète » une bonne partie de ce qui se trouvait dans l'exposé de Silberstein.

En résumé, Lemaître avait soutenu que la relativité générale (sous sa forme la plus pure) impliquait que l'univers était en expansion. Si donc l'univers se dilate aujourd'hui, il doit avoir été plus compact dans le passé. Logiquement, l'univers doit donc avoir commencé à partir d'un état très dense, ce qu'on appelle l'atome primitif, de taille faible mais finie. Lemaître pensait que l'atome primitif pouvait avoir existé de toute éternité avant qu'il ne se produise quelque « rupture d'équilibre » aboutissant à une désintégration de l'atome, éjectant tous ses fragments. Il définit le commencement de ce processus de désintégration comme le début de l'histoire de notre univers. Ce fut là, concrètement, le moment de la création ; selon les termes de Lemaître, « un jour sans jour d'avant ».

Friedmann voyait le moment de la création d'une manière légèrement différente de celle de Lemaître. Au lieu de représenter l'univers comme émergeant d'un atome primitif, il soutenait que tout était issu d'un point unique. Autrement dit, l'univers entier avait été réduit à presque rien. Quoi qu'il en soit, atome primitif ou point unique, les théories portant sur le moment effectif de la création étaient, c'est évident, hautement spéculatives, et devaient le rester pendant quelque temps. Cependant, sur d'autres aspects du modèle du Big Bang, le degré de certitude était plus grand, de même que l'accord entre ses partisans.

Ainsi, Hubble avait observé que les galaxies s'éloignaient de la Terre, tout comme le prédisait la théorie, mais les tenants du Big Bang s'accordaient pour dire qu'en fait, elles ne se déplaçaient pas dans l'espace, mais avec l'espace. Eddington expliquait ce point délicat en comparant l'espace à la surface d'un ballon, simplifiant un univers tridimensionnel pour le représenter par une feuille de caoutchouc bidimensionnelle fermée, comme le montre la Figure 64. La surface du ballon est couverte de points, qui représentent les galaxies. Si l'on gonfle le ballon à deux fois son diamètre d'origine, la distance entre les points doublera, si bien que les points s'éloigneront véritablement les uns des autres. L'essentiel est de comprendre que les points ne se déplacent pas à la surface du ballon, mais que c'est la surface elle-même qui se dilate, augmentant ainsi la distance entre les points. De la même façon, les galaxies ne se déplacent pas dans l'espace ; c'est l'espace situé entre les galaxies qui se dilate.

Bien que le décalage vers le rouge de la lumière provenant des galaxies ait été expliqué de façon simple au chapitre 3 par l'éloignement des galaxies, il est maintenant clair que sa cause réelle est l'étirement de l'espace. Lorsque les ondes lumineuses quittent une galaxie et voyagent vers la Terre, elles sont étirées parce que l'espace dans lequel elles voyagent est lui-même étiré, raison pour laquelle les longueurs d'onde augmentent et la lumière apparaît plus rouge. Quoique ce décalage vers le rouge de la lumière cosmique et celui des ondes par effet Doppler, décrit au chapitre 3, aient des causes différentes, l'image de l'effet Doppler reste utile pour expliquer ce phénomène.

Si la totalité de l'espace se dilate et que les galaxies restent fixes dans l'espace, alors on pourrait penser que les galaxies elles-mêmes se dilateraient. En théorie, cela pourrait se produire, mais en pratique les gigantesques forces de gravitation qui s'exercent en leur sein réduisent cet effet à peu de chose. Par conséquent l'expansion est pertinente au niveau du cosmos intergalactique, mais non sur le plan intragalactique. Dans un flashback au début d'un film de Woody Allen, *Annie Hall*, Mme Singer emmène son fils Alvy voir un psychiatre, car il est déprimé. Le garçon explique au médecin qu'il a lu quelque part que l'univers est en expansion, et qu'il a peur que les objets qui l'entourent ne finissent écartelés. Sa mère l'interrompt : « Quel rapport avec l'univers ? Ici, tu es à Brooklyn ! Brooklyn ne se dilate pas ! » Mme Singer avait tout à fait raison.

Maintenant que nous avons introduit l'analogie avec le ballon, il est grand temps de dissiper une erreur courante. Si

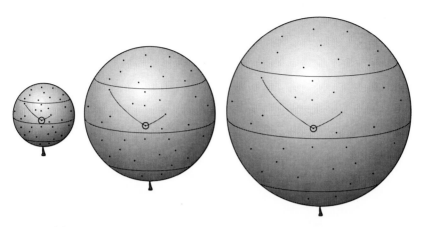

Figure 64 L'univers tridimensionnel est représenté ici par la surface bidimensionnelle d'un ballon. Chaque point correspond à une galaxie, et celui qui est entouré d'un cercle représente notre Voie lactée. Au fur et à mesure que le ballon se gonfle (c'est-à-dire que l'univers s'étend), les autres points semblent s'éloigner de nous, de même que, selon l'observation de Hubble, toutes les galaxies s'éloignent de nous. Plus la galaxie est lointaine, plus elle couvre de distance en un intervalle de temps donné, et donc plus elle se déplace rapidement. Et c'est là effectivement la loi de Hubble.
À noter que les points se déplacent avec la surface du ballon, et non sur la surface. La surface est en expansion et transporte les points avec elle. De même, l'espace se dilate et emporte les galaxies avec lui. Celles-ci ne se déplacent pas en son sein. De plus, bien que nous voyions tout s'éloigner de notre Voie lactée, notre point de vue n'a rien de particulier. À partir de tout autre point, les choses semblent également devenir plus lointaines. Chacun a l'impression d'être au centre de l'univers.

toutes les galaxies s'éloignent de la Terre, cela ne signifie-t-il pas que la Terre est au centre de l'univers ? On dirait que l'univers entier a émergé du point où nous vivons aujourd'hui. Est-il vrai que nous occupions une place particulière dans le cosmos ? En fait, quel que soit l'endroit où est situé l'observateur, on a l'illusion de se trouver au centre. Si l'on se rapporte à la Figure 64, on peut imaginer que la Voie lactée est l'un des points, et qu'au fur et à mesure que le ballon gonfle, tous les autres points semblent s'éloigner de nous. Cependant, si l'on considère les choses depuis un point différent, tous les autres points semblent également s'en éloigner. Il n'existe pas de centre de l'univers ; ou bien, on peut peut-être dire que chaque galaxie est au centre de l'univers.

Albert Einstein s'était désintéressé de la cosmologie vers le milieu des années 1920, mais il s'attaqua de nouveau à cette question après que les observations de Hubble eurent renforcé l'hypothèse du Big Bang. En 1931, lors d'une année sabbatique au California Institute of Technology (Caltech), il se rendit, avec sa seconde femme, Elsa, à l'observatoire de Mount Wilson, en tant qu'invité d'honneur de Hubble. On leur montra le télescope Hooker géant de 100 pouces (2,50 m), et les astronomes expliquèrent que cet énorme instrument était essentiel pour explorer l'univers. À leur grande surprise, Elsa n'en fut pas particulièrement impressionnée, et dit : « Oh, vous savez, mon mari fait ça au dos d'une vieille enveloppe. »

Cependant, les recherches d'Einstein étaient limitées à la théorie, et les théories peuvent être fausses. C'est la raison pour laquelle il est tellement utile d'investir dans des expériences coûteuses et des télescopes de grande taille, car c'est le seul moyen de faire la différence entre une bonne théorie et une mauvaise. Les notes qu'Einstein avait jetées sur une enveloppe plaidaient en faveur d'un univers statique, que les observations de Hubble semblaient désormais contredire, illustration du pouvoir que possède l'observation, à savoir de juger la théorie.

Lors de son séjour à Mount Wilson, Einstein passa de longues heures à discuter avec Milton Humason, l'assistant de Hubble, qui lui montra diverses plaques photographiques en indiquant les galaxies qui avaient été sondées. Einstein put également voir les spectres des galaxies, qui révélaient un décalage vers le rouge systématique. Il avait déjà commenté ces résultats avec des collègues et lu les divers articles publiés à ce sujet, mais maintenant il pouvait constater les faits par lui-même. La conclusion semblait inévitable. Les observations indiquaient que les galaxies s'éloignaient les unes des autres, et que l'univers était en expansion, et non statique.

Le 3 février 1931, Einstein fit une communication aux journalistes rassemblés dans la bibliothèque de l'observatoire du mont Wilson. Il abandonna publiquement sa propre cosmologie statique et adopta le modèle de l'univers en expansion du Big Bang. En bref, il trouvait convaincantes les observations de Hubble, et admettait que Lemaître et Friedmann avaient eu raison depuis le début. Comme le plus grand génie du monde changeait d'avis et soutenait désormais le Big Bang, l'expansion de l'univers devenait la vérité officielle, du moins pour ce qui était des journaux. Dans l'organe de presse local de la ville d'où Hubble était originaire, on put lire ce titre : « Le jeune homme venu des monts Ozark pour étudier les étoiles fait changer d'avis Einstein. »

Celui-ci ne fit pas qu'abandonner son univers statique ; il révisa également son équation de la relativité générale. Souvenons-nous que l'équation initiale d'Einstein avait expliqué avec précision la force banale de l'attraction gravitationnelle, mais cette force d'attraction devait finir par faire s'effondrer l'univers entier. Comme l'univers était supposé être éternel et statique, il avait ajouté la constante cosmologique – en réalité, un artefact – à son équation afin de simuler une force de répulsion qui agissait sur de grandes distances pour empêcher tout effondrement. Maintenant que l'univers n'apparaissait plus statique, Einstein abandonnait la constante cosmologique et revenait à son équation d'origine pour la relativité générale.

Einstein, en fait, s'était dès le début senti gêné par cette constante cosmologique, et ne l'avait insérée dans son équation que pour se conformer aux opinions reçues qui voulaient un univers statique et éternel. Les faits montrèrent que les conventions et le conformisme l'avaient égaré. Tout au début de sa carrière de physicien, lorsqu'il était au sommet de sa puissance intellectuelle, il avait constamment suivi son instinct et défié l'autorité. La seule fois où il avait cédé aux pressions de ses pairs, il avait finalement eu tort. Plus tard, il qualifia la constante cosmologique de plus grande erreur qu'il ait faite dans sa vie. Il écrivit dans une lettre à Lemaître : « Depuis que j'ai introduit ce terme, j'ai toujours eu mauvaise conscience... Je n'arrive pas à croire qu'une chose aussi laide se trouve dans la nature. »

Bien qu'Einstein ait tenu à abandonner son artefact de facteur cosmologique, certains spécialistes le trouvaient très séduisant et hésitaient à l'abandonner. En conservant la constante cosmologique et en faisant varier la valeur, ils pouvaient tordre leurs modèles théoriques du Big Bang et modifier l'expansion de l'univers. La constante cosmologique représentait un effet anti-gravité, si bien que l'univers se dilatait plus vite. La valeur et la validité de cette constante cosmologique suscitèrent quelques conflits parmi les partisans de la théorie du Big Bang, mais Lemaître et Einstein montrèrent un front uni lorsqu'ils se rencontrèrent lors d'un séminaire qui se déroula au camp de base de Mount Wilson, à Pasadena, en janvier 1933, soit presque deux ans après la première visite d'Einstein à l'observatoire.

Lemaître présenta sa vision du Big Bang au public éminent d'astronomes et de cosmologistes qui constituait le séminaire, parmi lesquels Edwin Hubble. Bien qu'il se soit agi d'une réunion d'universitaires, Lemaître introduisit un peu d'imagerie poétique dans la physique. En particulier, il revint à son analogie favorite du feu d'artifice : « Au commencement de tout, il y avait des feux d'artifice d'une beauté inimaginable. Puis il y eut une explosion suivie par une invasion de fumée dans le ciel. Nous arrivons trop tard pour faire autre chose qu'imaginer la splendeur du jour de la création ! » Même si Einstein avait probablement espéré davantage de détails mathématiques et moins de fioritures colorées, il rendit néanmoins hommage aux travaux d'avant-garde de Lemaître en ces termes : « C'est l'explication de la création la plus belle et la plus satisfaisante que j'aie jamais entendue. » C'était là un très beau compliment, pour un homme qui, tout juste six ans auparavant, avait qualifié d'« abominable » la physique de Lemaître.

L'appui d'Einstein marqua pour Lemaître le début d'une célébrité qui dépassa les cercles scientifiques. Après tout, il était l'homme qui avait contredit Einstein avec succès et qui avait été si visionnaire qu'il avait prédit l'expansion de l'univers avant que les télescopes ne soient suffisamment puissants pour détecter les galaxies en fuite.

Lemaître fut invité à donner des conférences dans le monde entier et reçut de nombreuses récompenses internationales. Il pouvait même s'enorgueillir d'avoir le rare honneur d'être un Belge célèbre. Une partie de sa popularité, de son charme et de son statut emblématique venait de son double rôle de prêtre et de physicien. Duncan Aikman, du *New York Times*, qui rendit compte de la réunion de 1933 à Pasadena, écrivit : « Son opinion est intéressante et importante, non pas parce que c'est un prêtre catholique, non pas parce qu'il est l'un des grands spécialistes de physique mathématique de notre temps, mais parce qu'il est les deux à la fois. »

Tout comme Galilée, Lemaître pensait que Dieu avait doué l'homme d'un esprit inquisiteur, et qu'Il regardait avec bienveillance la cosmologie scientifique. Dans le même temps, Lemaître séparait sa physique et sa religion, déclarant que ce n'étaient certainement pas ses croyances religieuses qui motivaient sa cosmologie. « Des centaines de chercheurs profession-

Figure 65 Albert Einstein et Georges Lemaître réunis à Pasadena en 1933 pour le séminaire consacré aux observations de Hubble et au nouveau modèle de Big Bang de l'univers.

nels et amateurs croient véritablement que la Bible prétend enseigner la science », dit-il, ajoutant : « C'est un peu comme si l'on supposait qu'il doit y avoir un dogme religieux authentique dans le binôme de Newton. »

Quoi qu'il en soit, certains chercheurs continuèrent à penser que la théologie avait eu une influence négative sur la cosmologie du prêtre. Le parti antireligieux assurait que sa théorie de la création reposant sur l'atome primitif n'était rien d'autre qu'une justification pseudo-scientifique d'un Maître créateur, version moderne du Livre de la Genèse. Dans le but de miner la position de Lemaître, ces critiques soulignèrent un défaut majeur de l'hypothèse du Big Bang, et son estimation de l'âge de l'univers. Selon les observations de Hubble, les mesures de distance et de vitesse supposaient un univers jeune, âgé de moins de 2 milliards d'années. Comme la recherche géologique contemporaine avait estimé l'âge de certaines roches terrestres à 3,4 milliards d'années, il y avait un hiatus embarrassant d'au moins 1,4 milliard d'années. Selon le modèle du Big Bang, la Terre était apparemment plus vieille que l'univers. Pour les critiques, l'univers était éternel et immobile et le modèle du Big Bang était absurde. C'était encore l'opinion reçue.

Cependant, les pouvoirs en place ne pouvaient pas se contenter d'attaquer le Big Bang ; il leur fallait également expliquer les observations les plus récentes à la lumière de leur modèle préféré d'univers éternel. Les observations de Hubble montraient clairement que les galaxies émettaient un rayonnement qui virait au rouge, mais cela n'impliquait peut-être pas nécessairement l'existence d'un moment de création dans le passé.

Arthur Milne, astrophysicien d'Oxford, fut l'un des premiers à proposer une autre manière d'expliquer la loi de Hubble d'une façon qui soit compatible avec un univers éternel. Dans sa théorie, qu'il appelait relativité cinématique, les galaxies présentaient une large gamme de vitesses, certaines se déplaçant lentement dans l'espace, d'autres très rapidement. Milne soutenait qu'il était naturel que les galaxies les plus éloignées soient les plus rapides, comme le démontraient les observations de Hubble, car ce n'était que grâce à leur vitesse qu'elles étaient parvenues aussi loin. Selon Milne, l'éloignement des galaxies n'était pas dû à l'explosion de quelque atome primitif ; c'était un phénomène qui apparaissait naturellement si on laissait se mouvoir sans entraves des entités à déplacement aléatoire. Cet argument était loin d'être inattaquable, mais il eut l'avantage d'encourager d'autres astronomes à imaginer quelles pouvaient être les conséquences des décalages vers le rouge de Hubble dans le cadre d'un univers éternel.

L'un des critiques les plus acharnés du modèle du Big Bang fut un Bulgare d'origine, Fritz Zwicky, peu apprécié dans le milieu scientifique à cause de son excentricité et de son esprit réfractaire. Il avait été invité au Caltech et au mont Wilson en 1925 par Robert Millikan, prix Nobel de physique, et le remercia en déclarant un jour que Millikan n'avait jamais eu une seule bonne idée dans sa vie. Tous ses collègues lui servaient de cibles, et nombre d'entre eux eurent à subir son insulte favorite, « salaud sphérique ». De même qu'une sphère a le même aspect sous tous les angles, un salaud sphérique était quelqu'un qui était un salaud, quel que soit le point d'où on le considérait.

Zwicky examina les données fournies par Hubble et se

Figure 66 Fritz Zwicky, inventeur de la fausse théorie du vieillissement des photons, qui s'efforça d'expliquer les observations de Hubble portant sur le décalage vers le rouge de la lumière galactique.

demanda si les galaxies se déplaçaient si peu que ce soit. Sa contre-explication du décalage vers le rouge de la lumière galactique se fondait sur la notion admise selon laquelle tout ce qui est émis par un objet dense perd de l'énergie. Ainsi, si on lance une pierre dans l'air, elle quitte la main avec une certaine énergie et une certaine vitesse, mais la force de gravitation de la Terre, corps dense, réduit l'énergie cinétique de la pierre. Celle-ci ralentit, puis s'arrête et retombe sur terre. De même, la lumière qui s'échappe d'une galaxie voit son énergie sapée par la force de gravitation qui émane de cette galaxie. La lumière ne peut pas ralentir, car sa vitesse est constante, et par conséquent la perte d'énergie se manifeste par une augmentation de la longueur d'onde de la lumière, qui la fait apparaître plus rouge. Autrement dit, il y avait là une autre explication possible des observations de Hubble portant sur ce décalage vers le rouge, et qui ne faisait pas appel à une expansion de l'univers.

L'argument de Zwicky, selon lequel ces décalages vers le rouge étaient causés par la perte d'énergie lumineuse dégradée par la gravité galactique, fut appelé théorie du vieillissement des photons. Son principal inconvénient était qu'elle n'était pas conforme aux lois connues de la physique. Les calculs montraient que la gravité aurait quelque effet sur la lumière et provoquerait un décalage vers le rouge, mais seulement dans une mesure très faible, et certainement pas suffisante pour rendre compte des observations de Hubble. Zwicky contre-attaqua en critiquant les observations et en proclamant qu'elles pourraient être exagérées. Jouant son personnage jusqu'au bout, il mit même en question l'intégrité personnelle de Hubble et de Humason, laissant entendre que leur équipe pouvait avoir abusé d'un privilège par leur mainmise sur le meilleur télescope du monde. Selon lui, les courtisans qui se trouvaient parmi leurs jeunes assistants avaient ainsi la possibilité de trafiquer les données qu'ils observaient, afin de cacher leurs insuffisances.

Bien qu'une telle brutalité de manières n'ait rien fait pour concilier à Zwicky la majorité de ses collègues, quelques-uns d'entre eux soutenaient toujours la théorie du vieillissement des photons. Les défauts apparents de sa physique ne suffisaient pas à les dissuader, car Zwicky avait, en tant que chercheur, des antécédents professionnels impeccables. De fait, au cours de sa carrière, il devait continuer à produire des travaux qui firent date sur les supernovae et les étoiles à neutrons. Il prédit même l'existence de la matière noire, mystérieuse entité invisible qui, au début, fit l'objet de railleries, mais qui est aujourd'hui largement admise. La théorie du vieillissement des photons semblait tout aussi risible, mais il se pouvait qu'elle aussi finisse par se révéler fondée.

Cependant, les partisans du Big Bang rejetèrent totalement la notion de vieillissement des photons. Représentant de ce camp, Arthur Eddington résuma ce qui n'allait pas dans la théorie de Zwicky : « La lumière est un objet bien curieux – bien plus que nous ne l'imaginions il y a vingt ans – mais je serais surpris qu'elle le soit autant. » Autrement dit, la théorie de la relativité d'Einstein avait transformé notre compréhension de la lumière, mais il n'y avait toujours pas de place pour le vieillissement des photons.

Bien qu'Eddington ait attaqué la théorie du vieillissement des photons de Zwicky et appuyé l'article originel de Lemaître, il restait relativement ouvert sur la question de l'origine de l'univers. Eddington pensait que les idées de Lemaître étaient importantes et méritaient une plus large audience, raison pour laquelle il en rendit compte dans de grandes revues. Il favorisa la traduction de l'ouvrage de l'auteur belge, sans être entièrement convaincu par l'idée d'une naissance soudaine de l'univers à la suite de la décomposition d'un atome primitif : « Philosophiquement, la notion d'un commencement de l'ordre présent de la Nature me répugne. J'aimerais trouver une vraie faille dans la théorie... En tant que scientifique, je n'arrive pas à croire que l'univers ait commencé par un bang... cela me laisse froid. » Eddington trouvait que le modèle de la création selon Lemaître était « trop abrupt esthétiquement ».

Pour finir, Eddington élabora sa propre variante du modèle de Lemaître. Il se contentait de partir d'un univers compact, un peu analogue à l'atome primitif de Lemaître. Ensuite, au lieu d'une expansion soudaine, il était en faveur d'un agrandissement très graduel, qui finissait par s'accélérer pour arriver à la dilatation que l'on observe de nos jours. L'expansion d'après Lemaître était semblable à celle d'une bombe explosant de manière soudaine et violente ; celle d'Eddington ressemblait plutôt à la maturation graduelle d'une avalanche. Une montagne enneigée peut rester stable pendant de nombreux mois. Soudain, un léger souffle de vent pousse un flocon de neige à déloger un cristal de glace, qui tombe sur un autre cristal, lequel roule et forme tout d'abord un fragment de neige, puis une mini-boule de neige. Celle-ci grossit, fait tomber davantage de glace et de neige dans la pente jusqu'à ce que des plaques entières commencent à glisser, et qu'une véritable avalanche se déclenche.

Eddington aimait expliquer pourquoi il préférait son modèle d'explosion progressive à celui de Lemaître : « On trouve au moins une satisfaction philosophique à considérer le monde comme une entité qui évolue, avec une lenteur infinie, d'une répartition primitive uniforme jusqu'à un équilibre instable. » Eddington soutenait également que sa version des faits pouvait rendre compte d'un phénomène émergeant à partir de rien. Il avait recours, pour ce faire, à une curieuse logique. Il commençait son raisonnement en soutenant que l'univers avait toujours existé, et que si l'on remontait assez loin dans le temps, on découvrirait un univers parfaitement lisse et compact. Ensuite, Eddington affirmait qu'un tel univers équivalait à rien du tout : « À mon sens, l'identité indifférenciée et le néant ne peuvent être distingués philosophiquement. » La plus petite fluctuation imaginable dans l'univers (l'équivalent d'un seul flocon de neige déclenchant une avalanche) aurait alors brisé la symétrie du cosmos et abouti à une chaîne de phénomènes dont l'aboutissement aurait été la pleine expansion à laquelle nous assistons aujourd'hui.

En 1933, Eddington écrivit un ouvrage de vulgarisation intitulé *L'univers en expansion*, qui visait à exposer les conceptions les plus récentes en cosmologie en cent vingt-six pages seulement. Il y traitait de la relativité générale, des observations de Hubble, de l'atome primitif de Lemaître et de ses propres idées, conservant à l'ensemble une touche de fantaisie. Ainsi, comme toutes les galaxies s'éloignent, Eddington pressait les astronomes de construire rapidement de meilleurs télescopes avant qu'on ne puisse plus les voir ! Dans un autre aparté ironique, Eddington retournait les observations de Hubble : « Tout changement est relatif. L'univers est en expansion par rapport à nos normes matérielles communes. Celles-ci rétrécissent relativement à la taille de l'univers. La théorie de "l'univers en expansion" pourrait aussi bien être appelée théorie de "l'atome qui rétrécit"... Au fond, cette idée n'est-elle pas encore un exemple de distorsion égocentrique des faits par l'homme ? C'est pourtant bien l'univers qui devrait être la norme et c'est par rapport à lui qu'il nous faut mesurer nos propres vicissitudes. »

Plus sérieusement, Eddington donnait un honnête résumé de l'état du modèle du Big Bang. Il soulignait qu'il y avait d'importantes raisons théoriques, et des preuves matérielles éloquentes, en faveur d'un moment de création, mais également que beaucoup de travail restait à faire avant de pouvoir accepter sans réserves le modèle du Big Bang. D'après lui, les décalages vers le rouge de Hubble étaient « des fils d'Ariane trop ténus pour y accrocher des conclusions de grande portée ». Il était clair que la charge de la preuve reposait sur les partisans de cette théorie, et il les invitait à rechercher d'autres éléments pour étayer leur position.

Bien que les autorités scientifiques reconnues se soient toujours tenues à cette vue traditionnelle d'un univers éternel et largement statique, les tenants du Big Bang se préparaient à la bataille qui s'annonçait, soutenus dans une certaine mesure par la conscience d'être désormais en position de débattre dans de bonnes conditions avec les conservateurs. La cosmologie n'était plus dominée par le mythe, la religion et le dogme. Elle était moins sensible aux modes ou à l'effet d'entraînement de telle ou telle personnalité, car la puissance des télescopes du XXe siècle recelait la promesse d'observations susceptibles d'étayer une théorie et d'en détruire une autre.

Eddington lui-même était optimiste, et pensait que l'une ou l'autre des différentes versions du modèle du Big Bang finirait par triompher. Vers la fin de son livre, il donnait une image simple, mais irrésistible, pour illustrer l'état du modèle du Big Bang au début des années 1930 :

> Dans quelle mesure faut-il adhérer à cette histoire ? La science possède ses salons et ses ateliers. Le public d'aujourd'hui, avec raison ce me semble, ne se contente plus d'admirer les vitrines où l'on expose les produits éprouvés ; il veut voir ce qui se passe dans les ateliers. Vous êtes bienvenus, mais ne jugez pas ce que vous voyez comme si vous étiez dans le salon. Nous avons arpenté un atelier dans le sous-sol du bâtiment de la science. La lumière y est faible, et l'on trébuche parfois. On y voit un désordre que nous n'avons pas encore pu ranger. Les ouvriers et leurs machines sont plongés dans l'obscurité. Mais je crois que quelque chose prend forme ici. Peut-être quelque chose d'assez important. Je ne sais pas encore à quoi cela ressemblera une fois terminé et prêt à être mis au salon.

De l'échelle du cosmos à celle de l'atome

Pour que le modèle du Big Bang soit accepté, il fallait répondre à une question apparemment inoffensive, mais incontournable : pourquoi certaines substances sont-elles plus répandues que d'autres ? Si nous procédons à une sorte de dosage de notre propre planète, nous trouvons que le noyau de la Terre est constitué de fer, que sa croûte est dominée par l'oxygène, le silicium, l'aluminium et le fer, que les océans sont pour une grande part faits d'hydrogène et d'oxygène (à savoir d'H_2O, l'eau), et que l'atmosphère contient surtout de l'azote et de l'oxygène. Si l'on s'aventure un peu plus loin, on trouve que cette répartition n'a rien de typique à l'échelle cosmique. En employant la spectrométrie pour étudier la lumière provenant des étoiles, les astronomes se rendirent compte que l'hydrogène était l'élément le plus abondant dans l'univers. Cette conclusion fut célébrée par une variation sur une célèbre comptine :

> Brille, étoile nyctalope,
> J'ai tout vu dedans tes gènes ;
> Car d'après mon spectroscope,
> Tu es faite d'hydrogène ;
> Brille, étoile nyctalope,
> J'ai tout vu dedans tes gènes.

Le second élément en abondance dans l'univers est l'hélium, et à eux deux l'hydrogène et l'hélium dominent de très loin. Ce sont également les plus petits et les plus légers des éléments. Le astronomes durent admettre que l'univers est surtout constitué de petits atomes, plutôt que d'atomes de grande taille. Cette tendance s'observe bien dans la liste suivante, où les éléments sont classés par ordre d'abondance cosmique, sur la base de mesures récentes (qui ne sont pas très éloignées des estimations des années 1930) :

Elément	Abondance relative (en nombre d'atomes)
Hydrogène	10 000
Hélium	1 000
Oxygène	6

Carbone	1
Autres atomes	< 1

Autrement dit, l'hydrogène et l'hélium à eux deux représentent environ 99,9 % de tous les atomes de l'univers. Il semble que les deux éléments les plus légers sont extrêmement abondants. Ensuite, le groupe suivant, constitué d'atomes de poids moyen, est beaucoup moins fréquent, et enfin les atomes les plus lourds comme l'or et le platine sont en effet extrêmement rares.

Les scientifiques commencèrent à se demander la raison de ces très grandes différences d'abondance cosmique entre les éléments légers et les éléments lourds. Les partisans du modèle d'univers éternel étaient incapables de donner une réponse claire. Leur position de repli était que l'univers avait toujours contenu les éléments selon leurs proportions actuelles, et que ce serait toujours le cas. La gamme de fréquences était simplement une propriété inhérente à l'univers. Cette réponse n'était pas très satisfaisante, mais elle était cohérente, dans une certaine mesure.

Cependant, le mystère de cette répartition posait davantage problème aux partisans du Big Bang. Si l'univers avait évolué à partir d'un moment de création, pourquoi l'avait-il fait de manière à produire de l'hydrogène et de l'hélium plutôt que de l'or et du platine ? Qu'y avait-il dans le processus de création qui donnait la préférence à des éléments légers par rapport à des éléments lourds ? Quelle que fût l'explication, les partisans du Big Bang devaient la trouver, et montrer qu'elle était compatible avec leur théorie. Tout système cosmologique raisonnable devait expliquer avec précision comment l'univers peut être tel qu'il est aujourd'hui. Sinon, il serait considéré comme en défaut.

Pour résoudre ce problème, il allait falloir adopter une méthode très différente des recherches antérieures sur le sujet. Dans le passé, les cosmologistes s'étaient intéressés aux objets très grands. Ainsi, ils avaient étudié l'univers en faisant appel à la relativité générale, théorie qui décrivait la force de gravité s'exerçant à distance entre des corps célestes géants. De plus, ils utilisaient des télescopes géants pour observer de très grandes galaxies qui se trouvaient très éloignées. Mais pour s'attaquer au problème de la répartition des éléments dans le cosmos, les chercheurs auraient besoin de nouvelles théories et de nouveaux appareils qui leur permettraient de décrire et de sonder l'infiniment petit.

Avant d'aborder cette partie de l'histoire du Big Bang, il faut revenir un peu en arrière et examiner l'évolution des idées modernes sur l'atome. Les lignes qui suivent parlent des spécialistes qui établirent les fondations de la physique atomique, et dont les travaux permirent aux partisans du Big Bang d'examiner pourquoi l'univers est rempli d'hydrogène et d'hélium.

Lorsque la radioactivité fut découverte en 1896, ce phénomène intrigua les chimistes et les physiciens, et fit décoller les recherches sur l'atome. Il apparut que certains, parmi les plus lourds, comme l'uranium, sont radioactifs, ce qui signifie qu'ils sont capables d'émettre spontanément de l'énergie, quelquefois en très grandes quantités, sous forme de rayonnement. Pendant un certain temps, personne ne comprit ce qu'était ce rayonnement, ni à quoi il était dû.

Marie et Pierre Curie étaient à la pointe de la recherche sur la radioactivité. Ils découvrirent de nouveaux éléments radioactifs, y compris, en 1898, le radium, qui est un million de fois plus radioactif que l'uranium. Les émissions radioactives du radium finissent par être absorbées par ce qui les entoure, quelle qu'en soit la nature, et l'énergie est transformée en une grande quantité de chaleur. C'est pourquoi le radium est une source d'énergie phénoménale. En fait, un kilogramme de radium produit suffisamment d'énergie pour faire bouillir un litre d'eau en une demi-heure et, ce qui est encore plus impressionnant, la radioactivité continue presque sans diminuer. Par conséquent un seul kilogramme pourrait continuer à faire bouillir un nouveau litre d'eau toutes les trente minutes pendant plusieurs milliers d'années. Bien que le radium libère son énergie très lentement par comparaison avec un explosif, il contient un million de fois plus d'énergie qu'un poids équivalent de dynamite.

Personne ne se rendait compte des dangers que comportait la radioactivité, et pendant de nombreuses années, les substances telles que le radium furent considérées avec un optimiste naïf. Sabin von Sochocky, de l'US Radium Corporation, prédit même que le radium serait utilisé comme source d'énergie domestique : « Sans aucun doute, le temps viendra où l'on aura dans sa propre maison une pièce entièrement éclairée par le radium. La lumière émise par une peinture au radium sur les murs et le plafond aurait la couleur et le ton d'un doux clair de lune. »

Les Curie souffrirent l'un et l'autre de lésions, mais cela ne les empêcha pas de poursuivre leurs recherches. Leurs carnets devinrent si radioactifs au bout de plusieurs années d'exposition au radium qu'on est obligé aujourd'hui de les conserver dans une boîte revêtue de plomb. Les mains de Marie furent si souvent couvertes de poussière de radium que ses doigts ont laissé d'invisibles traces radioactives sur les pages de ses cahiers, et l'on peut même recueillir des empreintes digitales en glissant une pellicule photographique entre les pages. Marie finit par mourir de leucémie.

Sous de nombreux aspects, les sacrifices endurés par les Curie dans leur petit laboratoire parisien permirent de mettre en évidence le gigantesque défaut de compréhension de ce qui se passait à l'intérieur de l'atome. Les savants semblaient reculer dans l'ordre du savoir : quelques dizaines d'années auparavant seulement, ils avaient prétendu comprendre entièrement quels étaient les constituants de la matière, grâce à la classification périodique des éléments. En 1869, le chimiste russe Dimitri Mendeleïev avait dressé un tableau énumérant tous les éléments alors connus, de l'hydrogène à l'uranium. En combinant les atomes de différents éléments selon divers rapports, il était possible de construire des molécules et d'expliquer la structure de n'importe quel matériau sous le Soleil, dans le Soleil et au-delà du Soleil. Ainsi, deux atomes d'hydrogène combinés à un atome d'oxygène constituaient une molécule d'eau, H_2O. Ceci même n'était pas remis en question, mais les Curie montrèrent qu'une source d'énergie puissante était cachée dans certains atomes, et la classification périodique ne pouvait expliquer ce phénomène. Personne n'avait la moindre idée de ce qui se passait réellement à l'intérieur de l'atome. Les savants du XIXe siècle avaient représenté les atomes comme de simples sphères, mais il devait y avoir quelque chose de plus complexe dans la structure atomique pour expliquer la radioactivité.

L'un des physiciens qui se penchèrent sur ce problème fut un Néo-Zélandais, Ernest Rutherford. Ses collègues et ses étudiants l'appréciaient beaucoup, mais on le savait également brusque et autoritaire, arrogant, coléreux et enclin à étaler sa morgue. Selon Rutherford, la seule science importante était la physique. Selon lui, elle offrait une compréhension profonde

1																	2
H																	He
3	4											5	6	7	8	9	10
Li	Be											B	C	N	O	F	Ne
11	12											13	14	15	16	17	18
Na	Mg											Al	Si	P	S	Cl	Ar
19	20	21	22	23	24	25	26	27	28	29	30	31	32	33	34	35	36
K	Ca	Sc	Ti	V	Cr	Mn	Fe	Co	Ni	Cu	Zn	Ga	Ge	As	Se	Br	Kr
37	38	39	40	41	42	43	44	45	46	47	48	49	50	51	52	53	54
Rb	Sr	Y	Zr	Nb	Mo	Tc	Ru	Rh	Pd	Ag	Cd	In	Sn	Sb	Te	I	Xe
55	56	57	72	73	74	75	76	77	78	79	80	81	82	83	84	85	86
Cs	Ba	La	Hf	Ta	W	Re	Os	Ir	Pt	Au	Hg	Tl	Pb	Bi	Po	At	Rn
87	88	89	104	105	106	107	108	109	110								
Fr	Ra	Ac	Rf	Db	Sg	Bh	Hs	Mt	Uun								

58	59	60	61	62	63	64	65	66	67	68	69	70	71
Ce	Pr	Nd	Pm	Sm	Eu	Gd	Tb	Dy	Ho	Er	Tm	Yb	Lu
90	91	92	93	94	95	96	97	98	99	100	101	102	103
Th	Pa	U	Np	Pu	Am	Cm	Bk	Cf	Es	Fm	Md	No	Lr

Figure 67 La classification périodique est une liste de tous les éléments chimiques, les constituants de la matière. Il aurait été possible de les disposer en une seule ligne, du plus léger au plus lourd (1 hydrogène, 2 hélium, 3 lithium, 4 béryllium, etc.), mais cette disposition est beaucoup plus éclairante. Le tableau périodique regroupe les éléments de manière à refléter les propriétés qu'ils ont en commun. Ainsi, dans la disposition standard présentée ici, la colonne à l'extrême droite contient ce qu'on appelle les gaz rares (hélium, néon, etc.) dont les atomes réagissent très rarement avec d'autres atomes pour former des molécules. Bien qu'utile à comprendre les réactions chimiques et la formation des molécules, le tableau périodique n'offrait aucun éclairage sur la cause de la radioactivité.

et significative de l'univers, tandis que toutes les autres sciences se préoccupaient simplement de mesurer et de cataloguer. On l'entendit dire un jour que « toute science est soit physique, soit collection de timbres ». Cette remarque cinglante lui revint à la figure lorsque le comité Nobel lui attribua le prix de chimie en 1908.

Au début des années 1900, au moment où Rutherford commença ses recherches, l'image de l'atome était un peu plus complexe que la sphère simple, non structurée, qu'entrevoyait le XIXe siècle. Les atomes étaient désormais considérés comme contenant deux ingrédients, une matière chargée positivement et une matière chargée négativement. Les charges opposées s'attirent, raison pour laquelle ces matières restaient liées entre elles au sein de l'atome. Puis, en 1904, J.J. Thomson, l'éminent physicien de Cambridge, proposa un perfectionnement qui devint connu sous le nom de modèle du plum-pudding, dans lequel les atomes étaient constitués d'un certain nombre de particules négatives enrobées dans un matériau positivement chargé, ressemblant à un beignet, comme on le voit sur la Figure 69.

L'une des formes de radioactivité comportait l'émission de rayonnement alpha, qui semblait être constitué de particules positivement chargées, appelées particules alpha. On pouvait sans doute expliquer ce phénomène en disant que les atomes crachaient des morceaux de pâte positive. Afin de vérifier cette hypothèse, ainsi que l'ensemble du modèle du plum-pudding, Rutherford décida d'observer ce qui se passerait s'il prenait les particules alpha émises par un ensemble d'atomes et les injec-

Figure 68 Ce portrait d'Ernest Rutherford fut exécuté lorsqu'il était âgé de trente-huit ans. Rutherford méprisait les chimistes, ce qui était courant parmi les physiciens. Wolfgang Pauli, prix Nobel de physique, se mit en colère lorsque sa femme le quitta pour un chimiste : « Si elle avait pris un toréador, j'aurais compris, mais un simple chimiste... » L'autre photographie montre Rutherford plus âgé avec son collègue John Ratcliffe au laboratoire Cavendish. On raconte que le panneau « SILENCE » figurant au-dessus d'eux s'adressait à Rutherford, qui adorait chanter « Onward Christian Soldier » à tue-tête, perturbant les appareils de mesure sensibles du laboratoire.

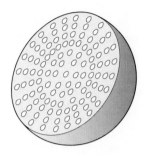

Figure 69 J.J. Thomson envisageait l'atome avec son modèle de plum-pudding, dans lequel chaque atome consistait en un certain nombre de particules négatives (les prunes) enrobées dans une pâte positivement chargée (le pudding). Un atome d'hydrogène léger aurait une particule négative enrobée dans une faible quantité de pâte positive, tandis qu'un atome d'or lourd comporterait de nombreuses particules négatives enrobées dans une plus grande quantité de pâte positive.

tait dans un autre ensemble d'atomes. Autrement dit, il voulait utiliser les particules alpha pour sonder l'atome.

En 1909, Rutherford fit faire l'expérience par deux jeunes physiciens, Hans Geiger et Ernest Marsden. Geiger devait plus tard devenir célèbre pour son invention d'un détecteur de radiations, le compteur Geiger, mais à ce moment-là, les deux coéquipiers durent se contenter d'appareils très primitifs. La seule façon de détecter la présence de particules alpha était de mettre un écran fait de sulfure de zinc à l'endroit où les particules alpha étaient supposées arriver. Les particules alpha émettraient un léger éclair de lumière en frappant le sulfure de zinc, mais pour voir cet éclair, il faudrait un microscope, et une trentaine de minutes pour que la vision de Geiger et Marsden s'adapte à l'obscurité.

L'élément-clé de l'expérience était un échantillon de radium qui émettait des particules alpha dans toutes les directions. Geiger et Marsden entourèrent le radium d'un écran de plomb dans lequel était ménagée une étroite fente transformant la décharge en un faisceau bien réglé de particules alpha. Ensuite, ils placèrent une feuille d'or dans la ligne de feu pour voir ce qui se passerait lorsque les particules alpha frapperaient les atomes d'or, comme on le voit dans la Figure 70. Les particules alpha sont positivement chargées, et les atomes sont un mélange de charges négatives et positives. Les charges de même sens se repoussent, tandis que les charges de sens contraire s'attirent. Par conséquent, Geiger et Marsden espéraient que l'interaction entre les particules alpha et les atomes d'or révélerait quelque chose de la répartition des charges au sein des atomes d'or. Ainsi, si les atomes d'or étaient vraiment constitués de particules négatives réparties dans une pâte positive, alors les particules alpha ne seraient que légèrement déviées, car elles rencontreraient un mélange de charges régulièrement réparties. Naturellement, lorsque Geiger et Marsden mirent leur écran de sulfure de zinc de l'autre côté de la feuille, directement en face de l'échantillon de radium, ils n'observèrent qu'une déviation minimum du trajet des particules alpha.

Rutherford demanda alors qu'on déplace le détecteur du même côté de la feuille que la source de radium, « simplement pour voir ». L'idée était de rechercher les particules alpha qui auraient pu rebondir de la feuille d'or. Si Thomson avait raison, on ne détecterait rien, car son mélange de charges dans l'atome, à la manière d'un plum-pudding, ne devait pas avoir d'effet tellement spectaculaire sur une particule alpha incidente. Pourtant, Geiger et Marsden furent stupéfaits par ce qu'ils virent. Ils détectèrent bien des particules alpha qui semblaient issues des atomes d'or par effet de recul. Il n'y avait qu'une seule particule alpha sur huit mille pour rebondir, mais c'était davantage que ne le prévoyait le modèle de Thomson. Le résultat de l'expérience semblait contredire le modèle du plum-pudding.

Pour un profane, il pouvait s'agir simplement d'une expérience de plus, donnant des résultats plutôt inattendus. Mais pour Rutherford, qui avait acquis une compréhension profonde et viscérale de la structure supposée de l'atome, ce fut un choc complet. « Ce fut véritablement la chose la plus incroyable qui me soit jamais arrivée. C'était stupéfiant, un peu comme si on lançait un obus de 380 sur un morceau de papier de soie et qu'il vous revienne à la figure. »

Le résultat semblait impossible, et c'était bien le cas – dans un univers d'atomes en plum-pudding. L'expérience obligea Rutherford à abandonner la théorie de Thomson et à construire un modèle d'atome entièrement nouveau, capable de rendre compte du rebondissement des particules alpha. Il prit le problème à bras-le-corps, et finit par proposer une structure atomique qui avait l'air de tenir debout. Le modèle de Rutherford,

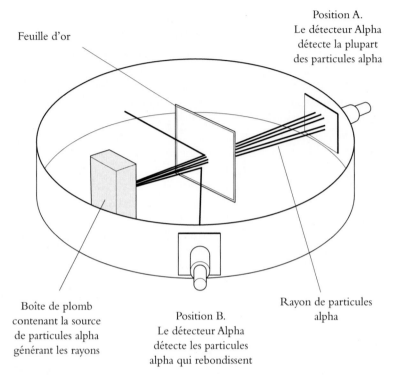

Position A.
Le détecteur Alpha
détecte la plupart
des particules alpha

Feuille d'or

Boîte de plomb
contenant la source
de particules alpha
générant les rayons

Position B.
Le détecteur Alpha
détecte les particules
alpha qui rebondissent

Rayon de particules
alpha

Figure 70 Rutherford demanda à ses collègues, Hans Geiger et Ernest Marsden, d'étudier la structure de l'atome en utilisant des particules alpha. Leur expérience faisait appel à un échantillon de radium comme source de particules alpha. Une fente dans un écran de plomb entourant l'échantillon dirigeait un faisceau de particules alpha sur une feuille d'or, et l'on pouvait déplacer un détecteur d'alpha autour de la feuille pour suivre la déviation des particules alpha. La grande majorité des particules transperçaient la feuille avec peu ou pas de déviation et frappaient le détecteur en position A. Ceci est en accord avec le modèle du plum-pudding, où les particules négatives sont dispersées dans une pâte positive. Cependant, dans certains cas, les particules rebondissaient d'une manière tout à fait surprenante, et étaient repérées par le détecteur lorsqu'il était déplacé en position B. Ceci inspira à Rutherford un nouveau modèle de l'atome.

perfectionné ensuite par Niels Bohr, parrain de la théorie des quanta, est une représentation de l'atome qui est toujours largement valable.

Le modèle de Rutherford concentrait toute la charge positive dans des particules dites *protons*, qui à leur tour étaient concentrées au centre de l'atome, dans ce qu'on appelait le *noyau*. Les particules négativement chargées, appelées *électrons*, tournaient autour du noyau, et étaient liées à l'atome par la force d'attraction entre leur charge négative et les charges positives au sein du noyau, comme on le voit sur la Figure 71. Ce modèle fut quelquefois appelé modèle planétaire de l'atome, car les électrons étaient en orbite autour du noyau tout comme les planètes le sont autour du Soleil. Chaque atome contenait le même nombre d'électrons et de protons, et comme les électrons et les protons ont des charges égales et opposées, l'atome de Rutherford avait une charge globale nulle, c'est-à-dire qu'il était neutre.

Le nombre de protons et d'électrons est crucial, car il définit le type d'atome, et c'est ce nombre qui apparaît à côté de chaque atome dans la classification périodique (Figure 67, p. 282). L'hydrogène est catalogué avec le numéro atomique 1, car ses atomes ont un électron et un proton ; l'hélium a le numéro atomique 2, parce que ses atomes ont deux électrons et deux protons, etc.

Rutherford soupçonnait que le noyau contenait également une sorte de particule non chargée, et la suite des événements devait prouver qu'il avait raison. Le *neutron* a presque la même masse que le proton, mais n'a pas de charge. Le nombre de neutrons dans le noyau peut varier, mais tant que le nombre de protons – le numéro atomique – d'un atome reste le même, il s'agit toujours d'un atome du même type d'élément. Ainsi, la plupart des atomes d'hydrogène n'ont pas de neutron, mais certains possèdent un ou deux neutrons, et sont appelés deutérium et tritium, respectivement. L'hydrogène simple, le deutérium et le tritium sont tous des formes d'hydrogène parce qu'ils contiennent tous un proton et un électron ; ils sont connus sous le nom d'isotopes de l'hydrogène.

Bien que la taille des atomes varie selon le nombre de protons, de neutrons et d'électrons qu'ils possèdent, ils ont tous un diamètre inférieur à un milliardième de mètre. Cependant, l'expérience de diffusion de Rutherford suggérait que le noyau atomique a un diamètre qui est encore 100 000 fois plus petit. En termes de volume d'un atome, le noyau représente tout juste $(1/100\,000)^3$, soit $1/1\,000\,000\,000\,000\,000$ de la totalité de l'atome. C'est là un résultat extraordinaire : les atomes, qui représentent tout ce qui est solide et tangible dans le monde qui nous entoure, sont constitués presque entièrement d'espace vide. Si l'on agrandissait un seul atome d'hydrogène pour

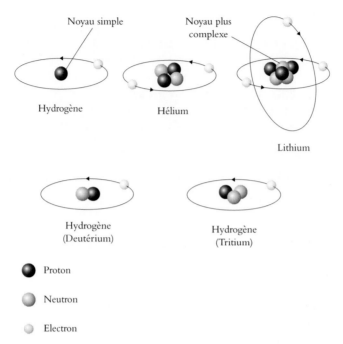

Figure 71 Dans le modèle de l'atome de Rutherford, les protons positivement chargés sont concentrés dans un noyau central, entouré par les électrons négativement chargés en orbite autour de lui. Les diagrammes présentés ne sont pas à l'échelle, car le diamètre du noyau est environ 100 000 fois plus petit que le diamètre de l'atome. La plus grande partie de celui-ci est donc constituée de vide.

Le nombre de protons est égal au nombre d'électrons, et ce nombre (le numéro atomique) est le même pour tous les atomes d'un élément donné, et détermine sa position dans la classification périodique (Figure 67). Les atomes d'hydrogène sont composés d'un électron et d'un proton, les atomes d'hélium ont deux électrons et deux protons, les atomes de lithium trois électrons et trois protons, etc.

Le nombre de neutrons dans le noyau peut varier, mais tant que le nombre de protons reste le même, l'atome est toujours considéré comme étant un atome du même élément chimique. Par exemple, la plupart des atomes d'hydrogène ne comportent pas de neutron, mais certains ont un ou deux neutrons. On les appelle deutérium et tritium, respectivement. L'hydrogène simple, le deutérium et le tritium sont tous des formes de l'hydrogène, car ils contiennent tous un proton et un électron. On les appelle des isotopes de l'hydrogène.

remplir entièrement une grande salle de concert ou de théâtre, comme la Comédie des Champs-Elysées à Paris, le noyau aurait la taille d'une puce, perdue au milieu du vide. Pourtant, il écraserait de sa taille l'électron, encore beaucoup plus petit, qui volèterait autour de lui. En outre, le proton et le neutron, qui l'un et l'autre résident dans un noyau infiniment petit, pèsent chacun presque 2 000 fois plus que l'électron, si bien qu'au moins 99,95 % de la masse de l'atome est concentrée dans 0,0000000000001 % de son volume.

Ce modèle atomique révisé fournissait une explication parfaite des résultats de l'expérience de Rutherford. Puisque la plus grande partie de l'atome est faite d'espace vide, la très grande majorité des particules alpha pouvaient passer à travers la feuille d'or avec tout au plus une déviation mineure. Cependant, une faible proportion des particules alpha positivement chargées entraient en collision frontale avec la dense concentration de charge positive dans les noyaux atomiques, et ceci produisait un rebond spectaculaire. La Figure 72 illustre ces deux formes d'interaction. Initialement, les résultats de l'expérience de Rutherford avaient heurté le sens commun, mais, avec ce modèle révisé, tout semblait évident. Comme le dit un jour Rutherford : « La physique tout entière est soit inconcevable, soit triviale. Elle est inconcevable jusqu'à ce qu'on la comprenne, et puis elle devient triviale. »

Il ne restait qu'une question à résoudre : on n'avait toujours pas de preuve de l'existence du neutron de Rutherford. Cette pièce manquante du puzzle atomique se révélait difficile à détecter parce qu'elle était électriquement neutre, contrairement au proton positivement chargé et à l'électron négativement chargé. James Chadwick, un des disciples de Rutherford, s'attaqua au problème. Il devint tellement obsédé par la science toute nouvelle qu'était la physique nucléaire qu'il poursuivit même ses recherches pendant ses quatre années de captivité en Allemagne pendant la Première Guerre mondiale. Il savait qu'une certaine marque de dentifrice contenait du thorium radioactif (on pensait que cela faisait briller les dents), et il réussit à en subtiliser à ses gardiens afin de pouvoir faire des expériences.

Chadwick ne fit pas beaucoup de progrès avec ses expériences sur le dentifrice, mais il retourna au laboratoire après la guerre, travailla sans relâche pendant une dizaine d'années, et finit par découvrir l'ingrédient manquant de l'atome en

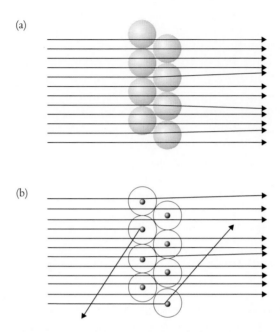

Figure 72 Les résultats de l'expérience de Geiger et Marsden montrè-rent qu'une faible proportion des particules alpha rebondissaient lorsqu'elles frappaient une feuille d'or. C'était un phénomène impos-sible à expliquer dans le contexte du modèle du plum-pudding de Thomson.

Le diagramme (a) montre une feuille d'or faite d'atomes en plum-pudding de Thomson. La pâte positive parsemée de particules « prunes » négatives possède une répartition de charge très régulière, si bien que les particules alpha positivement chargées sont à peine déviées.

Le diagramme (b) montre une feuille d'or faite d'atomes de Ruther-ford, qui expliquait parfaitement le rebondissement observé des par-ticules alpha. Dans le modèle de Rutherford, la charge positive était concentrée dans un noyau centralisé. La plus grande partie des parti-cules alpha reste non déviée, car presque tout l'atome est vide. Cependant, si une particule alpha passe au voisinage de la charge positive concentrée d'un noyau, elle est déviée de façon tout à fait prononcée.

1932. En fait, la porte ouverte que l'on voit à gauche dans la Figure 68 (p. 283) menait au laboratoire dans lequel James Chadwick découvrit le neutron.

Armés d'une bonne compréhension de la structure et des composants de l'atome, les physiciens pouvaient enfin expliquer la cause sous-jacente de la radioactivité qui avait été étudiée par Pierre et Marie Curie. Chaque noyau atomique était constitué de divers protons et neutrons, et ces ingrédients pouvaient être échangés pour transformer un noyau en un autre, transmutant ainsi un atome en un autre atome. C'était là le mécanisme qui se trouvait derrière la radioactivité.

Ainsi, les noyaux des atomes lourds, comme le radium, sont très grands. De fait, les noyaux de radium étudiés par les Curie contenaient 88 protons et 138 neutrons. Des noyaux aussi gros sont souvent instables et par conséquent susceptibles de se transformer en noyaux plus petits. Dans le cas du radium, le noyau éjecte une paire de protons et une paire de neutrons sous la forme d'une particule alpha (qui se trouve également être le noyau d'un atome d'hélium), se transformant ainsi en un noyau de radon constitué de 86 protons et de 136 neutrons, comme on le voit dans la Figure 73. Le processus par lequel un gros noyau se divise pour aboutir à des noyaux plus petits s'appelle une fission.

Bien que l'on associe généralement les réactions nucléaires à des noyaux très lourds, elles sont également possibles avec des noyaux très légers comme l'hydrogène. Il est possible de transformer des noyaux d'hydrogène et des neutrons en hélium en les fusionnant dans un processus appelé fusion. L'hydrogène est relativement stable, ce qui fait que ce processus ne se déroule pas spontanément, mais, sous des conditions adéquates de température et de pression élevées, l'hydrogène subit une fusion pour donner de l'hélium. Ce qui pousse l'hydrogène à réagir ainsi, c'est que l'hélium est encore plus stable que lui, et les noyaux ont toujours tendance à rechercher la plus grande stabilité possible.

En général, les atomes les plus stables sont ceux que l'on trouve au milieu de la classification périodique des éléments, comme le fer, et ce sont également ceux qui comportent des nombres moyens de protons et de neutrons dans leur noyau. Par conséquent, tandis que les plus grands des noyaux pourraient subir une fission, et les plus petits une fusion, la grande majorité des noyaux de taille moyenne sont parfaitement stables.

Bien que ceci explique comment fonctionnent les réactions nucléaires, et pourquoi le radium est radioactif (et non le fer), cela n'explique pas pourquoi les Curie avaient détecté des quantités d'énergie aussi énormes lorsque le radium subissait

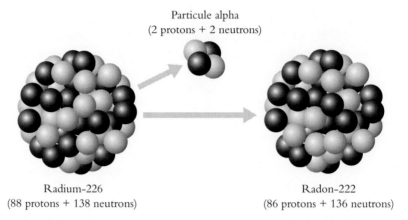

Particule alpha
(2 protons + 2 neutrons)

Radium-226   Radon-222
(88 protons + 138 neutrons)   (86 protons + 136 neutrons)

Figure 73 Il existe divers isotopes du radium, mais ce noyau particulier est le plus courant de tous. Il est appelé radium-226, car il consiste en 88 protons et 138 neutrons, ce qui fait un total de 226 nucléons. Le noyau de radium est grand et donc très instable, si bien qu'il subit une fission et éjecte deux neutrons et deux protons sous la forme d'une particule alpha, se transformant en un noyau de radon plus petit, qui lui-même est assez instable.

une fission. Les réactions nucléaires sont connues pour la quantité d'énergie qu'elles libèrent, mais d'où tout cela vient-il ?

La réponse est donnée par la théorie de la relativité restreinte d'Einstein, dont un aspect précis n'a pas été abordé au chapitre 2. Lorsque Einstein avait analysé la vitesse de la lumière et ses implications pour l'espace-temps, il avait également trouvé la plus célèbre équation de la physique, à savoir $E = mc^2$. En gros, cela signifie que l'énergie (E) et la masse (m) sont équivalentes et peuvent être transformées l'une dans l'autre avec un facteur de conversion c^2, où c est la vitesse de la lumière. La vitesse de la lumière est de 3×10^8 m/s, donc c^2 est égal à 9×10^{16} (m/s)^2, ce qui signifie qu'une très faible quantité de masse peut être transformée en une gigantesque quantité d'énergie.

Et, de fait, l'énergie libérée au cours des réactions nucléaires vient directement de la conversion de très faibles quantités de masse en énergie. Lorsqu'un noyau de radium est transformé en un noyau de radon et une particule alpha, la masse combinée des produits est inférieure à la masse du noyau de radium. La perte de masse n'est que de 0,0023 %, et donc 1 kg de radium serait transformé en 0,999977 kg de radon et de particules alpha. Bien que la perte de masse soit très faible, le facteur de conversion (c^2) est gigantesque, si bien que les 0,000023 kg qui manquent sont transformés en plus de 2×10^{12} joules d'énergie, ce qui équivaut à l'énergie de plus de 400 tonnes de TNT. L'énergie est libérée dans la fusion exactement de la même manière, sauf que la quantité d'énergie libérée est généralement encore plus grande. Une bombe à fusion à hydrogène est beaucoup plus dévastatrice qu'une bombe à fission au plutonium.

Nous n'avons pas parlé d'astronomie ni de cosmologie depuis quelque temps, mais il est important de prendre en compte les progrès de la physique atomique et nucléaire intervenus au début de xxe siècle, car ils étaient destinés à jouer un rôle crucial pour tester la théorie du Big Bang. Le modèle nucléaire de l'atome de Rutherford et la compréhension des réactions nucléaires (fission et fusion) qui s'en déduisait fournirent le cadre d'une nouvelle méthode d'étude du ciel. Avant de revenir à notre sujet principal, récapitulons les principaux points relevant de la physique nucléaire :

1. Les atomes sont composés d'électrons, de protons et de neutrons.
2. Les électrons tournent autour du noyau atomique, qui contient des protons et des neutrons.
3. Les très grands noyaux sont souvent instables et peuvent se diviser (fission).
4. Les très petits noyaux sont plus stables, mais on peut parfois les pousser à se réunir (fusion).
5. Dans la fission et la fusion, les noyaux pèsent généralement à l'arrivée moins que les noyaux initiaux.
6. Conformément à l'équation $E = mc^2$, cette diminution de masse aboutit à une libération d'énergie.
7. Les noyaux de taille moyenne sont plus stables et subissent rarement des réactions nucléaires.
8. Même les noyaux très légers ou très lourds ont quelquefois besoin d'énergies et de pressions élevées avant de pouvoir subir une fusion ou une fission.

L'un des premiers savants à faire la liaison entre ces règles de la physique nucléaire et l'astronomie fut un physicien courageux, homme de principes, du nom de Fritz Houtermans, bien connu pour son charme et son esprit. Ce fut peut-être le seul physicien dont les bons mots ont été réunis et publiés dans une brochure de quarante pages. La mère d'Houtermans était à moitié juive, et il répondait aux attaques antisémites en répliquant : « Lorsque vos ancêtres vivaient encore dans les arbres, les miens falsifiaient déjà des chèques ! »

Houtermans naquit en 1903 à Zoppot, près du port, alors allemand, de Dantzig, sur la mer Baltique, qui est aujourd'hui la ville polonaise de Gdansk. Ses parents déménagèrent à Vienne, où Houtermans passa son enfance, avant de revenir en Allemagne étudier la physique à Göttingen dans les années 1920, où il obtint ensuite un poste de chercheur. Travaillant au côté du savant britannique Robert d'Escourt Atkinson, il se passionna pour l'idée selon laquelle on pouvait expliquer, grâce à la physique nucléaire, d'où le Soleil et les autres étoiles tiraient leur énergie.

On savait que le Soleil était constitué principalement d'hydrogène et en partie d'hélium. Il semblait donc naturel de supposer que l'énergie produite par le Soleil était le résultat de réactions nucléaires dans lesquelles l'hydrogène subissait une fusion pour donner de l'hélium. Personne n'avait observé de fusion nucléaire sur terre, et les détails d'un tel mécanisme étaient donc incertains. Mais on savait que si l'on pouvait, d'une manière ou d'une autre, transformer l'hydrogène en hélium, il y aurait une perte de 0,7 % de la masse : 1 kg d'hydrogène subirait une fusion donnant 0,993 kg d'hélium, ce qui équivaudrait à une perte de masse de 0,007 kg. Encore une fois, cette perte de masse peut sembler faible, mais la formule d'Einstein, $E = mc^2$, explique comment une perte de masse, même apparemment faible, peut fournir une énorme quantité d'énergie :

$$\text{Energie} = mc^2 = \text{masse} \times (\text{vitesse de la lumière})^2$$
$$= 0{,}007 \times (3 \times 10^8)^2 = 6{,}3 \times 10^{14} \text{ joules.}$$

Ainsi, en théorie, 1 kg d'hydrogène pouvait subir une fusion pour donner 0,993 kg d'hélium et produire $6{,}3 \times 10^{14}$ joules d'énergie, ce qui équivaut à l'énergie engendrée par la combustion de 100 000 tonnes de charbon.

La principale question qui tourmentait Houtermans était de savoir si les conditions qui régnaient dans le Soleil étaient suffisantes pour déclencher une fusion. On a vu comment nombre de réactions nucléaires ne peuvent se dérouler spontanément du fait qu'elles nécessitent un apport initial d'énergie pour amorcer la réaction. Dans le cas de la fusion de deux noyaux d'hydrogène, cette énergie est nécessaire pour surmonter une répulsion initiale. Un noyau d'hydrogène est un proton qui a une charge positive ; il repoussera donc un autre noyau d'hydrogène avec sa charge positive, car les charges de même sens se repoussent. Cependant, si les protons peuvent s'approcher suffisamment les uns des autres, la très grande force nucléaire d'attraction surmonte la répulsion et les assemble solidement pour former de l'hélium.

Houtermans calcula que la distance critique était de 10^{-15} mètres, c'est-à-dire un cent millième d'angström. Si deux noyaux d'hydrogène se dirigeant l'un vers l'autre pouvaient s'approcher d'aussi près, il se produirait une fusion. Houtermans et Atkinson étaient convaincus que la pression et la température au centre du Soleil étaient suffisamment grandes pour forcer les noyaux d'hydrogène à transgresser cette distance critique de 10^{-15} mètres, jusqu'à produire une fusion. Cela libérait suffisamment d'énergie pour maintenir la température et pousser à d'autres fusions. Les deux chercheurs publièrent leurs idées sur la fusion stellaire en 1929 dans la revue *Zeitschrift für Physik*.

Houtermans était persuadé qu'Atkinson et lui étaient en bonne voie d'expliquer pourquoi les étoiles brillent. Il était si fier de ses recherches qu'il ne put s'empêcher de s'en vanter auprès d'une jeune fille à qui il faisait la cour. Il raconta plus tard la conversation qui eut lieu au cours de la soirée qui suivit la fin de la rédaction de son article sur la fusion stellaire : « Ce soir-là, lorsque nous eûmes fini d'écrire notre article, je sortis me promener avec une jolie fille. Dès que la nuit tomba, et que les étoiles apparurent, l'une après l'autre, dans toute leur splendeur, ma compagne s'écria : "N'est-ce pas magnifique ?" Je me rengorgeai, et répondis avec orgueil : "Je sais depuis hier pourquoi elles brillent." » Cette déclaration produisit une grande impression sur la jeune fille en question, Charlotte Riefenstahl, qui finit par l'épouser.

Malheureusement, Houtermans ne put développer qu'une théorie partielle de la fusion stellaire. Même s'il était possible que le Soleil fasse fusionner deux noyaux d'hydrogène en un noyau d'hélium, il ne pouvait s'agir que d'un isotope très léger et instable de l'hélium. Pour avoir de l'hélium stable, il faut ajouter deux neutrons supplémentaires au noyau. Houtermans était sûr que le neutron existait, et qu'il existait bien dans le Soleil, mais il était encore à découvrir lorsqu'il publia son article de 1929 avec Atkinson. Houtermans était donc largement ignorant des propriétés du neutron et ne pouvait mener à bien ses calculs.

Lorsque le neutron finit par être découvert en 1932, Houtermans était idéalement placé pour compléter les détails de sa théorie, mais il y avait un obstacle politique. Il avait été membre du parti communiste, et craignit d'être victime des persécutions nazies. En 1933, il quitta l'Allemagne pour la Grande-Bretagne, dont il n'appréciait ni la culture, ni la nourriture. Il déclara qu'il ne pouvait tolérer l'odeur persistante du mouton bouilli, et qualifia l'Angleterre de « royaume des patates salées ». À la fin de 1934, il partit pour l'Union soviétique. Selon son biographe, Iosif Khriplovich, son émigration fut due « à l'idéalisme et à la cuisine anglaise ».

Les travaux d'Houtermans avancèrent bien, à l'Institut physico-technique d'Ukraine, jusqu'à ce que Staline décide d'une purge des milieux scientifiques. Bien qu'il ait fui le régime nazi, Houtermans fut soupçonné, de façon absurde, d'être un espion à la solde d'Hitler, et fut arrêté par le NKVD, la police secrète soviétique, en 1937. Pendant les trois années qui suivirent, il fut soit enfermé dans une étroite cellule avec plus d'une centaine d'autres prisonniers, soit mis à la question et pressé d'avouer il ne savait quelle faute. Il fut interrogé sans arrêt pendant onze jours, privé de sommeil et forcé de répondre. Il fut libéré au moment du pacte germano-soviétique en 1940, puis arrêté immédiatement par la Gestapo et encore une fois cuisiné. Il se trouvait dans la situation malheureuse et unique de pouvoir comparer les méthodes du NKVD avec celles de la Gestapo : « C'est le NKVD qui est le mieux organisé, dit-il plus tard. Lorsque j'étais interrogé par la Gestapo, l'examinateur tenait mon dossier ouvert devant lui, et je pouvais lire à l'envers. Le NKVD n'aurait jamais commis une telle bévue. »

Au cours de la détention d'Houtermans au milieu et à la fin des années 1930, d'autres physiciens reprirent ses idées sur la fusion stellaire, et calculèrent en détail les processus qui se déroulaient dans le Soleil. Le principal continuateur des recherches de Houtermans fut Hans Bethe, qui avait perdu son poste à l'université de Tübingen en 1933 parce que sa mère était juive. Il se réfugia tout d'abord en Grande-Bretagne, puis aux États-Unis, et finit directeur du département de physique théorique à Los Alamos, où était lancé le projet de bombe nucléaire.

Bethe découvrit deux façons viables de transformer l'hydrogène en hélium, qui étaient réalisables avec les températures et les pressions qui régnaient, pensait-on, à l'intérieur du Soleil. Selon la première, l'hydrogène standard (un proton) réagissait avec le deutérium, isotope plus rare et plus lourd de l'hydrogène (un proton et un neutron). Cette association formait un isotope relativement stable de l'hélium contenant deux protons et un neutron. Enfin, deux de ces noyaux d'hélium légers fusionnaient pour former un noyau d'hélium standard et stable, libérant deux noyaux d'hydrogène comme sous-produits. Ce processus est représenté dans la Figure 74.

L'autre voie proposée pour transformer l'hydrogène en hélium utilisait un noyau de carbone pour piéger des noyaux d'hydrogène. Le Soleil contient une faible quantité de carbone, et chaque noyau de carbone pouvait capturer et avaler les noyaux d'hydrogène un par un, se transformant en noyaux de plus en plus lourds. Finalement, le noyau de carbone transformé deviendrait instable, ce qui lui ferait éjecter un noyau d'hélium et se retransformer en un noyau de carbone stable, après quoi le processus recommencerait depuis le début. Autrement dit, le noyau de carbone joue le rôle d'une usine, utilisant les noyaux d'hydrogène comme matière première et produisant des noyaux d'hélium.

Ces deux voies de réaction nucléaire étaient, au début, de pure spéculation, mais d'autres physiciens vérifièrent les équations et confirmèrent que les réactions nucléaires étaient viables. À la même époque, les astronomes acquirent de plus en plus la certitude que les paramètres physiques internes au Soleil étaient suffisamment intenses pour amorcer les réactions nucléaires. Vers les années 1940, il devint clair que les deux réactions nucléaires proposées par Bethe se déroulaient dans le Soleil et étaient à l'origine de sa production d'énergie. Les astrophysiciens purent confirmer que le Soleil transforme à chaque seconde 584 millions de tonnes d'hydrogène en 580 millions de tonnes d'hélium, la masse manquante se retrouvant sous forme d'énergie solaire. En dépit de cette vitesse de consommation massive, le Soleil continuera à produire de l'énergie pendant plusieurs milliards d'années, car il contient actuellement quelque 2×10^{27} tonnes d'hydrogène.

La physique nucléaire avait prouvé qu'elle pouvait apporter

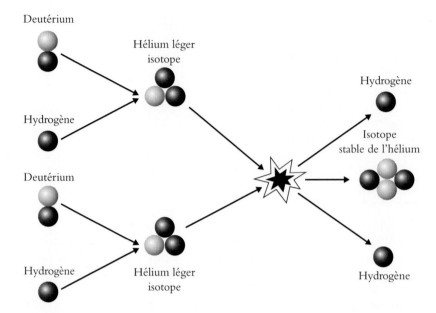

Deutérium

Hélium léger
isotope

Hydrogène

Hydrogène

Deutérium

Isotope
stable de l'hélium

Hydrogène

Hydrogène

Hélium léger
isotope

Hydrogène

Figure 74 Les diagrammes montrent l'une des manières selon lesquelles on peut transformer l'hydrogène en hélium dans le Soleil. Les cercles noirs représentent les protons et les cercles clairs représentent les neutrons.

Dans le premier stade de la réaction, l'hydrogène standard et le deutérium fusionnent pour former l'hélium 3, ou hélium léger, dont le noyau est composé de 2 protons et d'1 neutron, alors que l'isotrope le plus courant (hélium 4) est composé de 2 protons et 2 neutrons. Dans le second stade, deux des noyaux d'hélium léger fusionnent pour former l'isotope stable de l'hélium, libérant deux noyaux d'hydrogène (protons) dans le processus. Ces noyaux d'hydrogène peuvent ensuite former d'autres atomes d'hélium.

En théorie, deux noyaux de deutérium (un proton et un neutron) pourraient fusionner directement pour former un noyau d'hélium stable (deux protons et deux neutrons). Cependant, les noyaux de deutérium sont très rares, si bien que la voie plus indirecte est plus productive.

une contribution concrète à l'astronomie en expliquant comment les étoiles brillaient. En outre, les cosmologistes du Big Bang espéraient qu'elle pouvait les aider à comprendre la création et l'évolution de l'univers. Il était désormais clair que les étoiles pouvaient transformer des atomes simples tels que l'hydrogène en atomes légèrement plus lourds, tels que l'hélium. Par conséquent, la physique nucléaire pouvait peut-être

montrer comment le Big Bang avait produit les diverses proportions d'atomes que l'on observe aujourd'hui.

Le décor était en place pour l'arrivée d'un nouveau pionnier
de la cosmologie. Ce serait un savant capable d'appliquer les
règles rigoureuses de la physique nucléaire au royaume spéculatif du Big Bang. Grâce à son approche pluridisciplinaire, il
mettrait au point un test décisif de la valeur du modèle du Big
Bang de l'univers.

Les cinq premières minutes

George Gamow était un franc-tireur ukrainien sociable qui
avait un faible pour la boisson et les jeux de cartes. Né à Odessa
en 1904, il montra très jeune un intérêt pour les sciences. Il se
passionna pour un microscope que lui avait donné son père, et
l'utilisa pour analyser le phénomène de la transsubstantiation.
Après avoir communié à l'église orthodoxe russe locale, il
revint chez lui en courant avec un morceau de pain et quelques
gouttes de vin qu'il conservait dans la bouche. Il les observa au
microscope et compara ce qu'il voyait avec du pain et du vin
ordinaires. Il ne découvrit aucune preuve que la structure du
pain s'était transformée pour devenir le corps du Christ. Plus
tard, il confessa : « Je crois que c'est cette expérience qui fit de
moi un scientifique. »

Gamow, jeune physicien ambitieux, se fit un nom à l'université Novorossia d'Odessa, puis, en 1923, il alla à Leningrad étudier auprès d'Alexander Friedmann, qui à l'époque en était
encore à mettre au point sa théorie naissante du Big Bang.
Gamow s'intéressait à des sujets différents, et il fit rapidement
des découvertes de premier plan en physique nucléaire. L'organe de presse officiel, la *Pravda*, alla jusqu'à lui dédier un
poème, alors qu'il n'avait que vingt-sept ans. Un autre journal
proclama : « Un chercheur russe montre à l'Occident que notre
pays peut produire ses propres Platons et ses fulgurants New-
tons. »

Cependant, Gamow en avait assez de la vie d'universitaire
soviétique. L'État avait recours à la philosophie marxiste-léniniste du matérialisme dialectique pour décider si les théories
scientifiques étaient vraies ou fausses. On en arrivait à une
période où les chercheurs devaient reconnaître l'existence de
l'éther (auquel personne ne croyait plus) et répudier la théorie

de la relativité, pourtant dûment vérifiée. L'utilisation de la politique pour décider de la vérité scientifique était absurde pour un libre-penseur tel que Gamow, et il en vint à mépriser l'attitude qu'adoptait la société soviétique dans ce domaine, et en fait la totalité de l'idéologie communiste.

En conséquence de quoi, en 1932, Gamow essaya de fuir l'Union soviétique en s'échappant par la mer Noire en direction de la Turquie. Sa tentative était marquée d'un amateurisme total. Avec sa femme, Lyubov Vokhminzeva, ils partirent vers la liberté dans l'espoir de parcourir 250 km en mer en ramant sur un petit kayak. Il a raconté son équipée dans son autobiographie.

Un facteur important était celui de la nourriture, pour une expédition qui, d'après lui, devait durer cinq ou six jours...

> Nous fîmes quelques œufs durs pour le voyage. Nous réussîmes également à dénicher plusieurs tablettes de chocolat à cuire, et deux bouteilles de cognac, que nous fûmes heureux de trouver lorsque nous nous retrouvâmes en pleine mer, glacés et trempés... Nous découvrîmes qu'il était plus rationnel de se relayer pour ramer, plutôt que de le faire de concert, car dans ce cas la vitesse de l'esquif n'était pas multipliée par deux... Le premier jour fut un succès complet... Je n'oublierai jamais la vision que nous eûmes d'un marsouin dans une vague illuminée par le soleil couchant.

Mais au bout de trente-six heures, la chance tourna. Le temps se gâta, et ils durent revenir en Union soviétique.

Gamow fit une autre tentative manquée, cette fois-ci à travers l'océan glacial arctique entre Mourmansk et la Norvège. Puis, en 1933, il décida de changer de tactique. Invité à la Conférence de physique Solvay à Bruxelles, il réussit à obtenir un rendez-vous avec un membre éminent du Politburo, Viacheslav Molotov, afin de lui demander la permission de se faire accompagner par sa femme, qui était également physicienne.

Il finit par obtenir les papiers nécessaires, non sans une longue bataille bureaucratique. Le couple partit pour la conférence avec l'intention de ne jamais rentrer en Union soviétique. Ensuite, ils passèrent d'Europe en Amérique, et en 1934 Gamow obtint un poste à l'université George Washington, où il devait passer les vingt années suivantes à étudier, tester et défendre l'hypothèse du Big Bang.

En particulier, Gamow s'intéressait au Big Bang dans ses rela-

Figure 75 Photographies d'identité de George Gamow et de sa femme, Lyubov Vokhminzeva, à l'époque où ils préparaient leur tentative manquée de fuite hors d'Union soviétique en traversant la mer Noire à la rame dans un kayak.

tions avec la nucléosynthèse – la formation des noyaux atomiques. Gamow voulait voir si la physique nucléaire et le Big Bang pouvaient expliquer les quantités observées pour les divers atomes. Comme on l'a vu, pour 10 000 atomes d'hydrogène dans l'univers, il y a environ 1 000 atomes d'hélium, 6 atomes d'oxygène, 1 atome de carbone, et encore moins pour l'ensemble de tous les autres atomes réunis.

Gamow se demandait si c'était dès le début du Big Bang que l'univers était dominé par l'hydrogène et l'hélium. Il voulait également savoir si cette hypothèse pouvait rendre compte des diverses occurences d'atomes lourds, qui sont relativement rares, quoique indispensables à la vie.

Dans la nucléosynthèse selon Lemaître, l'univers avait

Figure 76 George Gamow (*à droite*) en grande discussion avec John Cockcroft, qui reçut le prix Nobel pour sa contribution à la physique nucléaire. Ces images restituent un précieux moment de travail scientifique.

commencé sous la forme d'un atome primitif, hyper-massif, à l'origine de tous les autres atomes : « L'atome s'est brisé en fragments, et chacun d'entre eux en morceaux encore plus petits. En supposant, pour plus de simplicité, que cette fragmentation s'était faite en parties égales, on en déduit que deux cent soixante fragmentations successives ont été nécessaires pour atteindre l'actuelle pulvérisation de la matière en pauvres petits atomes qui sont presque trop petits pour être brisés plus avant. » Sur la base du principe établi selon lequel les gros noyaux sont instables, un atome hyper-massif serait hautement instable et se diviserait inévitablement en atomes plus légers. Cependant, les débris se stabiliseraient probablement vers le milieu du tableau de la classification périodique, là où l'on trouve les éléments les plus stables. Cela mènerait à un univers dominé par des éléments tels que le fer. Dans le modèle de Lemaître, il ne semblait pas possible que l'hydrogène et l'hélium soient si abondants dans l'univers d'aujourd'hui. Pour Gamow, Lemaître avait tout simplement tort.

Rejetant l'approche de haut en bas de Lemaître, Gamow adopta une stratégie de bas en haut. Que se passerait-il si l'univers commençait par une soupe dense et compacte de simples atomes d'hydrogène qui se dilaterait ? L'hydrogène pourrait-il entrer dans une fusion pour donner de l'hélium et les autres atomes lourds ? Cela semblait plus vraisemblable que l'idée de Lemaître, car si l'on partait avec 100 % d'hydrogène, il était plus facile d'expliquer pourquoi cet élément représentait encore 90 % des atomes de l'univers que nous connaissons.

Mais avant de commencer à spéculer sur la physique nucléaire du Big Bang, Gamow étudia les travaux de Houtermans et de Bethe pour trouver exactement quelles étaient les étoiles qui étaient capables de produire cette fusion de l'hydrogène en atomes plus lourds. Il fut frappé par deux limites cruciales qui obéraient la fusion stellaire. Tout d'abord, la vitesse de production de l'hélium était extraordinairement faible. Notre soleil crée $5,8 \times 10^8$ tonnes d'hélium par seconde, ce qui peut sembler beaucoup, mais il faut se souvenir que le Soleil en contient déjà 5×10^{26} tonnes. Avec la vitesse actuelle de production de cet élément, il aurait fallu plus de 27 milliards d'années pour les obtenir. Mais l'univers n'avait que 1,8 milliard d'années selon le modèle du Big Bang. Gamow conclut que la plus grande partie de l'hélium devait avoir été présente lors de la formation du Soleil, et qu'elle avait peut-être donc été créée lors du Big Bang.

L'autre limite de la fusion stellaire était son inaptitude apparente à créer des atomes d'éléments beaucoup plus lourds que l'hélium. Les physiciens échouaient lamentablement à trouver un cheminement nucléaire viable menant à des éléments tels que l'oxygène et l'azote, sans parler des éléments véritablement lourds tels que le fer ou l'or. Même s'ils ne pouvaient trouver de telles voies nucléaires, ils soupçonnaient que les températures et les pressions qui régnaient dans le soleil n'étaient pas suffisamment élevées pour les déclencher. Les étoiles semblaient donc représenter une impasse pour ce qui était de la création d'atomes autres que les plus légers.

Gamow considéra que ces deux limites ouvraient la possibilité au modèle du Big Bang de remédier aux insuffisances stellaires. Là où les étoiles échouaient à créer suffisamment d'hélium ou d'éléments plus lourds, peut-être le Big Bang pouvait-il réussir. En particulier, il espérait que les conditions qui régnaient tout au début dans l'univers avaient été suffisamment extrêmes pour permettre de nouveaux types de réactions nucléaires et ouvrir des voies qui n'étaient pas praticables dans les étoiles, ceci pouvant alors expliquer la création de tous les éléments. Si Gamow pouvait relier le Big Bang à la nucléosynthèse des éléments lourds, on aurait un argument fort en faveur du modèle du Big Bang. Sinon, cette ambitieuse théorie de la création aurait à faire face à un obstacle sérieux.

C'est au début des années 1940 que Gamow lança son projet de recherche pour expliquer la création des éléments dans le sillage du Big Bang. Il s'aperçut rapidement qu'il était à peu près le seul physicien en Amérique à s'intéresser à la question de la nucléosynthèse dans le Big Bang, et il finit par se rendre compte de ce qui lui valait ce privilège d'être seul dans son domaine. La recherche sur la formation des noyaux exigeait une compréhension profonde de la physique nucléaire, et presque tous les spécialistes qui avaient ce type de formation avaient été secrètement recrutés pour travailler sur le projet Manhattan à Los Alamos : la conception et la construction des premières bombes atomiques.

La seule raison pour laquelle Gamow n'avait pas été sélectionné était qu'il ne satisfaisait pas aux exigences de sécurité au plus haut niveau, car il avait été officier dans l'Armée rouge. Ceux qui avaient pris cette décision ignoraient probablement qu'il avait reçu ce grade simplement pour qu'il puisse donner des cours au sein des forces soviétiques. Les autorités américaines ne surent pas non plus interpréter les signes les plus évidents de son véritable engagement, comme le fait qu'il avait été condamné à mort par contumace pour avoir fui l'URSS.

Au premier abord, la stratégie adoptée par Gamow pour explorer la nucléosynthèse du Big Bang était simple. Il commença par des observations sur l'état actuel de l'univers. Les astronomes avaient étudié la répartition des étoiles et des galaxies, si bien qu'ils pouvaient estimer la densité de la matière dans tout le cosmos, qui est d'environ 1 g pour mille

Premier ⎰ I. Joliot   A. Joffe   P. Langevin   E. Rutherford   M. De Broglie   L. Meitner
Rang ⎱ E. Schrödinger N. Bohr   M. Curie   O. Richardson   T. De Donder   L. De Broglie   J. Chadwick

Figure 77 Cette photo de groupe de la Conférence Solvay de Bruxelles en 1933 inclut George Gamow (*dernier rang, au centre*), qui avait réussi à s'échapper d'Union soviétique grâce à ce congrès. Celui-ci se consacra à l'examen de la structure des atomes, et la photographie regroupe donc nombre d'autres personnages célèbres. Ernest Rutherford et James Chadwick sont assis au premier rang, avec Marie Curie et sa fille Irène, qui, comme sa mère, obtint le prix Nobel.

Pierre Curie était mort longtemps auparavant, renversé par une charrette à cheval en 1906. Marie se rapprocha alors de Paul Langevin, assis à côté d'elle sur la photo. Langevin était encore marié, ce qui fit scandale. Lorsque Mme Curie reçut notification de son second prix Nobel, il lui fut demandé de ne pas venir à Stockholm pour le recevoir en personne, à cause de la gêne que cela pouvait causer au comité Nobel. Elle passa outre, expliquant que le prix avait été vraisemblablement attribué pour des raisons scientifiques et n'avait rien à voir avec sa vie privée.

fois le volume de la Terre. Ensuite, Gamow prit la mesure de l'expansion de l'univers donnée par Hubble et fit courir l'horloge en sens inverse, si bien que l'univers se contractait. L'univers en contraction de Gamow devenait de plus en plus dense au fur et à mesure qu'il approchait du moment de la création, et un outillage mathématique relativement simple suffisait pour calculer la densité moyenne à un moment quelconque du passé. Une matière qui se compresse produit généralement de la chaleur, raison pour laquelle une pompe à vélo comprimant de l'air s'échauffe au bout de quelques coups seulement. Par conséquent, Gamow put également avoir recours à des concepts physiques relativement simples pour montrer que l'univers comprimé, plus jeune, devait avoir été beaucoup plus chaud que l'univers actuel. Bref, Gamow découvrit qu'il pouvait facilement déterminer la température et la densité de l'univers à un moment quelconque du temps peu après sa création (lorsqu'il était chaud en dense), et jusqu'à l'heure actuelle (où il est refroidi et étendu).

Déterminer les conditions qui prévalaient au début dans l'univers était crucial, car le résultat de n'importe quelle réaction nucléaire dépend presque entièrement de la densité et de la température. La densité dicte le nombre d'atomes qui se trouvent dans un volume donné, et plus la densité est élevée, plus deux atomes pris au hasard ont de probabilité d'entrer en collision et de produire une fusion. De plus, au fur et à mesure que la température augmente, on trouve davantage d'énergie disponible et les atomes se déplacent plus rapidement, ce qui signifie que leurs noyaux ont davantage de chances de fusionner s'ils entrent en collision. Ce n'était que grâce à leur connaissance de la densité et de la température qui régnaient à l'intérieur des étoiles que les astrophysiciens pouvaient déduire quelles étaient les réactions nucléaires qui s'y déroulaient. Armé d'informations du même ordre en ce qui concernait l'univers des tout débuts, Gamow espérait pouvoir trouver quelles réactions nucléaires s'étaient déroulées peu après le Big Bang.

La première étape de la recherche de Gamow, dans l'établissement du modèle de la nucléosynthèse du Big Bang, fut de supposer que la chaleur extrême régnant au tout début de l'univers avait brisé toute la matière en sa forme la plus élémentaire. Il supposa donc que les composants initiaux de l'univers avaient été, séparément, les protons, les neutrons, et les électrons, les particules les plus fondamentales que connaissaient les physiciens à l'époque. Il appela ce mélange *ylem* (prononcer « aïe-lem »), mot qu'il avait rencontré par hasard dans le dictionnaire *Webster*. Ce terme tombé en désuétude, qui remontait au moyen anglais, désignait « la substance primordiale à partir de laquelle les éléments avaient été formés ». C'était une parfaite description de la soupe chaude de neutrons, de protons et d'électrons de Gamow. Un proton isolé est l'équivalent d'un noyau d'hydrogène, et lorsqu'on lui ajoute un électron, il devient un atome d'hydrogène complet. Cependant, l'univers des tout débuts était si chaud et si débordant d'énergie que les électrons se déplaçaient tous beaucoup trop vite pour se fixer à un noyau quelconque. Outre les particules de matière, l'univers naissant contenait un turbulent océan de lumière.

En partant de cette soupe chaude et dense, Gamow voulait faire tourner l'horloge en avant et, instant par instant, découvrir comment les particules fondamentales pouvaient commencer à s'agglutiner les unes aux autres et à former les noyaux des atomes qui nous sont aujourd'hui familiers. Au bout du compte, son ambition était de montrer comment ces atomes pouvaient se regrouper et former les étoiles et les galaxies, aboutissant à l'univers que nous voyons autour de nous. En bref, Gamow désirait prouver que la théorie du Big Bang pouvait expliquer comment nous sommes arrivés là où nous sommes aujourd'hui.

Malheureusement, dès qu'il commença à calculer les réactions nucléaires qui auraient pu se produire, Gamow fut frappé de l'ampleur de la tâche considérable qu'il s'était fixée. Il aurait pu arriver à calculer les réactions nucléaires qui se seraient déroulées dans un ensemble précis de conditions, mais le problème du scénario du Big Bang était qu'il évoluait constamment. À un moment donné, il y aurait une température, une densité et un mélange donnés de particules, mais une seconde plus tard l'univers se serait dilaté, aboutissant à une température plus basse, une densité plus faible et un mélange de particules légèrement différent, en fonction des réactions nucléaires qui auraient pu déjà se produire. Gamow était aux prises avec les calculs nucléaires, et faisait peu de progrès. C'était un physicien remarquable, mais il n'avait pas confiance en lui en tant que mathématicien, et les opérations à effectuer le dépassaient. Il faut se souvenir qu'à cette époque, les premiers ordinateurs balbutiaient à peine.

Finalement, en 1945, Gamow reçut un renfort bien nécessaire, lorsqu'il engagea un étudiant du nom de Ralph Alpher, qui cherchait à s'établir dans le milieu scientifique. La carrière universitaire d'Alpher avait commencé de façon prometteuse en 1937, lorsque, jeune prodige de seize ans, il avait reçu une bourse pour le Massachusetts Institute of Technology. Malheureusement, un jour, bavardant avec un ancien élève de cette institution, il mentionna en passant que sa famille était juive – et la bourse lui fut promptement retirée. Ce fut un choc terrible pour cet adolescent ambitieux : « Mon frère m'avait dit de ne pas trop rêver, et il avait sacrément raison. Ce fut une expérience déchirante. D'après lui, il n'était pas réaliste de penser qu'un Juif pouvait arriver où que ce soit, à cette époque. »

La seule façon, pour Alpher, de revenir sur la scène universitaire était de trouver un travail alimentaire et de suivre les cours du soir à l'université George Washington, où il finit par obtenir sa licence. C'est alors que Gamow fit sa connaissance et s'enticha de lui, peut-être parce que le père d'Alpher était d'Odessa, où il était né lui-même. Gamow reconnut le talent mathématique d'Alpher, l'attention qu'il portait aux détails, qui contrastait avec ses propres insuffisances et son attitude assez désinvolte. Il décida immédiatement de prendre Alpher comme thésard.

Gamow mit Alpher au travail sur le problème de la nucléosynthèse aux tout débuts de l'univers, donnant à son élève un point de départ et une vue d'ensemble des principaux problèmes, sur la base de ce qu'il avait pu récolter jusqu'alors. Ainsi, Gamow souligna que la nucléosynthèse du Big Bang avait pu être confinée dans une fenêtre de temps et de température relativement étroite. L'univers des tout débuts était si chaud et si chargé en énergie que les protons et les neutrons se déplaçaient trop rapidement pour s'agglutiner les uns aux autres. Un peu plus tard, l'univers se refroidit suffisamment pour que la nucléosynthèse commence. Cependant, après qu'un peu de temps se soit encore écoulé, la température de l'univers aurait baissé jusqu'au point où les protons et les neutrons ne possédaient plus suffisamment d'énergie et de vitesse pour amorcer des réactions nucléaires. En bref, la nucléosynthèse ne pouvait se produire qu'à un moment où la température de l'univers était comprise entre quelque 10^{12} et 10^6 degrés.

Autre restriction apportée à la fenêtre ouverte à la nucléosynthèse : les neutrons sont instables, sauf s'ils sont piégés dans un noyau tel que celui de l'hélium. Les neutrons libres, aux tout débuts de l'univers, ne pouvaient donc que former des noyaux avant de disparaître. Quoique Gamow ait légèrement surestimé la demi-vie (ou période radioactive) des neutrons libres, on sait aujourd'hui qu'elle est d'environ 10 minutes, ce qui signifie que la moitié des neutrons auraient disparu au bout de 10 minutes, que la moitié des neutrons restants aurait disparu au bout de 10 minutes supplémentaires, etc. Par conséquent, il resterait moins de 2 % des neutrons originels une heure après le moment de la création, sauf si les neutrons avaient déjà réagi avec les protons pour former des noyaux stables. D'un autre côté, il existe une réaction nucléaire dépendante de la température et pouvant créer des neutrons, ce qui complique encore la situation en allongeant la durée de temps pendant laquelle la nucléosynthèse peut se produire.

En se concentrant sur cette fenêtre de nucléosynthèse, délimitée par la température et la demi-vie du neutron, Gamow et Alpher commencèrent par estimer la probabilité d'interaction des protons et des neutrons. L'un des facteurs qu'ils introduisirent dans leurs calculs était la section efficace des neutrons et des protons. Celle d'une particule indique la taille de la cible qu'elle présente pour d'autres particules. Si deux personnes se trouvent à des extrémités opposées d'une pièce et se lancent de petites billes, il est peu probable que les billes entrent en collision au cours de leur trajet dans l'air. Si en revanche les deux partenaires se lancent des ballons de football, il y a beaucoup plus de chances que ceux-ci s'entrechoquent, ou au moins ricochent l'un sur l'autre. On dit que les ballons ont une plus grande section efficace que les billes. La question cruciale, pour ce qui était de la nucléosynthèse, était la suivante : quelle est la taille de la cible ou section que les neutrons et les protons présentent les uns aux autres ?

La section efficace des particules nucléaires se mesure en barns (un *barn* désigne à l'origine une grange), et un barn est égal à 10^{-28} mètre carré. Ce substantif a été créé, par plaisanterie, d'après des expressions telles que « incapable de viser une porte de grange ». Certains étymologistes laissent même entendre que le terme a été utilisé pour la première fois comme nom de code par des physiciens travaillant sur le projet Manhattan, afin que d'éventuels espions écoutant aux portes ne puissent savoir de quoi il s'agissait. La compréhension des sections efficaces avait été cruciale pour ceux qui cherchaient à fabriquer la bombe, ou qui désiraient savoir combien il faudrait concentrer d'uranium pour créer une explosion nucléaire. Plus grande était la section efficace d'interaction du neutron avec l'uranium, plus grande serait la probabilité d'interactions nucléaires, et moins il faudrait d'uranium pour garantir une explosion nucléaire. Chose importante pour Alpher, le secret entourant le projet de bombe atomique s'était relâché dans les années qui avaient immédiatement suivi la guerre. Cela signifiait que des mesures de section intéressantes devaient être rendues accessibles au moment même où Alpher s'engageait dans sa recherche sur la nucléosynthèse du Big Bang. Un autre renfort vint de chercheurs de l'Argonne National Laboratory qui avaient examiné la possibilité de construire une centrale nucléaire. Alpher fut enchanté de les voir, eux aussi, publier les données dont ils disposaient sur les sections efficaces nucléaires.

Gamow et Alpher passèrent trois ans à effectuer des calculs, à remettre en question leurs propres hypothèses, à mettre à jour leurs sections et à affiner leurs estimations. Certaines de leurs discussions les plus profondes se tinrent au *Little Vienna*, un bar situé sur Pennsylvania Avenue, où un ou deux verres clarifiaient leur vision des tout débuts de l'univers. Ce fut une aventure extraordinaire. Ils appliquaient la physique concrète à une théorie du Big Bang jusqu'alors vague, et cherchaient à modéliser mathématiquement les conditions régnant à ces tout débuts et les phénomènes qui s'y déroulaient. Il fallait faire des estimations des conditions initiales et appliquer les lois de la physique nucléaire pour voir comment l'univers évoluait avec le temps et comment progressaient les processus de la nucléosynthèse.

Les mois passant, Alpher se convainquit de plus en plus qu'il pouvait modéliser avec précision la formation de l'hélium pendant les quelques minutes qui avaient suivi le Big Bang. Sa confiance s'accrut lorsqu'il découvrit que ses calculs s'accordaient étroitement avec la réalité. Alpher estimait qu'il devait y avoir approximativement un noyau d'hélium pour dix noyaux d'hydrogène à la fin de la phase de nucléosynthèse du Big Bang, ce qui correspond exactement aux observations des astronomes dans l'univers d'aujourd'hui. Autrement dit, le Big Bang pouvait expliquer le rapport entre l'hydrogène et l'hélium observable aujourd'hui. Alpher n'avait pas encore essayé sérieusement de modéliser la formation d'autres éléments, mais le fait de prédire la formation de l'hydrogène et de l'hélium dans les proportions observées était par lui-même un exploit significatif. Après tout, ces deux éléments représentaient 99,99 % de tous les atomes de l'univers.

Plusieurs années auparavant, les astrophysiciens avaient pu

montrer que les étoiles s'alimentaient elles-mêmes en transformant l'hydrogène en hélium, mais la vitesse de la réaction nucléaire dans les étoiles était si faible que la nucléosynthèse stellaire ne pouvait être à l'origine que d'une fraction négligeable de l'hélium connu. Au contraire, Alpher expliquait l'abondance de l'hélium en supposant qu'il y avait eu un Big Bang. Ce résultat fut le premier grand triomphe du modèle du Big Bang depuis que Hubble avait observé et mesuré le décalage des galaxies vers le rouge.

Soucieux de faire part de leur découverte, Gamow et Alpher exposèrent leurs calculs et leurs conclusions dans un article intitulé « *The Origin of Chemical Elements* » (l'origine des éléments chimiques), qu'ils présentèrent à la revue *Physical Review*. Ce texte devait paraître le 1er avril 1948, et c'est peut-être ce qui poussa Gamow à faire une chose qu'il avait envisagée en secret depuis de nombreux mois. Gamow était un ami intime de Hans Bethe, célèbre pour ses travaux sur les réactions nucléaires stellaires. Il voulut donc ajouter le nom de Bethe comme co-auteur, bien qu'il n'ait en rien contribué à cet article précis. S'il voulait ajouter ce nom supplémentaire, c'était pour que les lecteurs s'amusent de voir un texte signé par Alpher, Bethe et Gamow, jeu de mots sur les lettres grecques alpha, bêta et gamma.

Naturellement, Alpher fut indigné. Il craignit qu'attribuer une part des résultats à Bethe rabaisse l'importance de sa propre contribution aux recherches aux yeux du public. Son nom était déjà éclipsé par la signature conjointe de Gamow, car Alpher était le jeune étudiant en doctorat et Gamow le célèbre physicien. Ajouter le nom de Bethe, encore plus connu, ne ferait qu'empirer les choses pour lui. Il avait fait plus que sa part, et maintenant il semblait qu'il n'allait recevoir qu'une petite partie de la reconnaissance. Gamow offrit, à titre de compromis, de mettre « in absentia » après le nom de Bethe. Au grand dam et au grand dépit d'Alpher, Gamow ne tint pas parole, et le nom de Bethe apparut, sans mise en garde, à côté de celui des deux auteurs véritables. D'un bout à l'autre de ce conflit de paternité, Bethe resta inconscient de la susceptibilité d'Alpher, et ne se rendit nullement compte que cet article devait rester comme l'un des plus importants de l'histoire de la cosmologie. Il était simplement content de jouer un rôle dans une des petites farces de Gamow.

Dès que l'article fut envoyé pour publication, Gamow essaya

d'apaiser sa querelle avec son élève en organisant une petite fête pour marquer leur important travail. Il apporta une bouteille de Cointreau dans son bureau, avec une étiquette marquée « Ylem », le mot qu'il avait choisi pour désigner la soupe de particules primordiale qui remplissait l'univers à son début. Transférer la liqueur d'orange de la bouteille dans deux verres devint une manière joyeuse de recréer le Big Bang.

Une fois l'article envoyé à la revue, Gamow pouvait se reposer un peu. Alpher, lui, avait encore beaucoup de travail à faire. Cette recherche représentait la matière de sa thèse, et il fallait qu'il la décrive à nouveau de façon indépendante et dans le plus petit détail, afin de montrer qu'il était digne du doctorat et apte à grimper les échelons universitaires. Malheureusement, il contracta les oreillons, et en fut assez gravement atteint, peu après avoir commencé à rédiger. Souffrant, le cou enflé, il dut travailler alors qu'il était alité, et dicter sa thèse à sa femme, Louise. Il l'avait rencontrée alors qu'ils suivaient l'un et l'autre les cours du soir à l'université George Washington, mais Louise étudiait la psychologie, et non la physique, si bien que les travaux de son mari la dépassaient. Pourtant, elle tapa dûment et avec exactitude les équations absconses qui formaient le cœur de sa thèse.

Mais le travail d'Alpher n'était toujours pas terminé. Il lui fallait ensuite subir l'épreuve de la soutenance, dernier obstacle sur la voie du doctorat. Il lui faudrait faire face à un jury et le convaincre que l'hydrogène et l'hélium pouvaient avoir été créés dans les proportions convenables dans les moments qui suivirent le Big Bang. Alpher désirait également affirmer qu'il y avait une probabilité raisonnable pour que d'autres atomes aient pu être créés au cours de cette phase. Pour l'essentiel, il allait défendre les résultats de sa collaboration avec Gamow, mais en comptant uniquement sur ses capacités de repartie, sans pouvoir se tourner vers son aîné pour lui demander son avis. S'il réussissait, il recevrait le grade de docteur. Sa soutenance était prévue pour le printemps de 1948.

Ces moments de la vie universitaire, accessibles au public, sont souvent l'occasion de créer l'événement, mais il ne s'agit pas d'un spectacle, si bien que l'auditoire tend à se réduire aux amis, à la famille et à quelques professeurs qui s'intéressent particulièrement au sujet. Dans ce cas, cependant, la nouvelle s'était répandue à Washington qu'un nouveau venu de vingt-sept ans avait fait une grande découverte, et Alpher dut soutenir sa thèse devant une foule de trois cents personnes, parmi lesquelles des journalistes. Lorsqu'il eut fini, les examinateurs furent suffisamment convaincus pour lui accorder son doctorat. Cependant, les reporters avaient pris bonne note de l'une des remarques d'Alpher, à savoir que la nucléosynthèse primordiale de l'hydrogène et de l'hélium n'avait duré que 300 secondes. Et ce commentaire fit les gros titres des journaux dans tous les États-Unis au cours des jours suivants. Le 14 avril 1948, le *Washington Post* annonça que le monde était apparu en cinq minutes, ce qui inspira un dessin satirique, présenté ici en Figure 78, quarante-huit heures plus tard dans le même organe de presse. Le 26 avril, *Newsweek* reprit le même sujet, mais étira ce délai pour y inclure la création d'autres variétés d'atomes, bien qu'Alpher n'ait parlé que de l'hydrogène et de l'hélium dans sa thèse : « Selon cette théorie, tous les éléments ont été créés à partir d'un fluide primordial en une heure seulement, et ne cessent, depuis lors, de se redistribuer dans la matière des étoiles, des planètes et de la vie. »

Pendant quelques semaines, Alpher connut une certaine célébrité. Les universitaires s'intéressèrent à ses travaux, il reçut une masse de lettres enthousiastes, et les fondamentalistes religieux prièrent pour son âme.

Cependant, les projecteurs s'éteignirent bientôt et, comme il s'en était douté, il se perdit dans l'ombre de ses illustres cosignataires, Gamow et Bethe. Lorsque les physiciens lurent l'article, ils supposèrent que Gamow et Bethe avaient fait l'essentiel de la découverte, et le nom d'Alpher fut négligé. L'ajout infondé du nom de Bethe pour produire un effet comique avait étouffé tout espoir qu'Alpher puisse voir reconnaître sa valeur à long terme. À l'heure actuelle, les physiciens eux-mêmes ignorent, la plupart du temps, le rôle crucial qu'il a joué dans l'histoire du modèle du Big Bang.

Les courbes divines de la création

L'article « Alpha-Bêta-Gamma », nom sous lequel il devint célèbre, fit date dans le débat opposant le Big Bang à l'univers éternel. Il montra qu'il était possible d'effectuer de véritables calculs concernant les processus qui auraient pu se dérouler après un Big Bang hypothétique, et ainsi de mettre à l'épreuve cette théorie de la création. Les partisans du Big Bang pou-

"Five Minutes, Eh?"

Figure 78 Le célèbre caricaturiste Herbert L. Block (« Herblock ») s'intéressa aux recherches d'Alpher. Ce dessin, paru dans le *Washington Post* le 16 avril 1948, montre une bombe atomique méditant sur la nouvelle selon laquelle le monde aurait été créé en cinq minutes. La bombe semble penser, malicieusement, qu'elle pourrait le détruire tout aussi vite.

vaient désormais tirer argument de deux faits d'observation, l'expansion de l'univers et l'abondance relative de l'hydrogène et de l'hélium, et montrer qu'ils étaient entièrement compatibles avec le modèle du Big Bang de l'univers.

Les adversaires de la théorie répliquèrent en cherchant à remettre en cause les succès supposés de la nucléosynthèse du Big Bang. Leur première réaction fut de rejeter l'accord entre les calculs de Gamow et Alpher et l'abondance observée de l'hélium comme étant une simple coïncidence. Une seconde critique, plus solide, avait trait à l'impuissance de Gamow et Alpher à expliquer la création de noyaux plus lourds que ceux de l'hydrogène et de l'hélium.

Gamow et Alpher avaient mis ce problème de côté dans l'article publié, dans l'intention de s'y attaquer ultérieurement, mais en fait ils se rendirent vite compte que leurs recherches aboutissaient à une impasse : essayer de synthétiser n'importe quel noyau plus lourd que l'hélium dans la chaleur du Big Bang semblait presque impossible.

Leur plus grand problème était ce qu'on a appelé « le gouffre des cinq nucléons ». Le nucléon est un terme collectif désignant tout composant du noyau, ce qui signifie qu'il englobe les protons et les neutrons. Ainsi l'hydrogène contient un nucléon (un proton), tandis que l'hélium contient quatre nucléons (deux protons et deux neutrons). Le noyau situé au-dessus contiendrait cinq nucléons, mais un tel noyau ne peut exister parce qu'il est intrinsèquement instable, ce qui résulte de la manière compliquée dont les forces nucléaires interagissent. Cependant, au-delà du noyau à cinq nucléons instable, on trouve toute une série de noyaux stables, comme le carbone (généralement 12 nucléons), l'oxygène (habituellement 16 nucléons) et le potassium (39 nucléons). Pour avoir une idée de la raison pour laquelle la stabilité et l'existence de certains noyaux dépendent du nombre de nucléons, on peut considérer la situation des véhicules et leur stabilité en fonction du nombre de roues qu'ils possèdent. Il y a bien des monocycles, à une roue, de même que des bicyclettes à deux roues, des tricycles à trois roues et des automobiles à quatre roues. Cependant, on ne trouve pratiquement pas de véhicules à cinq roues, car la cinquième roue serait inutile, et pourrait tout au plus porter atteinte à la stabilité et aux performances. Mais l'addition d'une roue supplémentaire renforce l'équilibre et répartit la charge du véhicule, et de fait nombre de camions possèdent six roues ou davantage. De même, mais pour des raisons différentes, les noyaux à 1 nucléon, à 2 nucléons, à 3 nucléons, à 4 nucléons et à 6 nucléons sont tous stables, mais un noyau à 5 nucléons est effectivement impossible.

Mais pourquoi l'absence d'un noyau à 5 nucléons était-elle si désastreuse pour Gamow et Alpher ? On avait l'impression qu'il y avait un gouffre infranchissable sur la voie de la nucléosynthèse menant aux noyaux plus lourds comme le carbone et au-delà. La voie de la transformation qui changeait un noyau léger en un noyau plus lourd incluait une ou plusieurs étapes intermédiaires, et si l'une d'entre elles était interdite, toute la voie était bloquée. Le cheminement évident pour obtenir des noyaux plus lourds que l'hélium avait commencé par l'ajout d'un proton ou d'un neutron à un noyau d'hélium (4 nucléons) pour créer un noyau à 5 nucléons – mais c'est exactement le type de noyau qui est exclu. Par conséquent la voie était bloquée.

Il y avait bien une solution : c'était qu'un noyau d'hélium absorbe simultanément un neutron et un proton, sautant ainsi par-dessus le noyau à 5 nucléons instable, et se transforme directement en un noyau de lithium à 6 nucléons (trois protons et trois neutrons). Cependant, la probabilité pour qu'un proton et un neutron entrent simultanément en collision avec un noyau d'hélium, et précisément de la bonne façon, devient très faible. Il est difficile de déclencher ne serait-ce qu'une seule réaction nucléaire provoquée par une collision, et l'on ne pouvait donc raisonnablement s'attendre à une réaction provoquée par deux collisions se déroulant presque exactement au même moment.

Une autre manière d'éviter l'étape à 5 nucléons aurait été que deux noyaux d'hélium à 4 nucléons fusionnent et créent un noyau à 8 nucléons, mais ce noyau-là est également intrinsèquement instable, pour le même genre de raison qui fait que le noyau à 5 nucléons est instable. La nature s'ingéniait à bloquer les deux voies les plus évidentes par lesquelles les noyaux légers auraient pu se transformer en noyaux plus lourds.

Gamow et Alpher persévérèrent. Ils fignolèrent leurs calculs avec les données les plus récentes sur la durée de vie et la section efficace des neutrons. De plus, les opérations reportées dans leur article original avaient été faites sur une simple calculatrice de bureau électrique de marque Marchant & Friden. Désormais, ils allaient faire bénéficier leur problème des derniers perfectionnements de la technique des ordinateurs. Ils se

Figure 79 Le physicien d'origine hongroise Eugene Wigner essaya sans succès de trouver d'autres voies menant de l'hélium au carbone et au-delà. Dans son ouvrage *La création de l'univers*, Gamow fit un petit dessin montrant l'une des impasses où s'était fourvoyé Wigner. La légende de Gamow expliquait : « Un autre procédé ingénieux pour franchir le gouffre de la masse 5 a été proposé par E. Wigner. Il est connu sous le nom de "pont nucléaire en chaîne". »

procurèrent une machine analogique Reeves, qu'ils transformèrent en un ordinateur possédant une mémoire à tambour magnétique, puis une calculatrice à carte perforée programmable IBM, et enfin un SEAC, un des premiers ordinateurs numériques.

La bonne nouvelle était que leur estimation de l'abondance respective de l'hydrogène et de l'hélium restait exacte. Même des calculs indépendants, faits par des universitaires rivaux, comme on le voit dans la Figure 80, confirmèrent que les quantités relatives d'hydrogène et d'hélium créées aux tout débuts de l'univers s'accordaient approximativement avec le rapport observé dans l'univers actuel. La mauvaise était que les calculs, même affinés, ne suggéraient aucun mécanisme pour résoudre le problème de la création de noyaux plus lourds que l'hélium.

Tandis que la nucléosynthèse des atomes lourds rencontrait des problèmes, Alpher commença à travailler sur un autre aspect de la théorie du Big Bang, avec un collègue du nom de Robert Herman. Alpher et Herman avaient beaucoup de choses en commun. Tous deux étaient fils d'émigrés juifs russes qui s'étaient établis à New York, et tous deux étaient encore de jeunes chercheurs s'efforçant de se faire un nom. Lorsque Her-

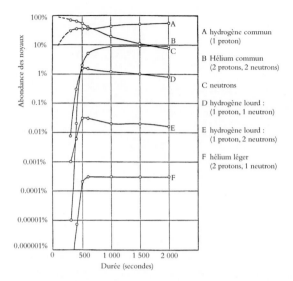

Figure 80 Deux physiciens nucléaires, Enrico Fermi et Anthony Tur-kevich, calculèrent indépendamment l'évolution de l'abondance respective des éléments aux tout débuts de l'univers. Leurs résultats étaient en accord avec ceux de Gamow et Alpher, et sont présentés dans le graphe ci-dessus. L'axe vertical représente l'abondance de chaque noyau en pourcentage. L'axe horizontal montre le temps écoulé depuis le moment de la création, si bien que la figure illustre l'évolution chimique de l'univers au cours de ses 2 000 premières secondes (environ 40 minutes).

Le nombre de neutrons diminue de façon continue au fur et à mesure qu'ils se désintègrent en protons, raison pour laquelle le nombre de protons (équivalant aux noyaux d'hydrogène) augmente. Autre cause de déclin de la proportion de neutrons : les neutrons éventuellement subsistants tendent à être absorbés et incorporés dans les noyaux d'hélium, ce qui fait que l'abondance de l'hélium commun s'accroît, jusqu'à en faire le second noyau, par ordre d'abondance, dans l'univers. Les divers autres noyaux représentés par des courbes sur le graphe sont des isotopes de l'hydrogène et de l'hélium créés sur la voie menant de l'hydrogène commun à l'hélium commun.

Les astronomes avaient mesuré l'abondance actuelle de noyaux tels que le deutérium et le tritium (isotopes lourds de l'hydrogène), et ces mesures étaient compatibles avec les prévisions faites par Gamow, Alpher, Fermi et Turkevich. Cette concordance renforçait encore le modèle du Big Bang, qui semblait désormais capable de rendre compte de l'abondance des noyaux les plus légers dans l'univers à la suite des réactions nucléaires qui s'étaient déroulées au cours de la période dense et chaude qui avait suivi le Big Bang. Gamow appela ces graphes les « courbes divines de la création ».

man surprit des bribes de discussions cosmologiques entre Alpher et Gamow, il ne put refréner l'envie de se joindre à leurs travaux. L'idée de procéder à des calculs qui se rapportaient aux tout premiers moments de l'univers était simplement trop tentante.

Alpher et Herman démarrèrent leur collaboration en passant en revue les commencements de l'histoire de l'univers selon le modèle du Big Bang. Le tout début était un pur chaos, trop chargé en énergie pour que la matière puisse évoluer de manière significative. Les quelques minutes qui suivirent représentèrent le moment critique, à la Boucles d'Or : ni trop chaud, ni trop froid, juste le bon intervalle de température pour former l'hélium et les autres noyaux légers. C'était la période qu'étudiait l'article « Alpha-Bêta-Gamma ». Ensuite, l'univers se refroidissait trop pour la poursuite de la fusion et, quoi qu'il en soit, le noyau instable à 5 nucléons semblait bloquer la voie permettant de construire des noyaux plus lourds.

Bien qu'il soit désormais trop refroidi pour la fusion, l'univers avait cependant toujours une température d'environ un million de degrés, ce qui fait que toute la matière existante était dans un état connu sous le nom de plasma. Le premier état de la matière, le plus froid, est l'état solide, dans lequel les atomes et les molécules sont étroitement assemblés, comme dans la glace. Le second état, plus chaud, est l'état liquide, dans lequel les atomes ou les molécules ne sont liés que de façon lâche, les laissant s'écouler, comme dans l'eau. Le troisième, encore plus chaud, est le gaz, dans lequel les atomes ou molécules n'ont pratiquement pas de liaisons entre eux, les laissant se déplacer indépendamment, comme dans la vapeur. Dans le quatrième état de la matière, le plasma, la température est si élevée que les noyaux atomiques ne peuvent s'accrocher aux électrons, si bien que la matière est un mélange de noyaux et d'électrons qui ne sont pas attachés les uns aux autres. La plupart des gens ne pensent pas à l'état de plasma, même si beaucoup d'entre nous créent des plasmas quotidiennement en allumant un tube d'éclairage fluorescent, qui transforme en plasma le gaz qui se trouve à l'intérieur.

Ainsi, environ une heure après sa création, l'univers était encore une soupe plasmatique de noyaux simples et d'électrons libres. Les électrons négativement chargés essayaient de s'accrocher aux noyaux positivement chargés du fait que les charges opposées s'attirent, mais ils se déplaçaient trop rapidement pour être capturés et s'établir dans des orbites autour des noyaux. Au lieu de cela, les noyaux et les électrons rebondissaient sans cesse les uns contre les autres, et l'état de plasma persistait.

L'univers contenait également un ingrédient supplémentaire, à savoir un océan de lumière écrasant. Cependant, aussi étonnant que cela puisse paraître, être présent à la naissance de l'univers n'aurait pas permis de voir grand-chose, et l'expérience n'aurait pas été très éclairante. La lumière interagit facilement avec les particules chargées, si bien qu'elle aurait été constamment diffusée par les particules du plasma, ce qui aurait abouti à un univers opaque. Le plasma se serait comporté comme un brouillard. Dans le brouillard, il est impossible de discerner la voiture qui nous précède, car la lumière qui en provient est dispersée d'innombrables fois par les fines gouttelettes d'eau, si bien qu'elle est déviée de façon répétée avant de nous atteindre.

Alpher et Herman continuèrent à mettre au point leur proto-histoire de l'univers et se demandèrent quels autres phénomènes pourraient se produire lorsque l'univers se dilate avec le temps. Ils se rendirent compte qu'au fur et à mesure de cette expansion, son énergie se répartirait dans un plus grand volume, si bien que l'univers, avec le plasma qu'il contient, se refroidirait encore davantage. Les deux jeunes physiciens en déduisirent qu'il y aurait un moment critique où la température deviendrait trop basse pour qu'un plasma existe, et qu'à ce point les électrons s'accrocheraient aux noyaux et formeraient des atomes neutres et stables d'hydrogène et d'hélium. La transition du plasma aux atomes se déroule aux environs de 3 000 °C pour l'hydrogène et l'hélium, et les deux chercheurs estimèrent qu'il faudrait approximativement 300 000 ans pour que l'univers se refroidisse à cette température. Ce phénomène est généralement connu sous le nom de recombinaison, ce qui peut prêter à confusion car cela semble impliquer que les électrons et les noyaux s'étaient déjà combinés auparavant, ce qui n'était pas le cas.

Après recombinaison, l'univers se remplit de particules neutres à l'état gazeux, car les électrons négativement chargés s'étaient combinés avec les noyaux positivement chargés. Cette transformation modifia de façon spectaculaire le comportement de la lumière qui remplissait l'univers. La lumière interagit facilement avec les particules chargées dans un plasma, mais

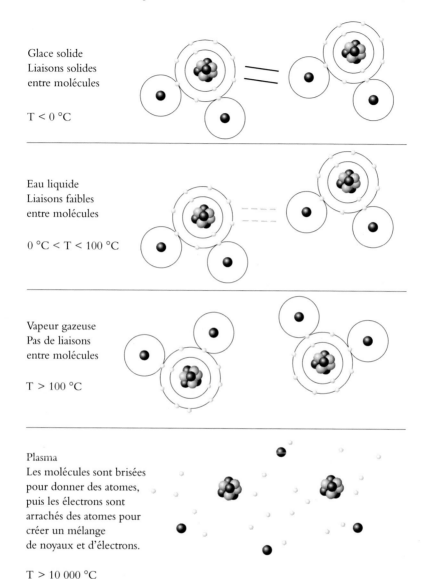

Glace solide
Liaisons solides
entre molécules

T < 0 °C

Eau liquide
Liaisons faibles
entre molécules

0 °C < T < 100 °C

Vapeur gazeuse
Pas de liaisons
entre molécules

T > 100 °C

Plasma
Les molécules sont brisées
pour donner des atomes,
puis les électrons sont
arrachés des atomes pour
créer un mélange
de noyaux et d'électrons.

T > 10 000 °C

Figure 81 Les quatre diagrammes représentent les quatre états de la matière, en prenant l'eau comme exemple. La formule de l'eau est H_2O, chaque molécule étant constituée de deux atomes d'hydrogène reliés à un atome d'oxygène. Ces molécules peuvent être liées entre elles pour former un solide, mais l'énergie thermique peut affaiblir ces liaisons pour créer un liquide, ou les rompre pour former un gaz. Une énergie thermique supplémentaire peut arracher les électrons des noyaux pour aboutir à un plasma.

non avec les particules neutres dans un gaz, comme le montre la Figure 82. En fait, on sait déjà d'après l'exposé du chapitre 3 sur la spectroscopie que les atomes neutres dans un gaz n'absorbent et n'émettent de la lumière qu'à des longueurs d'onde très particulières, et qu'en général la lumière traverse de tels atomes sans être affectée. Par conséquent, selon le modèle du Big Bang, le moment de la recombinaison fut la première fois dans l'histoire de l'univers que des rayons de lumière purent commencer à voyager sans obstacle dans l'espace. Ce fut comme si le brouillard cosmique s'était tout d'un coup levé.

Le brouillard se leva également dans l'esprit d'Alpher et d'Herman lorsqu'ils commencèrent à pouvoir évaluer les implications d'un univers d'après la recombinaison. Si le modèle du Big Bang était exact, et si Alpher et Herman n'avaient pas fait d'erreur d'analyse, la lumière qui était présente au moment de la recombinaison devrait encore, à l'heure actuelle, rayonner dans tout l'univers, car cette lumière était largement incapable d'interagir avec les atomes neutres qui se trouvaient parsemés dans l'espace. Autrement dit, la lumière qui avait été émise à la fin de l'époque du plasma devrait exister à l'heure actuelle sous forme de fossile. Cette lumière serait un héritage du Big Bang.

Il est permis de penser que ces recherches, réalisées dans les quelques mois qui suivirent la publication de l'article « Alpha-Bêta-Gamma », étaient encore plus importantes que le fait de calculer la transformation de l'hydrogène en hélium dans les premières minutes qui suivirent le Big Bang. L'article d'origine était brillant, mais il était exposé aux accusations de truquage. Lorsque Alpher et Gamow avaient fait leurs premiers calculs, ils connaissaient depuis le départ la réponse qu'ils s'efforçaient de trouver, à savoir l'abondance de l'hélium observée. Du coup, lorsque le calcul théorique vint confirmer l'observation, les critiques essayèrent de décrier le résultat en soutenant que Gamow et Alpher avaient dirigé le calcul dans la bonne direction. Autrement dit, le camp des anti-Big Bang les accusa injustement de trafiquer leur théorie pour obtenir le résultat voulu, tout comme Ptolémée l'avait fait avec les épicycles pour les faire correspondre au mouvement rétrograde de la planète Mars. En revanche, la lumière subsistant des 300 000 ans postérieurs à la création ne pouvait en aucune manière être interprétée comme une explication *ad hoc* donnée après coup. Il n'était pas question de porter des accusations de truquage. Cet écho lumineux était une prévision claire fondée uniquement sur le

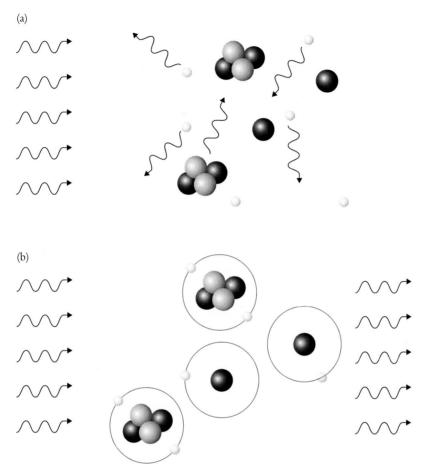

Figure 82 Le moment de la recombinaison est une étape critique de l'histoire des tout débuts de l'univers, selon le modèle du Big Bang. Le diagramme (a) illustre les conditions régnant dans l'univers au cours des 300 000 premières années après le Big Bang, lorsque tout était plasma. Les rayons lumineux étaient continuellement dispersés par les nombreuses particules chargées qu'ils rencontraient, car beaucoup de particules étaient chargées, ceci permettant le processus de dispersion. Le diagramme (b) illustre les conditions régnant au cours de la période qui suivit la recombinaison, lorsque l'univers s'était suffisamment refroidi pour laisser les noyaux d'hydrogène et d'hélium capturer les électrons et former des atomes stables. Comme les atomes sont neutres, il n'y a pas de charges disponibles pour disperser la lumière. L'univers est donc transparent à la lumière, et les rayons traversent le cosmos sans obstacle.

modèle du Big Bang. Alpher avait donc trouvé un test décisif, du type « ça passe ou ça casse ». Si l'on détectait cette lumière, on aurait une forte présomption en faveur du Big Bang comme véritable commencement de l'univers. Inversement, si cette lumière n'existait pas, il ne pouvait pas y avoir eu de Big Bang, et le modèle s'écroulerait complètement.

Alpher et Herman estimèrent que la lumière libérée au moment de la recombinaison avait une longueur d'onde d'environ un millième de millimètre. Cette longueur d'onde était directement due à la température régnant dans l'univers au moment où le brouillard plasmatique s'était levé, à savoir 3 000 °C. Cependant, ces ondes lumineuses devraient s'être étirées, car l'univers n'avait pas cessé de se dilater. Il s'agit d'un phénomène du même ordre que le décalage vers le rouge que l'on associe aux galaxies qui semblent s'éloigner, sauf que le décalage devrait être beaucoup plus important, car l'univers aurait eu beaucoup plus de temps pour se dilater. Alpher et Herman prédirent que la lumière du Big Bang devrait de nos jours avoir une longueur d'onde d'environ un millimètre. C'est une longueur d'onde invisible pour l'œil humain, et qui se situe dans la région des micro-ondes du spectre.

Les deux chercheurs s'engagèrent plus précisément. Selon eux, l'univers devrait être rempli d'une faible lumière de type micro-onde, avec une longueur d'onde d'un millimètre, et elle devrait venir de toutes les directions, parce qu'elle avait existé partout dans l'univers au moment de la recombinaison. Quiconque pourrait détecter ce rayonnement de fond cosmologique prouverait que le Big Bang s'était réellement produit. L'immortalité attendait celui qui serait capable d'effectuer cette mesure.

Malheureusement, Alpher et Herman furent complètement laissés dans l'ombre. Personne ne fit le moindre effort sérieux pour rechercher le rayonnement cosmologique dont ils affirmaient l'existence.

Diverses raisons pouvaient expliquer pourquoi la majorité des universitaires se détournaient des travaux sur ce type de rayonnement, mais la première était la nature interdisciplinaire de la recherche à entreprendre. L'équipe de Gamow avait appliqué la physique nucléaire théorique à la cosmologie pour fournir une prédiction. Tester celle-ci nécessitait la détection de micro-ondes. La personne idéale pour vérifier cette hypothèse devait donc être compétente en astronomie, en physique nucléaire et en détection des micro-ondes et s'intéresser à ces trois domaines, et les scientifiques possédant une telle gamme de connaissances étaient fort peu nombreux.

D'ailleurs, même si un savant possédait bien l'étendue du savoir nécessaire, il lui aurait été difficile de croire à la possibilité technique de détection du rayonnement cosmologique, car la technologie des micro-ondes était alors relativement primitive. Et si par bonheur il croyait possible de relever le défi technique, les présupposés derrière le projet l'auraient rendu sceptique. La majorité des astronomes n'avait toujours pas accepté le modèle du Big Bang de l'univers, et s'accrochait au point de vue conservateur d'un univers éternel. Pourquoi diable se serait-on échiné à chercher un rayonnement cosmique ayant apparemment émergé d'un Big Bang qui ne s'était peut-être jamais produit ? Alpher raconta plus tard comment, avec Herman et Gamow, il avait passé les cinq années suivantes à essayer de persuader les astronomes que leurs travaux méritaient d'être pris au sérieux : « Nous dépensâmes une énergie considérable à donner des séminaires sur nos recherches. Personne ne mordit à l'hameçon. Personne ne nous dit que la mesure était possible. »

Pour compliquer les choses, Alpher, Herman et Gamow n'avaient pas bonne presse. On considérait souvent qu'il s'agissait de deux jeunes parvenus dirigés par un blagueur. Gamow était mal vu à cause de ses traits d'humour et de l'usage parfois hétérodoxe qu'il faisait de la physique. Il lui arriva de soutenir que Dieu vivait à 9,5 années-lumière de la Terre. Cette estimation reposait sur le fait qu'en 1904, lorsque éclata la guerre russo-japonaise, les églises de toute la Russie avaient prié pour la destruction du Japon, mais qu'il fallut attendre 1923 pour que le pays des samouraïs soit frappé par le grand tremblement de terre du Kanto. Sans doute les prières et la colère de Dieu étaient-elles limitées par la vitesse de la lumière, et le délai indiquait-il la distance aller et retour qui nous séparait du séjour du Seigneur. Gamow devint également célèbre pour le *Nouveau Monde de M. Tompkins* (*Mr Tompkins in Wonderland*), ouvrage dans lequel il décrivait un monde où la vitesse de la lumière n'était que de quelques kilomètres à l'heure, si bien qu'une promenade à bicyclette révélait les effets bizarres de la relativité, comme une dilatation du temps et une contraction de la distance. Malheureusement, certains de ses rivaux trouvèrent ce mode de vulgarisation enfantin et trivial. Alpher résuma

Figure 83 Robert Herman (*à gauche*) et Ralph Alpher (*à droite*) firent un photomontage les représentant avec Gamow et la bouteille d'« ylem » qui avait servi à fêter la parution de l'article « Alpha-Bêta-Gamma ». Alpher l'introduisit subrepticement dans un ensemble de diapositives, et Gamow fut donc aussi surpris que les autres auditeurs lorsqu'il apparut soudainement sur l'écran au cours d'une conférence qu'il donna à Los Alamos en 1949. Gamow est présenté sous la forme d'un génie s'échappant de la bouteille, en même temps que la soupe primordiale d'ylem.

ainsi leur situation : « Comme il a écrit des ouvrages de vulgarisation sur la physique et la cosmologie en y ajoutant une bonne dose d'humour, il a trop souvent eu du mal à être pris au sérieux par ses collègues. Cet état de choses a déteint sur nous deux, ses collaborateurs, d'autant plus que nous travaillions dans un domaine hautement spéculatif comme la cosmologie. »

Face à l'indifférence totale que rencontraient leurs travaux, les trois hommes durent à regret abandonner leur programme de recherches en 1953, date à laquelle ils publièrent un dernier article résumant leurs vues sur la question et leurs calculs les plus récents. Gamow s'intéressa à d'autres domaines de recherche, et fit même une incursion dans la chimie de l'ADN. Alpher quitta l'Université et devint chercheur chez General Electric, tandis qu'Herman fut recruté par les laboratoires de recherches de General Motors.

Le départ de Gamow, Alpher et Herman était symptomatique du triste état où se trouvait le modèle du Big Bang. Après quelques années encourageantes, la théorie se heurtait à quelques problèmes délicats. Tout d'abord, si l'on se basait sur les décalages des galaxies vers le rouge, l'âge de l'univers du Big Bang était inférieur à celui des étoiles qu'il contenait, ce qui n'avait manifestement pas de sens. En second lieu, les efforts visant à synthétiser les atomes à partir du Big Bang avaient buté sur l'hélium, ce qui était embarrassant car cela impliquait que l'univers ne contenait ni oxygène, ni carbone, ni azote, ni aucun autre élément lourd. Bien que les perspectives soient sombres, le modèle du Big Bang n'était pas encore une cause perdue. Il pouvait être sauvé, et sa crédibilité renforcée, si le rayonnement cosmologique prédit par Alpher et Herman était détecté, mais il n'était pas question de demander à quiconque de s'en occuper.

Cependant, les tenants de l'idée d'un univers éternel répliquaient avec leur propre modèle rénové. Une équipe de cosmologistes basée en Grande-Bretagne mettait au point une théorie qui non seulement aboutissait à un univers éternel, mais était également capable d'expliquer les observations de Hubble sur les décalages vers le rouge. Ce nouveau modèle d'univers éternel devait représenter la plus grande menace pour le modèle de la création par le Big Bang.

Plus ça change, plus c'est la même chose

Fred Hoyle naquit à Bingley le 24 juin 1915. C'était un homme du Yorkshire, un cosmologiste, un rebelle et un génie créateur. Il devait se révéler le critique le plus formidable et le plus virulent de la théorie du Big Bang, tout en apportant une contribution essentielle à notre compréhension de l'univers.

Dès son plus jeune âge, Hoyle témoigna de son talent d'observation et de déduction. À peine âgé de quatre ans, il mit au point par lui-même un moyen de dire l'heure par un processus d'analyse détaillée. Fred nota que lorsqu'un de ses parents demandait l'heure, l'autre jetait un coup d'œil sur la pendule

avant de répondre. Il se mit donc à demander constamment
l'heure qu'il était afin de découvrir ce qui se passait. Un soir,
on l'envoya au lit après lui avoir dit qu'il était « sept heures
vingt », et avant même de s'endormir, il avait résolu le mystère.

> Une idée me vint soudain à l'esprit. Pouvait-il se faire que le
> « temps », au lieu d'être un nombre mystérieux inconnu de moi,
> appelé « sept heures vingt », soit en fait deux nombres séparés, vingt
> et sept... Il y avait deux aiguilles sur la pendule. Peut-être un nombre
> appartenait-il à l'une, et l'autre nombre à la seconde aiguille ? Après
> que j'eus encore répété plusieurs fois la question « Quelle heure est-
> il ? », je compris le lendemain que tel était bien le cas. Comme les
> chiffres inscrits sur le cadran étaient gros et clairs, il était maintenant
> facile de voir qu'ils se répartissaient en deux groupes. Une des
> aiguilles allait avec l'un, et l'autre avec le second. Il y avait encore
> d'autres subtilités, comme la signification de « moins », mais à toutes
> fins utiles le problème était résolu, et je pus me tourner vers d'autres
> choses étonnantes, comme l'origine du vent.

Comme il préférait apprendre par lui-même, Fred manquait
régulièrement l'école, quelquefois même pendant plusieurs
semaines de suite. Dans son autobiographie, il rappelle qu'un
de ses professeurs essaya un jour de lui apprendre les chiffres
romains, leçon qui lui paraissait dépourvue de tout intérêt alors
que les chiffres arabes étaient beaucoup plus intelligents et pratiques. « C'était plus que je ne pouvais raisonnablement en supporter, et le jour où fut commis cet outrage à l'intelligence
fut le dernier où je fréquentai cette école-là. » Dans un autre
établissement, Fred apporta une fleur en classe pour prouver
qu'elle avait davantage de pétales que ne l'avait dit la veille
l'instituteur. Celui-ci réagit en lui donnant une gifle pour inso-
lence. Naturellement, Fred sortit et n'y retourna jamais plus.

Le jeune garçon semblait passer davantage de temps dans le
miteux cinéma local qu'en classe. Il y rattrapa certaines des
leçons qu'il manquait en étudiant les sous-titres : « J'appris à
lire en m'incrustant dans un trou de souris au cinéma l'Hippo-
drome... établissement d'éducation de premier ordre... et, à un
penny la séance, nettement meilleur marché que l'école. »

Un peu plus âgé, Fred Hoyle témoigna de l'intérêt pour l'astronomie. Son père, un marchand de vêtements qui n'avait pas fait
d'études, l'emmenait souvent à pied voir un ami qui avait un télescope. Ils y passaient toute la nuit à regarder les étoiles, et revenaient chez eux au petit matin. La passion précoce de Fred pour

Figure 84 Son père avait emporté avec lui dans les tranchées de la Première Guerre mondiale une photographie de Fred Hoyle bébé avec sa mère. Plus tard, à propos de la photo le montrant tout petit avec son nounours, Hoyle remarquait « qu'il croyait évidemment, à tort, que le monde était meilleur qu'il ne se révéla à moi par la suite ». Une autre vue de Hoyle, âgé de dix ans, le représente au plus fort de sa phase d'école buissonnière. La dernière fut prise lorsqu'il était jeune étudiant à Cambridge.

l'astronomie se renforça à l'âge de douze ans lorsqu'il lut *Stars and Atoms (Étoiles et atomes)* d'Arthur Eddington.

Finalement, Hoyle se persuada qu'il fallait donner sa chance à l'enseignement britannique. Il se fixa au collège secondaire classique de Bingley, puis s'embarqua dans un cursus universitaire traditionnel. En 1933, il obtint une bourse pour l'Emmanuel College, à Cambridge, où il étudia les mathématiques. Il y excella, jusqu'à avoir le prix Mayhew, donné au meilleur étudiant en mathématiques appliquées. Après avoir obtenu son diplôme, il fut admis en troisième cycle à Cambridge, travaillant aux côtés de sommités tels que Rudolf Peierls, Paul Dirac, Max Born, et son idole, Arthur Eddington. Après avoir passé sa thèse de doctorat en 1939, il fut nommé chargé de cours à St John's College, et commença à centrer ses recherches sur l'évolution des étoiles.

Mais la carrière universitaire de Hoyle fut bientôt interrompue : « La guerre devait tout changer. Elle me mit en difficulté financièrement, elle engloutit ma meilleure période créatrice, juste au moment où je commençais à trouver ma place dans la recherche. » On commença par l'envoyer au Groupe des Radars de l'Amirauté, près de Chichester, et en 1942 il fut promu chef de section à l'Établissement des Signaux de l'Amirauté, à Witley dans le Surrey, où il continua à faire des recherches sur les radars. Ce fut là qu'il rencontra Thomas Gold et Hermann Bondi, qui partageaient son intérêt pour l'astronomie et la cosmologie. Dans les années qui suivirent, l'équipe Hoyle, Bondi et Gold allait devenir aussi célèbre que celle de leurs grands rivaux américains, Gamow, Alpher et Herman.

Bondi et Gold, viennois tous les deux, puis ensemble étudiants à Cambridge, partageaient une maison proche du laboratoire de recherches de l'Amirauté. Hoyle y passait souvent plusieurs nuits par semaine, car son propre domicile était à 80 kilomètres, et il avait horreur de faire des allers et retours. Au bout d'une journée de recherches intenses sur la manière de construire de meilleurs systèmes radar, les trois hommes se détendaient en tenant des mini-séminaires sur les sujets qui les intéressaient déjà avant la guerre.

En particulier, ils avaient été frappés par les observations de Hubble au sujet de l'expansion de l'univers et de ses implications. Chaque fois qu'ils abordaient le sujet de la cosmologie, chacun jouait un rôle particulier. Bondi, qui était doué en mathématiques, fournissait les fondements logiques de leur discussion et manipulait les équations qui apparaissaient. Gold,

Figure 85 Fred Hoyle apporta sa contribution à de nombreux domaines de la physique et de l'astronomie, mais il est surtout connu pour son modèle de l'« état stationnaire » de l'univers.

qui était plutôt tourné vers les sciences, donnait une interprétation physique des équations de Hoyle. Ce dernier, qui était le plus expérimenté, guidait les spéculations. Selon Gold :

> Fred Hoyle nous poussait constamment, demandant ce que pouvait bien signifier l'expansion selon Hubble. Il nous provoquait toujours sur ce sujet. Fred faisait asseoir Bondi en tailleur sur le sol, puis il s'installait derrière lui dans un fauteuil et lui donnait un léger coup de pied toutes les cinq minutes pour le faire écrire plus vite, comme on fouetterait un cheval. Il s'asseyait et disait : « Allez, allez, fais ci, fais ça », et Bondi calculait à une vitesse folle, bien que ne sachant pas toujours ce qu'il calculait, comme une fois, lorsqu'il demanda à Fred, « Alors, maintenant, je multiplie ou je divise par 10^{46} ? »

Après la guerre, Hoyle, Bondi et Gold poursuivirent des carrières séparées en astronomie, en mathématiques et en ingénierie, respectivement, mais ils vivaient tous à Cambridge, et continuèrent de tenir leurs séances de remue-méninges. Hoyle et Gold se réunissaient régulièrement chez Bondi pour discuter le pour et le contre des deux théories de l'univers en compétition, celle du Big Bang et le modèle statique éternel. Leur argumentation penchait nettement en défaveur du Big Bang, en partie parce qu'il indiquait que l'univers était plus jeune que les étoiles qui s'y trouvaient, et en partie parce que personne n'avait la moindre idée sur ce qui avait précédé le Big Bang. Simultanément, tous trois devaient admettre que les observations de Hubble impliquaient bien que l'univers était en expansion.

Soudain, en 1946, le trio de Cambridge fit un progrès décisif. Il élabora un modèle de l'univers radicalement nouveau. Celui-ci était extraordinaire, car il semblait réaliser un compromis impossible : il décrivait un univers qui était en expansion, mais qui était cependant véritablement éternel et restait essentiellement inchangé. Jusqu'alors, l'expansion cosmique avait été synonyme de Big Bang comme moment de la création, mais le nouveau modèle montrait que les décalages vers le rouge de Hubble et l'éloignement des galaxies pouvaient également être compatibles avec la vision traditionnelle d'un univers qui existait depuis toujours.

Il semble que ce nouveau modèle ait été inspiré par un film intitulé *Dead of Night (Au cœur de la nuit)*, sorti en septembre 1945. Bien qu'il ait été produit par les studios d'Ealing, il était très loin des comédies anglaises de bon ton qu'ils réalisaient habituellement. En fait, il s'agissait du premier film d'horreur à sortir en Grande-Bretagne après la levée de la censure de guerre, laquelle avait interdit toute forme de spectacle susceptible de porter atteinte au moral du pays.

Dead of Night, avec des acteurs comme Mervyn Johns, Michael Redgrave et Googie Withers, est l'histoire d'un architecte appelé Walter Craig qui se réveille un jour, part à la campagne et va dans une ferme pour y discuter un nouveau projet de construction. Il arrive, et découvre que les divers hôtes de la maison lui sont déjà familiers, à cause d'un rêve récurrent et troublant qu'il a fait. Les hôtes réagissent avec un mélange de suspicion et de curiosité, et un par un ils lui révèlent leurs propres expériences étranges et racontent à Craig une série d'histoires d'horreur. Celles-ci vont du récit d'un meurtre entre frère et sœur au compte rendu d'examen d'un ventriloque psychotique par un psychiatre. Craig devient de plus en plus agité après chaque histoire, jusqu'à ce que la terreur atteigne son sommet dans une rafale d'images de cauchemar. Soudain, il se réveille et se rend compte que cette séquence d'événements n'était qu'un mauvais rêve. Il se jette hors du lit, s'habille, part à la campagne et va dans une ferme pour discuter d'un nouveau projet de construction. Il y découvre que les divers hôtes lui sont déjà familiers, à cause d'un rêve récurrent et troublant...

Le film présente un caractère étrange, car l'histoire évolue avec le temps. De nouveaux personnages apparaissent, et l'intrigue continue de se développer, tout en finissant exactement là où elle a commencé. Il se passe beaucoup de choses, mais à la fin du film rien n'a changé. Étant donné cette structure circulaire, il aurait pu continuer sans jamais s'arrêter.

Les trois hommes allèrent voir le film dans un cinéma de Guildford en 1946, et bientôt Gold en tira une idée remarquable. Hoyle décrivit plus tard quelle avait été la réaction de Gold à *Dead of Night* :

Tommy Gold en fut très impressionné, et plus tard, ce soir-là, il remarqua : « Et si l'univers était construit comme ça ? » On a toujours tendance à penser que les situations qui restent inchangées sont nécessairement statiques. Le choc bénéfique que nous apporta à tous trois cette histoire de revenants consista à faire disparaître ce vieux préjugé. On peut avoir des situations qui ne changent pas tout en étant dynamiques, comme par exemple un cours d'eau qui coule sans obstacle.

Le film incita Gold à mettre au point un modèle de l'univers complètement nouveau. Dans celui-ci, l'univers était toujours en expansion, mais il contredisait le modèle du Big Bang sur tous les autres points. Souvenons-nous que les partisans du Big Bang supposaient qu'un univers en expansion impliquait qu'il avait commencé par être plus petit, plus dense et plus chaud. Cela faisait logiquement penser que le moment de la création se situait il y a quelques milliards d'années. En revanche, Gold pouvait désormais concevoir un univers en expansion qui pouvait avoir existé depuis toujours dans un état largement inchangé. Tout comme dans *Dead of Night*, Gold imaginait un univers qui se développait avec le temps tout en restant pour l'essentiel identique à lui-même.

Avant d'expliquer plus en détail l'idée apparemment paradoxale de Gold, il vaut la peine de noter que cette notion de changement continuel couplé à une immutabilité est très courante. Hoyle donna l'exemple d'un cours d'eau, qui coule de façon continue tout en restant largement inchangé, du fait que l'eau se jette dans la mer, s'évapore, tombe sous forme de pluie et garde son débit. En outre, il existe un type de nuage qui s'attarde au sommet des montagnes, même par vent fort. De l'air humide est soufflé sur un côté du nuage, où il se refroidit, se condense, forme de nouvelles gouttelettes et grossit le nuage. Simultanément, le vent arrache quelques-unes des gouttes d'eau de l'autre côté du nuage, et là les gouttelettes descendent de la montagne, se réchauffent et s'évaporent. Il y a addition et perte de gouttelettes au nuage, mais au total le nuage semble inchangé, même s'il s'appauvrit et s'enrichit continuellement. Notre propre corps est l'illustration de ce principe de changement dans la continuité, car nos cellules meurent, pour être remplacées par de nouvelles cellules, qui meurent à leur tour, pour être remplacées par des cellules fraîches, etc. En fait, nous renouvelons la presque totalité de nos cellules en quelques années, tout en restant la même personne.

Cela étant, comment Gold appliqua-t-il ce principe – un développement continu sans changement final – à l'univers entier ? Le développement continu était évident, car l'univers semblait être continuellement en expansion. S'il n'y avait rien d'autre, l'univers se modifierait et deviendrait moins dense avec le temps, ce qui est exactement ce que suggérait le modèle du Big Bang. Cependant, Gold introduisit un second aspect dans le développement de l'univers, qui s'opposait à l'effet de dilution de l'expansion et ne débouchait pas sur un changement global. Il s'agissait de l'idée selon laquelle l'univers compensait son expansion en créant de la matière nouvelle dans les intervalles croissant entre les galaxies qui s'éloignaient, si bien qu'au total la densité de l'univers restait la même. Un tel univers semblerait se développer et se dilater, mais il resterait largement inchangé, constant et éternel.

Le concept d'univers en évolution tout en restant inchangé devait devenir célèbre sous le nom de modèle de « l'état stationnaire ». Lorsque Gold introduisit cette idée pour la première fois, Hoyle et Bondi le qualifièrent de folle théorie. C'était en début de soirée chez Bondi, et Hoyle pensait que la théorie de Gold pouvait être mise en pièces et réfutée avant le dîner. Les trois compères se sentant de plus en plus affamés, il devint de plus en plus clair que la cosmologie de Gold était cohérente et compatible avec toute une série d'observations astronomiques. C'était une théorie parfaitement sensée de l'univers. En bref, si l'univers était infini, il pouvait doubler de taille et rester infini et inchangé, pourvu que de la matière soit créée entre les galaxies, comme on le voit Figure 86.

La réflexion dans ce domaine avait été jusqu'alors guidée par le principe cosmologique selon lequel notre partie de l'univers, la Voie lactée et ses environs, ressemble pour l'essentiel à ce que l'on trouve ailleurs. Autrement dit, nous n'occupons pas une place spéciale dans l'univers. C'est ce principe qu'utilisa Einstein lorsqu'il appliqua pour la première fois la relativité générale à l'univers entier. Cependant, Gold faisait un pas de plus et postulait le principe cosmologique parfait : non seulement notre parcelle de l'univers est identique à toute autre, mais notre ère dans ce même univers est identique à n'importe quelle autre. Autrement dit encore, nous n'habitons ni un endroit spécial, ni une époque particulière. Notre univers est pour l'essentiel le même en tous lieux, mais aussi de tout temps. Gold pensait que le modèle de « l'état stationnaire » de l'univers était la conséquence naturelle de son principe cosmologique parfait.

Le trio de Cambridge développa encore l'idée de Gold, qui connut son apogée avec la publication de deux articles en 1948. Le premier, sous la signature de Gold et de Bondi, décrivait la théorie de l'état stationnaire en termes philosophiques généraux. Hoyle souhaitait l'exprimer de façon mathématiquement plus détaillée, raison pour laquelle il publia séparément sa contribution. Cette coupure stylistique n'était que superficielle, et Hoyle, Gold et Bondi continuèrent à travailler ensemble pour faire connaître la théorie de l'état stationnaire au reste du monde.

La théorie de l'état stationnaire fut immédiatement en butte à deux questions. Où était donc toute cette matière qui était créée, et d'où venait-elle ? Hoyle répliqua que personne ne doit s'attendre à voir des étoiles et des galaxies surgir de nulle part. Pour compenser l'expansion de l'univers, il suffisait d'une vitesse de création « d'un atome par siècle dans un volume égal à celui de l'Empire State Building », que des observateurs situés sur la Terre seraient incapables de détecter. Pour expliquer la création de ces atomes, Hoyle proposa le champ de la création, également appelé champ C. Cette entité entièrement hypothétique était supposée répandue dans l'univers entier, engendrant des atomes de manière spontanée et maintenant le statu quo. Hoyle dut admettre qu'il n'avait aucune idée de la réalité physique qui se cachait derrière son champ C théorique, mais, pour lui, son modèle de création continue était beaucoup plus sensé qu'une création résultant d'un Big Bang tout-puissant.

Les cosmologistes étaient désormais placés devant un choix clair. Ils pouvaient opter pour un univers du Big Bang, avec un moment de création, une histoire finie et un avenir qui serait très différent du présent. Ou bien ils pouvaient choisir un univers à l'état stationnaire, avec une création continue, une histoire éternelle et un avenir qui serait largement identique au présent.

Hoyle tenait à prouver que le modèle de l'état stationnaire représentait l'univers véritable, et il proposa une épreuve décisive qui montrerait qu'il avait raison. Selon le modèle de l'état stationnaire, de la matière nouvelle se créait partout, ce qui, avec le temps, donnerait naissance à de nouvelles galaxies dans tout l'univers. Ces galaxies dans l'enfance devraient exister dans notre voisinage, comme de l'autre côté de l'univers, et n'importe où entre les deux. Si le modèle de l'état stationnaire était correct, les astronomes devraient être capables de les détecter où qu'elles se trouvent. Pour sa part, le modèle du Big Bang prédisait une situation très différente. Il proclamait que l'univers entier était né de façon simultanée, et que tout devait avoir évolué d'une manière vaguement identique, si bien qu'il y aurait eu un temps où toutes les galaxies étaient des bébés galaxies, puis un autre où elles étaient

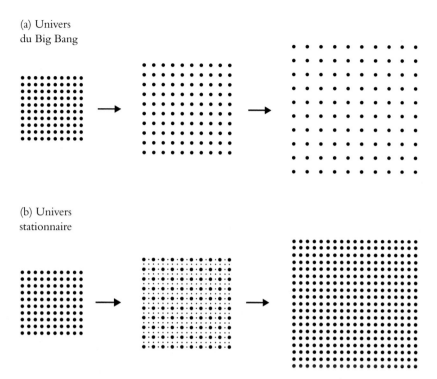

Figure 86 Le diagramme (a) montre l'expansion dans un univers du Big Bang. Une petite parcelle de l'univers double sa surface, puis la double encore une seconde fois. Les points qui représentent des galaxies deviennent de plus en plus espacés, si bien qu'au fur et à mesure que le temps passe, l'univers devient moins dense.

Le diagramme (b) montre l'expansion dans un univers à l'état stationnaire. Là encore, une petite parcelle de l'univers double de surface par deux fois, mais ici de nouvelles galaxies apparaissent entre les anciennes, comme on le voit au stade intermédiaire de l'évolution. Ces germes de galaxies croissent pour devenir des galaxies à part entière, si bien que la troisième phase de l'univers a le même aspect que la première. Les critiques pourraient dire que, bien que la densité de l'univers soit la même, il a changé puisqu'il est désormais quatre fois plus grand. Mais si l'univers est infini, l'infinité multipliée par quatre est toujours l'infinité. Par conséquent, un univers infini peut effectivement se dilater tout en restant inchangé, pour autant que les intervalles créés par l'expansion se remplissent de nouvelles galaxies.

dans l'ensemble adolescentes, et de nos jours elles seraient arrivées à maturité. Par conséquent, la seule façon de voir un bébé galaxie aujourd'hui serait d'utiliser un télescope extrêmement puissant, capable de voir jusqu'aux limites de l'univers. En effet, la lumière émise par une galaxie très distante aurait pris tellement de temps pour nous atteindre que nous la verrions effectivement telle qu'elle était dans un lointain passé, lorsqu'elle n'était peut-être qu'un bébé galaxie.

Ainsi, le modèle de l'état stationnaire prédisait que les bébés galaxies se répartissaient régulièrement dans tout l'univers, tandis que, selon le modèle du Big Bang, nous ne pourrions voir de bébés galaxies qu'à des distances cosmiques gigantesques. Malheureusement, lorsque le débat entre les partisans des deux thèses commença, vers la fin des années 1940, les meilleurs télescopes du monde ne permettaient pas aux astronomes de distinguer entre des bébés galaxies et des galaxies arrivées à maturité. La répartition des bébés galaxies n'était pas connue, et la controverse resta sans solution.

Sans observations précises ni données fiables pouvant décider en faveur de l'une ou de l'autre théorie, les deux camps rivaux furent réduits à parsemer leurs arguments scientifiques de remarques acerbes. Ainsi, George Gamow souligna que la plupart des partisans de l'état stationnaire étaient basés en Angleterre, et il s'en servit pour les taquiner : « Il n'est pas surprenant que la théorie de l'état stationnaire soit si répandue en Angleterre, non seulement parce qu'elle a été proposée par trois fils d'Albion (natifs ou immigrés), H. Bondi, T. Gold et F. Hoyle, mais aussi parce que la politique de la Grande-Bretagne a toujours été de maintenir le statu quo en Europe. »

Hoyle et Gold, ainsi que, dans une certaine mesure, Bondi, avaient des caractères rebelles, si bien que la plaisanterie de Gamow, pour qui la théorie de l'état stationnaire était une manifestation typique de conservatisme britannique, était assez injuste. En fait, Hoyle ne cessait de remettre en question, de manière presque obsessionnelle, l'orthodoxie établie. Il avait quelquefois raison, mais il arriva souvent qu'il perde pied en tant que scientifique. Il dénonça un jour à grands cris un fossile d'archéoptéryx comme étant une falsification, et exprima de sérieux doutes sur la théorie de l'évolution par sélection naturelle de Darwin. Il écrivit dans la revue *Nature* : « La probabilité d'apparition de la vie à partir de la matière inanimée est de un sur un nombre à 40 000 zéros... Ce nombre est assez grand pour enter-

Figure 87. Cette photographie de Tommy Gold, Hermann Bondi et Fred Hoyle fut prise presque dix ans après leur premier exposé du modèle de l'état stationnaire de l'univers.

rer Darwin et toute la théorie de l'évolution. Il n'y a pas eu de soupe primitive, ni sur cette planète, ni sur un quelconque corps céleste, et si les commencements de la vie n'ont pas été aléatoires, ils ont dû avoir été le produit d'une intelligence consciente. » Beaucoup plus tard, il proposa une analogie spectaculaire pour illustrer l'impossibilité apparente d'une évolution complexe : « Imaginez une tornade balayant un dépotoir. Dans son sillage apparaît un avion gros porteur tout neuf, un Boeing 747. Naturellement, cet avion a été fabriqué et assemblé de façon totalement aléatoire à partir des ordures du dépotoir. »

Des commentaires de ce genre portèrent atteinte à la crédibilité de Hoyle, et, par association, ternirent également la réputation de l'état stationnaire parmi les cosmologistes. Ses trois défenseurs furent également critiqués pour n'avoir aucun lien direct avec l'astronomie d'observation. L'astronome canadien Ralph Williamson dit de Hoyle qu'« il n'avait aucune expérience réelle de la manipulation des grands télescopes qui rendent possible l'astronomie moderne ». Autrement dit, Williamson prétendait que seuls ceux qui exploraient activement le cosmos pouvaient en faire l'objet de théories. Bondi défendit Hoyle en attaquant la remarque spécieuse de Williamson : « Cela revient à dire que seuls les plombiers et les livreurs de lait ont le droit de se prononcer sur les questions d'hydrodynamique. » Williamson attaqua également Hoyle pour être trop spéculatif, sans fonder sa cosmologie sur des observations astronomiques concrètes, qu'il qualifiait de faits incontournables. Là encore, Bondi ne fut pas long à répondre : « Mais qu'est-ce qu'un fait astronomique ? C'est tout au plus une tache sur une plaque photographique ! » Dans les deux camps, l'argumentation était descendue au niveau de médisances et de chamailleries.

Lassé de ces manœuvres et attaques personnelles, Hoyle passa par des périodes où il préférait expliquer ses idées sur l'univers au public plutôt que de s'adresser à ses collègues universitaires. Il donna plusieurs articles et publia une série de livres de vulgarisation, écrits dans un style vivant et lucide. Ainsi : « L'espace n'est pas du tout éloigné. Il n'est qu'à une heure d'automobile si vous pouviez conduire en montant à la verticale. » De fait, il maniait si bien la langue qu'il finit par écrire une série dramatique télévisée pour la BBC, appelée *A comme Andromède*, une pièce de boulevard pour enfants intitulée *Fusées sur la Grande Ourse*, et une collection d'ouvrages de science-fiction, parmi lesquels *The Black Cloud (Le Nuage noir)*. Dans son premier grand livre de vulgarisation, Hoyle présenta une défense détaillée du modèle de l'état stationnaire : « L'idée peut sembler étrange, j'en conviens, mais en matière scientifique, cela n'a pas d'importance, pourvu que cela fonctionne – c'est-à-dire aussi longtemps qu'une idée peut être exprimée sous une forme précise et pour autant que ses conséquences se révèlent être en accord avec l'observation. »

Il est intéressant de noter que George Gamow, principal opposant de Hoyle dans le débat entre le Big Bang et l'état stationnaire, exposait également ses théories dans des textes destinés au grand public. Les deux hommes eurent une influence significative sur la façon dont la science était perçue, raison pour laquelle ils reçurent tous deux le prestigieux prix Kalinga de vulgarisation scientifique de l'UNESCO, Gamow en 1956 et Hoyle en 1967. La bataille pour obtenir le soutien du public est bien illustrée par une bizarre scène d'opéra tirée du *Nouveau Monde de M. Tompkins*, le livre d'aventures scientifiques qu'il avait écrit. Gamow fit figurer Hoyle dans l'opéra et lui fit chanter une chanson qui parodiait sa propre théorie de l'état stationnaire. Pour enfoncer le clou, il le fit surgir dans l'histoire « à partir de rien dans l'espace au milieu des brillantes galaxies ».

L'incident le plus significatif dans cette lutte pour obtenir la faveur du public se produisit sur les ondes de la British Broadcasting Corporation en 1950. La BBC avait établi des fiches sur des intervenants possibles, et le dossier de Hoyle portait la mention « ne pas faire appel à cet homme », probablement parce qu'il était considéré comme un perturbateur qui attaquait sans cesse les autorités établies. Quoi qu'il en soit, Peter Laslett, producteur, qui était son collègue à Cambridge, passa outre et invita Hoyle à donner une série de cinq conférences sur l'antenne radio du Third Programme. La série était diffusée à huit heures du soir le samedi, et les transcriptions furent publiées dans le magazine *The Listener*. L'ensemble du projet fut un énorme succès, et rendit Hoyle célèbre.

On se souvient encore aujourd'hui de cette série radiodiffusée à cause d'un moment historique qui marqua la dernière conférence. Bien que le terme de Big Bang ait été utilisé dans les chapitres précédents du présent ouvrage, son emploi était en fait anachronique, car il fut créé par Hoyle au cours de cette dernière émission en direct. Jusqu'à ce qu'il ait inventé ce titre accrocheur, la théorie était généralement connue sous le nom de *modèle d'évolution dynamique*. Le terme de « Big Bang » apparut au moment où il expliquait qu'il existait deux théories rivales du cosmos. Il y avait, bien sûr, son propre modèle d'état stationnaire, et puis il y avait le modèle qui impliquait un instant de création :

> L'un d'entre eux se distingue par l'hypothèse selon laquelle l'univers a commencé d'exister à un moment défini à la suite d'une explosion unique et gigantesque. Si l'on suppose que cette théorie est exacte, l'expansion actuelle est une séquelle de la violence de cette explosion. Or cette idée de Big Bang me semblait peu satisfaisante. Du point de vue scientifique, cette hypothèse du Big Bang est de loin la moins acceptable des deux. Car il s'agit d'un processus irrationnel qui ne peut être décrit en termes scientifiques... Sur le plan philosophique également, je ne vois aucune raison valable de préférer l'idée du Big Bang.

Lorsque Hoyle prononçait le terme de « Big Bang », il le faisait sur un ton plutôt dédaigneux, et c'était apparemment pour lui une façon de tourner en dérision la théorie rivale. Cependant, partisans comme critiques du modèle du Big Bang l'adoptèrent progressivement. Son plus grand opposant l'avait baptisé par inadvertance.

4 – LES FRANCS-TIREURS DU COSMOS
EN RÉSUMÉ

. . .

(1) <u>LEMAÎTRE</u> SE SAISIT DES OBSERVATIONS DE <u>HUBBLE</u> CONCERNANT L'UNIVERS EN EXPANSION COMME PREUVE QUE SON MODÈLE DE LA CRÉATION PAR LE BIG BANG (CRÉATION ET ÉVOLUTION) ÉTAIT <u>CORRECT</u>.

(2) <u>EINSTEIN</u> PASSA DU CAMP DES PARTISANS DE L'UNIVERS STATIQUE ÉTERNEL À CELUI <u>DU BIG BANG</u>.

⇨ MAIS LA MAJORITÉ DES PHYSICIENS ADOPTA UNE OPINION PLUS CONSERVATRICE ET CONTINUA DE CROIRE AU MODÈLE TRADITIONNEL D'UN <u>UNIVERS STATIQUE ET ÉTERNEL</u>.

⇨ LE MODÈLE DU BIG BANG FUT CRITIQUÉ PARCE QU'IL IMPLIQUAIT UN UNIVERS PLUS JEUNE QUE LES ÉTOILES QU'IL CONTENAIT.

> <u>MODÈLE DU BIG BANG</u>
> CONTRE
> <u>UNIVERS STATIQUE ET ÉTERNEL</u>

LA CHARGE DE LA PREUVE INCOMBAIT AUX PARTISANS DU BIG BANG. IL LEUR FALLAIT DÉCOUVRIR DES FAITS PROUVANT QUE LEUR THÉORIE ÉTAIT EXACTE. SINON, L'UNIVERS STATIQUE ÉTERNEL RESTERAIT LA THÉORIE DOMINANTE.

LE TERRAIN D'EXPÉRIMENTATION VITAL ÉTAIT CELUI DE LA PHYSIQUE ATOMIQUE. LA THÉORIE DU BIG BANG POUVAIT-ELLE EXPLIQUER POURQUOI LES <u>ATOMES LÉGERS</u> (PAR EXEMPLE L'HYDROGÈNE ET L'HÉLIUM) SONT PLUS <u>COMMUNS</u> QUE LES <u>ATOMES LOURDS</u> (COMME LE FER ET L'OR) DANS L'UNIVERS AUJOURD'HUI ?

(3) <u>RUTHERFORD</u> FORMULA LA CONCEPTION MODERNE DE <u>L'ATOME</u> ET DE SA STRUCTURE. LE NOYAU CENTRAL CONTIENT DES PROTONS (+) ET DES NEUTRONS (–) ET LES ÉLECTRONS (–) TOURNENT AUTOUR DU NOYAU.

<u>FUSION</u> : DEUX PETITS NOYAUX SE RÉUNISSENT POUR EN CONSTITUER UN PLUS GRAND ; <u>C'EST AINSI QUE</u> <u>LE SOLEIL FONCTIONNE</u>.

④ ANNÉES 1940 : <u>GAMOW, ALPHER ET HERMAN</u> DÉCRIVIRENT L'UNIVERS D'ORIGINE COMME ÉTANT UNE SOUPE DENSE DE PROTONS, DE NEUTRONS ET D'ÉLECTRONS. ILS PENSÈRENT QUE DES ATOMES DE PLUS EN PLUS GROS POUVAIENT SE CONSTRUIRE PAR FUSION DANS LA CHALEUR DU BIG BANG.

<u>SUCCÈS</u> : LE BIG BANG POUVAIT EXPLIQUER QUE L'UNIVERS ACTUEL ÉTAIT COMPOSÉ À 90 % D'ATOMES D'HYDROGÈNE ET 9% D'ATOMES D'HÉLIUM

<u>ÉCHEC</u> : LE BIG BANG SE RÉVÉLAIT INCAPABLE D'EXPLIQUER LA FORMATION D'ATOMES PLUS LOURDS QUE L'HÉLIUM.

⑤ DANS LE MÊME TEMPS CEPENDANT GAMOW, ALPHER ET HERMAN PRÉDIRENT QU'UN ÉCHO LUMINEUX DU BIG BANG AVAIT ÉTÉ LIBÉRÉ 300 000 ANS APRÈS LE MOMENT DE LA CRÉATION ET <u>POUVAIT ÊTRE ENCORE DÉTECTABLE DE NOS JOURS.</u>

DÉCOUVRIR CET ÉCHO AURAIT PROUVÉ L'EXISTENCE DU BIG BANG MAIS PERSONNE NE SE MIT À LA RECHERCHE DE CE <u>RAYONNEMENT DE FOND COSMOLOGIQUE (RFC)</u>

⑥ DANS LES ANNÉES 1940, <u>HOYLE, GOLD ET BONDI</u> PROPOSÈRENT <u>LE MODÈLE D'ÉTAT STATIONNAIRE DE L'UNIVERS</u> : L'UNIVERS EST BIEN EN EXPANSION MAIS DE LA MATIÈRE NOUVELLE SE CRÉE POUR FORMER DES GALAXIES DANS LES INTERVALLES GRANDISSANTS ENTRE LES ANCIENNES GALAXIES.

ILS AFFIRMÈRENT QUE L'UNIVERS <u>ÉVOLUE</u> MAIS RESTE GLOBALEMENT INCHANGÉ, ET QU'IL DURE DEPUIS TOUJOURS. CE POINT DE VUE ÉTANT COMPATIBLE AVEC LES OBSERVATIONS DE <u>HUBBLE</u> CONCERNANT LE <u>DÉCALAGE VERS LE ROUGE</u>, IL REMPLAÇA LE MODÈLE STATIQUE ÉTERNEL DE L'UNIVERS.

LE DÉBAT COSMOLOGIQUE SE CENTRAIT DÉSORMAIS SUR CES MODÈLES :

<u>MODÈLE DU BIG BANG</u>
CONTRE
<u>MODÈLE DE L'UNIVERS STATIONNAIRE</u>

LES SCIENTIFIQUES ÉTAIENT TRÈS PARTAGÉS ENTRE LES DEUX CONCEPTIONS.

5

Le changement de paradigme

Vous voyez, le fil du télégraphe est une sorte de chat très, très long. On lui tire la queue à New York et sa tête bouge à Los Angeles. Vous comprenez ? Et la radio fonctionne exactement de la même manière : on envoie des signaux ici, ils sont reçus là-bas. La seule différence est qu'il n'y a pas de chat.

Albert EINSTEIN

La phrase la plus stimulante à entendre dans les sciences, celle qui annonce de nouvelles découvertes, n'est pas « Eurêka » (j'ai trouvé), mais « C'est drôle... »

Isaac ASIMOV

En général, on cherche une nouvelle loi par le processus suivant. Tout d'abord, on essaie de deviner. Ne riez pas, c'est l'étape la plus importante. Ensuite, on évalue les conséquences. Comparez les conséquences à l'expérience. Si elles sont en désaccord, votre hypothèse est fausse. C'est dans cette simple formulation que se trouve la clé de la science. Ce n'est pas la beauté du raisonnement qui est importante, non plus que votre intelligence ou votre réputation. Si l'hypothèse n'est pas confirmée par l'expérience, elle est fausse. C'est tout ce qu'on peut en dire.

Richard FEYNMAN

Il y avait désormais deux théories dominantes qui luttaient pour le contrôle de l'univers. D'un côté se trouvait le modèle du Big Bang, qui était issu de la théorie de la relativité générale d'Einstein, grâce à Lemaître et à Friedmann. Il proposait un moment de création unique suivi par une expansion rapide, et, de fait, Hubble avait observé que les galaxies s'éloignaient. Par ailleurs, Gamow et Alpher avaient montré que le Big Bang pouvait expliquer l'abondance relative de l'hydrogène et de l'hélium. De l'autre côté, le modèle de l'état stationnaire, inventé par Hoyle, Gold et Bondi, qui renvoyait à la croyance traditionnelle en un univers éternel, sauf qu'il impliquait l'idée d'une création et d'une expansion permanentes. C'était cette création et cette expansion qui rendaient le modèle compatible avec toutes les observations astronomiques, y compris les décalages vers le rouge remarqués par Hubble, en provenance des galaxies qui s'éloignaient.

Les controverses scientifiques sur la valeur de théories qui s'affrontent se déroulent généralement dans les cafétérias d'université ou dans des conférences réservées à une élite, réunissant de grands esprits. Cependant, lorsqu'on en vint à la question de savoir si l'univers était éternel ou avait été créé – la question cosmologique ultime – la discussion déborda dans l'arène publique, en partie sous l'effet des diverses publications de vulgarisation et émissions radiodiffusées dues à Hoyle, Gamow et à d'autres cosmologistes.

Pour ne pas être en reste, l'Église tint à faire connaître son opinion sur le débat cosmologique. Le pape Pie XII, qui avait déjà proclamé que la biologie évolutionniste ne contredisait pas l'enseignement de l'Église, se rendit à l'Académie pontificale des Sciences le 22 novembre 1951 pour prononcer une adresse intitulée « *Les preuves de l'existence de Dieu à la lumière des sciences modernes de la nature* ». En particulier, le pape appuya fortement la théorie du Big Bang, qu'il percevait comme une interprétation scientifique de la Genèse, et une preuve de l'existence de Dieu :

« Tout semble indiquer que le contenu matériel de l'univers a eu un puissant commencement dans le temps. Qu'il était doué dès sa naissance de vastes réserves d'énergie, en vertu de quoi, rapidement tout d'abord, puis toujours plus lentement, il a évolué jusqu'à son état présent... Il semble en vérité que la science d'aujourd'hui, remontant d'un trait des millions de siècles, ait réussi à se faire le témoin de ce "*fiat lux !*" initial, de cet instant où surgit du néant, avec la matière, un océan de lumière et de radiations, tandis que les particules des éléments chimiques se séparaient et s'assemblaient en millions de galaxies... Donc il y a eu un Créateur ! Donc Dieu existe ! Bien qu'elle ne soit ni explicite ni complète, c'est la réponse que nous attendions de la Science et que la génération présente attendait d'elle ! »

L'adresse du pape, qui incluait une mention explicite de Hubble et de ses observations, fit les gros titres des journaux du monde entier. L'un des amis de Hubble, Elmer Davis, la lut et ne put résister à l'envie de lui écrire en manière de plaisanterie : « J'ai l'habitude de te voir régulièrement recevoir des distinctions nouvelles, toujours plus hautes. Mais jusqu'à ce que je lise le journal de ce matin, je n'avais jamais osé rêver que le pape s'appuie sur toi pour prouver l'existence de Dieu. Cela devrait te qualifier, au bout du compte, pour la canonisation. »

Curieusement, George Gamow, qui était athée, fut heureux de l'attention que le pape portait à son champ de recherche. Il écrivit à Pie XII après l'adresse, lui envoyant un article de vulgarisation sur la cosmologie et un exemplaire de son livre *La Création de l'univers*. Il alla même jusqu'à citer malicieusement le pape dans un article de recherche qu'il publia en 1952 dans la prestigieuse *Physical Review*, sachant pertinemment que cela agacerait un grand nombre de ses collègues, qui tenaient beaucoup à éviter tout chevauchement entre la science et la religion.

Pour l'immense majorité des cosmologistes, la décision concernant la validité du modèle du Big Bang n'avait absolument rien à voir avec le pape, et aucun débat scientifique sérieux ne devait faire appel à son approbation. De fait, très vite, l'appui du pape se révéla contre-productif et cause d'embarras pour les défenseurs de cette théorie. Les partisans du modèle rival de l'état stationnaire tirèrent bientôt parti de l'adresse papale pour en faire un sujet de moquerie. Ainsi, le physicien britannique William Bonner soutint que la théorie du Big Bang relevait d'une conspiration visant à soutenir le christianisme : « Le motif sous-jacent est évidemment l'introduction de Dieu comme créateur. C'est là, semble-t-il, l'occasion qu'attendait la théologie chrétienne depuis que la science s'est mise à remplacer la religion dans l'esprit des hommes de raison au XVIIe siècle. »

Fred Hoyle fut tout aussi cinglant pour ce qui était d'associer le Big Bang à la religion, ce qui le condamnait en tant que modèle construit sur des fondements judéo-chrétiens. Son opinion était partagée par son collaborateur pour l'état stationnaire, Thomas Gold. Lorsque celui-ci apprit que Pie XII avait soutenu le Big Bang, sa réplique fut brève et bien ajustée : « Eh bien, le pape a également défendu l'immobilité de la Terre. » Les savants se méfiaient des efforts du Vatican pour influer sur le cours de la science depuis qu'Urbain VIII avait forcé Galilée à se rétracter en 1633. Cependant, cette circonspection frôlait parfois la paranoïa, comme le notait George Thomson, lauréat anglais du prix Nobel : « Il est probable que tous les physiciens croiraient à une création si la Bible n'en avait malheureusement touché un mot il y a bien longtemps, lui donnant un petit air vieillot. »

La voix la plus importante dans le débat sur le rôle de la théologie en cosmologie fut peut-être celle de Monsignore Georges Lemaître, co-inventeur du modèle du Big Bang et membre de l'Académie pontificale des Sciences. Lemaître était fermement persuadé que l'activité scientifique devait se tenir à l'écart du domaine de la religion. Pour ce qui était plus particulièrement de sa théorie du Big Bang, il précisa : « Autant que je sache, une telle théorie reste entièrement extérieure à toute question métaphysique ou religieuse. » Lemaître avait toujours pris grand soin de maintenir séparées ses carrières parallèles dans les domaines de la cosmologie et de la théologie. Selon lui, l'une l'aidait à mieux comprendre le monde matériel, tandis que l'autre lui permettait d'approfondir le royaume de la spiritualité : « Chercher la vérité jusqu'au bout signifie scruter les âmes autant que les spectres. » Il fut donc naturellement contrarié que le pape mélange délibérément l'une et l'autre. L'un de ses étudiants, qui le vit peu après son retour, après qu'il eut entendu l'adresse du pape à l'Académie, se souvient « qu'il était entré dans la salle en fulminant... ayant tout perdu de sa jovialité habituelle ».

Lemaître entreprit de décourager le pape de faire d'autres proclamations en matière de cosmologie, en partie pour ne pas embarrasser les partisans du Big Bang, mais aussi pour éviter d'éventuelles difficultés pour l'Église. Si le pape – pris comme il l'était par son enthousiasme pour le modèle du Big Bang – se mettait à souscrire à la méthode scientifique et à l'utiliser pour soutenir l'Église catholique, cette politique pouvait se retourner contre elle si de nouvelles découvertes venaient à contredire les enseignements de l'Écriture. Lemaître prit contact avec Daniel O'Connell, directeur de l'observatoire du Vatican et conseiller scientifique du pape, et lui proposa d'intervenir de concert auprès de Pie XII pour qu'il renonce à s'exprimer en matière de cosmologie. De façon surprenante, le pape s'exécuta, et se plia à cette demande : le Big Bang ne ferait plus la matière des adresses papales.

Alors que les spécialistes occidentaux commençaient à remporter quelques succès dans leurs efforts pour se libérer de toute influence religieuse, à Moscou il fallait encore compter avec l'intervention de non-scientifiques dans le débat. Dans les pays de l'Est, cette influence n'était pas religieuse, mais politique, et elle s'exerçait en défaveur du Big Bang. Les idéologues soviétiques s'opposaient à ce modèle sous prétexte qu'il n'était pas conforme aux dogmes de l'idéologie marxiste-léniniste. En particulier, ils ne pouvaient accepter un modèle qui postulait un moment de création, car cela voulait dire qu'il y avait eu un Créateur. En outre, ils percevaient le Big Bang comme une théorie occidentale, même si c'était Alexander Friedmann, à Saint-Pétersbourg, qui en avait jeté les fondements.

Andrei Jdanov, organisateur des purges staliniennes des années 1930 et 1940, résuma ainsi la position soviétique sur le Big Bang : « Les falsificateurs de la science veulent faire revivre le conte de fées de l'origine du monde à partir de rien. » Il fit donc rechercher et persécuter ceux qu'il appelait « les agents de Lemaître ». Parmi les victimes, il y eut l'astrophysicien Nikolai Kozyrev, qui fut envoyé dans un camp de travail en 1937 et condamné à mort pour avoir continué à défendre la théorie du

Big Bang. Heureusement, la sentence fut commuée et réduite à dix ans d'incarcération lorsque les représentants du régime échouèrent à réunir un peloton d'exécution. Sur intervention de ses collègues, Kozyrev fut finalement libéré et autorisé à retourner travailler à l'observatoire de Poulkovo.

Vsevolod Frederiks et Matvei Bronstein, également partisans du modèle du Big Bang, furent les plus durement punis. Frederiks fut emprisonné dans une série de camps et mourut au bout de six ans de travaux forcés, tandis que Bronstein fut fusillé après avoir été arrêté sur de fausses accusations d'espionnage. En faisant un exemple avec ces savants, et avec quelques autres, les Soviétiques réussirent à étouffer la recherche sérieuse en cosmologie et envoyèrent un message dont les échos se prolongèrent pendant des dizaines d'années, jusqu'à l'effondrement du communisme. L'astronome russe V.E. Lov suivit la ligne du parti et déclara que le modèle du Big Bang était « une tumeur cancéreuse qui corrompt la théorie astronomique moderne et représente le principal ennemi idéologique de la science matérialiste ». Et Boris Vorontsov-Veliaminov, l'un de collègues de Lov, se rallia aux thèses officielles en qualifiant Gamow « d'apostat américanisé » à cause de son passage à l'Ouest, affirmant « qu'il n'avance de nouvelles théories que pour faire sensation ».

Si la théorie du Big Bang était considérée comme de la science bourgeoise, celle de l'état stationnaire ne trouvait pas davantage grâce aux yeux des idéologues du communisme, car elle aussi impliquait une création, même si c'était sur une base plus graduelle et continue. En 1958, Fred Hoyle assista à une réunion de l'Union astronomique internationale à Moscou et rapporta sa propre réaction face au courant politique sous-jacent qui dominait la science soviétique : « Jugez mon étonnement lors de ma première visite en Union soviétique lorsque des scientifiques russes me dirent très sérieusement que mes idées auraient été mieux acceptées en Russie si elles avaient été formulées différemment. Les mots "origine" ou "formation de la matière" passaient, mais la création, en Union soviétique, était définitivement exclue. »

Hoyle trouvait ridicule que les hommes politiques et les théologiens se servent de la cosmologie pour conforter leurs croyances. Ainsi qu'il l'écrivit en 1956 : « Les catholiques comme les communistes raisonnent par dogmes. Un argument est jugé "correct" par ces gens-là parce qu'ils le jugent fondé sur des prémisses "correctes", et non parce qu'il mène à des résultats qui s'accordent avec les faits. Donc, si les faits contredisent le dogme, eh bien, tant pis pour les faits. »

Cependant, mis à part le point de vue du pape ou la position du Kremlin, où en étaient les cosmologistes dans le débat qui opposait le Big Bang à l'état stationnaire ? Tout au long des années 1950, il fut impossible d'établir un consensus dans les milieux scientifiques. En 1959, la *Science Newsletter* conduisit une enquête et demanda à trente-trois astronomes renommés de préciser leur position. Les résultats montrèrent qu'onze experts soutenaient le modèle du Big Bang, huit le modèle de l'état stationnaire, les quatorze autres étant soit sans opinion, soit certains que l'un et l'autre étaient faux. Les deux modèles s'étaient établis comme prétendants sérieux pour représenter la réalité de l'univers, mais ni l'un, ni l'autre n'avait conquis la majorité des spécialistes.

La raison de cette absence de consensus vient de ce que les faits invoqués à l'appui ou au détriment des deux thèses étaient peu concluants et contradictoires. Les astronomes faisaient des observations qui étaient à la limite de leurs possibilités techniques et de leur compréhension, si bien que les « faits » qui découlaient de ces observations devaient être traités avec beaucoup de précaution. Par exemple, toute mesure de la vitesse d'éloignement d'une galaxie pouvait être appelée un fait, mais celui-ci était exposé à la critique à cause de la complexité de la chaîne sous-jacente de déductions et d'observations. Tout d'abord, pour mesurer la vitesse d'éloignement, il fallait détecter de faibles rayonnements de lumière galactique et faire certaines hypothèses quant à savoir s'ils étaient ou non affectés au cours de leur passage à travers l'espace intermédiaire et l'atmosphère terrestre. En second lieu, il fallait mesurer les longueurs d'onde de la lumière et identifier les atomes galactiques qui avaient émis la lumière identifiée. Troisièmement, il était nécessaire de déterminer le décalage spectral, puis le mettre en relation avec la vitesse d'éloignement par effet Doppler cosmologique. Enfin, les astronomes devaient tenir compte des erreurs inhérentes à tous les appareils et processus utilisés, comme le télescope, le spectroscope, la plaque photographique et le processus de développement. Il s'agit là d'un ensemble de connexions hautement complexe, si bien que les expérimentateurs devaient avoir une confiance absolue quant à la précision de chaque étape. En fait, les mesures des vitesses d'éloignement des galaxies constituaient l'un des faits les plus certains en cosmologie, la chaîne de déductions dans d'autres domaines du sujet étant encore plus compliquée et plus sujette à la critique.

En l'absence de preuves décisives en faveur du Big Bang ou de l'état stationnaire, de nombreux scientifiques fondaient leur préférence cosmologique sur l'instinct ou sur la personnalité des défenseurs du modèle rival. C'était en particulier le cas de Dennis Sciama, destiné à devenir l'un des cosmologistes les plus célèbres du xxe siècle et l'inspirateur de grands scientifiques tels que Stephen Hawking, Roger Penrose ou Martin Rees. Sciama lui-même avait été inspiré par Hoyle, Gold et Bondi, dont il disait : « C'étaient eux, les jeunes rebelles, et ils avaient une influence stimulante sur une jeune personne comme moi. » Sciama s'intéressait également à divers aspects philosophiques de cette hypothèse : « La théorie de l'état stationnaire ouvre une fascinante possibilité : que les lois de la physique puissent vraiment déterminer le contenu de l'univers en exigeant que toutes ses caractéristiques s'auto-propagent... Cette spécification est donc un principe nouveau et puissant à l'aide duquel nous pouvons, pour la première fois, envisager de répondre à la question de savoir pourquoi les choses sont ce qu'elles sont sans se contenter de dire que c'est parce qu'elles étaient ainsi auparavant. » Et, plus tard, il trouverait une autre raison de préférer l'état stationnaire au Big Bang : « C'est le seul modèle dans lequel il semble évident que la vie continuera quelque part... même si la galaxie vieillit et meurt, il y aura toujours de nouvelles galaxies, plus jeunes, où l'on peut penser que la vie se développera. Et donc que le flambeau sera transmis. C'est probablement cela qui est pour moi le plus important. »

Les raisons subjectives que Sciama mettait en avant pour choisir le modèle de l'état stationnaire étaient symptomatiques de l'incertitude et du tumulte qui régnaient au sein de la cosmologie.

Au début du xxe siècle, c'était une discipline confortable, avec ses vues bien établies d'un univers statique, éternel et immuable, mais les mesures effectuées et les nouvelles théories apparues dans les années 1920 montraient que cette position n'était pas vraiment satisfaisante. Malheureusement, aucune des deux solutions qui émergeaient n'était entièrement convaincante. La cosmologie de l'état stationnaire était une version revue et corrigée de la théorie du monde statique et éternel que l'on envisageait au départ, mais il y avait peu d'observations concrètes pour l'appuyer. Rien non plus d'ailleurs ne la contredisait de façon décisive. La cosmologie du Big Bang représentait une vue plus radicale et catastrophiste de l'univers, certains faits plaidant pour elle, d'autres contre. En bref, la cosmologie était dans les limbes. Plus précisément, elle était au milieu d'un changement de paradigme.

Traditionnellement, on considérait que l'histoire des sciences était une série de modifications graduelles intervenant à la suite de changements mineurs, les systèmes établis s'affinant décennie après décennie et de nouvelles théories émergeant à partir des anciennes. La science évoluait ainsi de façon darwinienne, par sélection naturelle. On observait des mutations progressives, et c'était en fin de compte l'hypothèse la mieux adaptée qui survivait, celle qui était la mieux à même de rendre compte des observations. Thomas S. Kuhn, spécialiste de philosophie des sciences, pensait quant à lui que ce n'était là qu'une partie de la vérité. En 1962, il fit paraître un ouvrage intitulé *La Structure des révolutions scientifiques*, dans lequel il décrivait la science comme « une série d'interludes paisibles ponctués de violentes révolutions intellectuelles ». Les interludes paisibles étaient des périodes au cours desquelles les théories évoluaient graduellement comme il a déjà été dit, mais de temps à autre on sentait la nécessité d'un changement complet dans la façon de penser, ce qu'on appelle un changement de paradigme.

Ainsi, pendant des siècles, les astronomes avaient bricolé le paradigme d'un modèle géocentrique de l'univers, ajoutant des épicycles et des déférents afin de mieux l'adapter aux trajets observés du Soleil, des étoiles et des planètes. Peu à peu, on vit apparaître une série de problèmes touchant à la prévision des orbites planétaires, que la plupart des astronomes négligèrent, par conservatisme naturel et respect invétéré pour le paradigme existant. Finalement, lorsque les questions s'accumulèrent et atteignirent un niveau intolérable, des esprits rebelles, intelligents et courageux, comme Copernic, Kepler et Galilée en proposèrent un nouveau, héliocentrique cette fois. Au bout de deux générations, tous les astronomes avaient abandonné l'ancien paradigme et adopté le nouveau. Ensuite, on assista à une nouvelle ère de stabilité scientifique, avec un programme de recherches tout neuf fondé sur de nouvelles fondations et un nouveau paradigme. Le modèle géocentrique n'évolua pas en modèle héliocentrique, il fut remplacé par lui.

Le passage du modèle atomique du plum-pudding à celui de Rutherford est un autre exemple de changement de paradigme. À chaque reprise, la mutation de l'un à l'autre ne put se produire qu'une fois le nouveau paradigme convenablement élaboré et l'ancien dûment discrédité. La vitesse de la transition dépend de nombreux facteurs, y compris le poids des faits plaidant en faveur du nouveau paradigme et la vigueur de la résistance de la vieille garde. Les savants les plus âgés, ayant investi beaucoup de temps et d'effort dans l'ancien système, sont généralement les derniers à accepter le changement, tandis que les scientifiques plus jeunes sont habituellement plus ouverts et aventureux. Par conséquent, le changement de paradigme ne peut s'accomplir que lorsque l'ancienne génération s'est retirée de la vie scientifique et que la plus jeune est devenue le nouveau pouvoir établi. Le paradigme antérieur pouvait avoir prévalu pendant des siècles, si bien qu'une période de transition inférieure à une vingtaine d'années est encore comparativement courte.

La situation en cosmologie était légèrement inhabituelle, dans la mesure où l'ancien paradigme (un univers statique et éternel) avait déjà été discrédité (car il était clair que les galaxies n'étaient pas statiques), et où deux nouveaux systèmes rivalisaient pour s'imposer, les modèles de l'état stationnaire et du Big Bang. Les cosmologistes espéraient que cette période d'incertitude et de conflit se terminerait par la découverte de faits indiscutables qui prouveraient la véracité de l'un ou de l'autre modèle.

Pour pouvoir décider si le monde vivait dans le contrecoup d'un Big Bang ou au milieu d'un état stationnaire, les astronomes devaient se concentrer sur une série de critères clés, critiques pour les deux modèles en compétition. Elles sont résumées dans le Tableau 4, dans lequel chaque critère est brièvement evalué afin d'indiquer quel modèle semblait le plus pertinent d'après les données disponibles en 1950.

Bien que ce tableau ne comprenne pas tous les critères potentiels pour faire la distinction entre les deux modèles, il comprend bien les principaux, comme l'aptitude de l'un et de l'autre à expliquer l'abondance relative des divers éléments. Si l'on en juge par ce second critère, le modèle du Big Bang pourrait expliquer avec précision l'abondance relative de l'hydrogène et de l'hélium dans l'univers, mais pas celle des atomes plus lourds. Le modèle du Big Bang est frappé d'un point d'interrogation sur

Tableau 4
Cet ensemble de deux tableaux énumère divers critères permettant de juger les modèles du Big Bang et de l'état stationnaire. Les qualités de chacun sont estimées sur la base des données disponibles en 1950.

Critère	Modèle du Big Bang	Validité
1. Le décalage vers le rouge implique un univers en expansion	Normal pour un univers qui est créé à l'état dense puis se dilate	✔
2. Abondance relative des atomes	Gamow et ses collègues ont montré que le Big Bang prévoit le rapport observé de l'hydrogène à l'hélium, mais ne réussit pas à expliquer l'abondance relative des autres atomes	?
3. Formation des galaxies	L'expansion du Big Bang pourrait avoir mis en pièces les bébés galaxies avant qu'elles ne puissent grandir ; cependant, les galaxies ont bien évolué, mais personne ne peut expliquer de quelle façon	✘
4. Répartition des galaxies	Les jeunes galaxies existaient aux tout premiers temps de l'univers et ne doivent donc être observables qu'à de grandes distances ; ce qui en fait permet de remonter le temps	?
5. Rayonnement de fond cosmologique	Cet écho du Big Bang doit toujours être détectable avec des appareils suffisamment sensibles	?
6. Âge de l'univers	L'univers est apparemment plus jeune que les étoiles qu'il contient	✘
7. Création	Il n'y a pas d'explication de ce qui a causé la création de l'univers	?

Les mentions indiquent de façon immédiate comment l'un et l'autre satisfont à tel ou tel critère. Les points d'interrogation correspondent à un manque de données ou à un mélange de réussite et d'échec.

Critère	Modèle de l'état stationnaire	Validité
1. Le décalage vers le rouge implique un univers en expansion	Normal pour un univers éternel qui se dilate, de la matière nouvelle étant créée dans les intervalles	✔
2. Abondance relative des atomes	De la matière est créée entre les galaxies qui s'écartent, donc cette matière doit bien être transformée pour aboutir aux abondances relatives observées	?
3. Formation des galaxies	On dispose de davantage de temps. Il n'y a pas d'expansion initiale violente ; cela permet aux galaxies de se développer et de mourir, d'être remplacées par de nouvelles galaxies construites à partir de matière créée	✔
4. Répartition des galaxies	Les jeunes galaxies doivent apparaître régulièrement réparties, car elles peuvent être nées n'importe où et à n'importe quel moment à partir de la matière créée entre les anciennes galaxies	?
5. Rayonnement de fond cosmologique	Il n'y a pas eu de Big Bang, et donc pas d'écho, raison pour laquelle on ne peut le détecter	?
6. Âge de l'univers	L'univers est éternel, si bien que l'âge des étoiles ne pose pas de problème	✔
7. Création	Il n'y a pas d'explication de la création continue de matière dans l'univers	?

cette caractéristique à cause de sa validité partielle. Le modèle de l'état stationnaire mérite la même remarque, car on ne voit pas bien comment la matière créée entre les galaxies qui s'éloignent s'est développée pour aboutir aux différentes fréquences des atomes que l'on observe.

Les deux modèles ne devaient pas seulement expliquer la formation et l'abondance relative des différents atomes, mais aussi la manière dont ces atomes s'étaient réunis pour former les étoiles et les galaxies. Ce critère, le troisième du tableau (qui n'a pas été abordé en détail dans les chapitres précédents), posait un problème à la théorie du Big Bang. L'univers se serait dilaté rapidement après le moment de la création, qui aurait eu tendance à mettre en pièces n'importe quel bébé galaxie essayant de se former. De plus, comme un univers né d'un Big Bang n'a qu'une histoire finie, les galaxies n'auraient eu qu'un milliard d'années environ pour évoluer – ce qui est relativement court. En bref, personne ne pouvait expliquer comment les galaxies s'étaient formées dans le contexte du modèle du Big Bang. La théorie de l'état stationnaire était plus assurée sur ce plan, car dans un univers éternel les galaxies auraient disposé de davantage de temps pour se développer.

Les deux colonnes qui mettent en évidence le degré de validité des deux modèles rivaux contiennent un mélange de marques d'approbation, de croix et de points d'interrogation, aucune théorie n'étant complètement satisfaisante. On peut donc imaginer les cosmologistes réglant leurs différends en acceptant que le modèle du Big Bang puisse expliquer pleinement certaines caractéristiques de l'univers et que le modèle de l'état stationnaire puisse sans réserve rendre compte d'autres traits distinctifs. Mais nous ne sommes pas ici dans un sport dans lequel les concurrents peuvent être *ex æquo*. Les deux théories sont contradictoires et fondamentalement incompatibles. L'un des modèles proclamait que l'univers était éternel, tandis que l'autre disait qu'il avait été créé, et ils ne pouvaient être vrais simultanément. En supposant que l'un des deux soit valide, il devait en fin de compte terrasser son rival.

Le problème de l'échelle de temps

C'était le sixième critère du tableau qui présentait la plus grande difficulté pour les partisans du Big Bang. La croix souligne une absurdité dans ce modèle : il impliquait un univers plus jeune que les étoiles qu'il contenait. Cette situation est aussi ridicule que d'imaginer une mère plus jeune que sa fille. Il est bien clair que les étoiles ne pouvaient être plus vieilles que l'univers lui-même ! On a décrit au chapitre 3 comment Hubble avait mesuré la distance qui nous sépare des galaxies et leur vitesse apparente. Les cosmologistes avaient donc divisé la distance par la vitesse pour déduire qu'il y a 1,8 milliard d'années, la masse totale de l'univers était concentrée en un seul point de création. Mais les mesures de roches radioactives avaient montré que la Terre avait au moins 3 milliards d'années, et certains faits donnaient à penser que les étoiles étaient encore plus vieilles, ce qui n'était pas surprenant.

Même Einstein, qui soutenait le Big Bang, admettait que ce problème démolirait le modèle, à moins que quelqu'un ne puisse trouver une solution drastique : « L'âge de l'univers... doit certainement excéder celui de l'enveloppe solide de la Terre, tel qu'on le déduit des minerais radioactifs. Étant donné que la mesure de l'âge qui a été faite par ce moyen est fiable sous tous rapports, il [le modèle du Big Bang] serait réfuté s'il se révélait contredire des résultats de ce genre. Dans ce cas, je ne vois aucune solution raisonnable. »

Cet écart devint connu sous le nom de problème de l'échelle de temps, expression qui ne reflète pas véritablement l'immense embarras dans lequel se trouvaient les défenseurs du Big Bang. La seule véritable perspective de résolution du paradoxe de l'âge était de découvrir une erreur dans des mesures antérieures, soit des distances nous séparant des galaxies, soit de leur vitesse. Par exemple, si Hubble avait sous-estimé l'éloignement des galaxies, elles auraient eu besoin de davantage de temps pour atteindre leur position actuelle, ce qui signifierait que l'univers était plus vieux. Ou bien encore, s'il avait surestimé leur vitesse d'éloignement, il leur aurait fallu, là encore, davantage de temps pour atteindre les distances où elles se trouvent de nos jours, et la conclusion serait la même. Cependant, Hubble, en matière d'observations, était l'astronome le plus respecté dans le monde. Il était célèbre pour sa précision et sa diligence, et personne ne mettait sérieusement en doute ses résultats. De plus, ses mesures avaient été vérifiées indépendamment par d'autres chercheurs.

Lorsque l'Amérique entra dans la Seconde Guerre mondiale, l'astronomie d'observation et l'activité des grands observatoires se ralentirent presque totalement. Les projets visant à trouver une issue au débat entre les deux modèles furent remis à plus tard, les astronomes devant eux aussi se consacrer au service de leur pays. Même Hubble, qui était quinquagénaire, quitta le Mount Wilson pour devenir directeur de la balistique du champ de manœuvres d'Aberdeen, dans le Maryland. C'était le poste civil le plus haut placé en dehors de la capitale, Washington.

Le seul personnage important qui resta à Mount Wilson fut Walter Baade, émigré allemand qui s'était joint à l'équipe de l'observatoire en 1931. Bien qu'il ait vécu et travaillé en Amérique depuis une dizaine d'années, il était toujours considéré comme ressortissant d'une puissance ennemie, et il lui était interdit de se joindre à un groupe de recherche militaire. Pour lui, c'était idéal car il allait être le seul à utiliser le prestigieux télescope Hooker de 100 pouces (2,50 m). De plus, le couvre-feu imposé par la guerre supprimait la pollution lumineuse gênante des banlieues de Los Angeles, ce qui améliorait les conditions d'observation dans une mesure inédite depuis la construction du télescope en 1917. Le seul problème était que le statut d'étranger, et même d'ennemi, de Baade le confinait chez lui du coucher au lever du soleil, ce qui n'était pas idéal pour un astronome. Baade fit remarquer aux autorités qu'il avait déjà demandé un dossier de naturalisation, et réussit à les convaincre qu'il ne présentait pas un risque pour la sécurité. Au bout de quelques mois, il fut à nouveau autorisé à sortir, et eut enfin librement accès au meilleur télescope du monde dans des conditions d'observation idéales. Il tira également le meilleur parti des plaques photographiques de plus en plus sensibles qui arrivaient sur le marché, créant des images d'une acuité inégalée. Baade passa les années de guerre à étudier un type d'étoile particulier connu sous le nom d'étoile RR Lyrae, sorte d'astre variable semblable à une céphéide. Williamina Fleming, qui travaillait avec Henrietta Leavitt à l'observatoire de Harvard, avait montré que l'on pouvait se servir de la variabilité des étoiles RR Lyrae, comme des céphéides, pour mesurer les distances, mais seulement dans la Voie lactée, car les étoiles RR Lyrae sont moins lumineuses que des céphéides. Cependant, l'ambition de Baade était d'utiliser les conditions d'observations idéales pour trouver et étudier des étoiles RR Lyrae dans la galaxie d'Andromède, la plus proche des grandes galaxies. Ainsi, il pourrait se servir des étoiles RR Lyrae et de leur variabilité pour mesurer la distance qui nous sépare d'Andromède et vérifier les mesures de distance antérieurement faites sur les variations des céphéides.

En fait, Baade soupçonnait que les étoiles RR Lyrae d'Andromède se situaient au-delà de la portée du Hooker de 2,50 m. Il continua donc d'utiliser cet instrument pour effectuer des travaux de documentation sur ces étoiles dans la Voie lactée, en attendant que soit terminé le télescope de 5 mètres une fois la guerre finie. Il pensait bien que ce nouvel appareil géant permettrait de voir clairement les étoiles RR Lyrae d'Andromède.

Ce télescope de 200 pouces (5,08 mètres) de diamètre, le plus grand projet de construction mené à bien par George Ellery Hale, était implanté au mont Palomar, à 200 kilomètres au sud-est de Mount Wilson. Hale mourut en 1938, deux ans seulement après le début des travaux, et il ne put jamais voir ce qui promettait d'être la vue la plus spectaculaire de l'univers jamais offerte. Lorsque l'engin fut enfin inauguré, il fut baptisé télescope Hale en son honneur. Le 3 juin 1948, le tout-Los Angeles fut invité à admirer la coupole rotative de 1 000 tonnes qui abritait cet instrument gigantesque et son miroir concave poli avec une précision de cinquante millionièmes de millimètre (50 nanomètres). Charles Laughton, la star des *Révoltés du Bounty*, interrogé pour savoir si le télescope Hale l'inspirait, répondit : « Inspiré, mon œil ! C'est totalement effrayant. Qu'est-ce qu'on va faire avec ça ? Déclarer la guerre à la planète Mars ? »

Le télescope géant ne fut pleinement opérationnel que plus de quatre ans après la fin de la guerre, si bien que les deux sites disposaient d'une équipe complète. Cependant, Baade avait gardé son avance dans l'étude des étoiles RR Lyrae, et c'était lui qui était le mieux placé pour exploiter le nouvel instrument. Il dirigea immédiatement l'appareil sur la galaxie d'Andromède, et la balaya pour rechercher les astres faiblement lumineux dont l'éclat variait rapidement, ce qui trahissait la présence d'étoiles RR Lyrae.

Au bout d'un mois d'examen méticuleux, Baade n'avait trouvé aucune trace des étoiles RR Lyrae qu'il s'attendait à voir. Il persévéra, mais ne réussissait toujours pas à trouver ce qu'il aurait dû pouvoir discerner avec le puissant télescope Hale. Il était perplexe. Il savait que son aptitude à voir ces étoiles dans la galaxie d'Andromède ne dépendait que de trois choses – leur luminosité, la puissance du télescope et l'éloignement de la galaxie – et ses calculs montraient que les étoiles devaient bel et bien être visibles. Incertain quant à la raison de son échec, il passa à nouveau en revue les trois facteurs qui déterminaient sa capacité à voir quelque chose : il était sûr de la luminosité des étoiles RR Lyrae depuis ses recherches du temps de la guerre, et dans sa compréhension du fonctionnement du puissant nouveau télescope. Andromède était-elle donc plus éloignée qu'on ne le pensait ?

Baade se persuada qu'une erreur dans la distance admise jusqu'alors était la seule explication logique et envisageable. Il eut besoin d'un peu de temps pour convaincre ses collègues qu'il avait raison, mais son opinion prévalut lorsqu'il put détecter avec exactitude comment et pourquoi l'évaluation concernant la galaxie d'Andromède avait été mal faite.

Comme on l'a expliqué au chapitre 3, la mesure de cette distance avait été initialement faite en utilisant les étoiles variables céphéides, devenues l'étalon de base pour l'estimation des distances intergalactiques. Henrietta Leavitt avait démontré l'utilité de ces astres : la période séparant deux pics de luminosité était une excellente indication de leur luminosité intrinsèque, laquelle pouvait être comparée à leur luminosité apparente afin de déterminer leur distance à la Terre. Hubble avait été le premier à trouver des céphéides en dehors de la Voie lactée, et à mesurer ainsi la distance d'une autre galaxie, à savoir la galaxie d'Andromède.

Cependant, au cours des années 1940, il devint évident que la plupart des étoiles pouvaient être regroupées en deux grands types, appelés populations. Les étoiles les plus vieilles appartiennent à la population II, et lorsque ces astres se sont éteints, leurs débris deviennent les ingrédients de nouvelles étoiles, plus jeunes, qui constituent la population I. Celles-ci sont généralement plus chaudes, plus brillantes et plus bleues que leurs homologues de la population II. Baade supposa que les céphéides se répartissaient également entre ces deux catégories, et suggéra qu'il fallait y trouver la raison des contradictions qui frappaient la mesure de la distance pour la galaxie d'Andromède.

Son argumentation était bâtie en deux étapes simples. Tout d'abord, les céphéides de la population I sont intrinsèquement plus brillantes que celles de la population II ayant la même période de variation. En second lieu, les astronomes avaient tendance à ne voir que les céphéides de la population I, les plus brillantes, dans la galaxie d'Andromède, mais, par inadvertance, ils avaient construit leur échelle de distance des céphéides en utilisant les céphéides de population II, plus pâles, qui se trouvaient dans la Voie lactée.

Ne se rendant pas compte qu'il existait deux types de céphéides, Hubble avait commis l'erreur de comparer les céphéides locales, pâles, appartenant à la population II, avec les céphéides de population I, relativement plus brillantes, d'Andromède. Par conséquent, il avait estimé, à tort, que la galaxie d'Andromède était plus proche qu'elle ne l'est réellement.

Pour mettre les choses au point, Baade entreprit avec assiduité de réévaluer l'étalon de base des céphéides en fonction des deux types auxquelles elles appartenaient. Il pourrait ainsi estimer convenablement la distance qui nous séparait des céphéides de la galaxie d'Andromède, et donc de la galaxie elle-même. Il établit que les céphéides de population I sont en moyenne quatre fois plus lumineuses que les céphéides de population II qui ont la même période de variation. De manière commode, si une étoile est deux fois plus éloignée d'un observateur, elle apparaît quatre fois plus pâle. Par conséquent, il fallait doubler la distance qui nous séparait de la galaxie d'Andromède – jusqu'à environ 2 millions d'années-lumière – pour compenser le fait que les céphéides de population I visibles dans Andromède sont quatre fois plus brillantes que les céphéides de population II traditionnellement utilisées pour mesurer la distance. La mesure avait donc été corrigée. À une distance de 2 millions d'années-lumière, il n'était plus surprenant que les étoiles RR Lyrae soient trop pâles pour être détectées.

Si l'ajustement de la distance de la galaxie d'Andromède avait été la seule conséquence des travaux de Baade, il n'aurait mérité qu'une mention mineure dans l'histoire de l'astronomie. Mais le résultat obtenu pour Andromède avait été utilisé pour estimer l'éloignement d'autres galaxies, en faisant appel à une méthode dont il sera question un peu plus loin. Donc, doubler ce chiffre équivalait à doubler également la distance de toutes les autres galaxies.

Cependant, les estimations de la vitesse de récession de ces galaxies restaient inchangées, car elles dépendaient de la spectroscopie des redshifts (décalages vers le rouge), qui n'étaient pas affectés par les recherches de Baade. Cette constatation eut un impact décisif sur la théorie du Big Bang. Si les distances doublaient, et si les vitesses restaient identiques, alors il fallait également doubler le temps qu'avaient mis toutes les galaxies pour atteindre leur distance actuelle à partir d'un moment de création. Autrement dit, l'âge de l'univers dans le modèle du Big Bang pouvait désormais être porté à 3,6 milliards d'années, chiffre qui n'était plus incompatible avec l'âge de la Terre.

Les critiques du modèle du Big Bang soulignèrent que les étoiles et les galaxies étaient plus vieilles que la Terre et probablement âgées de plus de 3,6 milliards d'années, ce qui signifiait que l'univers semblait toujours contenir des objets qui étaient plus vieux que l'univers lui-même. Selon eux, le problème de l'échelle de temps n'était toujours pas résolu. Mais les partisans du Big Bang ne se laissèrent pas démonter par cet argument, au demeurant parfaitement fondé, car les recherches de Baade avaient montré qu'il restait encore beaucoup à apprendre en matière de mesure des distances intergalactiques et de l'âge de l'univers. Il était donc tout à fait possible que l'on trouve une autre erreur, et que cet âge double une nouvelle fois.

La découverte de Baade avait fait beaucoup pour remédier à un défaut majeur du modèle du Big Bang, mais elle avait surtout mis en évidence une faiblesse plus générale de l'astronomie : une habitude de conformisme aveugle. Du fait de l'extraordinaire réputation de Hubble, les astronomes avaient trop longtemps accepté sans sourciller ses déclarations sur les distances qui nous séparent d'Andromède et des autres galaxies. L'absence de remise en question d'affirmations aussi fondamentales, même lorsqu'elles proviennent de spécialistes éminents, est l'une des caractéristiques d'une science mal maîtrisée. Bien plus tard, l'astronome Donald Fernie devait se servir de ce faux pas pour illustrer sur un ton acerbe les inconvénients du conformisme dans les sciences : « Le traité définitif des instincts grégaires des astronomes est encore à écrire, mais à certains moments, nous ressemblons surtout à un troupeau d'antilopes, tête baissée, en formation serrée, fonçant avec une ferme détermination à travers la plaine dans une direction donnée. Sur un signal du chef, nous faisons volte-face, et, tout aussi déterminés, nous nous précipitons dans un sens tout différent, toujours en formation parallèle et serrée. »

Baade annonça officiellement, lors d'un congrès de l'Union astronomique internationale à Rome en 1952, que l'univers était deux fois plus vieux que ce qu'on avait cru jusqu'alors.

Les partisans du modèle du Big Bang virent immédiatement que cette nouvelle mesure renforçait leur croyance en un moment de création, ou du moins qu'elle levait un sérieux obstacle. Le hasard voulut que le secrétaire officiel de la session en question fût Fred Hoyle, le critique le plus féroce de cette théorie. Celui-ci prit dûment note du résultat, mais comme il croyait toujours aussi fermement en un univers éternel, il choisit de le formuler de manière à éviter avec soin toute référence au Big Bang ou à la création : « L'échelle de temps caractéristique de l'univers de Hubble doit maintenant être portée d'environ 1,8 milliard d'années à environ 3,6 milliards d'années. »

Le seul à être encore plus déçu que Hoyle par le résultat fut Edwin Hubble lui-même. Sa déconvenue n'avait rien à voir avec la validité de la théorie du Big Bang, car il ne s'était jamais posé de telles questions cosmologiques. Hubble ne se préoccupait que de la précision de ses mesures, non des interprétations ni des modèles qu'on pouvait en tirer. Par conséquent, il fut effondré que Baade ait trouvé une faille majeure dans ses mesures de distance.

Quand il finit par saisir la signification des nouveaux résultats de Baade, Hubble ressentit une légère amertume. En dépit des nombreux prix et récompenses nationales et internationales qu'il avait récoltés, il avait toujours regretté de ne jamais avoir été honoré du prix Nobel, qui de tout temps avait été son objectif final. Maintenant que Baade avait souligné une erreur dans ses travaux, il semblait bien que cet honneur doive rester hors de portée.

En fait, le comité du prix Nobel de physique ne doutait pas que Hubble fût le plus grand astronome de sa génération, et les recherches de Baade avaient à peine terni la réputation du grand homme à leurs yeux. Après tout, Hubble avait mis fin au débat principal en 1923 en prouvant l'existence de galaxies au-delà de la Voie lactée, et il avait ouvert la voie à la controverse entre le Big Bang et l'état stationnaire avec sa loi des décalages galactiques vers le rouge en 1929. La seule raison pour laquelle la fondation Nobel n'avait pas pensé à lui était que, pour le jury, l'astronomie n'avait jamais fait partie de la physique. Hubble avait perdu pour un détail administratif.

Il dut donc se satisfaire des hommages de la presse et du public, qui adoraient en lui le héros du cosmos et admiraient à juste titre ses exploits. Comme le dit un journaliste : « Christophe Colomb avait parcouru cinq mille kilomètres, découvert un continent et diverses îles ; Hubble, lui, avait vagabondé dans l'espace infini et révélé des centaines de vastes nouveaux mondes, d'îles, de sous-continents et de constellations, non pas à quelques milliers de kilomètres de distance seulement, mais bien plus loin, à des millions et des millions de kilomètres. »

Hubble mourut de thrombose cérébrale le 28 septembre 1953, totalement inconscient de sa nomination. Il ne sut malheureusement jamais que le comité du prix Nobel de physique avait décidé de changer son règlement pour reconnaître son mérite. En fait, lorsqu'il mourut, le jury se préparait à annoncer son nom.

Le prix ne peut être attribué à titre posthume, et le protocole exigeait que les discussions du comité restent confidentielles. La nomination de Hubble serait donc à jamais restée secrète si deux membres du jury, Enrico Fermi et Subrahmanyan Chandrasekhar, n'avaient décidé d'entrer en contact avec Grace Hubble. Ils voulaient absolument que l'épouse sache que l'exceptionnelle contribution de son mari à notre compréhension de l'univers n'avait pas été oubliée.

Plus pâles, plus éloignées, plus vieilles

En contestant, puis en corrigeant la valeur admise de la distance qui nous sépare de la galaxie d'Andromède, Walter Baade rappelait à ses collègues que tout bon scientifique se devait de réexaminer et de remettre en question les mesures passées, et de les rejeter si elles se révélaient défectueuses. Ce n'était que lorsqu'un résultat avait été vérifié et revérifié plusieurs fois dans tous les sens qu'il pouvait justifier du titre de « fait » ; et, même dans ce cas, une nouvelle contestation de temps à autre pouvait se révéler bénéfique. L'ironie de la chose était que ce principe devait s'appliquer même à la propre échelle de distance de Baade. En fait, ce fut même un de ses étudiants, Allan Sandage, qui révisa la mesure de l'âge de l'univers réalisée par son maître.

Sandage, comme tant de ses collègues, s'était passionné pour l'astronomie dès qu'il avait pu s'approcher d'un oculaire de télescope. Il n'oublia jamais ce moment où, enfant, « un ouragan de feu se déclencha dans ma tête ». Il poursuivit jusqu'à préparer un doctorat à l'observatoire de Mount Wilson, et devint l'assistant de Baade. Celui-ci lui demanda de prendre de nouvelles images des galaxies les plus distantes qui avaient été observées. Baade voulait simplement que Sandage vérifie l'exactitude des estimations de distance qu'il avait effectuées.

Les astronomes ne pouvaient pas utiliser les céphéides comme étalons de la distance des galaxies les plus lointaines, car il était impossible de détecter si loin ce type d'étoiles variables. Ils furent donc forcés d'adopter une méthode de mesure complètement différente. Elle reposait sur l'hypothèse probable selon laquelle l'étoile la plus brillante de la galaxie d'Andromède était intrinsèquement aussi brillante que le plus lumineux des astres appartenant à une quelconque autre galaxie. Par conséquent, si l'étoile la plus brillante dans une galaxie éloignée avait une luminosité d'à peine un centième ($1/10^2$) de celle de l'étoile la plus brillante d'Andromède, cette galaxie distante était supposée être 10 fois plus éloignée, car la luminosité diminue avec le carré de la distance.

Bien que l'éclat des étoiles varie énormément, cette méthode de mesure des distances n'était pas déraisonnable. La taille humaine, par exemple, varie énormément. Dans un groupe de cinquante adultes choisis au hasard, on peut sans grand risque de se tromper supposer que la taille de la personne la plus grande serait d'environ 1,90 mètre. Par conséquent, si l'on a deux groupes de sujets éloignés, et que la plus grande personne d'un des deux groupes mesure apparemment le tiers de la taille de la plus grande personne de l'autre groupe, il semble raisonnable de penser que le premier groupe se situe trois fois plus loin que le second, car les personnes les plus grandes dans l'un et l'autre groupe doivent avoir une taille approximativement égale. La méthode n'est pas parfaite, car il pourrait s'agir, d'une part de sportifs allant à un tournoi de basket-ball, et d'autre part de participants à une manifestation en faveur des droits des jockeys. Cependant, dans la plupart des cas, l'estimation de la distance doit être exacte, à quelques pour cent près.

Le procédé pourrait être encore plus précis si l'on évaluait la taille moyenne des personnes ou la luminosité moyenne des étoiles, mais les astronomes étudiaient des objets tellement distants qu'ils étaient forcés d'appliquer la technique à l'étoile la plus brillante de chaque galaxie, parce qu'ils avaient davantage de chances de l'apercevoir. Les spécialistes employaient cette méthode pour mesurer l'éloignement des galaxies depuis les années 1940 et pensaient qu'elle était assez fiable, bien qu'ils puissent admettre la nécessité de « tordre » un peu, de temps à autre, tel ou tel chiffre. En fait, Sandage allait démontrer que la méthode de l'étoile la plus brillante était frappée d'un défaut rédhibitoire.

Grâce aux améliorations intervenues dans le domaine de la photographie, Sandage s'aperçut que ce qui avait été considéré, de façon répétée, comme l'étoile la plus brillante d'une galaxie lointaine était en fait bien autre chose. Une grande partie de l'hydrogène de l'univers s'est agglutinée pour donner les étoiles compactes qui nous sont familières, mais on en trouve également une proportion significative sous la forme de vastes nuages connus sous le nom de régions HII. Une région HII absorbe de la lumière des étoiles environnantes, et cette lumière porte sa température à plus de 10 000 °C. Étant donné sa température et sa taille, une région HII peut briller davantage, sauf exception, que n'importe quelle étoile.

Avant Sandage, les astronomes comparaient au hasard, et de façon erronée, la plus brillante étoile visible dans la galaxie d'Andromède avec la région HII la plus lumineuse qui se trouvait dans des galaxies plus lointaines nouvellement découvertes. Pensant que les régions HII étaient des étoiles, ils avaient supposé que ces nouvelles galaxies étaient relativement proches, du fait que leurs « étoiles » les plus brillantes semblaient être très lumineuses. Lorsque Sandage obtint des images suffisamment nettes pour distinguer ces régions HII de véritables étoiles, il conclut que les étoiles vraies les plus lumineuses de galaxies distantes étaient en fait beaucoup plus pâles que les régions HII mal interprétées. Les galaxies devaient être plus lointaines qu'on ne le pensait jusque-là.

La distance entre la Terre et ces galaxies très éloignées était une donnée absolument critique lorsqu'il s'agissait d'estimer l'âge de l'univers selon le modèle du Big Bang. En 1952, Baade avait doublé les distances intergalactiques et, ce faisant, il avait doublé l'âge de l'univers, le portant à 3,6 milliards d'années. Deux ans plus tard, une fois corrigée l'erreur provoquée par la mauvaise interprétation des régions HII, Sandage repoussa encore les galaxies, reculant ainsi l'âge de l'univers à 5,5 milliards d'années. Et pourtant, ces mesures souffraient encore d'une sous-estimation.

Sandage continua à travailler à ses mesures de distance pendant toutes les années 1950, les valeurs obtenues continuant d'augmenter, ainsi que l'âge qui en résultait. De fait, il devint le spécialiste de la mesure des distances et de l'âge de l'univers, et c'est

F. Hoyle   H.C. van de Hulst   A.R. Sandage   J.A. Wheeler   H. Zanstra   L.Ledoux
O.S. Klein   W.W. Morgan   B.V. Kukarkin   M. Fierz   W. Baade   H. Bondi   T. Gold   L. Rosenfeld   A.C.B. Lovell   J. Géhéniau
                              V.A. Ambartsumian   E. Schatzman
W.H. McCrea   J.H. Oort   G. Lemaître   C.J. Gorter   W. Pauli   W.L. Bragg   J.R. Oppenheimer   C.Møller   H. Shapley   O. Heckman

Figure 88 Cette photographie de groupe de la conférence Solvay de 1958 montre Alan Sandage et Walter Baade, dont les mesures de distance révisées, faites sur les galaxies les plus lointaines, augmentèrent l'âge de l'univers dans le contexte du modèle du Big Bang. Un grand nombre des principaux protagonistes du débat entre le Big Bang et l'état stationnaire figurent ici, notamment Hoyle, Gold, Bondi et Lemaître.

En dépit de l'âpre rivalité intellectuelle, certaines amitiés personnelles transcendaient la frontière entre les deux camps. Ainsi, Hoyle appréciait beaucoup Lemaître, qu'il décrivait comme « un homme rond et solide, toujours prêt à rire et à plaisanter ». Dans son autobiographie, Hoyle rappelle avec plaisir la traversée de l'Italie en automobile qu'ils firent après une conférence internationale qui s'était tenue à Rome : « La présence de Georges ne posa problème que sur un point, qui était celui du déjeuner. J'ai toujours aimé déjeuner léger, tandis qu'il tenait, lui, à un repas complet, avec du vin, afin de pouvoir sommoler dans l'après-midi. Nous fîmes un compromis en le laissant dormir à l'arrière de la voiture. Malheureusement, il se réveillait presque toujours avec un très fort mal de tête. »

en grande partie grâce à ses observations qu'il finit par devenir évident que l'univers avait entre 10 et 20 milliards d'années. Cette large fourchette était certainement compatible avec les autres objets célestes. Les partisans de l'état stationnaire ne pouvaient plus se moquer de ceux du Big Bang en les accusant de proposer un univers plus jeune que les étoiles qu'il contenait.

Alchimie cosmique

Bien que le problème de l'échelle de temps soit désormais résolu, le modèle du Big Bang présentait toujours certaines difficultés. La principale concernait la nucléosynthèse, à savoir la création des divers éléments. George Gamow avait un jour prétendu que « les éléments ont mis moins de temps à cuire qu'un canard rôti avec des pommes de terre », parce qu'il pensait que tous les noyaux atomiques avaient été créés dans l'heure qui avait immédiatement suivi le Big Bang. Cependant, en dépit des efforts conjugués de Gamow, Alpher et Herman, il avait été impossible de trouver un mécanisme susceptible de créer autre chose que les atomes les plus légers, comme l'hydrogène et l'hélium, même si les lendemains du Big Bang avaient été une période d'intense chaleur. En supposant que les éléments les plus lourds n'avaient pas été créés très rapidement, le problème était clair : où et quand avaient-ils été créés ?

Arthur Eddington avait déjà avancé une hypothèse quant à la nucléosynthèse : « Je pense que les étoiles sont les creusets dans lesquels les atomes les plus légers sont combinés en éléments plus complexes. » Malheureusement, la température régnant dans les étoiles était estimée à quelques milliers de degrés seulement à la surface, et à quelques millions dans leur noyau. Elle était certainement suffisante pour transformer lentement l'hydrogène en hélium, mais totalement insuffisante pour faire fondre ces noyaux en noyaux plus lourds, ce qui nécessite une température de plusieurs milliards de degrés. Ainsi, la création d'atomes de néon nécessiterait une température de 3 milliards de degrés, et la création d'atomes de silicium, plus lourds, demanderait 13 milliards de degrés. Et ceci pose un autre problème. S'il existait un environnement capable de créer du néon, il ne serait pas suffisamment chaud pour créer du silicium. D'un autre côté, s'il était suffisamment chaud pour créer du silicium, tout le néon serait transformé en quelque chose de plus lourd. Il semblait que chaque type d'atome ait besoin de son propre creuset de création sur mesure, et que l'univers doive abriter une vaste série d'environnements de grande intensité. Hélas, personne ne pouvait dire où, ni même quand, ces creusets avaient existé.

C'est Fred Hoyle qui devait apporter la plus importante contribution à la solution de ce mystère. Pour lui, le problème de la nucléosynthèse n'opposait pas le Big Bang à l'état stationnaire. C'était plutôt une question qui se posait quelle que soit la théorie adoptée. Le modèle du Big Bang devait d'une manière ou d'une autre expliquer comment les particules fondamentales avaient été transformées, au début de l'existence de l'univers, en atomes plus lourds et d'abondance variée. De même, le modèle de l'état stationnaire devait rendre compte de la manière dont les particules qui se créaient continuellement entre les galaxies qui s'éloignaient étaient changées en atomes plus lourds. Depuis ses débuts en tant que chercheur, Hoyle n'avait cessé de réfléchir au problème de la nucléosynthèse, avant d'inventer la théorie de l'état stationnaire avec Gold et Bondi. Cependant, il ne fit ses premières tentatives pour trouver une solution que vers la fin des années 1940. Ce n'est que lorsqu'il commença à se demander ce qui arrivait à une étoile lorsqu'elle passait par les diverses étapes de sa vie qu'il se mit à progresser.

Une étoile d'âge moyen est généralement stable. Elle produit de la chaleur au moyen de la fusion de l'hydrogène en hélium, et elle en perd en rayonnant de l'énergie lumineuse. En même temps, toute la masse de l'étoile est tirée vers l'intérieur par sa propre attraction gravitationnelle, mais cette force centripède est contrebalancée par l'énorme pression dirigée vers l'extérieur produite par les températures élevées qui règnent dans le noyau de l'étoile. Comme on l'a vu au chapitre 3, cet équilibre stellaire est semblable à l'équilibre des forces qui agissent sur un ballon, lorsque l'enveloppe de caoutchouc étirée cherche à le rétrécir, tandis que l'air qui se trouve à l'intérieur exerce une pression qui pousse vers l'extérieur. Cette analogie fut utilisée pour expliquer pourquoi les céphéides sont des étoiles variables.

Hoyle était tout à fait familier des recherches théoriques qui avaient été faites sur les étoiles et l'équilibre entre la menace d'effondrement dû à la gravitation et la résistance de la pression intérieure, mais il voulait voir ce qui se passerait si cet équilibre était perturbé. En particulier, il souhaitait savoir ce qui se produisait vers la fin de la vie d'une étoile, lorsqu'elle commençait à manquer de carburant hydrogène. De façon prévisible, le manque de carburant la ferait commencer à se refroidir. La baisse de température aboutirait à une diminution de la pression et la force de gravitation amorcerait une contraction stellaire. Mais le point crucial fut que Hoyle se rendit compte que cette contraction n'était pas le point final.

La totalité de l'étoile se ramassant sur elle-même, le noyau stellaire se réchauffe et engendre une pression accrue vers l'extérieur, ce qui arrête l'effondrement. L'élévation de température est commandée par trois facteurs. Tout d'abord, l'acte de compression mène directement à une élévation de température. En second lieu, chaque fois que des objets retombent, ils absorbent de l'énergie gravitationnelle, ce qui déclenche également une élévation de température. Dans ce cas, toute l'enveloppe externe de l'étoile tombe dans le noyau interne. En troisième lieu, l'élévation de température causée par les deux premiers facteurs amorçait de nouvelles réactions nucléaires, aboutissant à produire encore de la chaleur.

Cette chaleur supplémentaire rétablit un certain niveau de stabilité dans l'astre. Mais ce n'est là qu'un hiatus temporaire ; la mort de l'étoile n'a été que retardée. L'astre continue à brûler du combustible hydrogène, et finalement la baisse de son alimentation en combustible devient critique. Le manque de combustible entraîne une déficience dans la production d'énergie, si bien que le noyau commence à se refroidir à nouveau, ce qui produit une nouvelle phase d'effondrement. Là encore, le noyau chauffe, arrêtant encore une fois le processus jusqu'au prochain manque de carburant. Cet effondrement intermittent signifie que de nombreuses étoiles connaissent une mort lente.

Hoyle se mit à analyser les divers types d'étoiles, et au bout de nombreuses années de recherches assidues, il réussit à calculer toutes les modifications de température et de pression qui se produisent dans les étoiles lorsqu'elles approchent de la fin de leur vie. Il déchiffra également les réactions nucléaires qui se déroulent lors de chaque spasme léthal, montrant comment les diverses combinaisons de températures et de pressions extrêmes pouvaient aboutir à toute une série de noyaux atomiques de poids moyen et lourd, comme on le voit au Tableau 5.

Il devint clair que chaque type d'étoile pouvait jouer le rôle de creuset pour créer plusieurs éléments différents, parce que les intérieurs stellaires se modifient énormément au cours de la vie et de la mort d'une étoile. Les calculs de Hoyle pouvaient même rendre compte précisément de l'abondance de presque tous les éléments que l'on observe aujourd'hui, ce qui explique pourquoi l'oxygène et le fer sont courants, tandis que l'or et le platine sont rares.

Dans des cas exceptionnels, la phase d'effondrement précoce d'une étoile massive devient impossible à arrêter, et l'étoile meurt très rapidement. Il s'agit d'une supernova, le plus violent exemple de mort stellaire, qui provoque une implosion d'intensité inouïe. Lorsqu'elle se transforme en supernova, une étoile peut libérer suffisamment d'énergie pour briller davantage que 10 milliards d'étoiles ordinaires (raison pour laquelle une supernova avait trompé les astronomes qui avaient pris part au Grand Débat, comme on l'a vu au chapitre 3). Hoyle montra que les supernovae créent les environnements stellaires les plus extrêmes, et permettent ainsi à des réactions nucléaires rares de se produire, fabriquant ainsi les noyaux atomiques les plus lourds et les plus exotiques.

L'un des résultats les plus importants des recherches de Hoyle fut que la mort d'une étoile ne marquait pas la fin du processus de nucléosynthèse. Lorsqu'une étoile implose, elle émet des ondes de choc massives, ce qui aboutit à une explosion, envoyant des atomes voler à travers l'univers. Il est important de noter que certains de ces atomes sont les produits des réactions nucléaires qui se sont déroulées dans les phases finales de la vie de l'astre. Ces débris stellaires se mélangent avec tout ce qui pourrait flotter dans le cosmos, y compris les atomes provenant d'autres étoiles mortes, pour former des étoiles complètement neuves. Ces étoiles de seconde génération ont une grosse avance en termes de nucléosynthèse, car elles contiennent déjà certains atomes lourds. Cela signifie que lorsqu'elles finissent par mourir et imploser, elles construisent des atomes encore plus lourds. On pense que notre Soleil est probablement une étoile de troisième génération.

Le fait de « brûler » signifie généralement qu'il y a transformation chimique, comme lorsqu'on brûle du bois. Lorsque les astrophysiciens se réfèrent à une combustion, ils parlent d'une transformation *via* une réaction nucléaire. Ainsi, brûler de l'hydrogène pour donner de l'hélium équivaut à produire une fusion nucléaire de l'hydrogène pour former de l'hélium.

Phase	Température (°C)	Densité (g/cm³)	Durée de la phase
Combustion de l'hydrogène → hélium	4×10^7	5	7×10^6 années
Combustion de l'hélium → carbone	2×10^8	700	5×10^5 années
Combustion du carbone → néon et magnésium	6×10^8	2×10^5	600 ans
Combustion du néon → oxygène	$1,2 \times 10^9$	5×10^5	1 an
Combustion de l'oxygène → soufre et silicium	$1,5 \times 10^9$	1×10^7	6 mois
Combustion du silicium → fer	$2,7 \times 10^9$	3×10^7	1 jour
Effondrement du noyau	$5,4 \times 10^9$	3×10^{11}	1/4 de seconde
Rebond du noyau	23×10^9	4×10^{14}	Quelques millisecondes
Explosion	Environ 10^9	Variable	10 secondes

Tableau 5
Fred Hoyle calcula les conditions régnant dans diverses étoiles à différents stades de leur vie pour voir comment la nucléosynthèse pourrait se produire. Les conditions de température et de pression que l'on trouve dans une étoile dépendent de sa taille, du point de son cycle de vie où elle est arrivée, et du fait qu'il s'agit d'un astre de première, seconde ou troisième génération. Le tableau montre les réactions de nucléosynthèse qui se produisent dans une étoile représentant approximativement vingt-cinq fois la taille de notre Soleil. Une telle étoile massive a une durée de vie remarquablement courte, comparée à celle d'étoiles typiques. Initialement, l'étoile passe plusieurs millions d'années à brûler l'hydrogène en hélium. La température et la pression augmentent pendant la courte phase finale de sa vie, et permettent, par exemple, de brûler du néon pour créer de l'oxygène et du magnésium. En outre, si les conditions le permettent, l'étoile peut brûler du silicium pour créer du fer. Divers atomes sont engendrés au cours des derniers stades, les plus intenses.

Marcus Chown, auteur de *The Magic Furnace* (Le Fourneau magique), décrit la signification de l'alchimie stellaire de la façon suivante : « Pour que nous puissions vivre, des milliards, des dizaines, des centaines de milliards d'étoiles même, sont mortes. Le fer de notre sang, le calcium de nos os, l'oxygène qui remplit nos poumons à chaque fois que nous prenons une inspiration – tout cela a été cuit dans le fourneau des étoiles qui ont expiré bien avant que la Terre ne soit née. » Les romantiques aimeraient peut-être penser qu'ils sont faits de poussières d'étoiles. Les cyniques préféreraient sans doute parler de déchets nucléaires.

Hoyle s'était attaqué à l'une des plus grandes énigmes de l'astronomie, et avait trouvé une solution presque complète. Il ne restait pratiquement qu'un obstacle à surmonter. Le Tableau 5 montre la chaîne de nucléosynthèse dans un type d'étoile particulier : l'hydrogène est transformé en hélium, l'hélium en carbone, puis le carbone en tous les éléments lourds. Bien que le tableau mentionne explicitement la phase menant de l'hélium au carbone, Hoyle ne put en réalité expliquer précisément comment cette étape se déroulait. Pour autant qu'il le sache, il n'y avait pas de cheminement nucléaire viable permettant de transformer l'hélium en carbone. C'était un gros problème, car si l'on ne pouvait pas rendre compte de la formation du carbone, on ne pouvait pas savoir comment s'étaient déroulées toutes les autres réactions nucléaires, puisque le carbone était leur point de départ commun. Et la question se posait pour tous les types d'étoiles – il n'y avait tout simplement pas moyen d'obtenir du carbone à partir de l'hélium.

Hoyle était tombé précisément sur le même obstacle que celui qui avait empêché Gamow, Alpher et Herman d'expliquer comment l'hélium avait été transformé en éléments plus lourds dans les premiers moments du Big Bang. On se rappelle que l'équipe de Gamow avait trouvé que toutes les réactions nucléaires subies par l'hélium ne produisaient que des noyaux instables. Ajouter un noyau d'hydrogène à un noyau d'hélium donnait un noyau de lithium-5 instable ; fusionner deux noyaux d'hélium donnait un noyau de béryllium-8 instable. On avait l'impression d'une conspiration de la nature pour bloquer les deux seules voies susceptibles de transformer les noyaux d'hélium en noyaux plus lourds, principalement le carbone. À moins de trouver la solution de l'énigme de la construction des noyaux plus lourds à partir du carbone, toute la vision de la nucléosynthèse stellaire selon Hoyle s'effondrerait.

L'équipe de Gamow ne pouvait résoudre ce problème dans le contexte de la nucléosynthèse du Big Bang, et Hoyle ne pouvait faire mieux dans le cadre de la nucléosynthèse stellaire. Transformer l'hélium en carbone semblait impossible. Cependant Hoyle refusait d'abandonner l'espoir de trouver un cheminement viable pour la production du carbone. Toutes les réactions nucléaires complexes qu'il avait prédites au sein des étoiles mourantes reposaient sur l'existence du carbone. Il se consacra donc à la résolution du mystère de la formation du carbone lui-même.

La forme la plus courante de cet élément est connue sous le nom de carbone-12, car son noyau contient douze particules, à savoir six protons et six neutrons. La plus fréquente pour l'hélium est l'hélium-4, car son noyau contient quatre particules, à savoir deux protons et deux neutrons. Le problème de Hoyle pouvait donc se réduire à une question simple : existe-t-il un mécanisme pour transformer trois noyaux d'hélium en un seul noyau de carbone ?

Une possibilité était que trois noyaux d'hélium entrent simultanément en collision et forment un noyau de carbone. C'était une belle idée, mais elle se heurtait à une impossibilité. La probabilité que trois noyaux d'hélium se trouvent exactement au même endroit exactement en même temps, et se déplacent précisément à la bonne vitesse pour entrer en fusion était effectivement nulle. L'autre voie supposait que deux noyaux d'hélium fusionnent pour former un noyau de béryllium-8, avec quatre protons et quatre neutrons, et que ce noyau de béryllium-8 fusionne ultérieurement avec un autre noyau d'hélium pour former du carbone. Ce schéma, avec le triple mécanisme de collision de l'hélium, est représenté Figure 89.

Cependant, le béryllium-8 est très instable, raison pour laquelle Gamow le considérait déjà comme un obstacle à la construction de noyaux plus lourds que l'hélium. En fait, un noyau de béryllium-8 est si instable que dans les rares occasions où il s'en forme un, il dure typiquement moins d'un millionième de milliardième de seconde avant de se décomposer spontanément. On peut tout juste concevoir qu'un noyau d'hélium puisse fusionner avec un noyau de béryllium-8 au cours de son existence éphémère pour former du carbone-12, mais

(a)

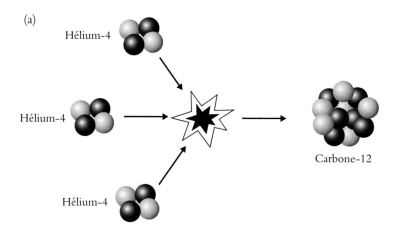

(b)

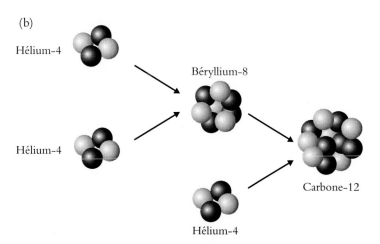

Figure 89 Le diagramme (a) montre un cheminement nucléaire possible menant de l'hélium au carbone, qui nécessite que trois noyaux d'hélium entrent simultanément en collision. Ceci est hautement improbable. La seconde voie, présentée dans le diagramme (b), demande que deux noyaux d'hélium entrent en collision et forment du béryllium. À son tour, le noyau de béryllium entre en collision et fusionne avec un autre noyau d'hélium pour former le carbone.

même si cela se produisait, il faudrait contourner un autre obstacle.

La somme des masses d'un noyau d'hélium et d'un noyau de béryllium est très légèrement supérieure à la masse d'un noyau de carbone, si bien que si l'hélium et le béryllium fusionnaient bien pour former du carbone, il faudrait se débarrasser de l'excès de masse. Normalement, les réactions nucléaires peuvent dissiper tout excès de masse en la transformant en énergie (grâce à $E = mc^2$), mais plus la différence de masse est importante, plus la durée nécessaire pour que la réaction se produise est longue. Et le noyau de béryllium-8 n'a pas la durée pour lui. La formation de carbone doit se faire presque instantanément du fait que la durée de vie du béryllium-8 est extrêmement courte.

Il y avait donc deux barrières sur la route menant au carbone via le béryllium-8. Tout d'abord, le béryllium-8 était totalement instable et ne durait pas plus qu'une toute petite fraction de seconde. En second lieu, la transformation de l'hélium et du béryllium en carbone nécessitait beaucoup de temps, à cause du léger déséquilibre de masse. La situation semblait impossible, car les deux problèmes se combinaient et s'exacerbaient. Arrivé là, Hoyle aurait pu abandonner et se tourner vers quelque chose de plus simple. Au lieu de cela, il fit un des sauts intuitifs les plus importants de toute l'histoire des sciences.

Bien que tout noyau donné ait une structure type, Hoyle savait que différentes dispositions des protons et des neutrons étaient possibles. On peut penser aux douze particules qui constituent un noyau de carbone comme à autant de sphères. Deux arrangements possibles de ces sphères sont présentés dans la Figure 90.

Le premier comporte deux couches de six particules dans une disposition rectangulaire ; le second présente quatre couches de trois particules en une disposition triangulaire (tout ceci étant naturellement très simplifié, car au niveau du noyau, les choses ne sont pas d'une forme géométrique aussi nette). Supposons que le premier arrangement est celui qui est associé à la forme la plus courante du carbone, et que le second est caractéristique de ce qu'on appelle la forme « excitée » de cet atome. Il est possible de transformer le noyau de carbone courant pour obtenir la forme excitée en injectant une certaine quantité d'énergie. De par l'équivalence entre l'énergie et la masse (toujours $E = mc^2$), le noyau de carbone excité a une

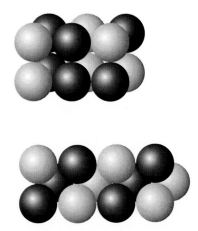

Figure 90 Ces diagrammes représentent deux formes possibles de carbone, bien qu'en réalité les protons (foncés) et les neutrons (plus clairs) ne se disposent pas de cette manière, mais tendent plutôt à former un amas sphérique. Le point important est que le noyau de carbone peut être construit de diverses manières avec des masses différentes.

masse légèrement plus grande que le noyau de carbone courant. Hoyle en conclut qu'il devait y avoir une forme excitée de carbone-12 qui possédait exactement la même masse, équivalant précisément à la masse combinée du béryllium-8 et de l'hélium-4. Si un tel noyau de carbone existait, l'hélium-4 pourrait réagir beaucoup plus rapidement avec le béryllium-8 pour former du carbone-12. En dépit de la courte durée de vie du béryllium-8, il serait alors possible de créer des quantités significatives de carbone-12.

Le problème était résolu !

Mais les scientifiques ne peuvent se contenter d'imaginer une solution. Ce n'est pas simplement parce que Hoyle espérait qu'un état excité du carbone-12 présentant précisément la bonne masse ouvrirait la porte à la création du carbone et de tous les éléments lourds que cela signifiait nécessairement qu'un tel état existait. Les noyaux excités peuvent ne posséder que des masses très particulières, et les scientifiques ne peuvent pas simplement souhaiter qu'elles aient une valeur adéquate. Heureusement, Hoyle ne se contentait pas de prendre ses désirs pour des réalités. Sa confiance en l'existence de cet état précis du carbone excité se fondait sur une chaîne de raisonnements logiques imparables, quoique étrange.

Son point de départ était que lui, Hoyle, existait dans l'univers. De plus, soulignait-il, il représentait une forme de vie basée sur le carbone. Par conséquent, le carbone existait dans l'univers, et il devait donc y avoir eu un moyen de créer du carbone. Cependant, la seule manière de le faire semblait reposer sur l'existence d'un état excité spécifique du carbone. Par conséquent, un tel état excité devait exister. En fait, Hoyle appliquait rigoureusement ce qui devait être appelé plus tard le principe anthropique. Ce principe peut être défini et interprété de diverses manières. Mais une de ses versions postule que : « Nous sommes là pour étudier l'univers, donc les lois de l'univers doivent être compatibles avec notre propre existence. »

Hoyle, dans son argumentation, affirmait qu'il était partiellement constitué de noyaux de carbone-12, et que donc l'état excité convenable du carbone devait exister, car autrement ni le carbone-12 ni Fred Hoyle n'existeraient.

Plus précisément, Hoyle prédit que l'état excité du carbone qu'il proposait aurait une énergie supérieure de 7,65 mégaélectron-volts (MeV) à celle du noyau de carbone de base. (Le mégaélectron-volt est une minuscule unité d'énergie qui convient bien pour mesurer les quantités d'énergie associées à de très petits objets tels que des atomes.) En 1953, peu après avoir conjecturé l'existence de cet état excité du carbone, Hoyle fut invité à passer une année sabbatique au California Institute of Technology (Caltech), où il eut la possibilité de mettre sa théorie à l'épreuve. Sur le campus de Caltech se trouvait le Kellog Radiation Laboratory, où Willy Fowler s'était fait connaître comme l'un des plus grands expérimentateurs du monde dans le domaine de la physique nucléaire. Un jour, Hoyle entra dans le bureau de Fowler et lui parla de sa prédiction d'un état excité du carbone-12, à 7,65 MeV au-dessus de l'état stable. Personne auparavant n'avait jamais émis de pronostic aussi précis sur les états excités d'un noyau, car les formules physiques et mathématiques en jeu étaient beaucoup trop complexes. Cependant la prédiction de Hoyle se fondait sur la logique pure, et non sur les mathématiques ni la physique. Hoyle voulait que Fowler recherche cet état prédit du carbone-12, et qu'il lui donne raison.

C'était la première fois que Fowler rencontrait Hoyle, et il n'avait aucune idée de ce que pouvait bien avoir derrière la tête cet Anglais qui débarquait du Yorkshire. La première réponse de Fowler fut que le carbone-12 avait déjà été étudié en détail, et que personne n'avait entendu parler d'un état excité à 7,65 MeV. Il se rappela plus tard que sa réaction à la question posée avait été entièrement négative : « J'étais très surpris de voir ce cosmologiste partisan de l'état stationnaire, ce théoricien, poser des questions sur le noyau du carbone-12... Et voilà que ce drôle de bonhomme s'imaginait que nous allions laisser en plan tous les travaux importants que nous avions en cours... et rechercher cet état ! Nous l'envoyâmes donc promener, en lui disant "jeune homme, allez voir ailleurs, vous nous embêtez !". »

Mais Hoyle insista, soulignant que Fowler pouvait vérifier sa théorie en quelques jours, à condition de rechercher spécifiquement l'état du carbone-12 à 7,65 MeV. Si Hoyle avait tort, Fowler devrait faire quelques heures supplémentaires pour rattraper son retard, mais s'il avait raison, alors lui, Fowler, serait récompensé, car il aurait fait l'une des plus grandes découvertes de la physique nucléaire. Fowler fut convaincu par cette simple analyse de rentabilité. Il demanda à son équipe de rechercher immédiatement l'état excité, au cas où on l'aurait laissé échapper au cours de mesures antérieures.

Au bout de dix jours d'expérimentation avec le noyau du carbone-12, l'équipe de Fowler découvrit un nouvel état excité. Il était à 7,65 MeV, exactement là où Hoyle avait dit qu'il devrait se trouver. C'était la première et la seule fois qu'un scientifique avait fait une prédiction sur la base du principe anthropique, et qu'elle s'était ensuite révélée vraie. Un cas de pur génie.

Enfin, Hoyle avait vérifié et identifié le mécanisme par lequel l'hélium pouvait être transformé en béryllium, puis en carbone. Il avait confirmé que le carbone était synthétisé à des températures d'environ 200 000 000 °C. Et l'explication de la création du carbone fournissait le point de départ pour d'autres réactions nucléaires à l'origine de tous les autres éléments de l'univers. Hoyle avait résolu le problème de la nucléosynthèse. Il s'agissait d'une percée pour le modèle de l'état stationnaire, car Hoyle pouvait affirmer que les éléments simples créés entre les galaxies qui s'éloignaient s'aggloméraient pour former des étoiles et de nouvelles galaxies, après quoi cette matière était forgée dans les divers fournaises stellaires pour aboutir aux éléments lourds que l'on observe aujourd'hui. Mais les travaux de Hoyle renforcèrent également le modèle du Big Bang, qui, autrement, était incapable d'expliquer la création des éléments lourds à partir de tout l'hydrogène et de l'hélium censés être apparus dans la période immédiatement postérieure à la création de l'univers.

À première vue, la question de la nucléosynthèse pouvait être considérée comme résolue d'une manière aussi satisfaisante pour l'un que pour l'autre camp de la controverse cosmologique. Après tout, chacun des deux modèles pouvait expliquer la synthèse des éléments lourds en invoquant les mêmes processus stellaires. Mais en fait, le modèle du Big Bang était apparu comme le meilleur, parce que lui seul pouvait expliquer l'abondance d'éléments légers comme l'hélium.

L'hélium est l'élément le plus fréquent et le plus léger dans l'univers après l'hydrogène. Certes, les étoiles transforment l'hydrogène en hélium, mais pas à une vitesse suffisante pour rendre compte des grandes quantités d'hélium que l'on trouve dans l'univers actuel. Cependant, Gamow, Alpher et Herman avaient montré que la proportion d'hélium, dans l'univers d'aujourd'hui, ne pouvait s'expliquer que si l'hydrogène avait été transformé par fusion en hélium dans les moments suivant immédiatement la création. Les derniers calculs faits selon l'hypothèse du Big Bang montraient que l'hélium devrait constituer 10 % de toute la masse atomique de l'univers, ce qui était très proche des chiffres donnés par les observations les plus récentes, si bien que la théorie s'accordait avec la pratique. En bref, le Big Bang et l'état stationnaire étaient à égalité en termes de nucléosynthèse des éléments lourds, mais seul le Big Bang pouvait rendre compte du niveau significatif de nucléosynthèse de l'hélium qui avait dû se produire.

L'argument en faveur de la nucléosynthèse du Big Bang était encore renforcé par de nouveaux calculs sur la nucléosynthèse de noyaux tels que ceux du lithium et du bore, qui sont plus lourds que l'hélium, mais plus légers que le carbone. Les analyses montraient que ces noyaux de lithium et de bore ne pouvaient pas avoir été synthétisés dans les étoiles. Cependant, ils auraient pu émerger de la chaleur du Big Bang en même temps que l'hydrogène était transformé en hélium. De fait, l'abondance du lithium et du bore créés dans la chaleur du Big Bang correspondaient exactement à ce que l'on observait dans l'univers moderne.

Il est piquant de noter que, même si l'explication exhaustive de la nucléosynthèse était en fin de compte une victoire pour le modèle du Big Bang, elle n'aurait pas pu avoir lieu sans l'immense contribution apportée par Hoyle, qui appartenait au camp adverse. George Gamow éprouvait un immense respect pour Hoyle et reconnut publiquement sa réussite dans sa réécriture humoristique de la Genèse, présentée Figure 91. La Genèse de Gamow est en fait un excellent résumé de la nucléosynthèse, depuis la création des noyaux légers dans la chaleur du Big Bang jusqu'à celle des noyaux lourds dans les supernovae.

L'ensemble du programme de recherche visant à expliquer la nucléosynthèse en tant que processus se déroulant à l'intérieur des étoiles faisait intervenir des douzaines d'étapes et de nombreux raffinements qui couvrirent plus d'une décennie. Hoyle resta au cœur de l'action d'un bout à l'autre, mais il était clair qu'il était soutenu par les travaux expérimentaux de Willy Fowler, et il collabora également avec le couple que formaient Margaret et Geoffrey Burbidge. Le quatuor rédigea en commun un article de cent quatre pages destiné à faire autorité. Intitulé « Synthèse des éléments dans les étoiles », il identifiait le rôle de chaque phase stellaire et les conséquences de chaque réaction nucléaire. Il contenait une affirmation extraordinairement audacieuse : « Il nous est paru possible de rendre compte, d'une manière générale, de l'abondance de pratiquement tous les isotopes des atomes, de l'hydrogène à l'uranium, par synthèse dans les étoiles et les supernovae. »

L'article acquit une telle renommée qu'on le désigna simplement par les initiales de ses auteurs (soit B²FH), et qu'il fut largement reconnu comme un des plus grands triomphes de la science du xxᵉ siècle. Il n'est pas étonnant qu'il ait valu un prix Nobel à l'un de ses auteurs. La surprise vint de ce que le prix Nobel de physique de 1983 récompensa Willy Fowler, et non Fred Hoyle. C'est là l'une des plus grandes injustices de l'histoire de ce prix. La principale raison pour laquelle Hoyle avait subi cette rebuffade de la part du comité Nobel était qu'il s'était fait de nombreux ennemis au cours des ans, à cause de son caractère trop abrupt. Il s'était plaint bruyamment lorsque le prix Nobel de physique en 1974 avait été attribué pour la découverte des pulsars. Il reconnaissait que la détection des pulsars représentait une percée significative, mais il était scandalisé que le prix n'ait pas également récompensé la jeune astronome Jocelyn Bell, qui avait réalisé les observations cruciales dans ce domaine. La bonne stratégie aurait consisté à

Figure 91 La Genèse selon George Gamow

Au commencement, Dieu créa le rayonnement et l'ylem. Et l'ylem était sans forme ni nombre, et les nucléons se ruaient follement sur la face de l'abîme.

Et Dieu dit : « Que la masse deux soit. » Et la masse deux fut. Et Dieu vit que le deutérium était bon.

Et Dieu dit : « Que la masse trois soit. » Et la masse trois fut. Et Dieu vit que le tritium était bon.

Et Dieu continua à appeler les nombres jusqu'à ce qu'Il arrive aux éléments transuraniens. Mais lorsqu'Il se retourna sur son œuvre, Il trouva qu'elle n'était pas bonne. Dans sa passion de compter, il avait oublié la masse cinq, et donc, naturellement, aucun élément plus lourd n'avait pu se former.

Dieu fut très déçu, et voulut tout d'abord contracter l'univers à nouveau, et tout recommencer depuis le début. Mais cela aurait été beaucoup trop simple. Ainsi, comme il était Tout-Puissant, Dieu décida de corriger Son erreur d'une manière tout à fait improbable.

Et Dieu dit : « Que Hoyle soit. » Et Hoyle fut. Et Dieu regarda Hoyle et lui dit de fabriquer les éléments lourds comme il le voulait.

Et Hoyle décida de fabriquer les éléments lourds dans les étoiles, et de les répandre partout par des explosions de supernovae. Mais, ce faisant, il devait obtenir la même abondance que celle qui aurait résulté d'une nucléosynthèse dans l'ylem, si Dieu n'avait pas oublié d'appeler la masse cinq.

Ainsi, avec l'aide de Dieu, Hoyle fabriqua les éléments lourds de cette manière, mais c'était si compliqué qu'aujourd'hui ni Hoyle, ni Dieu, ni personne d'autre ne peut se représenter exactement comment cela a été fait.

Amen.

rester silencieux et à se tenir en dehors de la controverse, mais Hoyle était incapable de faire passer les convenances avant l'intégrité intellectuelle.

De même, au lieu de baisser la tête et de poursuivre ses travaux à Cambridge, il s'était battu contre la politique absurde qui gouvernait l'université. En 1972, après des années passées à combattre le système, Hoyle, découragé, démissionna :

> Je ne vois pas l'intérêt de poursuivre des escarmouches sur un champ de bataille où je n'ai aucune chance de vaincre. Le système de Cambridge est effectivement conçu pour empêcher à jamais l'adoption d'une politique cohérente ; les décisions clés peuvent être remises en cause par des commissions mal informées et politiquement orientées. Pour être efficace dans ce système, il faut passer son temps à espionner ses collègues. C'est presque un système de terreur à la Robespierre. Et si on s'y met, il reste naturellement peu de temps pour faire vraiment de la science.

Bien que l'approche directe adoptée par Hoyle en physique comme dans la vie l'ait rendu impopulaire dans certains milieux, beaucoup de scientifiques l'appréciaient beaucoup, ainsi l'astronome américain George O. Abell :

> C'est un brillant conférencier et un merveilleux pédagogue. Il est également très chaleureux, et trouve toujours du temps pour parler avec ses étudiants. Son enthousiasme presque général est extrêmement contagieux. Et, de fait, il s'est révélé être un homme qui avait des idées ; c'est tout simplement le type d'homme chez qui elles jaillissent, pendant n'importe quel type de conversation, presque dans n'importe quelles circonstances... C'est à partir d'une telle richesse d'idées, dont certaines sont fausses, d'autres fausses mais brillantes, et d'autres encore brillantes et justes, que le progrès scientifique avance.

Après sa démission, Hoyle passa les trente dernières années de sa vie en tant qu'astrophysicien itinérant, visitant diverses universités et séjournant dans le Lake District, avant de finir par se retirer sur la côte sud de l'Angleterre, à Bournemouth. Comme le souligna sir Martin Rees, attaché à l'Observatoire royal, ce fut une triste fin pour un si grand homme : « Il s'isola ainsi des milieux universitaires au sens large, ce qui finit par nuire à sa propre production scientifique, et ce fut certainement une grande perte pour nous tous. »

La cosmologie d'entreprise

Les personnes qui apportèrent une contribution à l'histoire de la cosmologie ont dépendu, pour leurs recherches, de sources de financement diverses. Copernic trouva le temps d'étudier le système solaire à ses heures perdues, quand il ne s'acquittait pas de ses devoirs de médecin de l'évêque de War-mie. Kepler bénéficia du mécénat de Herr Wackher von Wac-kenfels. La montée en puissance des universités européennes fournit des tours d'ivoire aux semblables de Newton et Galilée. Certains chercheurs, comme Lord Rosse, disposaient d'une fortune personnelle et pouvaient financer leurs propres tours d'ivoire, avec les observatoires correspondants. Le mécénat royal eut une influence importante en Europe pendant plusieurs siècles, le roi George III apportant, par exemple, son appui à Herschel. De leur côté, les astronomes américains qui voulaient des télescopes toujours plus grands et plus puissants au début du xxe siècle se tournèrent vers les philanthropes multimillionnaires tels qu'Andrew Carnegie, John Hooker et Charles Tyson Yerkes.

Cependant, dans toute l'histoire de l'astronomie, les grandes sociétés n'avaient rien investi dans l'exploration du ciel. Cela n'a rien de surprenant, car l'exploration de la structure de l'univers ne constitue pas une voie évidente pour distribuer des profits aux actionnaires. Quoi qu'il en soit, il y eut une grande société américaine qui décida de devenir un acteur majeur dans l'évolution de la cosmologie, et d'apporter une contribution significative au débat en cours opposant le Big Bang à l'état stationnaire.

L'American Telephone and Telegraph (AT&T) Corporation établit sa réputation en construisant le réseau de communications des États-Unis et en exploitant les brevets d'Alexander Graham Bell sur le téléphone. Puis, après avoir fusionné avec Western Electric en 1925, elle concentra ses recherches aux laboratoires Bell du New Jersey, qui acquirent rapidement une réputation mondiale pour leurs travaux. En dehors même des applications pratiques dans le domaine des communications, les Bell Labs consacrèrent également une grande partie de leurs ressources à la recherche pure et fondamentale. L'idée de base aura toujours été que la recherche pure, ésotérique, au plus haut niveau, entretient des habitudes de curiosité intellectuelle et établit des ponts avec les universités, ce qui, au bout du compte, finit par engendrer des profits commerciaux concrets. Ceux-ci mis à part, les recherches effectuées aux laboratoires Bell récoltèrent six prix Nobel de physique, répartis entre onze scientifiques, record qui n'a d'équivalent que dans les plus grandes universités du monde. Ainsi, en 1937, Clinton J. Davisson reçut le prix pour son travail sur la nature ondulatoire de la matière ; en 1947, la récompense échut à Bardeen, Brattain et Shockley pour l'invention du transistor ; et en 1998 Stormer, Laughlin et Tsui le partagèrent pour la découverte et l'explication de l'effet Hall quantique fractionnaire.

L'histoire de l'implication des laboratoires Bell dans la recherche cosmologique est assez complexe et remonte à 1928. L'année précédente, AT&T avait commencé à exploiter un service téléphonique transatlantique par radio. Cette liaison pouvait transmettre un seul appel à la fois pour un prix de 75 $ pour les trois premières minutes – soit presque 1000 $ d'aujourd'hui. Soucieuse de maintenir son emprise sur ce marché lucratif en offrant un service de haute qualité, *AT&T* demanda donc aux laboratoires Bell de réaliser une étude sur les sources naturelles des ondes radio qui perturbaient les communications radio longue distance en faisant un bruit de friture de fond. Cette tâche échut à Karl Guthe Jansky, jeune chercheur âgé de vingt-deux ans qui venait d'obtenir son diplôme de physique à l'université du Wisconsin, où son père enseignait le génie électrique.

Les ondes radio, comme les ondes de la lumière visible, font partie du spectre électromagnétique. Cependant, les ondes radio sont invisibles et leur longueur d'onde est beaucoup plus grande que celles de la lumière visible. Alors que celles-ci sont inférieures à un millionième de mètre, les longueurs d'onde radio varient de quelques centimètres (micro-ondes) à quelques mètres (ondes radio à modulation de fréquence) et à quelques centaines de mètres (ondes radio à modulation d'amplitude). Les longueurs d'onde qui intéressaient le système de radiotéléphone d'AT&T étaient de l'ordre de quelques mètres, si bien que Jansky construisit une antenne radio géante, hautement sensible, sur le site de Holmdel qui appartenait aux laboratoires Bell (Figure 92), et capable de détecter des ondes radio de 14,6 mètres. L'antenne était montée sur une plate-forme pivotante capable de faire trois tours à l'heure, lui permettant de capter des ondes radio en provenance de toutes les directions. Dès que Jansky avait le dos tourné, les gamins du coin

Figure 92 Karl Jansky effectue des réglages sur l'antenne conçue pour détecter des sources naturelles d'ondes radio. Les roues de Ford modèle T sont intégrées à la plate-forme permettant à l'antenne de tourner.

se perchaient sur les montants du plus lent carrousel du monde, raison pour laquelle l'antenne fut surnommée « le manège de Jansky ».

Après avoir construit l'antenne à l'automne 1930, Jansky passa plusieurs mois laborieux à mesurer l'intensité de l'interférence radio provenant de différentes directions et à différents moments de la journée. Il avait relié l'antenne à un haut-parleur, si bien qu'il entendait en direct les sifflements, grésillements et parasites des interférences radio. Tout d'abord, il y avait l'impact distinct des orages locaux. En second lieu, on entendait le crépitement plus faible, mais plus régulier, de perturbations lointaines. Troisièmement, on détectait une forme d'interférence encore plus faible, que Jansky décrivit comme « composée d'ondes parasites à sifflement très régulier dont l'origine est encore inconnue ».

La plupart des chercheurs auraient négligé la source radio inconnue, car elle était insignifiante en comparaison avec les deux autres et n'avait pas de conséquences graves sur les communications transatlantiques. Mais Jansky était décidé à percer le mystère. Il passa encore plusieurs mois à analyser cette interférence. Peu à peu, il apparut que le sifflement venait d'une région particulière du ciel, et qu'elle atteignait un maximum toutes les 24 heures. En réalité, lorsque Jansky vérifia plus attentivement ses données, il s'aperçut que le pic réapparaissait toutes les 23 heures et 56 minutes. Soit presque un jour entier entre deux pics, mais pas tout à fait.

Jansky mentionna ce curieux intervalle de temps à son collègue Melvin Skellet, qui avait un doctorat en astronomie et pouvait expliquer la signification des quatre minutes manquantes. Chaque année, la Terre tourne sur son axe 365,25 fois, et chaque journée dure 24 heures, si bien qu'une année est composée de 365,25 × 24 heures = 8 766 heures. Cependant, tout en tournant sur son propre axe 365,25 fois, la Terre fait en réalité un tour supplémentaire chaque année en faisant une fois le tour du Soleil. Par conséquent, la Terre effectue concrètement 366,25 rotations toutes les 8 766 heures (une année). Donc chaque rotation prend 23 heures et 56 minutes, ce que l'on appelle un jour sidéral. La signification du jour sidéral est qu'il s'agit de la durée de notre rotation par rapport à l'univers entier, par opposition à notre journée provinciale de 24 heures. Skellet était totalement familier de la durée du jour sidéral et de sa pertinence astronomique, mais ce fut une surprise pour Jansky, lequel se mit immédiatement à en envisager les implications pour son interférence radio. Si le mystérieux sifflement radio présentait un pic à chaque jour sidéral, sa source devait être un objet situé bien au-delà de la Terre et du système solaire. De fait, lorsque Jansky essaya d'établir la provenance du signal radio, il découvrit qu'il venait du centre de la Voie lactée, notre galaxie. La seule explication était que notre galaxie produisait des ondes radio.

Tout juste âgé de vingt-six ans, Karl Jansky avait été le premier à détecter et à identifier les ondes radio venant de l'espace, découverte véritablement historique. Nous savons aujourd'hui que le centre de la Voie lactée présente d'intenses champs magnétiques, lesquels interagissent avec des électrons qui se déplacent rapidement, ce qui aboutit à une production constante d'ondes radio. Les recherches de Jansky avaient ouvert une fenêtre sur ce phénomène. Il annonça son résultat dans un article intitulé « Perturbations électriques d'origine apparemment extra-terrestre ». L'histoire fut reprise par le *New York Times*, qui publia un article en première page le 5 mai 1933, avec ce commentaire pour rassurer ses lecteurs : « Rien ne prouve... que ces ondes radio galactiques constituent un type quelconque de signal interstellaire, ni qu'ils sont le produit d'une forme quelconque d'intelligence s'efforçant d'établir une communication intergalactique. » Mais cela ne suffit pas à empêcher les lettres de s'accumuler sur le bureau de Jansky, affirmant qu'il s'agissait de messages importants d'extra-terrestres qu'il ne fallait pas négliger.

La véritable signification de la percée de Jansky dépasse même la découverte capitale selon laquelle la Voie lactée émet des ondes radio. Son apport permit la naissance de la radioastronomie, et mit en évidence le fait que les astronomes pouvaient apprendre énormément de choses sur l'univers en regardant au-delà de l'étroite bande de longueurs d'onde électromagnétiques visibles pour l'œil humain. Comme il a été dit au chapitre 3, les objets émettent un rayonnement électromagnétique sur un vaste spectre de longueurs d'onde. Ces longueurs d'onde, qui sont résumées Figure 93, peuvent être aussi bien plus courtes que plus longues que l'arc-en-ciel visible et familier. Même si nous ne pouvons pas voir ces longueurs d'onde extrêmes avec nos yeux, elles existent néanmoins. Il en est de même avec le bruit. Les animaux émettent des sons dans toute une gamme de longueurs d'onde, mais les humains ne peuvent les percevoir que dans un champ très limité. Nous ne pouvons entendre ni les infrasons (grandes longueurs d'onde) produits par les éléphants, ni les ultrasons (longueurs d'onde courtes) émis par les chauves-souris. Nous savons que les ultrasons et les infrasons existent uniquement parce que nous pouvons les détecter avec des équipements spéciaux.

Le temps passant, la percée de Jansky devait pousser les astronomes à élargir la portée de leurs observations au-delà du spectre visible. Les astronomes d'aujourd'hui ont recours non seulement à des radiotélescopes, mais aussi à des télescopes à infrarouge, à des télescopes à rayons X, et à d'autres appareils qui leur donnent accès à tout le spectre de longueurs d'onde électromagnétiques. En explorant ces différentes longueurs d'onde, ils peuvent étudier divers aspects de l'univers. Ainsi, les télescopes à rayons X détectent les longueurs d'onde les plus courtes, ce qui est idéal pour observer les phénomènes les plus énergétiques dans l'univers. Et les télescopes à infra-

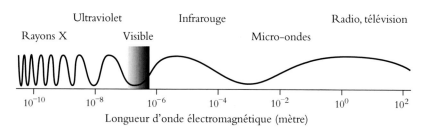

Longueur d'onde électromagnétique (mètre)

Figure 93 Le spectre de la lumière visible fait partie d'une bien plus large gamme de longueurs d'onde, connue sous le nom de spectre électromagnétique. Tous les rayonnements électromagnétiques, lumière visible incluse, se composent de vibrations électriques et magnétiques. La gamme des longueurs d'onde de la lumière visible se limite à une très étroite bande du spectre électromagnétique. Cependant, afin d'étudier l'univers de façon aussi complète que possible, les astronomes essaient de détecter des longueurs d'onde allant de quelques milliardièmes de mètre (rayons X) à plusieurs mètres (ondes radio).

rouge sont très efficaces pour interroger notre propre Voie lactée, car les longueurs d'onde infrarouges percent la poussière et le gaz galactiques qui obscurcissent la lumière visible. L'exploitation de toutes les longueurs d'onde lumineuses possibles en provenance des objets célestes est devenue un principe fondamental de l'astronomie moderne.

La lumière, visible et invisible, est la seule avenue dont nous disposons pour étudier l'univers, si bien que les astronomes doivent se saisir de tous les indices possibles sur toutes les longueurs d'onde disponibles. De fait, ce n'est qu'en explorant la totalité du spectre électromagnétique, y compris les ondes radio, que les cosmologistes purent s'approcher de la solution du débat opposant le Big Bang à l'état stationnaire. Pour ouvrir une parenthèse, on note que la détection des émissions radio galactiques par Jansky fut un coup de chance extraordinaire, dans la mesure où il était tombé sur quelque chose de merveilleux qu'il ne recherchait pas au départ. En fait sa découverte est une belle illustration d'une des caractéristiques les moins connues, quoique étonnamment courantes, de la découverte scientifique : le hasard heureux, ou sérendipité. Le mot anglais « serendipity » fut créé en 1754 par Walpole, homme politique et écrivain, qui l'utilisa dans une lettre où il raconta une découverte accidentelle, mais heureuse, qu'il fit au sujet d'une de ses connaissances :

En fait, cette découverte est presque du type que j'appellerai sérendipité, mot très expressif que, comme je n'ai rien de mieux à vous dire, je vais essayer de vous expliquer : vous le comprendrez mieux par des exemples qu'avec une définition. J'ai lu une fois un conte de fées idiot, appelé *Les Trois Princes de Serendip* : au fur et à mesure que Leurs Altesses voyageaient, elles faisaient toujours des découvertes, accidentellement et grâce à leur sagacité, à propos de choses qu'elles ne cherchaient point.

L'histoire des sciences et des techniques est parsemée de sérendipité. C'est ainsi qu'en 1948 Georges de Mestral partit se promener dans la campagne suisse, vit certaines graines collantes sur son pantalon, nota que leurs crochets épineux s'étaient pris sur le matériau, et eut l'idée d'inventer le Velcro. Dans un autre cas de sérendipité adhésive, Art Fry essayait de mettre au point une super-colle lorsqu'il concocta accidentellement une colle si faible que deux morceaux de papier qui avaient été collés l'un à l'autre pouvaient facilement se détacher. Fry, membre assidu du chœur de son église paroissiale, enduisit des morceaux de papier avec sa super-colle manquée, et les utilisa pour marquer les pages de son livre de chants : le Post-it était né. Dans le domaine médical, on trouve un exemple de sérendipité avec le Viagra, qui fut initialement mis au point comme traitement de problèmes cardiaques. Les chercheurs ne soupçonnèrent qu'il pouvait avoir un effet secondaire positif que lorsque les patients qui avaient pris part à un essai clinique refusèrent fermement de rendre leurs pilules inutilisées, même si le médicament semblait n'avoir aucun impact significatif sur leurs problèmes cardiaques.

Il serait trop facile de qualifier simplement de chanceux les scientifiques qui exploitent la sérendipité. Mais tous ces savants heureux ne purent exploiter leurs observations fortuites que lorsqu'ils eurent accumulé suffisamment de connaissances pour les replacer dans leur contexte. Comme le dit Louis Pasteur, qui en bénéficia lui-même : « La chance ne favorise que les esprits préparés. » De plus, ceux qui veulent être touchés par la sérendipité doivent être prêts à sauter sur toute occasion lorsqu'elle se présente, plutôt que de se contenter de brosser leur pantalon pour enlever les saletés, de verser leur super-colle manquée dans l'évier ou d'abandonner un essai médical raté. La découverte de la pénicilline par Alexander Fleming dépendit du fait qu'un tout petit grain de moisissure de penicillium, arrivant par la fenêtre, atterrisse dans une boîte de Petri et détruise une culture de bactéries. Il est hautement probable que de nombreux microbiologistes avaient auparavant eu leurs cultures bactériennes contaminées par des moisissures de penicillium, mais ils avaient tous, de dépit, jeté leurs boîtes de Petri au lieu de saisir l'occasion de découvrir un antibiotique qui devait sauver des millions de vies. Winston Churchill observa une fois : « Les hommes tombent occasionnellement sur la vérité, mais la plupart d'entre eux se relèvent et se dépêchent de s'éloigner comme si rien ne s'était produit. »

Pour revenir à la radioastronomie, nous allons voir que ce hasard heureux, ou sérendipité, devait produire bien davantage qu'une nouvelle technique d'observation. Au cours des années suivantes, ce facteur devait jouer un rôle central dans plusieurs découvertes. Au cours de la Seconde Guerre mondiale, l'instituteur Stanley Hey fut détaché au Groupe de Recherche opérationnel de l'armée pour travailler sur le programme de recherches du radar britannique. En plus d'étudier la transmission et la réception des ondes radio, qui était la base du radar, Hey devait s'attaquer à un problème particulier qui se posait aux radars alliés. Les opérateurs qui suivaient leurs systèmes radar notaient que de temps à autre leurs écrans s'allumaient comme des arbres de Noël, les empêchant d'identifier les bombardiers ennemis parmi la multitude de signaux. On se demandait si les Allemands n'avaient pas mis au point une nouvelle technique de brouillage de radar en dirigeant des ondes radio sur les stations britanniques. Hey se fixa la tâche de trouver comment les Allemands produisaient des signaux de brouillage radio aussi puissants, ce qui pourrait aider à trouver un moyen de les contrer. Puis, au printemps 1942, il se rendit compte que le problème des Britanniques n'avait rien à voir avec les Allemands.

Hey remarqua que le brouillage semblait venir de l'est le matin, du sud vers midi et de l'ouest dans l'après-midi, pour s'arrêter au coucher du soleil. Il n'était manifestement pas en face d'une arme secrète nazie, mais d'émissions de radio en provenance du Soleil. Il se trouvait que le Soleil était à un pic dans son cycle de onze ans, et que l'intensité des émissions radio était liée à une forte activité des taches solaires. En faisant des recherches sur le radar, Hey s'était fortuitement aperçu que le Soleil – et vraisemblablement toutes les étoiles – émet des ondes radio. Il semblait avoir le don de sérendipité, car en 1944 il fit une autre découverte heureuse. En utilisant un système radar spécial qu'il avait mis au point pour détecter l'arrivée des fusées V2, Hey nota que les météores émettaient également des signaux radio en grésillant à travers l'atmosphère.

Lorsque la frénésie de recherches sur les radars se termina avec la guerre en 1945, on disposait d'une grande quantité d'équipements radio disponibles, ainsi que d'une pléiade de scientifiques capables de les utiliser, mis sur la touche eux aussi. C'est pour cela que la radioastronomie devint un champ de recherches sérieuses. Ainsi, Stanley Hey et Bernard Lovell, son camarade de recherches en temps de guerre, réussirent à obtenir une ancienne unité radar mobile de l'armée et s'embarquèrent dans un programme d'observations dans ce domaine. Ce ne fut qu'un point de départ pour Lovell, qui créa ensuite un observatoire radioastronomique à Manchester. Les interférences radio dues au passage des tramways le forcèrent à se déplacer à Jodrell Bank, un jardin botanique situé à quelque 30 kilomètres au sud de la ville, où il se mit à construire un observatoire radio de classe internationale. Lovell fut anobli en 1961 pour sa contribution à sa discipline. Cependant, Martin Ryle, à l'université de Cambridge, s'efforça de rester au niveau de Jodrell Bank, et ce fut lui qui plongea la radioastronomie au cœur de la controverse entre le Big Bang et l'état stationnaire.

Ryle, qui avait obtenu son diplôme de physique en 1939, avait également travaillé sur les radars pendant la guerre. Il avait été enrôlé dans l'Établissement de recherches des Télécommunications pour se consacrer au radar aéroporté, puis était passé au département de la recherche du ministère de l'Air, où il découvrit comment brouiller le système de guidage des fusées V2. Son plus grand titre de gloire à cette époque fut d'avoir participé au projet ultra-secret Moonshine, qui pouvait simuler une attaque navale ou aérienne en engendrant de faux signaux sur les radars allemands. Dans la période préparatoire du Débarquement, il aida à détourner l'attention des militaires allemands et à les dérouter en simulant deux attaques navales massives sur la côte française.

Après la guerre, Ryle récupéra d'anciens appareils militaires et s'efforça d'améliorer la précision des mesures de radioastronomie. Par comparaison avec un télescope optique, les radiotélescopes sont connus pour avoir du mal à déterminer avec précision la provenance d'un signal, du fait que les ondes radio sont plus longues que celles de la lumière visible. Ryle résolut

FRONTIERS OF SCIENCE

In February 1942, during World War II, a dramatic crisis arose in Britain. Radar operators throughout the country reported a new kind of "jamming" which periodically completely disrupted the British radar defence system.

An immediate investigation was made by members of the British Army Operational Research Group, led by J.S.Hey.

82-1

Hey's amazing report was that the radar interference was being caused, **NOT** by the Germans across the Channel, but by electromagnetic signals from the Sun which at that time was undergoing strong sunspot and solar flare activity.

This was one of the events which led to a completely new kind of astronomy, **RADIO ASTRONOMY**, in which scientists can "**LISTEN**" to distant stars as well as look at them.

Figure 94 Les découvertes faites par Stanley Hey pendant la guerre revinrent au premier plan lorsqu'elles furent reprises sous forme de bande dessinée dans la rubrique « Frontiers of Science » du *Daily Herald* en avril 1963.

le problème en 1946 en contribuant à la mise au point d'une technique connue sous le nom d'interférométrie, grâce à laquelle on peut combiner les signaux issus de plusieurs radio-télescopes pour améliorer la précision totale.

Par conséquent, en 1948, Ryle était prêt pour entreprendre une étude détaillée du ciel afin de trouver s'il existait des objets émettant très peu de lumière visible, mais de grandes quantités de radiofréquences. De tels objets auraient été invisibles pour les télescopes optiques, mais nettement détectables avec son radiotélescope. La méthode de Ryle était semblable à celle que la police mettrait en œuvre pour chercher un prisonnier échappé par une nuit sombre. Elle pourrait utiliser une paire de jumelles optiques pour balayer l'horizon, mais ne verrait rien parce que le prisonnier n'émet aucune lumière et que la nuit est très sombre. Mais si, au lieu de cela, elle utilisait une caméra thermique, conçue pour détecter les rayons infrarouges émis par un corps chaud, le prisonnier serait très facilement repéré. Ou encore, si le prisonnier se mettait à utiliser un télé-phone mobile pour entrer en contact avec ses complices, l'ap-pareil émettrait des ondes radio et la police pourrait faire appel à un radio-détecteur pour le coincer. Autrement dit, différents objets émettent de l'énergie à diverses longueurs d'onde, et si l'on veut les « voir », il faut employer un détecteur approprié réglé sur la bonne longueur d'onde.

Le premier relevé de Ryle, connu sous le nom de Premier relevé de Cambridge (ou 1C), faisait apparaître 50 sources radio distinctes. Ces objets célestes émettaient des signaux radio intenses, mais ils étaient invisibles par ailleurs. Immédia-tement, on se posa des questions quant à l'interprétation de ces objets. Ryle pensait qu'il s'agissait d'un nouveau type d'étoile dans notre propre galaxie, la Voie lactée, mais d'autres, comme Tommy Gold, partisan de l'état stationnaire, soutinrent qu'il s'agissait de galaxies indépendantes. Gold avait nourri l'ambition de diriger le groupe de radioastronomie de Cam-bridge avant d'être coiffé sur le poteau par Ryle, si bien que la querelle était à la fois scientifique et d'ordre personnel.

Ryle ne prenait pas Gold au sérieux, s'agissant d'un théori-cien et non d'un astronome habitué à effectuer des observa-tions. Sans mentionner expressément son nom, Ryle rejeta publiquement les opinions de Gold lors d'un congrès tenu à l'University College de Londres en 1951 : « Je crois que les théoriciens ont mal compris les données expérimentales. »

Autrement dit, ces gens-là n'avaient aucune idée de ce dont ils parlaient. Hoyle, qui était présent, eut l'impression que le ton employé par Ryle signifiait que les théoriciens étaient « une espèce inférieure et détestable ».

La question de savoir si ces sources étaient des étoiles ou des galaxies fut réglée au cours de l'année suivante. Le groupe de Cambridge localisa la source radio nommée Cygnus A avec une telle précision que Walter Baade, à l'observatoire du mont Palomar, put diriger le télescope de 5 mètres sur la zone en question pour essayer de détecter un signal optique. Pour Baade, voir, c'était croire : « J'ai compris qu'il y avait quelque chose d'inhabituel dès que j'ai examiné les négatifs. On voyait des galaxies partout sur la plaque, plus de deux cents, et la plus brillante était au centre. Elle présentait des signes de déformation comme sous l'action de marées... Je n'avais jamais rien vu de semblable. Cela me préoccupait tellement que sur le trajet du retour pour aller dîner, j'ai dû arrêter la voiture pour réfléchir. »

Baade avait démontré que la source radio de Ryle était exactement dans la même position qu'une galaxie très faible et non détectée jusqu'alors. Il en conclut donc que c'était la galaxie qui était la source des ondes radio, et non une étoile. Baade avait prouvé que Ryle avait tort et que Gold avait raison. Suffisamment sûrs d'eux-mêmes pour associer l'une des sources radio de Ryle à une galaxie, les astronomes continuèrent à faire le rapprochement entre la majorité des autres sources radio du relevé C1 et des galaxies. Celles-ci, qui émettaient surtout des ondes radio plutôt que de la lumière visible, furent appelées radiogalaxies.

Gold garda toujours le souvenir du moment où Baade l'aborda pour la première fois lors d'une conférence, pour lui apprendre que Cygnus A était une radiogalaxie :

> Dans le grand foyer de la salle de conférences, chacun tournait en rond comme on le fait d'habitude, et Walter Baade était là. Il me dit : « Tommy ! Viens voir par ici ! Regarde ce que nous avons ici ! »... Puis Ryle entra dans la pièce. Baade cria : « Martin ! Viens voir par ici ! Regarde un peu ce qu'on a trouvé ! » Ryle s'approcha, jeta un coup d'œil sombre sur les photographies, puis, sans dire un mot, se jeta sur un canapé, le visage caché dans les mains, et se mit à pleurer.

Ryle avait mis en jeu sa réputation professionnelle sur le fait que les sources radio du relevé 1C étaient des étoiles, tandis que ses critiques, principalement Hoyle et Gold, avaient plaidé sans relâche pour des radiogalaxies. La querelle s'était envenimée, et Ryle fut donc effondré lorsqu'il dut admettre que Hoyle et Gold avaient eu raison depuis le début. Embarrassé, humilié, Ryle décida qu'il prendrait sa revanche sur Hoyle et Gold s'il pouvait découvrir quelques faits nouveaux contredisant le modèle de l'état stationnaire et en faveur du Big Bang. En particulier, Ryle s'appliqua à essayer de mesurer la répartition des jeunes galaxies. L'importance de cette répartition a été mentionnée plus haut en tant que quatrième critère dans le tableau des questions décisives dans le débat opposant l'état stationnaire au Big Bang (Tableau 4, p. 356). Pour l'essentiel, les deux modèles prévoyaient deux répartitions nettement différentes pour les jeunes galaxies :

(1) Le modèle du Big Bang dit que les jeunes galaxies ne peuvent avoir existé qu'aux débuts de l'univers, car elles auraient mûri au fur et à mesure que l'univers vieillissait. Néanmoins, nous devrions toujours pouvoir détecter de jeunes galaxies aux extrémités de l'espace, car il aurait fallu des milliards d'années à la lumière pour nous atteindre, ce qui fait que nous les voyons comme elles étaient lorsque l'univers était jeune.

(2) Le modèle de l'état stationnaire dit que les jeunes galaxies doivent être beaucoup plus régulièrement réparties. Dans un univers à l'état stationnaire, de jeunes galaxies devraient constamment naître à partir de la matière créée dans tout l'univers entre les galaxies qui s'éloignent. Par conséquent, nous devrions en voir tout autant dans notre propre voisinage que beaucoup plus loin.

Le point crucial était que les astronomes pensaient que les radiogalaxies étaient, en termes très généraux, plus jeunes que la moyenne. Par conséquent, si le modèle du Big Bang était valide, les radiogalaxies devraient en général être très distantes. En revanche, si le modèle de l'état stationnaire était vérifié, elles devraient apparaître aussi bien tout près que loin. Pour savoir lequel était le bon, il fallait donc mesurer la répartition des radiogalaxies.

Ryle décida donc de procéder à ce test décisif, en espérant à part lui qu'il réduirait à néant le modèle de l'état stationnaire, en faveur du Big Bang. Il s'embarqua par conséquent dans une série de relevés, de plus en plus rigoureux, qu'il imagina d'intituler relevés 2C, 3C et 4C, et, ce faisant, il construisit l'observatoire Mullard, faisant ainsi de Cambridge un centre de radioastronomie de niveau international. La radioastronomie est moins sensible au mauvais temps que l'astronomie optique, car les ondes radio ne sont pas arrêtées par les nuages. Par conséquent, les radiotélescopes basés à Cambridge pouvaient rivaliser avec ceux du reste du monde, même pendant le triste hiver britannique.

Vers 1961, Ryle avait catalogué cinq mille radiogalaxies et analysé leur répartition. Il n'avait pas pu mesurer la distance exacte de chacune d'entre elles, mais il était en mesure d'appliquer une argumentation statistique élaborée pour déduire si leur répartition était compatible avec le modèle de l'état stationnaire ou celui du Big Bang. Le résultat était clair : les radiogalaxies tendaient à être plus nombreuses à de grandes distances, exactement comme le prédisait le modèle du Big Bang. Ryle vérifia son résultat avec une autre équipe de radioastronomes, basée à Sydney, qui avait effectué un relevé similaire dans l'hémisphère sud. Ils tombèrent tous d'accord pour estimer que la répartition des radiogalaxies favorisait le modèle du Big Bang.

Dix ans s'étaient écoulés depuis que Baade avait prouvé que Ryle avait tort et que Gold et Hoyle avaient raison. Enfin, Ryle pouvait retourner la situation et savourer sa revanche. Il organisa une conférence de presse à Londres pour présenter les résultats et y invita Hoyle. Pour augmenter l'écho donné à son annonce, Ryle se garda d'avertir Hoyle de ce qu'il allait dire. Cette manœuvre transforma la conférence de presse en un rituel d'humiliation pour Hoyle, car il interpréta mal cette invitation, s'attendant à un ensemble de résultats complètement différent. Hoyle raconta plus tard : « J'étais sûr que si [les résultats] étaient défavorables, il ne m'aurait pas provoqué si ouvertement. Certainement, cela devait vouloir dire que Ryle était sur le point d'annoncer des résultats en accord avec la théorie de l'état stationnaire... J'étais assis, j'écoutais à peine, de plus en plus convaincu, aussi incroyable que cela puisse paraître, qu'il voulait ma peau. »

Les observations de Ryle avalisaient sans conteste le modèle du Big Bang, qui décrivait un univers doté d'une histoire et d'un moment de création. Quelques heures plus tard, les vendeurs de journaux du soir proclamaient : « La Bible avait raison ! » Hoyle aurait voulu s'éloigner et analyser les données de

Ryle, espérant y trouver une faille sérieuse, mais ni le public, ni la presse ne laissèrent le moindre répit, à lui et à sa famille : « Pendant toute la semaine, mes enfants furent mis en boîte à l'école. Le téléphone n'arrêtait pas de sonner. Je ne voulais pas décrocher, mais ma femme, craignant qu'il ne soit arrivé quelque chose aux enfants, répondait toujours, écartant les importuns. »

Gamow fut réconforté par l'annonce des mesures de Ryle, et marqua la percée pro-Big Bang avec ses fameux vers de mirliton, présentés Figure 95. Le poème donne une image colorée de la tension qui régnait alors entre Ryle et Hoyle, et qui était repartie de plus belle lorsque Ryle avait tendu une embuscade à son adversaire avec sa conférence de presse.

Les avocats de l'état stationnaire s'était mis eux-mêmes dans la nasse en prédisant avec assurance que l'univers serait identique partout, les jeunes galaxies se répartissant autant tout près que très loin. Si les résultats de Ryle avaient été au rendez-vous, Hoyle n'aurait pas hésité à s'en emparer pour proclamer la validité de son modèle. Mais il aurait dû avoir autant de respect pour les résultats de Ryle, même s'ils contredisaient le modèle de l'état stationnaire. Au lieu de cela, il chercha à mettre en défaut les observations de son rival, critiquant la façon dont elles avaient été collectées ainsi que leur interprétation.

Hoyle souligna que les mesures de Ryle variaient significativement d'un relevé à l'autre, de 2C à 3C, puis de 3C à 4C, insinuant qu'un cinquième pourrait donner un résultat différent, plus en accord avec le modèle de l'état stationnaire. Gold soutint Hoyle, appelant « effet Ryle » ces variations incessantes dans les observations, et cherchant à donner consistance à l'idée que la radioastronomie était une discipline neuve, à laquelle on ne pouvait pas encore faire confiance. Gold alla jusqu'à dire : « Je ne pense pas que le type d'observations mentionnées soient capables de fournir un tel verdict. » Ryle, de son côté, reconnut qu'il y avait eu des erreurs dans le passé, mais resta intraitable quant à la fiabilité du relevé 4C, et répéta qu'il avait été confirmé indépendamment par des astronomes australiens. Un jour où Hermann Bondi persévérait dans l'attaque menée par les partisans de l'état stationnaire contre le relevé 4C, Ryle finit par l'interrompre. Selon Martin Hawitt : « Ryle se mit dans une rage folle. Ce fut le plus triste épisode de querelle publique entre scientifiques auquel j'aie assisté en plus de trente ans de vie professionnelle dans l'astronomie. »

Bien que Hoyle, Gold et Bondi aient refusé d'accepter les conclusions de Ryle quant à la répartition des radiogalaxies, un nombre croissant de cosmologistes pouvait constater que le modèle du Big Bang prenait le dessus, et que celui de l'état stationnaire semblait décidément déstabilisé. Pis encore, les mesures de radiogalaxies de Ryle devaient porter encore un autre coup à ses adversaires.

En 1963, l'astronome Maarten Schmidt étudiait la source

Figure 95 Ce poème, écrit par Barbara et George Gamow, est apparu dans l'ouvrage *Mr Tompkins in Wonderland*. Il décrit les recherches de Martin Ryle sur la répartition des radiogalaxies, et les réactions de Fred Hoyle.

L'ÉTAT STATIONNAIRE EST DÉPASSÉ

« Vos années de labeur
Dit Ryle à Hoyle
Sont des années perdues, croyez-moi.
L'état stationnaire
C'est dépassé
Mes yeux ne me trahissent pas.

Mon télescope
A réduit vos espoirs à néant :
Vos principes sont réfutés
Abrégeons, voulez-vous ?
Notre univers
Est chaque jour plus dilué ! »

Hoyle répondit : « Vous citez
Lemaître, je le note,
Et Gamow aussi. Eh bien, oubliez-les.
Cette bande d'égarés
Et leur Big Bang.
Pourquoi vous faire leur complice ?

Vous voyez, mon ami
Il n'y a pas plus de fin
Qu'il y n'y a eu de commencement.
Cela, Bondi, Gold,
Et moi-même le soutiendront
Devant vos cheveux raréfiés ! »

« C'est faux, s'écria Ryle
Gagné par la colère,
Et vraiment hors de lui ;
Les galaxies lointaines
Sont, on peut l'observer,
Rapprochées l'une de l'autre. »

« Vous me faites bouillir
Explosa Hoyle,
Avançant d'autres arguments
Chaque nuit, chaque matin,
Voient créer de la matière nouvelle,
Seul le coup d'œil est inchangé. »

« Laissez tomber, Hoyle,
Je vais, ça devient amusant,
Déjouer vos assertions.
Et dans un instant,
Continua Ryle,
Je vous ramènerai à la raison. »

radio numéro 273 du catalogue du relevé 3C de Ryle, appelée communément 3C 273. On s'accordait désormais à penser que la plupart des sources radio étaient des galaxies distantes, mais le signal qu'émettait l'objet 3C 273 était si intense qu'on supposa qu'il s'agissait d'un nouveau type d'étoile voisine particulière au sein de notre propre Voie lactée. De plus, 3C 273 apparaissait au télescope optique comme un point lumineux plutôt qu'une tache, ce qui renforçait l'idée qu'il s'agissait d'une étoile plutôt qu'une galaxie. Schmidt commença à essayer de mesurer les longueurs d'onde de la lumière qui était émise par 3C 273 afin d'en déduire sa composition, mais il fut d'abord stupéfait parce qu'il vit car les longueurs d'onde ne semblaient pas être en corrélation avec celles qu'émettent les atomes connus.

Soudain, il se rendit compte de ce qui provoquait sa confusion. Ce qu'il détectait, c'étaient les longueurs d'onde bien connues qui sont associées à l'hydrogène, sauf qu'elles avaient subi un décalage vers le rouge dans une mesure jamais observée. Le fait était surprenant, car 3C 273 était supposée être une étoile locale, et ce genre d'objet céleste voyage à moins de 50 km/s, soit beaucoup trop lentement pour rendre compte du décalage vers le rouge observé par Schmidt. En fait, les mesures de ce redshift impliquaient que 3C 273 s'éloignait à 48 000 km/s, c'est-à-dire à environ 16 % de la vitesse de la lumière. Selon la loi de Hubble, cela impliquait que 3C 273 était l'objet le plus distant jamais détecté, à plus d'un milliard d'années-lumière de la Voie lactée. L'objet 3C 273 n'était pas une étoile locale d'éclat raisonnable, mais une galaxie lointaine fantastiquement brillante, plusieurs centaines de fois davantage que les galaxies les plus brillantes connues jusqu'alors. Et pourtant, son rayonnement se présentait sous la forme d'ondes radio plutôt que de lumière visible.

3C 273 fut appelée objet radio quasi stellaire (ou quasar), car il s'agissait d'une radiogalaxie à laquelle l'extrême éloignement et l'éclat excessif donnaient l'aspect trompeur d'une étoile locale.

Naturellement, Gamow célébra la découverte des quasars avec un nouveau poème, soulignant cette fois que personne n'avait la moindre idée de ce qui faisait fonctionner ces galaxies quasar distantes :

Twinkle, twinkle, quasi-star	Clignote, clignote, quasi-star,
Biggest puzzle from afar.	Immense énigme du lointain.
How unlike the other ones,	Si différente des autres,
Brighter than a billion suns.	Plus brillante que mille soleils.
Twinkle, twinkle, quasi-star	Clignote, clignote, quasi-star,
How I wonder what you are !	Combien j'aspire à savoir ce que tu es !

Un autre mystère des quasars – tout à fait pertinent dans le débat qui opposait le Big Bang à l'état stationnaire – concernait leur répartition. Tous les quasars semblaient être situés aux confins du cosmos. Les partisans de la théorie du Big Bang n'avaient aucun doute sur la signification de ce fait. Ils soulignaient que si les quasars ne pouvaient être détectés que dans le lointain, il avait fallu sans doute des milliards d'années pour que leur lumière nous atteigne, si bien que nous les observions dans l'état où elles étaient il y a plusieurs milliards d'années. Et cela voulait dire que les quasars n'avaient existé qu'à une époque antérieure de l'univers. Il se pouvait que les conditions plus chaudes et plus denses régnant à cette époque aient abouti à la création de brillants quasars. Selon le modèle du Big Bang, il était tout à fait possible qu'il y ait eu un jour des quasars proches de nous dans les débuts de l'existence de l'univers, mais qu'avec le temps, ils aient évolué en galaxies ordinaires, raison pour laquelle nous ne voyons plus de quasars dans notre voisinage aujourd'hui.

Cependant, la répartition des quasars posait problème à Hoyle, Gold et Bondi, car dans le modèle de l'état stationnaire l'univers était identique en tous temps et en tous lieux. S'il y avait eu des quasars très lointains et anciens, il devrait également y en avoir *hic et nunc*, ce qui ne semblait pas être le cas. Les partisans de l'état stationnaire essayèrent de sauver la face en suggérant que les quasars étaient des objets rares. Par conséquent, si l'on n'en trouvait pas dans notre voisinage, c'était peut-être la faute à pas de chance. De plus, personne ne pouvait expliquer la véritable nature des quasars, ni l'origine de l'énergie qui les rendait si extraordinairement brillants. Hoyle, Gold et Bondi soutinrent donc que leur modèle de l'état stationnaire ne pouvait être infirmé par des phénomènes aussi mal compris.

Ce n'étaient là que de mauvaises excuses. Le modèle de l'état stationnaire commençait à perdre de sa crédibilité, et les cosmologistes, en nombre croissant, rejoignaient le camp du Big Bang.

Denis Sciama, l'un de ceux qui avaient changé d'avis, qualifiait les observations sur les quasars de « preuve la plus décisive obtenue jusqu'à présent contre le modèle de l'état stationnaire de l'univers ». Son revirement semble avoir été une expérience traumatisante : « L'effondrement de la théorie de l'état stationnaire m'a rendu très triste. Ce système possède une force et une beauté que le créateur de l'univers semble avoir négligée, pour une raison qui m'échappe. En réalité, la création est un travail bâclé, mais je suppose qu'il faudra nous en accommoder. »

La radioastronomie ouvrait une nouvelle fenêtre sur l'univers. Elle découvrait des objets entièrement nouveaux et fournissait des preuves décisives dans le débat entre le Big Bang et l'état stationnaire. Il est à regretter que Karl Jansky, père de cette discipline, n'ait pratiquement pas été récompensé de son vivant pour avoir inventé par inadvertance le radiotélescope et pour avoir fait les premières observations radio du ciel. Il mourut en 1950, tout juste âgé de quarante-quatre ans. Ce ne fut qu'une dizaine d'années après sa mort que la radioastronomie devait prendre sa place de discipline véritablement majeure au sein de l'astronomie. Cependant, Jansky finit par être reconnu : en 1973, l'Union astronomique internationale souligna sa contribution en donnant son nom à l'unité de densité de flux radio, employée par les radioastronomes pour caractériser l'intensité de n'importe quelle source. Un gros quasar pourrait émettre 100 janskys, tandis qu'un objet radio faible pourrait ne produire que quelques millijanskys.

Les laboratoires Bell, qui avaient subventionné les travaux de Jansky sur les ondes radio, lui rendirent hommage à leur façon en lançant un programme de recherches en radioastronomie, toujours en cours. En particulier, ils accueillirent le duo le plus célèbre de l'histoire de cette discipline : un réfugié juif exubérant et ambitieux, et un étudiant tranquille et studieux issu des champs pétrolifères du Texas. Ensemble, ils devaient faire une découverte qui allait secouer les milieux de la cosmologie.

La découverte de Penzias et Wilson

Arno Penzias naquit dans une famille juive de Munich le 26 avril 1933, le jour où fut fondée la Gestapo. C'est à l'âge de quatre ans qu'il eut pour la première fois à souffrir de l'antisémitisme, alors qu'il voyageait en tramway avec sa mère :

Quand on est le fils aîné adoré, on a tendance à penser que l'on peut constamment se vanter. Je dis quelque chose qui fit comprendre aux autres que j'étais juif. L'atmosphère de la voiture en fut si changée que ma mère dut nous faire descendre et attendre le tram suivant. Cet incident m'enseigna qu'on ne devait pas parler de judaïsme en public, et que, si on le faisait, on mettait sa famille en danger. Ce fut un grand choc pour moi.

Bien qu'il fût né en Allemagne, son père était citoyen polonais, ce qui faisait peser une menace supplémentaire sur eux. Les Allemands avaient menacé d'arrêter tous les Polonais qui refusaient de quitter le pays, mais le gouvernement de la Pologne avait supprimé tous les passeports juifs le 1er novembre 1938, et la famille Penzias ne pouvait donc passer aucune frontière. Il semblait qu'elle n'avait aucun moyen d'échapper à la persécution nazie. Cependant, une campagne fut lancée en Amérique pour encourager les gens à sauver des familles juives en se disant apparentées à elles, stratagème purement humanitaire destiné à leur permettre de quitter l'Allemagne. Avec un préavis d'un mois seulement, les Penzias furent informés qu'un Américain était disposé à leur payer un visa de sortie, et, au printemps 1939, ils s'enfuirent en Grande-Bretagne. De là, ils prirent un bateau pour New York et commencèrent une nouvelle vie dans le Bronx.

Le père d'Arno avait dirigé une entreprise de traitement des cuirs à Munich, mais il fut forcé de prendre un emploi de gardien d'immeuble, alimentant la chaudière du bâtiment et vidant les poubelles. Arno fut témoin des difficultés de son père à gagner sa vie, tout en remarquant que « les gens qui faisaient des études supérieures semblaient mieux s'habiller et manger plus régulièrement ». Désireux d'obtenir ce confort et cette sécurité, il travailla dur, devint un excellent élève et fut admis à l'université. Il était passionné de physique, mais craignait de ne pas pouvoir en faire un métier, et demanda l'avis de son père pour savoir quelles matières il devrait étudier : « Il me dit que les physiciens pensaient pouvoir faire tout ce qu'un ingénieur peut faire, et que, si c'était vrai, ils pouvaient au moins gagner leur vie ainsi. À cette époque, les spécialistes de physique étaient ceux qui sortaient du lot, les vilains petits canards qui ne rentraient pas dans les normes. Les plus brillants semblaient attirés par cette discipline pour des raisons esthétiques. »

Après avoir obtenu sa licence au City College of New York, où les études étaient gratuites, Arno Penzias commença un doctorat en radioastronomie au département de physique de l'université Columbia, qui en 1956 avait déjà obtenu trois prix Nobel. Son directeur de thèse était Charles Townes, qui devait devenir le quatrième lauréat de physique de Columbia pour sa mise au point du maser, l'équivalent en micro-ondes du laser. Pour son projet de thèse, Penzias avait à construire un récepteur radio ultrasensible incorporant un maser comme composant clé. Quoique l'appareil ait bien fonctionné, il ne permit pas à Penzias d'atteindre son but principal, qui était de détecter les ondes radio émises par les nuages d'hydrogène gazeux supposés peupler l'espace entre les galaxies. Penzias qualifia de « désastreuse » sa dissertation finale, bien qu'on ait pu dire, à plus juste titre, qu'elle était simplement non concluante. Quoi qu'il en soit, il obtint bel et bien son doctorat en 1961, et quitta Columbia pour prendre un poste aux Bell Labs, seul laboratoire industriel au monde susceptible d'employer un jeune radioastronome prometteur.

Tout en poursuivant ses recherches personnelles, Penzias devait également se mettre au travail pour apporter sa contribution aux projets plus commerciaux en cours de réalisation. Ainsi, les laboratoires Bell avaient conçu Telstar, premier satellite de communications actif, qui, une fois lancé, posa des problèmes lorsqu'il s'agit de diriger une antenne vers lui. La nouvelle recrue expliqua aux trente-trois membres de la commission responsable de l'antenne comment utiliser la position connue d'une radiogalaxie pour étalonner la direction de l'antenne et ainsi trouver Telstar. C'était là une parfaite synthèse de recherche pure et appliquée. La solution proposée par Penzias attestait du bien fondé de la ligne de conduite des laboratoires Bell, consistant à employer des scientifiques purs à côté de spécialistes des hautes technologies et d'ingénieurs.

À ses débuts, Penzias était le seul radioastronome des laboratoires Bell, mais en 1963 il fut rejoint par Robert Wilson. Le jeune Texan avait vu grandir son intérêt pour les sciences en accompagnant son père, ingénieur chimiste, quand il faisait la tournée des gisements de pétrole de la région. Il alla étudier la physique à l'université Rice de Houston, et après avoir obtenu son diplôme, il intégra Caltech en 1957, pour y préparer un doctorat. Ce fut là qu'il suivit un cours de cosmologie dispensé par Fred Hoyle, professeur régulièrement invité en Californie depuis sa collaboration avec Willy Fowler en 1953. Tout comme la thèse de Penzias, celle de Wilson était centrée sur la radioastronomie, et après la soutenance, il abandonna également l'université et se fit recruter par les laboratoires Bell sur la côte est des États-Unis.

L'une de choses qui l'attiraient était l'antenne radio de 6 mètres en forme de cornet située à Crawford Hill et représentée Figure 96. Elle était conçue à l'origine pour détecter les signaux du nouveau ballon satellite Echo, qui avait été lancé en 1960. Echo avait été comprimé en une sphère de 66 centimètres aux fins de lancement en orbite, mais une fois dans l'espace, il se gonflait pour devenir un globe argenté géant, de 30 mètres de diamètre, capable de faire rebondir passivement des signaux entre un émetteur terrestre et un récepteur. Cependant, l'intervention des pouvoirs publics dans ce secteur de l'industrie des communications persuada AT&T de se retirer du projet Echo pour des raisons économiques, laissant l'antenne en forme de cornet libre de se transformer en radiotélescope. L'antenne à cornet convenait doublement à la radioastronomie : sa conception la protégeait largement des interférences locales, et, de par sa taille, elle pouvait localiser avec une bonne précision la source des signaux radio célestes.

Penzias et Wilson obtinrent des Bell Labs la permission de passer une partie de leur temps à balayer le ciel pour étudier les diverses radiosources célestes, mais avant de pouvoir faire des relevés sérieux, il leur fallut parfaitement maîtriser le fonctionnement de l'appareil, avec toutes ses bizarreries. En particulier, ils voulaient vérifier qu'il captait un niveau minimum de « bruit », terme technique utilisé pour décrire toute interférence aléatoire susceptible d'obscurcir un signal véritable. Ce n'est pas différent de la situation que l'on rencontre lorsqu'on règle la radio à la maison pour écouter une station donnée, mais le signal de cette station est contaminé par un sifflement ou un crépitement : le bruit. Il y a toujours un conflit entre le signal et le bruit, et dans l'idéal le signal est beaucoup plus fort que le bruit. C'est généralement le cas chez soi lorsque la radio est réglée sur une station locale, car on entend généralement très clairement l'émission et le bruit est inaudible. Cependant, si l'on se tourne vers un poste étranger, le signal peut très bien s'affaiblir, et le niveau de bruit avoir un impact plus sérieux sur la clarté du message reçu. Au pire, le signal radio est complètement submergé par le bruit, et il est impossible d'entendre

Figure 96 Robert Wilson (à gauche) et Arno Penzias posant devant la magnifique antenne à cornet des laboratoires Bell à Crawford Hill, New Jersey. Ce radiotélescope est essentiellement un récepteur radio géant magnifié. Son ouverture est de 6 mètres carrés et l'équipement de contrôle est logé dans l'habitacle qui se trouve au sommet du cône.

convenablement quoi que ce soit. Ce sont les problèmes de bruit affectant la radiotéléphonie transatlantique qui avaient à l'origine inspiré les recherches de Jansky aux Bell Labs à la fin des années 1920.

En radioastronomie, les signaux provenant d'une galaxie distante sont si faibles que le problème du bruit est d'une extrême importance. Pour vérifier le niveau de bruit, Penzias et Wilson dirigèrent donc leur radiotélescope vers une partie du ciel dépourvue de radiogalaxies, région supposée n'envoyer aucun signal radio de l'espace. Tout ce qui était détecté pouvait donc être attribué au bruit. Les deux chercheurs s'attendaient sans problème à ce que le bruit soit négligeable ; ils furent donc surpris de découvrir un niveau de bruit beaucoup trop gênant. C'était ennuyeux, mais pas au point de compromettre sérieusement les mesures qu'ils s'apprêtaient à réaliser. Cependant, la plupart des radioastronomes seraient passés outre et auraient effectué leur relevé. Mais Penzias et Wilson étaient déterminés à réaliser l'étude la plus sensible possible. Ils essayèrent donc immédiatement de localiser la source du bruit et, si possible, de réduire ou éliminer complètement ce phénomène.

Les sources de bruit peuvent être, au premier abord, réparties en deux types. En premier lieu, il y a le bruit étranger, causé par quelque entité située au-delà du radiotélescope, comme une grande ville à l'horizon ou des appareils électriques à proximité. Penzias et Wilson balayèrent le paysage pour détecter d'éventuels artefacts sonores, et pointèrent même le télescope en direction de New York, mais il n'y eut aucune augmentation ni diminution du bruit. Ils suivirent également l'évolution du niveau de bruit en fonction du temps, mais, là encore, le phénomène était continu. En bref, le bruit était absolument constant, quel que soit le moment ou la direction où le télescope était dirigé.

Ceci força notre duo à explorer la seconde source de bruit, à savoir le bruit inhérent à l'appareil. Le radiotélescope était constitué de nombreux composants, dont chacun pouvait produire son propre bruit. On rencontre exactement le même problème avec un appareil de radio chez soi : même si l'émission envoie un signal de grande intensité, il peut être dégradé par un bruit engendré par l'amplificateur, le haut-parleur et le câblage. Par conséquent, Penzias et Wilson vérifièrent un à un les éléments de leur télescope, cherchant les mauvais contacts, les fils mal reliés, les composants électroniques défectueux, les défauts d'alignement du récepteur, etc. Même les joints déjà vérifiés furent rafistolés avec du ruban d'aluminium pour plus de sécurité.

Un moment, leur attention se porta sur un couple de pigeons qui avaient fait leur nid dans l'antenne à cornet. Penzias et Wilson pensèrent que le « matériau diélectrique blanc » déposé par les volatiles et salissant le cornet pourrait être la cause du bruit. Ils piégèrent donc les oiseaux, les mirent dans une petite camionnette et les firent relâcher 50 kilomètres plus loin, à Whippany, New Jersey, site appartenant aux laboratoires Bell. Ils nettoyèrent à fond l'antenne jusqu'à ce qu'elle brille de tous ses feux, mais, hélas, les pigeons obéirent à leur instinct voyageur, retournèrent sur le cornet du télescope, et recommencèrent à le parsemer de matériau diélectrique blanc. Penzias les captura encore une fois, mais cette fois, à regret, il décida de s'en débarrasser pour de bon : « Il y avait un colombophile qui voulait bien les étrangler pour nous, mais il me sembla que le plus humain était d'ouvrir la cage et de les tirer au fusil. »

Au bout d'un an de vérifications, de nettoyage et de recâblage du radiotélescope, on nota une certaine réduction du niveau de bruit. Penzias et Wilson attribuèrent une partie du bruit subsistant aux effets atmosphérique, et une autre partie aux parois de la section cornet du radiotélescope, obligés d'admettre que ces deux sources-là étaient tout simplement inévitables. Cependant, cela ne rendait toujours pas pleinement compte de la totalité du bruit qu'ils détectaient. Il leur avait fallu une immense quantité d'énergie, de temps et d'argent pour essayer de comprendre et de réduire au minimum le bruit de leur radiotélescope, mais il y avait un élément sonore qui était à la fois mystérieux et incessant : quelque chose, quelque part, d'une façon ou d'une autre, émettait des ondes radio en permanence et dans toutes les directions.

Or les deux radioastronomes, déprimés, ne s'étaient pas rendu compte qu'ils avaient fait sans le vouloir une des plus importantes découvertes de l'histoire de la cosmologie. Ils étaient à des années-lumière de penser que ce bruit omniprésent était en fait un vestige du Big Bang : c'était « l'écho » de la phase d'expansion primitive de l'univers. Ce « bruit » gênant devait se révéler être l'une des preuves les plus convaincantes jamais fournies de la pertinence du modèle du Big Bang.

On se souvient que Gamow, Alpher et Herman avaient calculé

que l'univers connaîtrait une transition pendant environ 300 000 ans après le Big Bang. À ce moment, la température de l'univers serait tombée à environ 3 000 °C, niveau suffisamment faible pour que les électrons, flottant auparavant librement, s'accrochent à des noyaux et forment des atomes stables. L'océan de lumière qui remplissait l'univers ne pouvait plus interagir avec les électrons, ni avec les noyaux, car ceux-ci s'étaient assemblés entre eux pour former les atomes. Depuis ce moment, la lumière primordiale avait pu passer à travers l'univers complètement inchangée – sauf sur un point important.

Gamow, Alpher et Herman avaient prédit que, au fur et à mesure que l'univers se dilatait avec le temps, la longueur d'onde de cette lumière primordiale s'allongerait en suivant l'étirement de l'espace. La lumière avait une longueur d'onde d'environ un millième de millimètre lorsqu'elle commença à émerger du brouillard qui remplissait l'univers 300 000 ans après le Big Bang, mais selon le modèle du Big Bang l'univers s'est depuis lors dilaté selon un facteur d'environ mille. Par conséquent ces ondes lumineuses devraient avoir aujourd'hui une longueur d'onde d'un millimètre à peu près, ce qui les mettrait dans la région radio du spectre électromagnétique. L'écho du Big Bang s'était transformé en ondes radio, et pouvait être détecté sous forme de bruit par le radiotélescope de Penzias et Wilson. Ces ondes peuvent être classées dans une sous-catégorie du spectre radio connue sous le nom de micro-ondes, raison pour laquelle l'écho du Big Bang fut appelé rayonnement de fond cosmologique (RFC). L'existence ou l'inexistence du rayonnement RFC était décisive dans le débat qui opposait le Big Bang à l'état stationnaire, et figure comme cinquième critère au Tableau 4, p. 356.

Bien que l'existence du rayonnement RFC ait été prédite, sans ambiguïté, dès les années 1940, les milieux scientifiques l'avaient en grande partie oublié vers les années 1960. C'est la raison pour laquelle Penzias et Wilson ne firent pas le lien entre leur bruit radio et le modèle du Big Bang. Cependant, et c'est tout à leur honneur, ils refusèrent de faire comme si ce phénomène n'existait pas, et en restèrent troublés et perplexes. Ils continuèrent à en discuter entre eux et avec leurs collègues.

Vers la fin de l'année 1964, Penzias assista à une conférence d'astronomie à Montréal, où il mentionna en passant le problème du bruit à Bernard Burke, du Massachusetts Institute of Technology. Quelques mois plus tard, Burke lui téléphona,

enthousiaste. Il avait reçu la première version d'un article décrivant les travaux des cosmologistes Robert Dicke et James
Peebles, de l'université de Princeton. Les auteurs expliquaient
que leur équipe étudiait le modèle du Big Bang et s'était rendu
compte qu'il devait y avoir un rayonnement RFC omniprésent
de nos jours, qui devrait se révéler aujourd'hui sous la forme
d'un signal radio d'une longueur d'onde d'un millimètre environ. Dicke et Peebles ne savaient absolument pas qu'ils mar-
chaient sur les traces – quinze ans plus tard – de Gamow,
Alpher et Herman, et postulaient à nouveau, indépendamment
et tardivement, l'existence du rayonnement RFC. Dicke et
Peebles ignoraient tout autant que Penzias et Wilson avaient
détecté le rayonnement RFC aux laboratoires Bell.

Soudain, tout se mit en place pour Penzias. Il comprenait
désormais la source du bruit qui avait plombé son radiotélescope, et se rendait compte de son immense signification. Enfin,
enfin, le mystère du bruit omniprésent avait été résolu. Cela
n'avait rien à voir avec les pigeons, les défauts de câblage ou la
ville de New York, mais tout à voir avec la création de l'univers.

Penzias téléphona à Dicke et lui dit qu'il avait détecté le rayonnement RFC décrit dans l'article de Princeton. Dicke fut abasourdi. L'appel téléphonique de Penzias avait interrompu une
réunion qui se déroulait pendant l'heure du déjeuner pour discuter de la construction d'un détecteur de rayonnement RFC à
Princeton, parce que Dicke et Peebles voulaient vérifier leur
propre prédiction. Mais ce détecteur était désormais inutile, car
Penzias et Wilson avaient déjà fait le travail. Dicke reposa le
combiné, se tourna vers ses collègues et s'exclama : « Les gars, on
s'est fait doubler ! » Sans perdre de temps, Dicke et son équipe
rendirent visite à Penzias et Wilson le lendemain. L'inspection du
radiotélescope et l'examen des données confirmèrent la nouvelle. La course au rayonnement RFC était terminée, et l'équipe
des Bell Labs avait sans le savoir battu ses rivaux de Princeton.

Pendant l'été 1965, Penzias et Wilson publièrent leurs résultats dans l'*Astrophysical Journal*. Leur modeste article, d'une
longueur de six cents mots, annonça prudemment la découverte, sans proposer d'interprétation personnelle. Au contraire,
ils écrivirent humblement : « L'explication de l'excès de bruit
observé... est peut-être celle que donnent Dicke, Peebles, Roll
et Wilkinson dans une lettre jointe au présent numéro. » En
effet, Dicke et son équipe avaient publié un article jumelé dans
la même revue, faisant explicitement le lien entre les observa-

tions de Penzias et Wilson et leurs recherches cosmologiques, et expliquant comment le duo des laboratoires Bell avait découvert l'écho du Big Bang qui avait été prédit. La complémentarité était remarquable : l'équipe de Dicke avait une théorie et pas de données d'observation, tandis que Penzias et Wilson avaient les données, mais sans explication à proposer. Réunis, les résultats des deux groupes de chercheurs avaient transformé un problème irritant en un triomphe absolu.

Le modèle du Big Bang prédisait clairement l'existence du rayonnement RFC et la longueur d'onde qu'il devait avoir de nos jours. En revanche, le modèle de l'état stationnaire n'en faisait pas mention, et ne pouvait concevoir de scénario dans lequel l'univers serait rempli de micro-ondes. Par conséquent, la découverte du rayonnement RFC semblait être la preuve décisive qui établissait que l'univers n'était pas stable et éternel, mais qu'il avait commencé il y a des milliards d'années par un énorme Big Bang. L'euphorie que ressentait Wilson à mettre en évidence l'existence du rayonnement RFC et la véracité de la théorie du Big Bang était cependant teintée d'un peu de tristesse, parce qu'il avait toujours gardé une certaine tendresse pour le modèle de l'état stationnaire : « J'avais appris la cosmologie avec Hoyle à Caltech, et j'aimais beaucoup l'univers à l'état stationnaire. Du point de vue philosophique, je n'arrive pas à m'en détacher. »

Sa tristesse fut certainement apaisée par les louanges qui ne tardèrent pas à affluer. Robert Jastrow, astronome de la NASA, affirma que Penzias et Wilson avaient « fait l'une des plus grandes découvertes en cinq cents ans d'astronomie moderne ». Quant à Edward Purcell, physicien à Harvard, il alla encore plus loin dans son éloge de la découverte du rayonnement RFC : « Il s'agit peut-être bien du phénomène le plus important qui ait jamais été observé. »

Pourtant, tout cela était simplement dû à la chance. Penzias et Wilson avaient été favorisés par la sérendipité. Leur premier objectif était de faire un relevé radioastronomique standard, mais leur plus grande distraction se révéla être leur plus grande découverte. Trente ans plus tôt, Karl Jansky avait connu un bonheur analogue, également aux laboratoires Bell, et avait ainsi inventé la radioastronomie. Maintenant, la sérendipité avait à nouveau frappé dans la même discipline scientifique et dans le même établissement de recherches.

Le rayonnement RFC attendait tout juste d'être découvert par quiconque aurait l'idée de pointer une antenne radio suffisamment sensible vers le cosmos, et le hasard tomba sur Penzias et Wilson. Cependant, il n'y avait pas lieu d'avoir honte de la nature fortuite de cette découverte, car de telles percées nécessitent non seulement de la chance, mais aussi un acquis considérable d'expérience, de connaissance, d'intuition et de ténacité. On a de fortes raisons de penser que le Français Émile Le Roux en 1955 et l'Ukrainien Tigran Chmaonov en 1957 détectèrent l'un et l'autre le rayonnement RFC au cours de leurs relevés radioastronomiques, mais l'un comme l'autre traitèrent par le mépris ce bruit apparent, résignés à tolérer ce qui était sans doute un défaut mineur de leurs instruments. Au fond, ils n'avaient pas montré la détermination, la persistance et la rigueur qui permirent à Penzias et Wilson de découvrir le rayonnement RFC.

Dès avant la publication de leur article, la nouvelle de la percée de Penzias et Wilson se répandit rapidement dans le milieu de la cosmologie. L'histoire atteignit le grand public le 21 mai 1965 grâce à une manchette du *New York Times* proclamant : « Des signaux confirment que l'univers est né d'un "Big Bang" ». Les lecteurs se passionnèrent pour la découverte, car elle avait une importance cosmique tout en possédant un certain charme dépourvu de prétention. Penzias l'exprima de la façon suivante :

> Si vous sortez ce soir et retirez votre chapeau, vous recueillerez un peu de chaleur du Big Bang sur votre cuir chevelu. Et si vous avez un très bon récepteur FM, en vous promenant entre les stations, vous entendrez ce son ch-ch-ch. Vous avez probablement entendu ce genre de souffle. Ça a un effet apaisant. Quelquefois, ça ne diffère pas beaucoup du bruit du ressac. Eh bien, là-dessus, un demi pour cent remonte à des milliards d'années.

L'article du *New York Times* fut une manière de reconnaissance officieuse du modèle du Big Bang créateur. Einstein, Friedman et Hubble, qui y avaient tous apporté leur contribution, n'étaient plus en vie pour voir son triomphe. Le seul des pères fondateurs à survivre à la conclusion du plus grand débat cosmologique de l'histoire fut Georges Lemaître, pionnier de l'hypothèse théorique de départ. Il était en convalescence après une crise cardiaque à l'hôpital de l'université de Louvain lorsqu'il apprit que les ondes RFC avaient été détectées. Il mourut à peine un an plus tard, à l'âge de soixante et onze ans, après une vie de prêtre dévoué et de cosmologiste fervent.

Lorsque Gamow, Alpher et Herman entendirent parler de la découverte du rayonnement RFC, leur joie fut mêlée d'une certaine amertume. C'étaient eux qui avaient prédit cet écho du Big Bang bien avant Dicke et Peebles, mais ils ne semblaient rien recevoir de l'hommage dû aux précurseurs. Ils ne furent pas mentionnés dans les deux articles initiaux annonçant l'événement dans l'*Astrophysical Journal*. Leur nom ne fut pas davantage cité dans l'exposé de la question que fit ensuite Dicke dans la revue *Scientific American*. De fait, pratiquement aucun compte rendu, qu'il soit universitaire ou de vulgarisation, ne signala leurs travaux au milieu du concert de louanges qui suivit la découverte de Penzias et Wilson. Dicke et Peebles furent présentés comme les théoriciens associés à la première observation du rayonnement RFC. Les deux hommes étaient indubitablement de brillants cosmologistes, mais ils n'avaient fait que suivre la piste ouverte en 1948. Le problème était que la cosmologie était désormais dominée par une génération entièrement nouvelle de physiciens, qui tout simplement n'avaient jamais entendu parler des recherches de Gamow, Alpher et Herman.

Gamow s'efforça autant que possible de rappeler la priorité de son équipe dans la prédiction de l'écho du Big Bang. Ainsi, lorsque le sujet du rayonnement RFC fut abordé lors d'un congrès d'astrophysique au Texas, on lui demanda si cette découverte était bien le phénomène qu'il avait prédit avec Alpher et Herman. Il monta sur le podium et répliqua : « Eh bien, j'ai perdu une pièce de cinq cents quelque part. Aujourd'hui, on en trouve une à peu près au même endroit. Je sais que toutes les pièces de monnaie se ressemblent, mais je crois bien qu'il s'agit de mon argent ! »

Lorsque Penzias entendit enfin parler des premières prédictions de 1948 relatives au rayonnement RFC, il envoya à Gamow une note conciliatrice demandant un complément d'information. Gamow lui envoya une description détaillée de ses travaux antérieurs, et conclut en disant : « Vous voyez donc que le monde n'a pas commencé avec Dicke tout-puissant. »

Ralph Alpher fut encore plus indigné, car il avait été largement responsable du programme de recherches qui avait prédit le rayonnement RFC, mais il en avait tiré encore moins de reconnaissance que Gamow. Il débutait en tant que chercheur lorsqu'il avait prédit le rayonnement RFC, et Gamow lui faisait souvent de l'ombre. Pis encore, la plaisanterie douteuse de la signature Alpher, Bethe, Gamow (α, β, γ) de l'article précurseur sur la nucléosynthèse l'avait encore fait rétrograder dans l'ordre de préséance. Plus tard, lorsqu'un journaliste demanda à Alpher s'il s'était senti offensé par l'absence de reconnaissance de la part de Penzias et Wilson, il dit ce qu'il avait sur le cœur : « Est-ce que cela m'a fait de la peine ? Oui ! Qu'est-ce qu'ils s'imaginaient ? J'ai été vexé, à l'époque, qu'ils ne nous aient même pas invités à voir ce satané radiotélescope. C'était idiot d'être mécontent, mais je n'y pouvais rien. »

Dans leur ouvrage *Genèse du Big Bang*, Alpher et Herman en donnèrent ensuite un compte rendu plus réfléchi :

> Pourquoi fait-on des sciences ? D'une part pour le frisson d'être le premier à comprendre ou à mesurer quelque chose, et ensuite, pour être au moins reconnu, sinon approuvé, par ses pairs. Certains collègues soutiennent que le progrès de la science est la seule chose qui compte, et que peu importe qui a fait quoi. Pourtant, on ne peut s'empêcher de remarquer qu'eux-mêmes apprécient les honneurs qui leur sont rendus et acceptent avec plaisir et empressement des marques de reconnaissance telles que l'élection à de prestigieuses académies scientifiques.

Cependant, la carrière de Penzias et de Wilson connut son apothéose dix ans plus tard avec l'attribution du prix Nobel de physique en 1978. Entre temps, les astronomes avaient affiné leurs mesures du rayonnement RFC et vérifié avec précision que ses caractéristiques correspondaient bien à celles que le modèle du Big Bang avait prédit. Le rayonnement RFC, et donc le modèle du Big Bang, avait satisfait à toutes les épreuves.

Penzias utilisa la cérémonie de remise du prix pour rendre tranquillement hommage à ses parents, qui l'avaient sauvé de l'Allemagne nazie et emmené à New York :

> Je voulais, si je puis m'exprimer ainsi, un smoking juif, un vêtement fabriqué dans la quartier du prêt-à-porter, où ma mère avait travaillé. Toute une génération d'immigrants s'était sacrifiée pour envoyer ses enfants à l'université. Je ne voulais pas acheter un costume à Princeton, ou dans un magasin chic de New York, où on pourrait l'acheter à un vendeur qui vous ferait honte des habits que vous portiez en entrant. Je voulais que ce smoking me ressemble, et non que ce soit un déguisement.

Il saisit également l'occasion du discours de réception pour mettre les choses au point. Il reconnut et fit l'éloge de la contribution faite par Gamow, Alpher et Herman. Penzias fit un historique du développement et des preuves apportées au modèle du Big Bang, en s'appuyant largement sur une très longue conversation qu'il avait eue avec Alpher quelques semaines auparavant. Apparemment, ce dernier avait enfin trouvé le moyen de faire la paix avec ses collègues.

Mais un mois plus tard, Alpher fut frappé par une grave crise cardiaque, peut-être due à la tension occasionnée par ses efforts inlassables pour se faire reconnaître. La déception amère de n'avoir eu aucune part au prix Nobel fut la goutte d'eau qui fit déborder le vase. Alpher se remit peu à peu, mais il garda toute sa vie des problèmes de santé.

Il en faut pour tout le monde

L'attribution du prix Nobel à Penzias et Wilson marqua l'entrée du modèle du Big Bang au rang des vérités scientifiques admises. En temps voulu, ce modèle de création cosmique devait même finir par être célébré au National Air and Space Museum du Smithsonian. Il ne fut pas facile de monter une exposition représentant la théorie et les observations qui sous-tendaient le développement du modèle du Big Bang, mais les conservateurs surent faire preuve d'imagination. Le Smithsonian choisit d'exposer la bouteille de Cointreau avec laquelle Gamow et Alpher avaient célébré leur percée en matière de nucléosynthèse. Elle est présentée en Figure 83 (voir page 326). Dans l'idéal, le musée aurait également dû installer le radiotélescope de six mètres des Bell Labs utilisé pour détecter le rayonnement RFC, mais ce n'était pas réalisable. Il fut donc décidé d'exposer le piège à pigeons employé par Penzias et Wilson au cours de leur opération de réduction du bruit (Figure 97).

La détection du rayonnement de fond cosmique (RFC) avait donné aux cosmologistes une confiance nouvelle. Non seulement le rayonnement existait, mais il avait la longueur d'onde prévue ! Cela voulait dire que le modèle du Big Bang était non seulement valable dans les grandes lignes, mais aussi que les cosmologistes comprenaient certains détails de l'évolution de la température et de la densité de l'univers dans la période qui avait suivi le Big Bang.

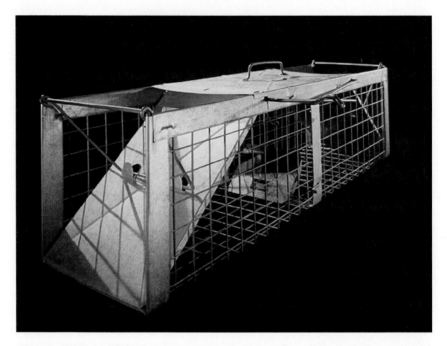

Figure 97 Le piège à pigeons historique, dit « Hav-A-Heart » utilisé pour éloigner les volatiles du radiotélescope des laboratoires Bell, dans le cadre d'un effort persévérant pour rendre compte de la mystérieuse source de bruit détectée par Penzias et Wilson. Ce piège est aujourd'hui exposé au Smithsonian National Air and Space Museum.

Pour la majorité des chercheurs, le rayonnement RFC était une preuve décisive en faveur d'un moment de création et d'un univers en évolution, par opposition à un univers éternel qui serait essentiellement stationnaire. Au fur et à mesure des années, de plus en plus de scientifiques passèrent du camp de l'état stationnaire à celui du modèle du Big Bang. Une enquête avait été faite parmi les astronomes américains en 1959, au plus fort de la controverse entre les deux théories, puis à nouveau en 1980, après que Penzias et Wilson eurent reçu leur prix Nobel. En 1959, les résultats montrèrent que 33 % des astronomes étaient en faveur du Big Bang, 24 % pour l'état stationnaire et 43 % incertains. Selon le sondage de 1980, 69 % des astronomes étaient partisans du Big Bang, 2 % seulement s'accrochaient à l'état stationnaire, avec 29 % d'incertains.

L'un de ceux qui firent défection fut Hermann Bondi, pionnier de l'état stationnaire, qui avait dit un jour : « S'il y a eu un

Big Bang, montrez-moi des fossiles ! » Il lui fallait désormais admettre que le RFC était un parfait fossile, et il cessa de croire au modèle qu'il avait contribué à créer. Thomas Gold, lui, garda la foi : « Je ne vois vraiment pas ce qui cloche dans la théorie de l'état stationnaire. Je ne change pas d'opinion à cause du nombre de gens qui croient en ceci ou cela. La science ne procède pas par sondages. » De même, Hoyle continua à tourner en dérision le modèle du Big Bang et ses partisans : « La frénésie passionnée avec laquelle la cosmologie du Big Bang se cramponne au sein du milieu scientifique est évidemment due à une fixation, qui vient de loin, sur la première page de la *Genèse*. C'est du fondamentalisme religieux indéracinable. »

Mais si Hoyle désirait retourner l'opinion et remporter la bataille, il lui faudrait faire davantage que couvrir de sarcasmes les partisans du Big Bang. Travaillant avec des collègues tels que Jayant Narlikar, Chandra Wickramasinghe et Geoffrey Burbidge, il adapta et transforma le premier modèle de l'état stationnaire pour en faire un système qui semblait plus compatible avec les observations astronomiques. Le nouveau modèle de l'état quasi stationnaire nécessitait un univers présentant des phases régulières de contraction au milieu d'une expansion à long terme. Et au lieu d'affirmer que de la matière était créée de façon continue, la théorie révisée reposait sur d'intenses bouffées de création. En dépit de ces modifications, le modèle d'état quasi stationnaire de l'univers ne put rallier beaucoup de partisans.

Mais Hoyle continuait à défendre son système : « Je pense qu'il est honnête de dire que la théorie a fait preuve de fortes capacités de survie, ce qui est, il est vrai, ce que l'on attend d'une théorie. On observe un étroit parallèle entre la théorie et l'observation d'une part, et la sélection naturelle de l'autre. La théorie fournit les mutations, l'observation fournit la sélection naturelle. On ne prouve jamais une théorie. Au mieux, elle survit. » Mais le modèle de l'état stationnaire et sa réincarnation, l'état quasi stationnaire, survivaient à peine. Tout observateur impartial pouvait voir qu'ils étaient au bord de l'extinction, tandis que le modèle du Big Bang ne faisait pas que survivre : il prospérait.

L'univers tout simplement, avait davantage de sens dans le contexte du Big Bang. Ainsi, en 1823, époque où les savants estimaient que l'univers était infini et éternel, l'astronome allemand Wilhelm Olbers s'était demandé pourquoi le ciel, la nuit, n'était pas éclairé par la lumière des étoiles. Au fond, un univers infini contiendrait un nombre infini d'étoiles, et si l'uni-

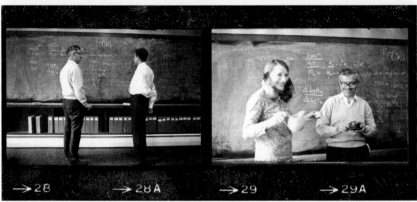

Figure 98 Fred Hoyle avec son ami et collègue Jayant Narlikar, qui l'aida à mettre au point le modèle de l'état quasi stationnaire. L'élaboration est entretenue par une tasse de thé.

vers était infiniment vieux, il y aurait eu un temps infini pour laisser toute cette lumière nous atteindre, et pour que le ciel de nos nuits soit inondé d'une quantité infinie de lumière en provenance de toutes ces étoiles.

L'absence évidente de cette lumière infinie provenant de l'espace est connue sous le nom de paradoxe d'Olbers. On peut expliquer de diverses manières pourquoi le ciel nocturne est sombre, mais c'est l'explication du Big Bang qui est peut-être la plus convaincante. Si l'univers n'a été créé qu'il y a quelques milliards d'années, la lumière des étoiles a eu tout juste le temps de nous atteindre à partir d'un volume d'espace limité, car la lumière ne peut voyager qu'à 300 000 km/s. En bref, un âge fini de l'univers et une vitesse finie de la lumière aboutissent à un ciel de nuit ne disposant que d'une quantité finie de lumière.

La meilleure manière de se représenter la supériorité du Big Bang par rapport à l'état stationnaire est de revoir encore notre tableau des critères critiques, qui apparaît au début du présent chapitre (Tableau 4, p. 356). Il présentait l'état du débat en 1950, certains critères favorisant le Big Bang et d'autres le modèle de l'état stationnaire. Cependant, depuis 1950, chaque nouvelle observation semble avoir conforté le modèle du Big Bang et sapé celui de l'état stationnaire, comme le montre le Tableau 6, qui représente l'état des lieux en 1978, lorsque Penzias et Wilson obtinrent leur prix Nobel. Confronté aux sept critères décisifs, le modèle du Big Bang l'emporte dans quatre cas. Les trois critères restants peuvent être considérés comme donnant une victoire nette au modèle de l'état stationnaire dans un cas, un succès pour les deux dans un autre cas, et un échec pour l'un comme pour l'autre dans le dernier.

En laissant de côté le problème de la création, qui posait problème aux deux modèles, il ne restait qu'une question à résoudre pour la théorie du Big Bang. On ne voyait pas bien comment un univers ainsi créé pouvait évoluer pour former des galaxies. Ainsi que Hoyle l'avait souligné un jour : « Si l'on suppose une explosion d'une violence suffisante pour expliquer l'expansion de l'univers, il n'aurait jamais pu se former de condensations ayant, même de loin, l'allure de galaxies. » Autrement dit, l'objection de Hoyle était que le Big Bang était absurde car il aurait fait exploser toute la matière existante pour créer un univers ne contenant que des miettes de substance, par opposition à un univers dont la matière serait concentrée en galaxies.

Tableau 6

Ce tableau en deux parties énumère divers critères permettant de juger les modèles du Big Bang et de l'état stationnaire. Il s'agit d'une version mise à jour des données disponibles en 1978, après que Penzias et Wilson eurent obtenu le prix Nobel pour la découverte du

Critère	Modèle du Big Bang	Validité
1. Décalage vers le rouge et univers en expansion	Attendu d'un univers qui est créé à l'état dense puis se dilate	✔
2. Abondance relative des atomes	Les proportions observées d'atomes légers (p. ex. l'hydrogène, l'hélium) sont très proches de la prédiction du Big Bang de Gamow et al. ; les atomes plus lourds sont produits dans les étoiles	✔
3. Formation de galaxies	L'expansion du Big Bang pourrait avoir réduit en pièces les bébés galaxies avant qu'elles ne puissent croître ; mais elles se sont bien développées, et personne ne peut expliquer pourquoi	✘
4. Répartition des galaxies	La répartition des galaxies varie avec la distance, comme l'a montré Ryle ; les jeunes galaxies (p. ex. les quasars) sont observées, mais seulement à de grandes distances, car elles n'auraient existé que juste après le Big Bang	✔
5. Rayonnement de fond cosmique (RFC) de micro-ondes	Cet écho du Big Bang a été prédit par Gamow, Alpher et Herman et a été découvert par Penzias et Wilson	✔
6. Âge de l'univers	Les nouvelles mesures de l'âge montrent que les objets que contient l'univers sont plus jeunes que l'univers lui-même, donc tout est cohérent	✔
7. Création	Il n'y a toujours pas d'explication à la création de l'univers	?

rayonnement RFC. Les coches et les croix indiquent d'une manière générale comment chacune des deux théories satisfait ou non à tel ou tel critère, et un point d'interrogation signale un manque de données ou un mélange de bons et de mauvais résultats.

Critère	Modèle de l'état stationnaire	Validité
1. Décalage vers le rouge et univers en expansion	Attendu d'un univers éternel qui se dilate, de la matière nouvelle étant créée dans les intervalles	✔
2. Abondance relative des atomes	Ne peut expliquer l'abondance observée des atomes légers ; les atomes plus lourds sont produits dans les étoiles	✘
3. Formation de galaxies	Il y a davantage de temps et pas d'expansion violente initiale ; cela permet aux galaxies de se développer et de mourir, pour être remplacées par de nouvelles galaxies construites à partir de matière créée	✔
4. Répartition des galaxies	Les jeunes galaxies doivent apparaître régulièrement réparties, car elles peuvent être nées n'importe où et à n'importe quel moment à partir de la matière créée entre les vieilles galaxies, mais ceci n'est pas confirmé par l'observation	✘
5. Rayonnement de fond cosmique (RFC) de micro-ondes	Ne peut expliquer le rayonnement RFC observé	✘
6. Âge de l'univers	On ne dispose pas d'éléments de preuve de l'existence quoi que ce soit au-delà de 20 milliards d'années, et pourtant l'univers est supposé être infiniment vieux	?
7. Création	Il n'y a toujours pas d'explication à la création continue de matière dans l'univers	?

Les partisans du Big Bang étaient obligés d'admettre que celui-ci aurait abouti à une soupe de matière et de rayonnement qui aurait été soufflée par l'expansion de l'espace. Ils reconnaissaient également que l'univers aurait démarré avec une répartition égale de matière partout. La raison en était que les particules se seraient déplacées avec une énergie et une violence telles que l'univers aurait été dans un état de mélange et de collision tumultueux, rendant les conditions identiques en tout point de l'espace. Si un secteur de l'univers avait été moins dense que le voisin, ce déséquilibre aurait été instantanément annulé par des particules se précipitant pour accroître cette densité afin de rétablir l'équilibre. Et si une particule avait été plus énergétique que sa voisine, elles auraient rebondi l'une sur l'autre, et l'énergie aurait été échangée afin d'établir un univers énergétiquement homogène. Jusque-là, les perspectives de formation de galaxies dans un univers du Big Bang étaient effectivement bien sombres. Comment un univers d'une neutralité uniforme pouvait-il évoluer jusqu'à devenir peuplé par des galaxies massives, séparées par de vastes espaces vides ?

Les cosmologistes du Big Bang savaient qu'à un moment donné l'univers avait dû se refroidir suffisamment pour réduire le violent processus de mélange au point où les variations de densité dans l'univers ne furent pas immédiatement corrigées. Il était concevable qu'à ce moment l'homogénéité de l'univers ait été perturbée par les plus petites fluctuations de densité imaginables. Des régions légèrement plus denses auraient attiré de la matière par la force de gravité, rendant ces régions encore plus denses, et attirant ainsi encore davantage de matière, etc., jusqu'à ce que les premières galaxies se forment. En d'autres termes, si les cosmologistes avaient émis l'hypothèse de la plus légère variation de densité, il n'était pas trop difficile d'imaginer comment la gravité aurait pu pousser l'univers à former des structures et sous-structures riches et complexes.

Si c'était bien là le mécanisme de formation des galaxies selon le modèle du Big Bang, alors les premières fluctuations de densité auraient fait germer une extraordinaire condensation cosmique. L'univers d'aujourd'hui est rempli d'objets qui ont une densité moyenne d'environ 1 g/cm^3, comme l'eau. Ainsi, le Soleil est légèrement plus dense que l'eau, à 1,4 g/cm^3, tandis que Saturne l'est un peu moins, à 0,7 g/cm^3. D'un autre côté, il existe dans l'univers d'immenses étendues vides, de vastes régions de néant quasi total. Par conséquent, la densité moyenne globale de l'univers, en tenant compte de tout, depuis les galaxies jusqu'au vide intégral, est d'environ 0,000000000000000000000000000001 g/cm^3. Autrement dit, il existe des régions de l'univers, en particulier celle que nous habitons, qui sont un million de millions de millions de millions de millions de fois plus denses que la densité moyenne.

Donc, l'hypothèse du Big Bang était que l'univers en ses débuts était parfaitement homogène, constitué de la soupe de matière la plus uniforme, harmonisée, cohérente et lisse que l'on puisse concevoir ; ensuite de légères perturbations dans cet océan parfaitement homogène déclenchèrent une chaîne d'événements qui aboutirent, en quelques milliards d'années, à un univers dans lequel il y avait des disparités de masse entre des galaxies de haute densité et des vides de densité presque nulle. Afin de prouver qu'une transition aussi fantastique s'était bien produite, les cosmologistes du Big Bang devaient trouver la preuve de l'émergence des fluctuations de densité qui amorcèrent la formation des galaxies. Autrement, sans preuves matérielles de ces fluctuations, le modèle du Big Bang resterait exposé à la critique des quelques partisans restants de l'état stationnaire tels que Hoyle.

L'endroit le plus évident pour chercher des indices de fluctuations dans les débuts de l'univers était son plus ancien vestige, à savoir le rayonnement RFC. Ce rayonnement avait été émis à un moment spécifique de l'histoire de l'univers, si bien qu'il sert aujourd'hui de fossile indiquant l'état de l'univers lorsque les atomes se formèrent pour la première fois environ 300 000 ans après l'instant de la création. En détectant ce rayonnement RFC, les radioastronomes remontaient donc effectivement dans le temps et voyaient l'univers à un stade très précoce de son évolution. Le modèle du Big Bang estimait que l'univers était âgé d'au moins 10 milliards d'années, si bien que le fait de pouvoir l'observer tel qu'il était à l'âge de 300 000 ans seulement équivalait à le voir lorsqu'il avait tout juste 0,003 % de son âge actuel. Si l'on donne à l'univers une échelle temporelle plus humaine, en imaginant qu'il est aujourd'hui une personne de soixante-dix ans, alors le rayonnement RFC aurait été créé lorsqu'il était nouveau-né, tout juste âgé de quelques heures.

Il n'est peut-être pas immédiatement évident que l'observation du rayonnement RFC équivaut à remonter le temps, mais cela ne diffère pas de la situation dans laquelle se trouvent les astronomes lorsqu'ils observent une étoile ou une galaxie distante. Si une étoile est à une distance de 100 années-lumière, alors la lumière qui en provient aura mis 100 ans à nous atteindre, si bien que nous ne pouvons la voir que telle qu'elle était il y a 100 ans. De même, si le rayonnement RFC a été émis il y a plusieurs milliards d'années, et s'il lui a fallu des milliards d'années pour nous atteindre, alors au moment où les astronomes le détectent, ils perçoivent en fait l'univers tel qu'il était il y a des milliards d'années, lorsqu'il avait environ 300 000 ans.

S'il y avait eu des fluctuations de densité à ce moment dans l'histoire de l'univers, alors elles auraient dû s'imprimer sur le rayonnement RFC que nous observons aujourd'hui. La raison en est qu'une section de l'univers ayant une densité légèrement plus élevée que la moyenne – un amas – aurait eu un effet bien défini sur le rayonnement RFC qui en aurait émergé. Le rayonnement provenant d'une telle région aurait eu à franchir un obstacle légèrement plus important en échappant à l'attraction gravitationnelle supplémentaire provoquée par la densité de l'amas, supérieure à la moyenne. Par conséquent, le rayonnement qui en émergeait aurait perdu une certaine quantité d'énergie en sortant de l'amas, lui donnant une longueur d'onde légèrement plus grande.

Ainsi, en examinant le rayonnement RFC provenant de différentes directions dans l'univers, les astronomes espéraient détecter de légères variations de longueur d'onde. Un rayonnement provenant d'une direction donnée avec une longueur d'onde légèrement plus grande indiquerait qu'il avait à l'origine émergé d'une partie de l'univers légèrement plus dense, tandis qu'un rayonnement issu d'une direction différente et présentant une longueur d'onde légèrement moindre dénoterait une provenance d'une section de l'univers légèrement moins dense à l'origine. Si les astronomes pouvaient découvrir ces variations, ils pourraient prouver qu'il y avait eu des fluctuations de densité aux premiers temps de l'univers, qui auraient engendré les galaxies. Le modèle du Big Bang deviendrait alors encore plus convaincant.

Penzias et Wilson avaient mis en évidence l'existence du rayonnement RFC, prouvant qu'il avait approximativement la longueur d'onde voulue, mais il fallait désormais que les astronomes se mettent à le mesurer avec une précision de plus en plus grande, afin de montrer que le rayonnement qui provenait de telle partie de l'univers avait une longueur d'onde légère-ment différente de celle d'un rayonnement issu d'ailleurs. Mal-heureusement, le rayonnement RFC semblait être identique, quelle que soit sa provenance. On supposait qu'il était partout le même parce que l'univers à ses débuts avait été très sem-blable à lui-même partout, mais les mesures montraient que les rayonnements provenant de toutes les directions étaient non seulement semblables, mais identiques. Il n'y avait aucun signe de la plus minuscule augmentation ou diminution de longueur d'onde.

Les partisans de l'état stationnaire se saisirent de ce résultat négatif pour attaquer le modèle du Big Bang, car aucune varia-tion de longueur d'onde observée dans le rayonnement RFC actuel ne permettait de supposer des variations de densité dans les premiers temps de l'univers, si bien qu'il ne pouvait pas expliquer l'origine des galaxies que nous voyons aujourd'hui. Mais la majorité des cosmologistes se gardèrent de céder à la panique. Ils soutinrent qu'il devait effectivement y avoir des variations, mais qu'elles étaient trop faibles pour être détectées, car les instruments d'observation dont ils disposaient man-quaient de précision. L'argument semblait raisonnable. De loin, le papier sur lequel est imprimée la présente page a l'air parfai-tement lisse, mais avec des appareils suffisamment sensibles, ses variations de surface apparaissent, comme on le voit dans la Figure 99. Il en serait peut-être de même pour le rayonne-ment RFC, et les variations seraient révélées après un examen plus approfondi.

Vers les années 1970, les appareils les plus récents étaient suffisamment sensibles pour détecter les variations potentielles du rayonnement RFC, mais on ne voyait toujours pas d'indices de variation. Il était encore possible que des variations existent à raison de moins de 1 partie pour 100, mais une amplitude aussi faible semblait impossible à détecter depuis la surface de la Terre. Le problème était que le rayonnement RFC se situe dans la région des micro-ondes du spectre électromagnétique, et que le sol et l'humidité atmosphérique émettent continuelle-ment des micro-ondes qui, bien que très faibles, suffisent pour noyer les petites variations de RFC qui pourraient exister.

Une solution innovante consistait à mettre au point un détec-teur de rayonnement RFC susceptible d'être hissé en l'air au moyen d'un ballon géant de haute altitude rempli d'hélium et pouvant monter à plusieurs dizaines de kilomètres au-dessus

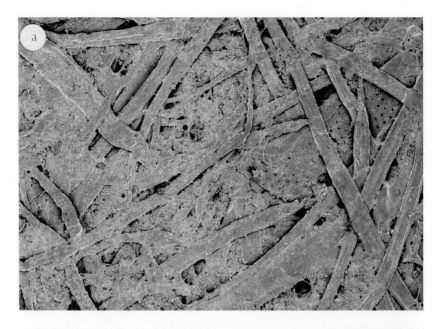

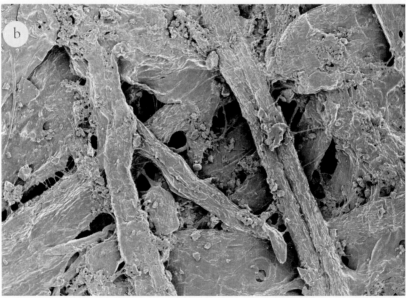

Figure 99 Le grossissement d'un papier apparemment lisse d'un facteur d'environ 250, comme dans le diagramme (a), révèle sa structure détaillée et son irrégularité. Un grossissement d'environ 1 000, comme dans le diagramme (b), fait apparaître des détails encore plus complexes et subtils.

de la Terre, pratiquement à la limite de l'espace. Un tel dispositif aurait présenté l'avantage de flotter dans une région de l'atmosphère ne contenant pratiquement pas d'humidité et comportant donc très peu de micro-ondes atmosphériques. Cependant, les expériences avec les ballons étaient entachées de difficultés. Le froid, tout simplement, pouvait briser la colle et faire tomber les détecteurs. De plus, si un défaut apparaissait dans l'équipement, les astronomes ne pouvaient rien faire. Même si les appareils fonctionnaient normalement, le détecteur ne marcherait que quelques heures, le temps que le ballon descende. Pis encore, la nacelle contenant le détecteur pouvait s'écraser au sol, se perdre ou se détruire, réduisant à néant des années de préparation attentive.

George Smoot, de l'université de Californie à Berkeley, pour qui la recherche des variations du rayonnement RFC avait tourné à l'obsession, prit part à plusieurs expériences avec des ballons, mais vers le milieu des années 1970, il se découragea. Ses tentatives se terminaient régulièrement par des désastres, et les appareils qui atterrissaient entiers ne révélaient toujours pas la moindre variation de rayonnement RFC. À la place, Smoot adopta une nouvelle stratégie. Il imagina d'installer un détecteur de micro-ondes à bord d'un avion, de manière à pouvoir faire des observations sur une plus longue période et avec une fiabilité plus grande. Cela ne pouvait pas être pire que de suspendre à ses risques et périls un instrument délicat sous un ballon de fortune.

Smoot chercha quel était l'avion le plus approprié pour voler à haute altitude pendant une longue durée, l'une et l'autre condition étant nécessaires pour une mesure effective de rayonnement RFC, et finalement il décida que le véhicule idéal était l'avion de reconnaissance U-2 de Lockheed Martin, entré dans la légende à la suite de ses missions d'espionnage pendant la guerre froide. Il fit une demande officielle auprès de l'armée de l'air américaine, et, à sa grande stupéfaction, reçut une réponse positive. Les aviateurs étaient apparemment flattés qu'on leur demande de prendre part à un projet de recherche susceptible de découvrir ce qui était en passe de devenir le plus grand mystère de la cosmologie. Les militaires étaient si coopératifs qu'ils montrèrent même à Smoot un hayon de vision ultra-secret pouvant être monté sur l'U-2, qui donnerait à son expérience une meilleure vue du ciel. Le hayon était à l'origine conçu pour être utilisé uniquement pour les tests de missiles balistiques intercontinentaux, le rôle de l'U-2 consistant à suivre leur rentrée dans l'atmosphère.

Les expériences antérieures menées avec des ballons avaient utilisé des détecteurs tout à fait grossiers, car personne n'était prêt à investir de sommes importantes dans des équipements qui pouvaient finir par s'écraser au sol. Mais puisque désormais Smoot disposait d'une plate-forme aéroportée plus fiable, il construisit un détecteur de rayonnement RFC faisant appel au dernier cri de la technique. L'appareil était capable de comparer le rayonnement RFC arrivant de deux directions différentes avec une sensibilité plus grande que jamais.

L'expérience fut lancée à bord d'un U-2 en 1976, et en quelques mois seulement, Smoot et ses collègues découvrirent une stupéfiante variation dans le rayonnement RFC. Le rayonnement venant d'une moitié du ciel avait une longueur d'onde qui dépassait de 1 partie pour 1000 le rayonnement qui venait de la moitié opposée du ciel. C'était un résultat important, mais pas celui que Smoot cherchait véritablement. Les variations qui auraient engendré les galaxies dans les débuts de l'univers auraient été très irrégulières, et se seraient donc présentées comme un habit d'arlequin, fait de régions disparates juxtaposées dans le ciel. On voit en Figure 100 la différence entre ce qui était observé et ce que les cosmologistes désiraient voir en réalité.

Il y avait une explication relativement simple aux mesures de Smoot : le décalage par effet Doppler, que nous connaissons bien. L'écart observé entre les hémisphères était simplement dû au mouvement terrestre. Lorsque la Terre se déplace dans l'espace, si le détecteur regarde vers l'avant, il perçoit que le rayonnement RFC possède une longueur d'onde légèrement plus petite ; s'il regarde vers l'arrière, la longueur d'onde semble être un peu plus grande. En mesurant cette différence, Smoot pouvait en fait mesurer la vitesse de la Terre à travers le cosmos. Cette vitesse était l'effet combiné du déplacement de la Terre autour du Soleil, de celui du Soleil au sein de la Voie lactée, notre galaxie, et du mouvement propre de la Voie lactée. Le résultat fut annoncé en première page du *New York Times* le 14 novembre 1977 avec ce titre : notre galaxie se déplace dans l'univers à plus de 1,5 million de km/h.

Bien que ce fût là un résultat intéressant, il n'apporta rien pour ce qui était de la grande question : où étaient les variations de rayonnement RFC qui avaient engendré l'univers ? Il

(a)　　　　　　　　　　　　　　(b)

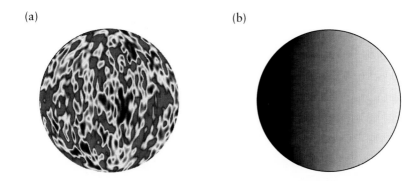

Figure 100 Ces deux sphères représentent deux cartes différentes du rayonnement RFC. À partir de notre vue terrestre, au centre des sphères, nous regardons dans l'espace et les ombres représentent la longueur d'onde moyenne du rayonnement RFC que nous voyons arriver de différentes directions. Les ombres plus foncées représentent une longueur d'onde moyenne légèrement plus grande pour le rayonnement, tandis que les zones plus claires correspondent à une longueur d'onde moyenne plus petite.

La carte (a) montre un schéma de variation complexe, le type de motif que les cosmologistes avaient désespérément besoin de trouver. Une région de longueur d'onde légèrement plus grande (foncée) indiquerait qu'elle avait été légèrement plus dense aux débuts de l'univers et pouvait donc être à l'origine de la formation de galaxies. Les spécialistes ne savaient pas bien quel pouvait être la structure exacte du rayonnement RFC, mais ils savaient qu'il devait être assez complexe afin de rendre compte de la disposition des galaxies à l'époque moderne.

La carte (b) montre une structure simple, avec des longueurs d'onde plus courtes dans un hémisphère, plus longues dans l'autre – c'est ce que Smoot avait détecté dans son expérience avec l'U-2. C'était un résultat intéressant, mais cela n'avait rien à voir avec le type de variation susceptible d'expliquer la formation des galaxies dans le modèle du Big Bang de l'univers.

fallait qu'elles soient présentes si le modèle du Big Bang était correct, mais personne ne pouvait les trouver. L'appareil de Smoot était très sensible, si bien que son incapacité à détecter le dessin révélateur en habit d'arlequin signifiait que les variations devaient être inférieures à une partie pour 1000. À un niveau aussi faible, elles seraient difficiles à détecter, même dans une expérience aéroportée, car il y avait toujours une mince couche d'atmosphère au-dessus du détecteur, susceptible d'obscurcir les mesures fines, parce qu'elle contiendrait des quantités faibles, mais significatives, d'humidité. Les astronomes se rendirent compte peu à peu que leur seul espoir de trouver ces variations insaisissables (si elles existaient) était de s'élever bien au-dessus de l'atmosphère terrestre avec un détecteur de rayonnement RFC monté à bord d'un satellite. Une expérience réalisée à cette distance serait convenablement isolée des micro-ondes superficielles et atmosphériques, elle serait également parfaitement stable et pourrait balayer la totalité du ciel 24 heures sur 24.

Même lorsque Smoot avait mené son expérience à bord de son avion espion, il se doutait qu'un satellite serait peut-être la seule manière de détecter les variations du rayonnement RFC. C'est pourquoi il s'était déjà engagé dans la préparation d'une expérience plus ambitieuse. Dès 1974, la NASA avait demandé aux scientifiques de lui soumettre des idées pour sa dernière série de satellites Explorer. On y trouvait un ensemble de projets relativement peu coûteux pouvant être utiles aux astronomes. Une équipe de Berkeley dans laquelle se trouvait George Smoot proposa donc un détecteur de rayonnement RFC embarqué sur un satellite, mais elle avait des concurrents. Un groupe de chercheurs du Jet Propulsion Laboratory à Pasadena, en Californie, avait déjà fait une proposition similaire, de même que John Mather, ambitieux astrophysicien de la NASA âgé de vingt-huit ans.

La NASA, évidemment heureuse de soutenir une entreprise d'une telle importance cosmologique, réunit les trois propositions et lança une étude détaillée de la conception et du fonctionnement précis de ce qu'elle appela l'Explorateur du Fond Cosmique, en anglais « Cosmic Background Explorer », connu par son acronyme COBE (prononcer Kobi). L'équipe réunie commença à étudier l'expérience en détail en 1976, tandis que Smoot était toujours accaparé par ses mesures sur son avion espion U-2, mais il ne s'agissait que d'une phase préliminaire, si bien qu'il n'y avait guère de concurrence entre ses deux projets. Les scientifiques et ingénieurs engagés dans l'aventure devaient passer les six années suivantes à chercher comment construire un détecteur capable d'atteindre les objectifs cosmologiques visés, de survivre à la violence d'un lancement dans l'espace et d'être suffisamment fiable pour fonctionner sans aucune exigence en matière d'entretien.

L'appareil définitif regroupait trois détecteurs séparés. Mike Hauser, du Goddard Space Flight Center, où le projet dans son ensemble était basé, dirigeait l'équipe chargée du premier détecteur de Fond Infrarouge Diffus (« Diffuse Infrared Background Experiment » (DIRBE)) destiné à tester les théories de formation des étoiles qui n'avaient pas de relation directe avec le mystère du rayonnement RFC. John Mather, lui, préparait le second détecteur, le Spectrophotomètre Absolu à Infrarouge Lointain (« Far Infrared Absolute Spectrophotometer » (FIRAS)), conçu pour mesurer le rayonnement RFC global venant de toutes les directions. George Smoot, quant à lui, devait mener à bien la construction du troisième détecteur, le Radiomètre Différentiel à micro-ondes (« Differential Microwave Radiometer » (DMR)). Celui-ci, comme son nom l'indique, était entièrement tourné vers la détection de différences de rayonnement infrarouge venant de directions variées, et l'on espérait que le DMR découvrirait ces fameuses variations du rayonnement RFC.

Le projet COBE obtint finalement le feu vert en 1982, soit huit ans après qu'il eut été proposé. Sa construction put enfin commencer, et il fut prévu de le lancer à partir d'une navette spatiale en 1988. Cependant, au bout de quatre ans de construction du satellite, l'ensemble du projet fut abandonné. Le 28 janvier 1986, la navette spatiale Challenger explosa peu après avoir décollé, tuant sur le coup son équipage de sept personnes.

> Je restai atterré, se souvint Smoot. Nous l'étions tous. Nous pleurions les astronautes, et cet accident tragique dominait tout. Mais peu à peu, les conséquences probables pour le programme COBE commencèrent à apparaître... Avec une navette perdue et trois immobilisées au sol, le calendrier de la NASA était bouleversé. Il n'y avait plus de vol. Personne ne pouvait dire de combien de temps le lancement du COBE serait retardé ; peut-être de plusieurs années.

Les astronomes et ingénieurs engagés dans l'affaire avaient passé plus de dix ans sur la conception et la construction du satellite COBE, dont l'avenir semblait désormais bouché. Tous les vols de navettes étaient abandonnés, et la liste d'attente des programmes embarqués s'allongeait rapidement. Même si les lancements reprenaient, il était clair que d'autres priorités repousseraient le COBE en bas de la liste. Et de fait, avant la fin de 1986, la NASA annonça officiellement que le COBE avait été supprimé du programme de lancement de navettes dans l'espace.

Dans sa quête d'un véhicule de lancement de rechange, l'équipe du COBE envisagea d'utiliser une fusée jetable à l'ancienne mode. Le meilleur choix était la fusée européenne Ariane, mais la NASA, ayant financé le projet, ne voulait à aucun prix qu'un rival étranger lui ravisse la gloire de lancer le satellite. L'un des responsable nota : « Nous eûmes deux ou trois rendez-vous avec les Français, mais lorsque les dirigeants de la NASA en eurent vent, ils nous ordonnèrent d'arrêter et de cesser toute relation avec eux. Ils allèrent jusqu'à nous menacer physiquement si nous insistions. » Il était par ailleurs hors de question de discuter avec les Russes.

L'industrie des fusées était largement sur le déclin, si bien qu'il y avait très peu d'autres solutions. Ainsi, la société McDonnell-Douglas avait arrêté sa chaîne de production de fusées Delta. Il ne lui en restait que quelques exemplaires, qui avaient été désignés pour servir de cibles afin de tester les nouvelles armes pour l'Initiative de Défense Stratégique (« Strategic Defence Initiative » — surnommée Programme de la « Guerre des étoiles »). Par conséquent, les ingénieurs de chez Delta furent enchantés que l'un de leurs vecteurs, fabriqués avec soin, puisse avoir une utilisation plus constructive que celle de cible. Ils offrirent immédiatement leurs services, mais il restait encore un gros problème à résoudre.

Le satellite COBE complet pesait presque 5 tonnes, mais la fusée Delta ne pouvait hisser qu'une charge utile moitié moins lourde. Il fallait donc considérablement alléger le dispositif. L'équipe du COBE fut forcée de reconfigurer complètement le satellite, d'en réduire la taille de façon spectaculaire, au sacrifice de précieuses années de travail antérieur. Cependant, il fallait s'assurer que les capacités scientifiques de l'engin restaient intactes, à savoir qu'il puisse toujours sonder le rayonnement RFC et tester le modèle du Big Bang. Pis encore, toute l'opération de remaniement devait être terminée en trois ans, car il y aurait une fenêtre de lancement en 1989, et laisser passer ce délai aurait abouti à tout retarder encore pendant de longues années.

Des centaines de scientifiques et d'ingénieurs travaillèrent tous les samedis, tous les dimanches, vingt-quatre heures sur vingt-quatre, pour relever l'un des plus grands défis de l'histoire de l'aventure spatiale. Enfin, au matin du 18 novembre

1989, soit quinze ans après que la première proposition eut été soumise à la NASA, le satellite COBE fut prêt au lancement. Pendant ce temps, d'autres chercheurs avaient continué à rechercher les variations du rayonnement RFC, en utilisant des détecteurs au sol ou emportés par des ballons et des avions, mais le rayonnement RFC continuait de paraître parfaitement régulier. Il était donc temps que le satellite COBE se fasse un nom.

L'équipe du COBE avait tout fait pour que Ralph Alpher et Robert Herman, qui avaient prédit le rayonnement RFC, ne soient pas oubliés, et les invita à la base de Vandenberg, en Californie, afin qu'ils soient témoins du lancement. Les deux théoriciens eurent même la permission de monter dans la tour de lancement et de tapoter le cône du nez de la fusée juste avant qu'elle ne décolle. Smoot figurait également parmi les centaines de personnes qui s'étaient rassemblées pour l'occasion. Toutes ses ambitions reposaient sur le COBE et la fusée Delta : « Au cours d'une visite antérieure, j'avais vu l'engin de près, et j'avais été effaré de son aspect décrépit, des taches de rouille ici et là, et des réparations ponctuelles faites avec du Glyptal. Toute l'œuvre de notre vie professionnelle était résumée au sommet de cette fusée. Pas un mot ne fut échangé ; rien que des prières silencieuses. »

Lorsque le compte à rebours atteignit zéro, la fusée Delta s'éleva de sa rampe de lancement. En trente secondes, elle avait franchi le mur du son, et onze minutes plus tard le COBE était mis en orbite. Un propulseur d'appoint fit grimper le satellite à une altitude de 900 kilomètres, où il suivit une orbite polaire, tournant autour de la Terre quatorze fois par jour. Dès réception du premier lot de données téléchargées vers la Terre, il fut évident que COBE fonctionnait parfaitement et que tous les détecteurs avaient survécu à la pression physique d'un lancement de fusée.

Le détecteur FIRAS obtint quelques données importantes quelques semaines plus tard à peine, mais il n'avait rien à dire sur les variations si recherchées du rayonnement RFC et les fluctuations de densité au tout début de l'univers qui y étaient associées. Ce phénomène intéressait l'appareil DMR de Smoot, mais celui-ci resta silencieux pendant plusieurs mois, tandis que le monde entier attendait de ses nouvelles. Prouver ou infirmer l'existence des variations nécessiterait une analyse très subtile, sur une longue durée, des données du détecteur DMR, dont la simple accumulation nécessitait déjà beaucoup de temps. L'appareil pouvait simultanément mesurer et comparer le rayonnement RFC de deux petites sections du ciel écartées de 60 °, mais pour qu'il mesure le rayonnement sur la totalité du ciel, il lui fallait attendre que le satellite COBE ait fait plusieurs centaines de fois le tour de la Terre. Finalement, le détecteur DMR termina son premier relevé approximatif de la totalité du ciel en avril 1990.

La première analyse ne révéla aucun signe de variation du rayonnement RFC à un niveau de 1 partie pour 3 000. Après la seconde récolte, on ne notait pas de signe d'une quelconque variation à un niveau de 1 partie pour 10 000. Le journaliste scientifique Marcus Chown qualifia les mesures de « complètement nulles ». Le COBE avait été envoyé dans l'espace pour trouver les variations qui avaient engendré les galaxies d'aujourd'hui. Par conséquent, ou bien elles étaient difficiles à découvrir, ou bien elles n'existaient pas du tout – auquel cas ce serait désastreux pour le modèle du Big Bang, car il n'y aurait pas d'explication de la création des galaxies. Et sans galaxies, pas d'étoiles, pas de planètes, pas de vie. La situation devenait angoissante. Comme le dit John Mather : « Nous n'avons pas encore exclu notre propre existence. Mais je n'arrive pas à comprendre comment la structure actuelle peut exister sans avoir laissé quelque signature sur le rayonnement de fond. »

Les optimistes espéraient que des données supplémentaires et un examen plus approfondi révéleraient les variations du rayonnement RFC. Les pessimistes craignaient qu'une inspection plus précise ne prouve que le rayonnement RFC était parfaitement régulier, et que le modèle du Big Bang était en défaut. Au fur et à mesure que les mois passaient, en l'absence d'annonce de l'existence ou de la non-existence de variations, des rumeurs commencèrent à courir dans les milieux scientifiques et dans la presse spécialisée. Des théoriciens se mirent à travailler sur des variantes *ad hoc* du modèle du Big Bang ne nécessitant pas de variations du rayonnement RFC. La revue *Sky & Telescope* résuma l'humeur ambiante en titrant : « Le Big Bang : mort ou vivant ? » Le petit groupe de partisans de l'état stationnaire reprit courage et se remit à critiquer le modèle du Big Bang. Mais ce dont personne ne se rendait compte en dehors de l'équipe du COBE, c'était que ces variations tant attendues commençaient peu à peu à émerger. Au début, les

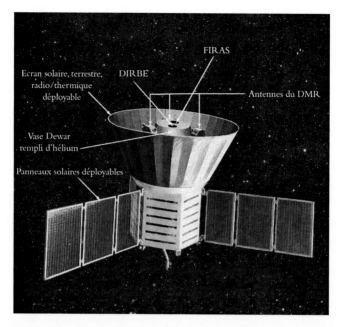

Figure 101 Le satellite COBE fut lancé en 1989 après remaniement complet afin de réduire son poids en vue d'un lancement par une fusée Delta, et non plus une navette spatiale. Les trois détecteurs sont partiellement cachés par un écran qui les protège de la chaleur et des micro-ondes du Soleil et de la Terre. Le vase Dewar au centre de l'écran contient de l'hélium liquide, qui refroidit les composants du satellite pour réduire l'émission d'un rayonnement micro-ondes par le satellite lui-même.

Jusqu'à présent, nous avons fait comme si le rayonnement RFC en provenance de n'importe quelle direction avait une seule longueur d'onde, mais en réalité le rayonnement RFC provenant d'une direction donnée, prise au hasard, présente toute une gamme de longueurs d'onde. Cependant, la caractéristique de cette répartition peut être décrite en notant simplement la longueur d'onde dominante ou pic, raison pour laquelle ce rayonnement a été mentionné comme s'il ne possédait qu'une seule longueur d'onde.

L'avenir du modèle du Big Bang dépendait des mesures faites par le détecteur DMR. Celui-ci pouvait comparer le rayonnement RFC incident en provenance de deux directions et chercher les variations du pic de longueur d'onde. Ces variations indiqueraient des fluctuations dans l'univers des premiers temps, et les régions de plus haute densité auraient engendré les galaxies d'aujourd'hui.

En revanche, le détecteur FIRAS était conçu en fonction du rayonnement RFC global, quelle que soit sa direction, et le détecteur DIRBE étudiait la formation des étoiles.

premiers signes en étaient si ténus que le résultat fut gardé jalousement secret.

Le détecteur DMR du COBE avait continué à enregistrer des données pendant tout 1990 et 1991, et il avait établi sa première carte complète de la totalité du ciel vers le mois de décembre de 1991, en prenant 70 millions de mesures sur son chemin. Une variation était apparue, tout juste au niveau de 1 partie pour 100 000, soit 0,001 %. Autrement dit, la longueur d'onde moyenne du rayonnement RFC variait de 0,001 % selon l'endroit où le COBE regardait. Le rayonnement RFC ne présentait que de faibles variations à travers le ciel, mais elles existaient bien, ce qui était le point crucial. Et elles étaient tout juste suffisantes pour témoigner des fluctuations de densité qui, dans les premiers temps de l'univers, avaient été assez substantielles pour déclencher le développement ultérieur des galaxies.

Certains chercheurs du COBE étaient impatients de publier rapidement, mais d'autres étaient plus prudents, et leur avis prévalut. L'équipe se mit donc à tout vérifier, afin de se rassurer : les variations détectées ne pouvaient être attribuées à un artefact dans le détecteur, ni à un défaut dans l'analyse. Pour témoigner de son souci d'autocritique et des précautions dont il s'entourait, Smoot offrit un billet d'avion gratuit à quiconque trouverait une faute grave dans les calculs. Il était conscient de participer à l'une des opérations de mesure les plus délicates de toute l'histoire des sciences, et qu'une erreur bien cachée pourrait très facilement entacher les résultats. Il compara un jour le défi consistant à découvrir les minuscules variations du rayonnement RFC au fait « d'écouter un murmure au milieu d'une joyeuse assemblée sur une plage, tandis que les radios hurlent, que les vagues se brisent, que les gens crient, que les chiens aboient, et que les buggys rugissent ». Dans de telles circonstances, il est facile de mal entendre, ou même d'imaginer que l'on entend quelque chose qui en réalité n'existe pas.

Au bout d'environ trois mois d'analyses et de discussions plus poussées, un consensus se dégagea dans l'équipe du COBE, selon lequel les variations étaient authentiques. Il était temps de les rendre publiques. Un article fut proposé à l'*Astrophysical Journal*, mais tous se mirent d'accord pour que la première annonce, avant publication, soit faite lors du congrès de l'American Physical Society à Washington, le 23 avril 1992. Smoot, porte-parole de l'équipe qui avait construit le détecteur

DMR, eut l'honneur de s'adresser à la foule réunie et de présenter un résultat véritablement capital. Cela faisait un quart de siècle que Penzias et Wilson avaient découvert le rayonnement RFC, et maintenant, enfin, les variations tant attendues avaient été identifiées. Les organisateurs de la conférence n'avaient pas été prévenus que Smoot ferait une communication d'une telle importance, et on ne lui avait donc attribué que les douze minutes habituelles. L'audience écouta, pétrifiée, tandis que le paysage cosmologique se mettait spectaculairement en place. Le Big Bang pouvait, enfin, expliquer la formation des galaxies.

À midi, il y eut une grande conférence de presse. Le communiqué de presse était accompagné des cartes de l'univers dressées par le COBE, présentant toutes un mélange de rouges, de roses, de bleus et de mauves, et destinées à acquérir un statut d'images culte. La Figure 102 en montre des versions noir et blanc. Chaque carte en forme de pastille représente la totalité du ciel. Elle est dépliée et reformatée pour le plan de la page, tout comme une carte de la Terre, astre sphérique, est déformée pour s'adapter à la surface d'un atlas. Les variations du rayonnement RFC sont faciles à distinguer.

De nombreux journalistes, ainsi que leurs lecteurs, virent ces images et crurent que chaque tache représentait une variation authentique du rayonnement RFC, l'une de ces fameuses différences d'une partie pour 100 000. En fait, les mesures du COBE étaient sévèrement affectées par le rayonnement aléatoire émis par le détecteur lui-même, et la carte critique, Figure 102(b), contient bien une contribution aléatoire significative. Cette contamination est si grave qu'en se fiant à l'œil nu il serait impossible de dire quelles taches sont d'authentiques variations du rayonnement RFC, et où sont celles qui sont provoquées par des fluctuations du détecteur sous l'effet du hasard. Cependant, les scientifiques du COBE avaient utilisé des techniques statistiques raffinées pour prouver qu'il y avait des variations véritables dans le rayonnement RFC au niveau qu'ils avaient déclaré, et leur résultat était donc bon, même si la carte était quelque peu trompeuse. Ils auraient pu procéder de manière plus précise en joignant une analyse statistique des données au lieu des images, mais aucun journaliste non spécialisé ne l'aurait comprise. En outre, les responsables du service photographique étaient heureux de pouvoir insérer une image percutante à côté des articles qui paraîtraient le lendemain.

L'analyse statistique pouvait bien être complexe, mais le mes-

(a)

(b)

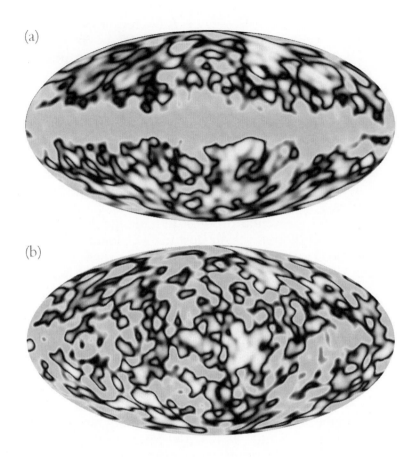

Figure 102 Ces cartes représentent les mesures de rayonnement RFC faites par le COBE, telles que collectées par le détecteur DMR. Ces cartes bidimensionnelles montrent le rayonnement RFC et ses variations dans toutes les directions de l'espace. Les ombres traduisent l'intensité du rayonnement RFC provenant d'une région particulière. La carte (a) est dominée par la radiation stellaire de notre propre Voie lactée, qui apparaît comme une bande étirée le long de l'équateur. Cette image reçut le surnom de « hamburger ».
La carte (b) résulte de la suppression de la Voie lactée par soustraction numérique. C'est une meilleure indication de l'anisotropie du rayonnement RFC dans l'univers. La plus grande partie de la carte est encore dominée par le bruit du récepteur, mais les variations vraies peuvent être mises en évidence par une analyse statistique complexe. Les variations se produisent à un niveau de 1 partie pour 100 000.

sage qu'adressait George Smoot au reste du monde était plus direct. Le satellite COBE avait trouvé des preuves de ce que, environ 300 000 ans après le moment de la création, il y avait eu de légères variations de densité dans l'univers, à raison de 1 partie pour 100 000, qui avait crû avec le temps et fini par aboutir aux galaxies que nous voyons aujourd'hui. Après avoir passé la soirée précédente à polir les formules choc de son intervention, il dit aux journalistes que : « Nous avons observé les structures les plus anciennes et les plus importantes jamais détectées sur les débuts de l'univers. Il s'agit là des germes primordiaux d'entités modernes telles que les galaxies, les amas de galaxies, etc. » Il ajouta une formule mémorable, « pour un croyant, c'est comme voir la face de Dieu ».

La presse réagit en consacrant des unes entières au résultat du COBE. De façon caractéristique, le magazine *Newsweek* donna dans l'hyperbole, avec ce titre « L'écriture de Dieu ». Légèrement embarrassé par la ferveur inspirée par ses paroles, Smoot prétendit cependant n'avoir aucun regret : « Si mon commentaire suscite chez les gens un intérêt pour la cosmologie, tant mieux, c'est une bonne chose. De toute façon, c'est fait. On ne peut pas revenir en arrière. » De fait, la référence théologique, les images fascinantes et, tout simplement, l'importance scientifique de la percée réalisée par le COBE garantissaient que l'on se trouvait face à la grande aventure astronomique de la décennie. Stephen Hawking renchérit en ajoutant : « C'est la découverte du siècle, sinon de tous les temps. »

Des générations entières de physiciens, d'astronomes et de cosmologistes, depuis Einstein jusqu'aux dizaines d'ingénieurs, de scientifiques et d'astronomes qui avaient collaboré au projet COBE, avaient réussi à se mesurer à la question ultime, celle de la création. Il n'était plus possible de soutenir sérieusement que l'univers était statique et éternel. Tout au contraire, il était clair que l'univers était dynamique, en expansion et en évolution constante, et que tout ce que nous voyons aujourd'hui était issu d'un Big Bang chaud, dense et compact, il y a plus de 10 milliards d'années. Il y avait eu une révolution dans la cosmologie, et le modèle du Big Bang était désormais accepté. Le changement de paradigme était total.

5 – LE CHANGEMENT DE PARADIGME
EN RÉSUMÉ

(1) 1950 : LE MILIEU DES COSMOLOGISTES ÉTAIT DIVISÉ ENTRE LES PARTISANS
DU MODÈLE DE L'ÉTAT STATIONNAIRE ET CEUX DU BIG BANG.
IL FALLAIT RÉPONDRE À TOUTE UNE SÉRIE DE QUESTIONS
CRITIQUES AVANT DE POUVOIR PRÉTENDRE EXPLIQUER
L'UNIVERS AU MOYEN D'UN MODÈLE.

PAR EXEMPLE, S'IL Y AVAIT EU UN BIG BANG,

• POURQUOI DONC L'UNIVERS APPARAISSAIT-IL PLUS JEUNE QUE LES ÉTOILES,
• COMMENT LES ÉLÉMENTS LOURDS S'ÉTAIENT-ILS FORMÉS,
• OÙ TROUVER LE RAYONNEMENT DE FOND COSMIQUE (RFC),
• ET COMMENT LES GALAXIES ÉTAIENT-ELLES APPARUES ?

(2) BAADE, TOUT D'ABORD, PUIS SANDAGE, RÉÉTALONNÈRENT L'ÉCHELLE
DE DISTANCE NOUS SÉPARANT DES GALAXIES, ET MONTRÈRENT QU'EN RÉALITÉ,
LE BIG BANG PRÉVOYAIT UN UNIVERS BEAUCOUP PLUS VIEUX, COMPATIBLE
AVEC L'ÂGE DES ÉTOILES ET DES GALAXIES QU'IL CONTENAIT.

(3) HOYLE S'EFFORÇA D'EXPLIQUER LA FORMATION
DES ÉLÉMENTS LOURDS, ET RÉUSSIT À MONTRER COMMENT
ILS S'ÉTAIENT CONSTITUÉS AU CŒUR DES ÉTOILES
VIEILLISSANTES.

LE PROBLÈME DE LA NUCLÉOSYNTHÈSE AVAIT ÉTÉ RÉSOLU.

• LES ATOMES LOURDS SE SONT FORMÉS DANS LES ÉTOILES MOURANTES
• LES ATOMES LÉGERS SE SONT FORMÉS JUSTE APRÈS LE BIG BANG

(4) DANS LES ANNÉES 1960, LES ASTRONOMES SE MIRENT À UTILISER
LA RADIOASTRONOMIE ET DÉCOUVRIRENT DE NOUVELLES GALAXIES, COMME
LES QUASARS, QUI N'EXISTENT QU'AUX CONFINS DE L'UNIVERS.

L'IRRÉGULARITÉ DE LA RÉPARTITION DES GALAXIES
CONTREDISAIT LE MODÈLE DE L'ÉTAT STATIONNAIRE, SELON
LEQUEL L'UNIVERS ÉTAIT APPROXIMATIVEMENT LE MÊME PARTOUT,
ET L'AVAIT TOUJOURS ÉTÉ.

EN REVANCHE, CETTE OBSERVATION ÉTAIT ENTIÈREMENT COMPATIBLE AVEC LE MODÈLE
DU BIG BANG.

(5) AU MILIEU DES ANNÉES 1960, PENZIAS ET WILSON DÉCOUVRIRENT FORTUITEMENT
LE RAYONNEMENT RFC PRÉDIT PAR ALPHER, GAMOW ET HERMAN DÈS 1948,
APPORTANT DE SURCROÎT DES ARGUMENTS IRRÉFUTABLES EN FAVEUR
DU BIG BANG.

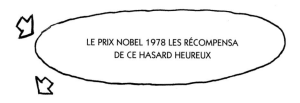

LE PRIX NOBEL 1978 LES RÉCOMPENSA
DE CE HASARD HEUREUX

PRESQUE TOUTE LA COMMUNAUTÉ SCIENTIFIQUE BASCULA
DANS LE CAMP DU BIG BANG

1992 :
LE SATELLITE COBE
DÉCOUVRIT DE TRÈS FAIBLES VARIATIONS
DANS LE RAYONNEMENT RFC PROVENANT
DE DIFFÉRENTES PARTIES DU CIEL, CE QUI TÉMOIGNAIT
DE L'EXISTENCE DE LÉGERS ÉCARTS DE DENSITÉ
AUX TOUT DÉBUTS DE L'UNIVERS, ÉCARTS POUVANT
AVOIR JOUÉ LE RÔLE DE GERMES POUR LA FORMATION
DES GALAXIES.

LE CHANGEMENT DE PARADIGME, D'UN UNIVERS ÉTERNEL À UN UNIVERS
NÉ D'UN BIG BANG, ÉTAIT ACCOMPLI.

LA VALIDITÉ DU MODÈLE DU BIG BANG ÉTAIT DÉMONTRÉE !

EST-CE LA FIN DE L'HISTOIRE ?

Épilogue

Si l'on veut faire une tarte aux pommes à partir de zéro, il faut commencer par créer l'univers.

Carl SAGAN

Je ne cesserai jamais de m'étonner que les êtres humains aient eu l'audace de concevoir une théorie de la création, et que nous puissions aujourd'hui la mettre à l'épreuve.

George SMOOT

Nous défendons le modèle du Big Bang car il s'agit de la théorie physique du cosmos la plus convaincante et la plus complète à l'heure actuelle. Ce modèle possède une capacité de prédiction (c'est-à-dire qu'il couvre simultanément un grand nombre d'observations astronomiques variées), et en particulier, comme toute théorie viable, il continue à survivre malgré les risques de mauvaise interprétation des observations... Dans le cas du Big Bang, le modèle n'a pas seulement survécu pendant plusieurs décennies ; mais son statut est devenu de plus en plus solide.

Ralph ALPHER et Robert HERMAN

Notre erreur n'est pas de prendre nos théories trop au sérieux, mais pas assez. Il est toujours difficile de se rendre compte que les chiffres et les équations que nous manions au bureau ont un rapport avec le monde réel. Pis encore, les gens semblent considérer la plupart du temps que certains phéno-

mènes ne peuvent tout simplement pas faire l'objet de recherches théoriques et expérimentales sérieuses. Gamow, Alpher et Herman ont eu surtout l'immense mérite de s'attaquer sérieusement au problème des commencements de l'univers, et d'expliciter ce que les lois physiques connues ont à dire sur les trois premières minutes.

Steven WEINBERG

Il y a dix ou vingt milliards d'années, il s'est passé quelque chose : le Big Bang, événement qui a marqué le début de notre univers. La raison de ce phénomène est le plus grand mystère qui soit. Mais sa réalité est raisonnablement établie.

Carl SAGAN

On peut soutenir avec raison que le modèle du Big Bang de l'univers est la plus importante et la plus belle réalisation de la science du XXᵉ siècle. Pourtant, la manière dont il fut conçu, mis au point, exploré, mis à l'épreuve, prouvé et finalement accepté n'a rien que d'ordinaire. De ce point de vue, il a beaucoup de choses en commun avec d'autres idées apparues dans des spécialités scientifiques moins spectaculaires. Le développement du modèle du Big Bang est un parfait exemple de la méthode scientifique en action.

Tout d'abord, les cosmologistes s'efforcèrent d'expliquer des choses qui relevaient autrefois du domaine du mythe ou de la religion. Les premiers modèles scientifiques étaient utiles, quoique imparfaits, et très vite des incohérences et des inexactitudes commencèrent à apparaître. D'autres chercheurs proposèrent un autre modèle et firent campagne pour imposer leur vision des choses, tandis que l'établissement scientifique défendait la théorie admise. Les deux camps défendirent leur cause, excipant d'arguments théoriques, d'expériences et d'observations, travaillant quelquefois plusieurs dizaines d'années avant de réaliser une percée, et parfois changeant le paysage scientifique du jour au lendemain avec une découverte faite par hasard. Les adversaires exploitèrent au mieux les techniques les plus récentes – des lentilles aux satellites – pour s'efforcer de trouver l'élément de preuve crucial susceptible d'étayer leur modèle. En fin de compte, la balance pencha sans conteste en faveur du nouveau modèle, et la science connut un changement de paradigme, tandis que les autorités en place rejetaient la vieille théorie pour la remplacer par la plus récente. Ceux qui s'y étaient le plus opposés furent convaincus et changèrent d'opinion, et le cycle fut bouclé.

Il est important de noter que dans la majorité des controverses scientifiques, il n'y a pas de changement de paradigme. Dans la plupart des cas, on trouve rapidement des failles dans le nouveau modèle proposé, et la théorie généralement acceptée reste en place tant qu'elle est considérée comme la meilleure explication de la réalité. Il est heureux qu'il en soit ainsi, car sinon la science serait constamment bouleversée, et ne constituerait plus un cadre fiable pour explorer et comprendre l'univers. Cependant, lorsqu'il y a vraiment changement de paradigme, il s'agit la plupart du temps d'un des moments les plus extraordinaires de l'histoire des sciences.

La voie qui mène de l'ancien paradigme au nouveau peut prendre plusieurs décennies, et nécessiter la contribution de dizaines de chercheurs. D'où une question intéressante, qui n'est pas sans rapport avec l'acceptation du modèle du Big Bang : à qui attribuer le mérite de la découverte ? C'est le problème que pose la pièce de Roald Hoffmann et Carl Djerassi intitulée *Oxygène*. L'intrigue repose sur une sorte de rétro-prix Nobel, récompense imaginaire conférée pour une œuvre antérieure à la fondation de l'académie Nobel. Une commission se réunit et tombe rapidement d'accord pour honorer la découverte de l'oxygène. Malheureusement, les membres du jury sont incapables de trancher en faveur d'un savant. S'agit-il de l'apothicaire suédois Carl Wilhelm Scheele, le premier à avoir synthétisée et isolé le gaz ? Ou du pasteur unitarien anglais Joseph Priestley, premier à avoir révélé dans une publication la découverte et à exposer ses recherches en détail ? Ou encore du chimiste français Antoine Lavoisier, qui comprit correctement que l'oxygène n'était pas simplement une variété d'air (« air déphlogistiqué »), mais un élément entièrement nouveau ? La pièce examine de long en large la question de la priorité, remonte le temps pour permettre à chacun de s'expliquer, ce qui n'aboutit qu'à révéler les complexités de l'attribution du mérite d'une découverte.

S'il est difficile de répondre à la question de savoir qui a découvert l'oxygène, celle de l'antériorité pour ce qui est du modèle du Big Bang est pratiquement insoluble. L'élaboration, la mise à l'épreuve, le remaniement et la démonstration complète de la théorie nécessitèrent un grand nombre d'étapes de calcul, d'expériences et d'observations, chacune marquée par telle ou telle personnalité. Einstein eut le mérite d'expliquer la gravité à travers sa théorie de la relativité générale, sans laquelle aucun modèle cosmologique sérieux n'aurait pu être mis au point. Cependant, il s'opposa à l'idée d'un univers en évolution, et ce furent Lemaître et Friedman (indépendamment) qui construisirent la théorie du Big Bang. Là encore, ces travaux n'auraient pu être pris au sérieux sans les observations de Hubble, qui montra que l'univers était en expansion, tout en restant réticent à tirer des conclusions cosmologiques de ses propres recherches. Mais le modèle du Big Bang serait resté dans les limbes sans les contributions théoriques de Gamow, Alpher et Herman et par les observations de Ryle, Penzias, Wilson et de l'équipe du COBE. Fred Hoyle lui-même, le protagoniste de l'état stationnaire, apporta sa contribution à la question de la nucléosynthèse, renforçant ainsi involontairement la crédibilité du modèle du Big Bang. Bref, il est impossible d'attribuer la paternité de celui-ci à un seul individu.

En réalité, le présent ouvrage ne mentionne qu'une faible proportion de ceux qui contribuèrent au développement du modèle du Big Bang, car il serait impossible de dresser un compte rendu complet et définitif du débat entre les deux théories en quelques centaines de pages seulement. Chaque paragraphe mériterait d'être traité en un volume pour rendre justice à tous les physiciens, astronomes et cosmologistes qui apportèrent leur pierre à l'élaboration du modèle du Big Bang.

Outre les limitations de place, l'exposé de l'histoire de la théorie s'est également heurté à la volonté de réduire au minimum le nombre d'équations proposées. Les mathématiques sont la langue de la science, et, dans de nombreux cas, on ne peut expliquer un concept en détail et avec précision qu'en faisant un exposé mathématique détaillé. Cependant, on peut la plupart du temps en donner une description générale avec des mots et quelques schémas pour illustrer les points clés. Le mathématicien Carl Friedrich Gauss alla même jusqu'à souligner la valeur des « notions », opposées aux « notations ».

La preuve que l'on pouvait expliquer la théorie du Big Bang avec des mots et des images apparut au grand jour le vendredi 24 avril 1992, au lendemain de la conférence de presse du COBE. En effet, le journal *The Independent* réussit à résumer, en première page, tous les éléments essentiels du modèle en un seul diagramme simple, présenté ici dans la Figure 103. Certaines des dates et températures que l'on y trouve diffèrent de celles mentionnées dans les chapitres antérieurs, à cause des améliorations apportées à la théorie et aux observations jusqu'en 1992. Les chiffres ne sont encore qu'approximatifs, mais dans une large mesure ils continuent à représenter l'opinion commune des cosmologistes aujourd'hui.

Le diagramme de l'*Independent* résume clairement la manière dont on comprend de nos jours l'univers du Big Bang. Tout d'abord, comme il est souligné, « toute la matière et toute l'énergie étaient condensées en un point », puis il y eut une explosion gigantesque. C'est ce qu'implique le terme « Big Bang », par une analogie qui n'est pas sans fondement, sauf qu'il ne s'agissait pas d'une explosion *dans* l'espace, mais *de* l'espace. De même, le Big Bang ne fut pas une explosion *dans* le temps, mais une explosion *du* temps. L'espace comme le temps furent créés au moment du Big Bang.

En une seconde, l'univers hyper-chaud se dilata et se refroidit de manière spectaculaire, sa température tombant de plusieurs trillions à quelques milliards de degrés. L'univers contenait des protons, des neutrons et des électrons, le tout baignant dans un océan de lumière. Les protons, équivalant à des noyaux d'hydrogène, réagirent avec d'autres particules, dans les quelques minutes qui suivirent, pour former des noyaux tels que l'hélium. Le rapport de l'hydrogène à l'hélium dans l'univers fut fixé en grande partie au cours de ces quelques minutes, et correspond à ce que nous observons aujourd'hui.

L'univers continua à se dilater et à se refroidir. Il se composait désormais de noyaux simples, d'électrons chargés en énergie et de grandes quantités de lumière, les divers constituants se dispersant les uns les autres. Au bout d'environ 300 000 ans, la température de l'univers avait suffisamment baissé pour permettre aux électrons de ralentir, de s'accrocher aux noyaux et de former des atomes complets. Ce qui permit de libérer la lumière, qui depuis lors voyage dans l'univers pratiquement sans obstacle. Cette lumière est aujourd'hui connue sous le nom de rayonnement de fond cosmique (RFC), constitué de micro-ondes, sorte d'écho lumineux du Big Bang, qui avait été prédit par Ralph Alpher et détecté par Penzias et Wilson.

Grâce aux mesures détaillées du rayonnement RFC effectuées par le satellite COBE, nous savons que l'univers contenait des régions de densité légèrement supérieure à la moyenne lorsqu'il avait 300 000 ans. Ces régions attirèrent progressivement davantage de matière et se densifièrent, si bien que les premières étoiles et galaxies étaient déjà formées au moment où l'univers atteignit l'âge d'un milliard d'années. Les réactions nucléaires déclenchées dans les étoiles aboutirent à la formation des éléments moyens, tandis que les éléments les plus lourds furent créés dans les conditions extrêmes des soubresauts de la mort des étoiles. Grâce à la formation stellaire d'éléments tels que le carbone, l'oxygène, l'azote, le phosphore et le potassium, la vie put finalement se développer.

Et voilà où nous en sommes aujourd'hui, 15 milliards d'années plus tard (à un ou deux milliard près). Le haut de l'illustration du journal, qui contient les êtres humains, est quelque peu flatteur, car il exagère le rôle que notre espèce a pu jouer dans l'histoire de l'univers. Bien que la vie soit apparue sur la Terre il y a quelques milliards d'années, l'homme n'existe que depuis 100 000 ans environ. Pour donner une idée de la chose, si l'on représentait l'histoire de l'univers par un segment de droite compris entre les extrémités de deux bras étendus, une lime à ongles pourrait effacer l'existence humaine d'une seule égratignure.

Lorsqu'un journal est prêt à faire sa une sur un sujet cosmologique, il y a de fortes chances pour que, comme l'aurait dit Arthur Eddington, le modèle du Big Bang soit passé de l'obscurité de l'atelier théorique à la lumière de la salle d'exposition des sciences. Cela ne signifie pourtant pas qu'il ne manque plus un bouton de guêtre à la théorie, car il restera toujours des problèmes importants et des détails à compléter. Nous passerons brièvement en revue ci-dessous certaines des questions qui restent à résoudre. Naturellement, on ne peut espérer, en quelques paragraphes, aborder l'un quelconque de ces problèmes avec toute la subtilité et la profondeur nécessaires, ni en faire comprendre toute la signification. Cependant, ce qui suit devrait démontrer que, bien que le concept général du Big Bang se soit révélé correct, les cosmologistes ont encore beaucoup de pain sur la planche.

Ainsi, nous savons que les galaxies d'aujourd'hui sont apparues à la suite de variations de densité qui existaient dans l'univers quelque 300 000 ans après le Big Bang. Le refroidissement naturel de l'univers pouvait bien avoir fait émerger de légères variations aléatoires, mais celles-ci ne rendent pas entièrement compte des faits observés par le satellite COBE. Quelle est donc

Figure 103 En Grande-Bretagne, le résultat du COBE fit la première page du journal *The Independent* du vendredi 24 avril 1992. L'organe de presse célébrait la découverte des variations du rayonnement RFC, preuve définitive de la pertinence du modèle du Big Bang de l'univers, qu'il expliquait à l'aide de cet audacieux diagramme.

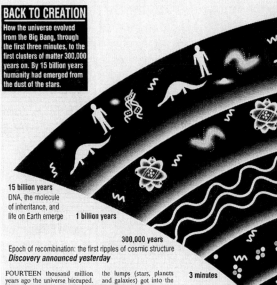

How the

BACK TO CREATION

How the universe evolved from the Big Bang, through the first three minutes, to the first clusters of matter 300,000 years on. By 15 billion years humanity had emerged from the dust of the stars.

15 billion years
DNA, the molecule of inheritance, and life on Earth emerge **1 billion years**

300,000 years
Epoch of recombination: the first ripples of cosmic structure
Discovery announced yesterday

3 minutes

1 second
Stable subnuclear particles, neutrons and protons, are formed

10^{-10} sec

FOURTEEN thousand million years ago the universe hiccuped. Yesterday, American scientists announced that they have heard the echo.

A Nasa spacecraft has detected ripples at the edge of the Cosmos which are the fossilised imprint of the birth of the stars and galaxies around us today.

According to Michael Rowan-Robinson, a leading British cosmologist, "What we are seeing here is the moment when the structures we are part of — the stars and galaxies of the universe — first began to form."

The ripples were spotted by the Cosmic Background Explorer (Cobe) satellite and presented to excited astronomers at a meeting of the American Physical Society in Washington yesterday.

"Oh wow . . . you can have no idea how exciting this is," Carlos Frenk, an astronomer at Durham University, said yesterday. "All the world's cosmologists are on the telephone to each other at the moment trying to work out what these numbers mean."

Cobe has provided the answer to a question that has baffled scientists for the past three decades in their attempts to understand the structure of the Cosmos. In the 1960s two American researchers found definitive evidence that a Big Bang had started the whole thing off about 15 billion years ago. But the Big Bang would have spread matter like thin gruel evenly throughout the universe. The problem was to work out how

the lumps (stars, planets and galaxies) got into the porridge.

"What we have found is evidence for the birth of the universe," said Dr George Smoot, an astrophysicist at the University of California, Berkeley, and the leader of the Cobe team.

Dr Smoot and colleagues at Berkeley joined researchers from several American research organisations to form the Cobe team. These included the Goddard Space Flight Center, Nasa's Jet Propulsion Laboratory, the Massachusetts Institute of Technology and Princeton University. Joel Primack, a physicist at the University of California at Santa Cruz, said that if the research is confirmed, "it's one of the major discoveries of the century. In fact, it's one of the major discoveries of science."

Michael Turner, a University of Chicago physicist, called the discovery "unbelievably important . . . The significance of this cannot be overstated. They have found the Holy Grail of cosmology . . . if it is indeed correct, this certainly would have to be considered for a Nobel Prize."

Since the ripples were created almost 15 billion years ago, their radiation has been travelling toward Earth at the speed of light. By detecting the radiation, Cobe is "a wonderful time machine"

able to view the young universe, Dr Smoot said.

A remnant glow from the Big Bang is still around today, in the form of microwave radiation that has bathed the universe for the billions of years since the explosion. Galaxies must have formed by growing gravitational forces bringing ma[tter] together. To produce "lumpy" universe, radiation fro[m] the Big Bang should itself sho[w] signs of being lumpy.

Cobe, which has been orbiti[ng] 500 miles above the Earth sin[ce] the end of 1989, has instrume[nts] on board that are sensitive to t[he] extremely old radiation. The ri[p]ples Cobe has found are the fi[rst] hard evidence of the long-soug[ht] lumpiness in the radiation.

Cobe detected almost imp[er]ceptible variations in the te[m]

Newspaper front page:

THE INDEPENDENT

How the universe began

SUMMARY **Bosnia ceasefire crumbles** Film maker Satyajit Ray dies **DO TIPSY ELEPHANTS SEE PINK PEOPLE?**

De Klerk concession on hand-over

WORLD

universe began

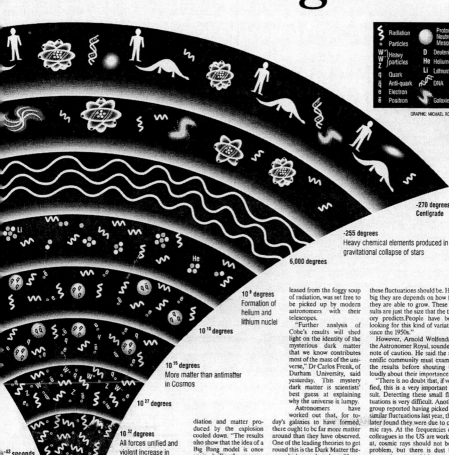

Radiation
○ **Particles**
W⁺
W⁻ **Heavy
Z particles**
q **Quark**
q̄ **Anti-quark**
e **Electron**
ē **Positron**

**Proton/
Neutron/
Meson**
D **Deuterium**
He **Helium**
Li **Lithium**
DNA
Galaxies

GRAPHIC: MICHAEL ROSCOE

**-270 degrees
Centigrade**

-255 degrees
Heavy chemical elements produced in
gravitational collapse of stars

6,000 degrees

10^9 degrees
Formation of
helium and
lithium nuclei

10^{13} degrees

10^{15} degrees
More matter than antimatter
in Cosmos

10^{27} degrees

10^{32} degrees
All forces unified and
violent increase in
expansion (cosmic
inflation)

-43 seconds

**THE
BIG
BANG**

All matter and
energy were
condensed
to a point

diation and matter produced by the explosion cooled down. "The results also show that the idea of a Big Bang model is once again brilliantly successful," Professor Rowan-Robinson, of London University, said.

He described the ripples as similar to the chaotic pattern of waves you might see from an aeroplane window flying over an ocean. "I can be pretty confident now that if we had an even bigger telescope in space we could see the fluctuations that are the early signs of individual galaxies themselves. It's just a matter of technology now," he added.

The point in time of Cobe's snapshot is known as "the epoch of recombination". At this point, the early galaxies began to form and light from these galaxies, re-

leased from the foggy soup of radiation, was set free to be picked up by modern astronomers with their telescopes.

"Further analysis of Cobe's results will shed light on the identity of the mysterious dark matter that we know contributes most of the mass of the universe," Dr Carlos Frenk, of Durham University, said yesterday. This mystery dark matter is scientists' best guess at explaining why the universe is lumpy.

Astronomers have worked out that, for today's galaxies to have formed, there ought to be far more matter around than they have observed. One of the leading theories to get round this is the Dark Matter theory, which says that about 99 per cent of the matter of the universe is invisible to us. This theory predicts fluctuations in the background radiation of exactly the size Cobe has observed. "Because these had not been seen, the theoreticians were beginning to get worried that they had got it wrong," Professor Rowan-Robinson said.

"If Cobe had found no ripples the theoreticians would have been in disarray; their best shot at understanding how galaxies were formed would have been disproved," he added. "The cold dark matter theory is a very beautiful one which makes very exact predictions about what the size of

these fluctuations should be. How big they are depends on how fast they are able to grow. These results are just the size that the theory predicts. People have been looking for this kind of variation since the 1950s."

However, Arnold Wolfendale, the Astronomer Royal, sounded a note of caution. He said the scientific community must examine the results before shouting too loudly about their importance.

"There is no doubt that, if verified, this is a very important result. Detecting these small fluctuations is very difficult. Another group reported having picked up similar fluctuations last year, then later found they were due to cosmic rays. At the frequencies our colleagues in the US are working at, cosmic rays should not be a problem, but there is dust between the stars which can also produce radiation and make you think it is cosmological."

Martin Rees, Professor of Astrophysics at Cambridge University, said: "We needed equipment sensitive enough to pick up these fluctuations. We can expect in the next year or so there will be other observations from the ground corroborating this."

He said the results opened up a whole new area of astronomy. "Now we have seen them we can start analysing them. We can learn a lot about the history of the universe — what happened when. We might find, for example, that there was a second foggy era after the original fog lifted."

re of the radiation, which es 270C below zero. Those ns — only about thirty-hs of a degree — repre-ght differences in the den-matter at the edge of the e, ripples of wispy clouds ded by slightly less dense

matter, the scientists said yesterday. The smallest ripples the satellite picked up stretch across 500 million light years of space.

Cobe has taken a snapshot of the universe just 300,000 years after Big Bang itself — at a point in time when the foggy fireball of ra-

l'origine de ces différences de densité ? De même, selon la théorie de la relativité générale d'Einstein, l'espace peut être plat, incurvé vers l'intérieur, ou incurvé vers l'extérieur. Dans un univers plat, un rayon de lumière peut continuer de voyager en ligne droite pour toujours, tout comme une balle roulant sur une surface plane dépourvue de frottement, mais dans un univers incurvé, le rayon pourrait suivre un trajet circulaire et revenir à son point de départ, à la manière d'un avion qui ferait le tour de l'équateur terrestre. Si l'on en croit les observations astronomiques, notre univers est plat. On peut donc se demander si, et quand, il a pu être incurvé.

Une explication possible de l'origine des variations comme du caractère apparemment plat de l'univers est fournie par la théorie de l'inflation, élaborée vers la fin de l'année 1979 par Alan Guth. Lorsqu'il conçut pour la première fois l'idée d'inflation cosmique, Guth fut si abasourdi qu'il griffonna « illumination spectaculaire » dans son carnet. Cela n'avait rien d'exagéré, car il semble bien qu'il s'agisse d'un complément précieux apporté au modèle du Big Bang. Il existe aujourd'hui plusieurs versions de l'inflation, mais, pour l'essentiel, la théorie suppose une phase d'expansion rapide et gargantuesque dans les tout premiers moments de l'univers, se terminant peut-être au bout de 10^{-35} seconde seulement. Au cours de cette période d'inflation, l'univers doubla de taille toutes les 10^{-37} seconde, soit une centaine de doublements environ. Cela semble peu, mais on se rendra compte de la puissance du doublement grâce à une fable célèbre. L'histoire dit qu'un jour, un vizir de Perse demanda au chah s'il pouvait le payer en grains de riz, en mettant 1 grain sur la première case d'un jeu d'échecs, puis 2 sur la seconde, puis 4, 8, 16, etc. Le souverain accepta, pensant que la quantité totale de riz à verser serait peu de chose, mais en réalité il se trouva ruiné, car la dernière case du jeu contenait 9 223 372 036 854 775 808 grains. Le total général de tous les carrés aurait presque atteint le double de ce nombre, qui dépasse de beaucoup la production annuelle de riz dans le monde entier.

L'inflation cosmique aurait infiniment dilaté l'univers en un instant, avant de laisser place à la vitesse d'expansion plus modérée que nous observons aujourd'hui. Mais dans ce premier 0,00000000000000000000000000000001^e de seconde, l'inflation aurait eu une influence décisive sur le développement de l'univers. En premier lieu, elle aurait dilaté un univers presque uniforme et exagéré les fluctuations de densité les plus mineures, aboutissant ainsi aux variations significatives qui existaient déjà au bout de 300 000 ans, comme le savent aujourd'hui les astronomes. Ces amas de plus forte densité évoluèrent alors pour entraîner la formation des galaxies.

Autre conséquence de l'inflation : l'univers, qui n'était pas plat avant cet événement, le serait devenu dans une large mesure ensuite. Il est clair que la surface d'une boule de billard n'est pas plate, mais si elle double de taille vingt-sept fois de suite, elle devient aussi grande que la Terre. Celle-ci a toujours une surface incurvée, mais beaucoup moins qu'une boule de billard, et à l'échelle humaine elle donne l'impression d'être parfaitement plate. Il en serait de même pour un univers dilaté, et c'est ce que les astronomes observent aujourd'hui.

Mais la théorie de l'inflation ne résout pas seulement la question de l'engendrement des variations et celle du caractère plat de l'univers : elle pourrait potentiellement dissiper un autre mystère. Lorsque les astronomes comparent les images qu'ils dressent de l'univers dans des directions opposées, il apparaît une troublante similitude entre divers pans du cosmos qui sont distants de plus de 20 milliards d'années-lumière. Les cosmologistes s'attendaient à ce que des régions aussi distantes présentent des divergences beaucoup plus marquées, mais l'inflation pourrait expliquer le phénomène. Deux parties données de l'univers pourraient avoir été très proches l'une de l'autre avant l'inflation, à cause de leur proximité à ce moment. Puis, après la fantastique expansion associée à l'inflation, elles auraient été soudainement séparées par une distance relativement importante, tout en conservant leur similitude initiale du fait de la rapidité de la séparation.

La théorie de l'inflation de Guth est toujours en cours d'élaboration, mais de nombreux cosmologistes estiment qu'à terme elle sera incorporée dans le modèle du Big Bang. Jim Peebles commenta un jour : « Si l'inflation n'a pas eu lieu, Dieu a raté un bon coup ! C'est une très belle idée. Mais il y en a tant d'autres auxquelles la nature n'a pas eu recours qu'il ne faut donc pas trop se plaindre si celle-là ne repose sur rien. »

Autre sujet qui empêche les cosmologistes de dormir : la matière noire. Les observations montrent que les étoiles qui se trouvent à la lisière des galaxies tournent à des vitesses phénoménales, mais que l'attraction gravitationnelle de toutes celles qui sont plus proches du cœur de la galaxie ne suffit pas à empêcher ces astres périphériques de s'échapper dans le cosmos. Par conséquent, selon les cosmologistes, il doit se trouver de grandes quantités de matière noire dans une galaxie, c'est-à-dire de matière qui ne brille pas, mais qui exerce suffisamment d'attraction gravitationnelle pour maintenir les étoiles dans leur orbite. Bien que l'idée de la matière noire remonte à Fritz Zwicky, à Mount Wilson dans les années 1930, les cosmologistes sont encore dans l'incertitude quant à sa nature. C'est là une situation assez embarrassante, car les calculs impliquent que l'univers possède davantage de matière noire que de matière stellaire ordinaire. Parmi les candidats possibles pour la matière noire, on trouve ce qu'on appelle les Objets massifs et compacts du halo (MACHO), catégorie qui inclut les trous noirs, les astéroïdes et les planètes géantes telles que Jupiter. Ces objets ne sont pas visibles dans une galaxie, car aucun d'entre eux ne brille, mais ils contribuent tous à l'attraction gravitationnelle au sein d'une galaxie. D'autres postulants éventuels, plus étranges encore, au statut de matière noire répondent à la dénomination de Particules massives interagissant faiblement (WIMP), comprenant divers types de particules subatomiques qui ne forment pas d'objets tels que les MACHO, mais qui peuvent se répandre dans l'univers entier, faisant à peine sentir leur présence, sauf par la force de gravité.

À l'heure actuelle, nous ne disposons que d'indices assez vagues quant à la nature et à la quantité de la matière noire dans l'univers, ce qui est assez frustrant, car les cosmologistes ont besoin de mieux la cerner pour pouvoir combler les lacunes du modèle du Big Bang. Ainsi, l'influence gravitationnelle de la matière noire doit avoir joué un rôle crucial pour attirer une plus grande quantité de matière ordinaire aux premiers stades de l'univers, favorisant ainsi l'apparition des galaxies. De plus, à l'autre extrémité de l'échelle temporelle, la matière noire pourrait avoir une influence décisive dans le destin final de l'univers. Celui-ci a connu une expansion ininterrompue depuis le Big Bang, mais toute la masse de l'univers aurait dû tirer la matière vers l'intérieur et ralentir graduellement l'expansion. On en déduit trois éventualités possibles, qui ont été proposées pour la première fois par Alexander Friedmann dans les années 1920. Tout d'abord, l'univers pourrait se dilater sans fin, mais à une vitesse toujours décroissante. En second lieu, le mouvement se ralentirait graduellement jusqu'à un arrêt complet. Troisième possibilité : après un premier stade où l'univers connaîtrait une expansion de moins en moins rapide, il y aurait un arrêt, puis un début de contraction en direction de ce qu'on appelle aujourd'hui le Grand Effondrement, ou Big Crunch. L'avenir de l'univers dépend donc de la traction gravitationnelle s'exerçant en son sein, laquelle est fonction de la masse de l'univers, qui à son tour dépend de la quantité de matière noire qui s'y trouve.

En réalité, on en est aujourd'hui à envisager sérieusement un quatrième scénario possible. Vers la fin des années 1990, les astronomes dirigèrent leurs télescopes vers une variété particulière de supernovae appelée supernova de type Ia. Ces supernovae sont très brillantes et peuvent donc être vues même si elles surgissent dans des galaxies très lointaines. Les supernovae de type Ia ont également l'avantage de présenter une variation d'éclat significative qui peut servir à estimer leur distance, et donc la distance qui nous sépare des galaxies qui les contiennent. Et, en utilisant la spectroscopie, il est possible de mesurer leur vitesse de récession. Au fur et à mesure que les astronomes étudiaient davantage de supernovae de type Ia, les résultats semblaient indiquer que l'univers connaissait en réalité une expansion de plus en plus rapide. Au lieu de ralentir, le mouvement paraissait s'accélérer, si bien que l'univers donnait l'impression d'exploser. La force de répulsion qui pousse cet univers à s'emballer est encore un mystère ; on l'a qualifiée d'*énergie noire*.

Avec un moment violent d'inflation, une matière noire singulière, et une curieuse énergie noire, le nouvel univers du Big Bang du xxie siècle semble véritablement bien étrange. L'éminent savant qu'était J.B.S. Haldane avait décidément eu un jugement prémonitoire lorsqu'il écrivait, en 1937 : « Je soupçonne que l'univers est non seulement plus bizarre que nous ne le supposons, mais même que nous ne pouvons le supposer. »

La solution complète des mystères résiduels du Big Bang nécessitera une triple offensive, sur le front des développements théoriques, des expériences de laboratoire et, ce qui est encore plus important, de l'effort pour obtenir des observations plus claires du cosmos. C'est ainsi que le satellite COBE a achevé sa mission scientifique le 23 décembre 1993, et qu'il a été ensuite dépassé par d'autres satellites disposant de détecteurs plus perfectionnés, comme le WMAP, dont les résultats sont présentés en Figure 104. Des satellites encore plus performants sont en cours de mise au point et, au sol, nous disposerons de radiotélescopes plus sensibles, de télescopes optiques plus grands, et de nouvelles expériences engagées pour détecter des signes de la matière noire.

Les observations futures remettront en question le modèle du Big Bang. Elles pourront aboutir à réviser l'estimation de l'âge de l'univers, à diminuer l'influence de la matière noire ou à combler certaines lacunes de nos connaissances, mais les cosmologistes s'accordent généralement pour dire qu'il ne s'agira que de retouches au schéma global du modèle du Big Bang, plutôt que d'un changement de paradigme menant à un modèle entièrement nouveau. Cette opinion est partagée par Ralph Alpher et Robert Herman, pionniers du Big Bang, dans leur ouvrage *Genesis of the Big Bang (Genèse du Big Bang)*, publié en 2001 : « Bien que nombre de questions concernant la modélisation cosmologique restent encore sans réponse, le modèle du Big Bang se porte assez bien. Nous sommes certains que les travaux théoriques et les observations à l'avenir pourront à tout le moins l'affiner, mais il ne nous semble pas que, même au bout de plus de 50 ans, il se révèle fondamentalement inexact. Si seulement nous pouvions voyager dans le temps et voir comment les choses tourneront, un demi-siècle plus tard ! »

Bien que la majorité des cosmologistes s'accordent avec Alpher et Herman, il est important de noter que le Big Bang suscite toujours une farouche opposition chez ceux qui préfèrent encore la notion d'univers éternel. Lorsqu'il ne fut plus possible de soutenir le modèle de l'état stationnaire, certains de ses partisans en élaborèrent une nouvelle version, appelée modèle de l'état quasi stationnaire. Les cosmologistes qui continuent à professer cette opinion minoritaire sont très fiers de la façon dont ils défient l'orthodoxie régnante. De fait, Fred Hoyle, qui mourut en 2001, crut fermement jusqu'au bout que le modèle de l'état quasi stationnaire était correct et que celui du Big Bang était erroné. Dans son autobiographie, il écrit : « Prétendre cependant, comme le font beaucoup de partisans de la cosmologie du Big Bang, être parvenu à la théorie correcte me semble friser l'arrogance. Si jamais je suis moi-même tombé dans ce piège, ce ne fut que lors de brefs accès d'orgueil, crime inévitablement suivi par son châtiment. » Une telle attitude de défi est saine. Elle est inhérente à la science, et ne doit jamais être découragée. Après tout, le modèle du Big Bang lui-

Figure 104 Le satellite WMAP (en anglais « Wilkinson Microwave Anisotropy Probe ») a été conçu pour mesurer le rayonnement RFC avec une résolution trente-cinq fois supérieure à celle que pouvait assurer le satellite COBE. Ses résultats ont été transcrits en une carte présentée ici, publiée en 2003. Le format en pastille équivaut à la projection des cartes du COBE présentée dans la Figure 102, page 440, mais cette carte peut être enroulée pour former une sphère, et les deux faces opposées de la sphère sont également présentées. On peut imaginer le satellite WMAP au centre de la sphère, cherchant les variations du rayonnement RFC à travers le ciel.

Les données du WMAP ont permis de mesurer divers paramètres de l'univers de façon plus précise que jamais. L'équipe du WMAP estime que l'âge de l'univers est de 13,7 milliards d'années, à 0,2 milliard d'années près seulement. En outre, selon ses calculs, il est constitué de 23 % de matière noire, 73 % d'énergie noire et 4 % de matière ordinaire. De plus, l'importance des variations est compatible avec ce à quoi les spécialistes pourraient s'attendre s'il y a bien eu une phase d'inflation dans les tout débuts de l'univers.

même fut la conséquence d'une rébellion contre les autorités établies.

Il faut dire que l'aversion de Hoyle pour le modèle du Big Bang était probablement renforcée par le fait qu'il avait lui-même, en lui donnant ce nom, contribué à le rendre populaire. Le « Big Bang » est un titre court, frappant et mémorable pour une théorie de l'univers, mais c'est son plus grand opposant qui l'a trouvé. Si certains cosmologistes modernes ont critiqué son côté accrocheur et irrévérencieux, d'autres estiment qu'il sied mal à un concept aussi grandiose. Le caricaturiste Bill Watterson lui-même fit dialoguer sur le sujet Calvin et Hobbes, ses personnages de bande dessinée, dans un épisode paru le 21 juin 1992 : « J'ai lu des choses sur le début de l'univers, dit l'un. On appelle ça le "Big Bang". C'est bizarre que les savants puissent imaginer que toute la matière dont est constitué l'univers provienne d'une explosion, à partir d'un point plus petit qu'une tête d'épingle, mais qu'ils soient incapables de nous donner un nom plus évocateur. C'est toujours le problème de la science. On a un ramassis d'empiristes qui essaient de décrire des merveilles dépassant l'imagination. » Et Calvin de poursuivre en proposant l'expression « L'Horrible Spatio-Katastrophe », reprise un temps par certains cosmologistes, qui l'abrégèrent en HSK.

L'année suivante, la revue *Sky & Telescope* lança un concours pour remplacer la dénomination de Big Bang, mais les membres distingués du jury, Carl Sagan, Hugh Downs et Timothy Ferris, ne se laissèrent pas impressionner par des suggestions telles que « Hubble Bubble », « la Grosse Bertha de l'univers » ou « SAGAN » (« Scientifiques Affolés par le Génie Artificier de la Nature »). Leur conclusion : aucune des 13 099 propositions, provenant de quarante et un pays différents, n'était meilleure que la formule ironique du « Big Bang » imaginée à l'origine par Hoyle.

Nous devons sans doute en conclure que le modèle du Big Bang fait aujourd'hui partie intégrante de notre culture. Une génération entière a grandi avec cette théorie, qui explique la création, l'évolution et l'histoire de l'univers, et nous ne pouvons plus l'imaginer sous un autre nom. Autre exemple, l'équation $E = mc^2$ pourrait s'écrire $m = E/c^2$, mais « m est égal à E sur c au carré » n'a pas le même retentissement que le classique « E égale m c deux ».

Même l'Église en est venue à aimer le modèle du Big Bang.

Depuis le soutien apporté par le pape Pie XII, l'Église catholique tolère dans une large mesure ce point de vue scientifique sur la création, et elle a, dans les faits, abandonné l'idée que les Écritures donnent une explication littérale de l'univers. Il s'agit là d'un changement d'attitude qui prouve un certain pragmatisme. Autrefois, c'était Dieu qui se trouvait derrière toutes les manifestations mystérieuses de la nature, depuis les éruptions volcaniques jusqu'au coucher du Soleil, mais la science avait fourni, une par une, des explications rationnelles de ces phénomènes. Le chimiste Charles Coulson imagina l'expression de « Génie des Lacunes » pour souligner qu'une déité supposée responsable de tout ce qui dépassait notre compréhension verrait son pouvoir diminué au fur et à mesure que chaque lacune de nos connaissances était comblée par la science. Mais aujourd'hui, en laissant à la science la tâche d'expliquer le monde qui nous entoure, et en se concentrant sur l'univers spirituel, l'Église catholique peut être rassurée : les futures découvertes scientifiques ne pourront rabaisser le statut de Dieu. Science et religion peuvent vivre côte à côte, indépendamment.

En 1988, comme pour renforcer cette indépendance, le pape Jean Paul II déclara : « Le christianisme possède en lui-même la source de sa justification, et n'a pas besoin que la science soit son premier apologiste. » Puis, en 1992, le Vatican alla jusqu'à présenter des excuses pour la persécution de Galilée. Soutenir la vision héliocentrique de l'univers était considéré comme une hérésie, car, selon la Bible, « Dieu posa la Terre sur ses bases, inébranlable pour les siècles des siècles » (Ps. 104). Cependant, après une enquête qui dura treize ans, le cardinal Paul Poupard expliqua que les théologiens de l'époque du procès de Galilée « avaient méconnu la signification profonde, non littérale, des Écritures lorsqu'elles décrivent la structure physique de l'univers ». Et en 1999 le pape mit fin, de manière symbolique, au conflit vieux de plusieurs siècles entre la religion et la cosmologie, à l'occasion d'un voyage en Pologne, où il visita la maison natale de Nicolas Copernic, rendant expressément hommage à ses travaux scientifiques.

Peut-être encouragés par la toute nouvelle tolérance de l'Église, certains cosmologistes ont décidé d'approfondir les implications philosophiques du modèle du Big Bang. Ainsi, le modèle expose comment l'univers commença à partir d'une soupe primordiale dense et chaude, puis évolua pour aboutir au vaste ensemble de galaxies, d'étoiles, de planètes et de formes de vie qui existent aujourd'hui : les choses devaient-elles inévitablement se passer ainsi, ou bien le scénario aurait-il pu être différent ? Martin Rees, aujourd'hui Astronome de Sa Majesté britannique, aborde ce problème dans son ouvrage intitulé *Just Six Numbers*. Il y explique comment la structure de l'univers dépend en fin de compte de six paramètres seulement, parmi lesquels la force de gravité. Les scientifiques peuvent mesurer la valeur de chacun de ces paramètres, ce qui donne les six nombres éponymes. Rees se demande comment les choses auraient pu tourner si ces nombres avaient pris des valeurs différentes lors de la création de l'univers. Par exemple, si le nombre assigné à la gravité avait été plus grand, la force de gravité aurait été plus importante, et la formation et la combustion des étoiles auraient été plus rapides.

L'un de ces nombres, que Rees appelle ε, reflète l'intensité de l'interaction forte, qui tient ensemble les protons et les neutrons dans le noyau de l'atome. Plus la valeur de ε est élevée, plus la liaison est forte. Les mesures montrent que $\varepsilon = 0,007$, ce qui est extraordinairement heureux, car si ce chiffre avait été légèrement différent, les conséquences auraient été catastrophiques. Avec $\varepsilon = 0,006$, la force de liaison nucléaire serait légèrement plus faible, et il aurait été impossible de fusionner l'hydrogène en deutérium. Il s'agit là de la première étape sur la voie menant à la formation de l'hélium et de tous les éléments lourds. En fait, si ε était égal à 0,006, tout l'univers serait rempli uniquement d'hydrogène simple, si bien qu'aucune vie n'aurait eu de chance d'apparaître. Et si ε valait 0,008, la force de liaison nucléaire aurait été légèrement plus forte, et l'hydrogène se serait transformé trop facilement en deutérium et en hélium – au point que tout l'hydrogène aurait disparu dans la première phase du Big Bang, et qu'il n'en resterait plus pour alimenter les étoiles. Là encore, peu de probabilité d'apparition de la vie.

Rees examine les cinq autres nombres qui conditionnent l'univers, et explique comment une modification quelconque de l'un d'entre eux aurait gravement affecté son évolution. En fait, certains de ces cinq nombres sont encore plus sensibles au changement que ε. Et si leur valeur s'était écartée un tant soit peu de ce que nous observons, l'univers aurait facilement pu être stérile, ou, pis encore, se serait détruit dès sa naissance. Par conséquent, on peut penser que ces six boutons ont été réglés en fonction de la vie. Tout se passe comme si les six cadrans qui ont dicté l'évolution de l'univers avaient été ajustés avec soin pour créer les conditions nécessaires à notre existence. Selon Freeman Dyson, éminent physicien : « Plus j'examine l'univers et les détails de son architecture, plus je trouve de preuves qu'en un certain sens, il devait savoir que nous allions venir. »

Cela nous rappelle le principe anthropique mentionné au chapitre 5, et que Fred Hoyle exploita pour résoudre l'énigme de la formation du carbone dans les étoiles. Le principe anthropique repose sur l'hypothèse selon laquelle toute théorie cosmologique doit tenir compte du fait que l'univers a évolué jusqu'à nous inclure. Cela implique qu'il s'agit là d'un élément significatif dans la recherche cosmologique.

Le philosophe canadien John Leslie imagina un jour le scénario d'un peloton d'exécution pour élucider le principe anthropique. Imaginons que vous avez été accusé de trahison et que vous attendez votre exécution devant une vingtaine de soldats. Vous entendez l'ordre de faire feu, vous voyez la détonation des vingt fusils — et vous vous rendez compte qu'aucune des balles ne vous a atteint. Aux termes de la loi, dans une telle situation, vous êtes libre, mais tandis que vous vous éloignez, vous commencez à vous demander pourquoi vous êtes encore vivant. Est-ce le hasard qui a fait dévier toutes les balles ? Est-ce qu'une telle chose arrive une fois toutes les dix mille exécutions, et avez-vous tout simplement eu de la chance ? Ou bien y a-t-il une raison à votre survie ? Peut-être est-ce que tous les membres du peloton ont fait exprès de manquer le but, parce qu'ils pensaient que vous étiez innocent ? Ou encore, lorsque les visées des fusils ont été étalonnées la nuit précédente, ont-elles toutes été réglées de façon erronée à 10 ° vers la droite par rapport à la cible ? Vous pouvez passer toute votre vie à supposer que cette exécution manquée n'était qu'un heureux hasard, mais il serait difficile de ne pas voir une signification plus profonde à votre survie.

De la même façon, il semble défier toute probabilité que les nombres qui caractérisent l'univers aient des valeurs tout à fait spéciales qui permettent à la vie de s'épanouir. Par conséquent, faut-il ne tenir aucun compte de ce fait, ou bien rechercher quelle est la signification particulière de notre extraordinaire bonne fortune ?

Selon la version extrême du principe anthropique, le réglage fin de l'univers, qui a permis l'évolution de la vie, suppose un horloger. Autrement dit, le principe anthropique peut être interprété comme une preuve de l'existence de Dieu. Mais on peut également soutenir que notre univers n'est qu'une partie d'un multivers. La définition habituelle de l'univers est qu'il comprend tout, mais les cosmologistes ont tendance à le définir comme incluant tout ce que nous pouvons percevoir ou qui peut nous influencer. Ainsi, il pourrait y avoir beaucoup d'autres univers séparés et isolés, chacun étant déterminé par son propre ensemble de six nombres. Le multivers se composerait d'univers nombreux et variés, peut-être d'une infinité d'entre eux. L'immense majorité d'entre eux serait stérile ou éphémère, ou les deux, mais avec un peu de chance quelques uns contiendraient le genre d'environnement capable de faire évoluer et d'entretenir la vie. Naturellement, il se trouve que nous vivons dans l'un des univers qui conduisent à la vie. « Le cosmos ressemble peut-être à une boutique de vêtements de prêt-à-porter, dit Rees. Si le magasin possède un large stock, nous ne serons pas surpris de trouver un costume qui nous va. De même, si l'univers est choisi dans un multivers, ses caractéristiques apparemment intentionnelles ou finement réglées n'auraient rien d'étonnant. »

Que notre univers ait été conçu pour la vie ou qu'il soit l'élément chanceux d'un multivers généralement malchanceux est une question qui se situe à la limite de la spéculation scientifique, et fait l'objet d'un débat acharné parmi les cosmologistes. Le seul problème qui le dépasse en amplitude métaphysique est la plus grande question de toutes : qu'y avait-il avant le Big Bang ?

Jusqu'à présent, la capacité du modèle du Big Bang se limitait à décrire comment le vaste cosmos que l'on peut observer aujourd'hui a émergé et évolué à partir d'un état chaud et dense il y a de cela plusieurs milliards d'années. Dans quelle mesure est-on prêt à étendre le modèle du Big Bang ? Cela dépend de l'inclusion, ou non, de caractéristiques comme la phase initiale d'inflation ou la dernière idée apparue en physique des particules, visant à décrire l'univers lorsqu'il avait une température de 10^{32} °C et n'était âgé que de 10^{-43} secondes. Ce qui laisse intacte la question dominante du moment effectif de la création et de ce qui l'a causé. C'est là un problème que George Gamow éludait rapidement lorsque les critiques le questionnaient sur la portée de ses recherches. Il ajouta une formule de désistement lors du second tirage de son traité de vulgarisation *Création de l'univers* : « Étant donné les objections soulevées par certains critiques concernant l'emploi du mot de "création", il convient de préciser que l'auteur comprend ce terme comme signifiant non pas "faire apparaître quelque chose à partir de rien", mais plutôt "faire apparaître quelque chose de structuré à partir d'un état non structuré", comme, par exemple, dans l'expression "la dernière création de la mode parisienne". »

L'incapacité à envisager ce qui s'est passé avant le Big Bang serait une déception, mais non un échec rédhibitoire pour la cosmologie. Au pire, le modèle du Big Bang resterait valide mais incomplet, ce qui le mettrait à égalité avec beaucoup d'autres théories scientifiques. Les biologistes sont encore très loin de pouvoir expliquer comment la vie est apparue, mais cela ne met pas en question la validité de leur théorie de l'évolution par la sélection naturelle, ni les concepts de gène ou d'ADN. Cependant, les cosmologistes doivent bien admettre qu'ils sont probablement dans une plus mauvaise position que les biologistes. On a toutes les raisons de penser que les lois ordinaires de la chimie telles que nous les comprenons étaient derrière la construction de la première cellule et du premier brin d'ADN, alors qu'il n'est pas sûr que les lois connues de la physique s'appliquaient au moment de la création du cosmos. Au fur et à mesure que nous faisons tourner l'horloge à l'envers et que l'univers approche le moment zéro, il semble que toute la matière et toute l'énergie étaient concentrées en un point, ce qui pose un problème capital pour les lois de la physique. Dans la phase de création, l'univers semble entrer dans un état non physique connu sous le nom de singularité.

Les cosmologistes disent en général qu'il est impossible de répondre à la question « Qu'y avait-il avant le Big Bang ? » parce que cette question n'a pas de sens. Après tout, le modèle expose que le Big Bang a donné naissance, non seulement à la matière et au rayonnement, mais aussi à l'espace et au temps. Par conséquent, si le temps a été créé au cours du Big Bang, il n'existait pas avant lui, et il est impossible de donner une signification quelconque à l'expression « avant le Big Bang ». Une comparaison qui permet de mieux comprendre est celle de l'emploi du mot « nord », qui a un sens dans les questions « Qu'y a-t-il au nord de Londres ? » ou « Qu'y a-t-il au nord d'Édimbourg ? » mais non dans le contexte « Qu'y a-t-il au nord du pôle nord ? »

Les critiques pourraient penser que si les cosmologistes ne peuvent rien offrir de mieux, la question « Qu'y avait-il avant le Big Bang ? » est un casse-tête qu'il convient de reléguer dans le domaine du mythe ou de la religion, gouffre inconnaissable réservé à un génie ou à un dieu, et qui restera à jamais hors de portée de la science. Dans son ouvrage *God and the Astronomers (Dieu et les astronomes)*, l'astronome américain Robert Jastrow se montre pessimiste dans ses spéculations sur le devenir final des théoriciens du Big Bang : « Ils ont escaladé des montagnes d'ignorance, s'apprêtent à se hisser au sommet, et lorsqu'ils ont grimpé sur le dernier rocher, ils sont accueillis par un groupe de théologiens installé là depuis des siècles. »

Une manière de ruser avec le problème de la création est de considérer un univers affligé d'un léger surpoids. Il se dilaterait, mais la masse supplémentaire produirait une force de gravitation plus importante qui tirerait tout vers l'intérieur, arrêterait l'expansion, puis l'inverserait, si bien que cet univers commencerait en réalité à se contracter. Il se dirigerait apparemment vers un Grand Effondrement, comme il a été mentionné plus haut, mais au lieu de cela, on observerait un grand rebond. Au fur et à mesure que la matière et l'énergie se concentreraient, il pourrait atteindre une situation critique, point auquel la température et l'énergie contrebalancent la gravité et commencent à pousser à nouveau l'univers en direction de l'extérieur. Cela mène à un nouveau Big Bang et à une autre phase d'expansion, jusqu'à ce que celle-ci soit arrêtée par la gravité, ce qui aboutit à une contraction suivie par un autre Grand Effondrement, et par un autre Big Bang, etc.

Cet univers phénix, rebondissant, oscillant, éco-compatible, recyclable, serait éternel, mais ne pourrait être considéré comme se trouvant dans un état stationnaire. Il ne s'agit donc pas d'une version de l'état stationnaire, mais d'un modèle de Big Bang multiple. Il a été examiné sérieusement par plusieurs cosmologistes, notamment Friedmann, Gamow et Dicke. D'autres, comme Eddington, détestaient cette vision d'un univers recyclé : « Je préférerais que l'univers exécute quelque grand schéma d'évolution et, ayant accompli ce qui pourrait l'être, retombe dans une immuabilité chaotique, plutôt que de voir son objet banalisé par une répétition continuelle. » Autrement dit, un univers en expansion perpétuelle finirait par devenir froid et désolé parce que ses étoiles manqueraient de combustible hydrogène et s'arrêteraient de briller, et Eddington préférait ce « Grand Gel » (ou « mort thermique ») à un univers infiniment répétitif et fastidieux.

Outre la critique subjective d'Eddington, le Big Bang à répétitions doit faire face à toute une série de problèmes pratiques. Ainsi, aucun cosmologiste n'a encore pu rendre pleinement compte des forces qui seraient nécessaires pour provoquer un rebond cosmique. Et de toute façon les dernières observations indiquent que l'expansion de l'univers s'accélère, ce qui réduit la probabilité de voir ce mouvement en cours se transformer en une contraction.

En dépit de ses défauts, le scénario de l'univers qui rebondit prévoit bel et bien, l'effondrement de l'univers déclenche le Big Bang suivant. Ceci, au moins, s'attaque au problème de la cause et de l'effet qui est au cœur de notre désir de découvrir ce qui existait avant le Big Bang. Mais il est possible que cette idée de cause et d'effet soit à ranger parmi les préjugés relevant du sens commun à écarter dans ce contexte cosmologique. Après tout, l'expansion du Big Bang a commencé à une échelle miniature, et le sens commun ne s'applique pas vraiment à ce royaume de l'extrême, qui voit bien davantage régner les règles étranges de la physique quantique.

La physique quantique est la théorie à la fois la plus fructueuse et la plus bizarre de toute la physique. Niels Bohr, l'un de ses fondateurs, eut cette formule fameuse : « Quiconque n'est pas choqué par la théorie quantique ne l'a pas comprise. » Bien que le principe de causalité soit valable dans le monde macroscopique qui nous entoure, c'est le principe dit d'incertitude qui gouverne le domaine quantique à l'échelle microscopique. Selon lui, les phénomènes peuvent se dérouler de façon spontanée, ce qui a été démontré expérimentalement. Il permet également à la matière de surgir de nulle part, même si ce n'est que de manière temporaire. Au niveau quotidien, le monde semble déterministe et les lois de la conservation s'appliquent, mais sur le plan microscopique, on peut violer le déterminisme comme la conservation. La cosmologie quantique propose diverses hypothèses selon lesquelles l'univers peut avoir commencé à partir de rien sans aucune raison. Ainsi, un bébé univers pourrait avoir émergé spontanément à partir de rien, peut-être en même temps qu'une multitude d'autres univers, ce qui en aurait fait un élément d'un multivers.

Comme le dit Alan Guth, père de la théorie de l'inflation : « On dit souvent qu'on a rien sans rien. Mais l'univers lui-même est peut-être né de rien. »

Malheureusement, les scientifiques doivent admettre que toutes les réponses possibles, depuis les univers à rebonds jusqu'à la création quantique spontanée, sont hautement spéculatives et ne traitent pas encore convenablement de la question ultime de savoir d'où vient l'univers. Quoi qu'il en soit, l'actuelle génération de cosmologistes ne doit pas se décourager. Elle doit se réjouir du fait que le modèle du Big Bang constitue une description cohérente et logique de notre univers. Elle doit en être fière, car il s'agit d'un monument de l'intelligence humaine, expliquant une grande partie du présent en révélant le passé. Elle doit affirmer à la face du monde que cette théorie rend hommage à la curiosité humaine. Et qu'un profane vienne à poser la question la plus angoissante de toutes : « Qu'y a-t-il eu avant le Big Bang ? » nous ne pourrions pas nous empêcher de reproduire la fameuse réplique de saint Augustin.

Dans les *Confessions*, son autobiographie écrite vers l'an 400 de notre ère, le philosophe et théologien cite une réponse qu'il a entendu donner à l'équivalent théologique de notre question « Qu'y a-t-il eu avant le Big Bang ? » :

Que faisait Dieu avant qu'Il ne crée l'univers ?
Avant qu'Il ne crée le Ciel et la Terre, Dieu créa l'enfer
Pour les gens comme vous qui posent ce genre de question.

Qu'est-ce que la Science ?

Les mots anglais de *science* et de *scientist*, appliqués à l'étude du monde de la nature, sont des créations curieusement récentes. Le mot « scientist » fut créé par l'érudit victorien William Whewell, qui l'employa dans la *Quarterly Review* en mars 1834. Les Américains adoptèrent le mot presque immédiatement, et vers la fin du siècle il était également courant en Grande-Bretagne. Il remonte au latin *scientia*, qui signifie « savoir », et a supplanté d'autres termes, comme « philosophe de la nature ».

Ce livre est une histoire du modèle du Big Bang, mais en même temps il vise à donner un aperçu de ce qu'est la science et de la manière dont elle fonctionne. Le développement du modèle du Big Bang est un bon exemple de la façon dont une idée scientifique apparaît, est testée, vérifiée et acceptée. Cependant, la science est une activité si large que la description qui en a été donnée ici est loin d'être complète. Par conséquent, pour essayer de combler quelques lacunes, on donnera une sélection de citations portant sur la philosophie des sciences.

« La science est le savoir organisé. »
Herbert SPENCER (1820-1903), philosophe anglais.

« La science est le grand antidote au poison de l'enthousiasme et de la superstition. »
Adam SMITH (1723-1790), philosophe écossais.

« La science est ce que l'on sait. La philosophie est ce qu'on ne sait pas. »
Bertrand RUSSELL (1872-1970), philosophe et logicien anglais.

« [La science est] une série de jugements sans cesse révisés. »
Pierre-Émile Duclaux (1840-1904), bactériologiste français.

« [La science est] le désir de connaître les causes. »
William Hazlitt (1778-1830), essayiste anglais.

« [La science est] la connaissance des conséquences, et de la dépendance d'un fait envers un autre. »
Thomas Hobbes (1588-1679), philosophe anglais.

« [La science est] une aventure imaginative de l'esprit cherchant la vérité dans un monde de mystère. »
Cyril Herman Hinshelwood (1897-1967), chimiste anglais.

« [La science est] un grand jeu. Elle inspire et rafraîchit. Son terrain de jeu est l'univers lui-même. »
Isidor Isaac Rabi (1898-1988), physicien américain.

« L'homme maîtrise la nature non par la force, mais par l'intellect. C'est pourquoi la science a réussi là où la magie a échoué : parce qu'elle n'a pas cherché de sortilège qui serait jeté sur la nature. »
Jacob Bronowski (1908-1974), savant et écrivain britannique.

« Voilà l'essence de la science : on pose une question impertinente, et l'on est sur la voie d'une réponse pertinente. »
Jacob Bronowski (1908-1974), savant et écrivain britannique.

« C'est un bon exercice d'entraînement matinal pour un chercheur que de rejeter une hypothèse favorite chaque jour avant le petit déjeuner. Cela permet de rester jeune. »
Konrad Lorenz (1903-1989), zoologiste autrichien.

« La vérité en science se définit de manière optimale en disant qu'il s'agit de l'hypothèse de travail la mieux adaptée pour ouvrir la voie à la meilleure hypothèse suivante. »
Konrad Lorenz (1903-1989), zoologiste autrichien.

« Pour l'essentiel, la science est la recherche perpétuelle d'une compréhension intelligente et intégrée du monde où nous vivons. »
Cornelius Bernardus Van Neil (1897-1985), microbiologiste américain.

« Le savant n'est pas l'homme qui fournit les vraies réponses, c'est celui qui pose les vraies questions. »
Claude Levi-Strauss (1908-...), anthropologiste français.

« La science ne peut que certifier ce qui *est*, mais non ce qui *doit être*, et hors de son domaine les jugements de valeur de tous types restent nécessaires. »
Albert EINSTEIN (1879-1955), physicien d'origine allemande naturalisé américain en 1940.

« La science est la recherche désintéressée de la vérité objective sur le monde matériel. »
Richard DAWKINS (1941-...), biologiste anglais.

« La science n'est rien d'autre que le bon sens éduqué et organisé, et n'en diffère que comme un ancien combattant diffère d'une jeune recrue ; et il n'y a pas plus de différence entre ses méthodes et celles du sens commun qu'entre un chevalier qui frappe d'estoc et de taille et un sauvage qui brandit son gourdin. »
Thomas HENRY HUXLEY (1825-1895), biologiste anglais.

« Les sciences ne visent pas à expliquer ; c'est même à peine si elles cherchent à interpréter : elles élaborent principalement des modèles. Un modèle est une construction mathématique qui, ajoutée à certaines interprétations verbales, décrit des phénomènes observés. La justification d'une telle construction mathématique se trouve uniquement et précisément en ce qu'on s'attend à ce qu'elle fonctionne. »
John VON NEUMANN (1903-1957), mathématicien hongrois naturalisé américain.

« La science d'aujourd'hui est la technologie de demain. »
Edward TELLER (1908-2003), physicien américain.

« Tout progrès important dans les sciences est venu d'une nouvelle audace de l'imagination. »
John DEWEY (1859-1952), philosophe américain.

« L'acceptation d'une nouvelle théorie passe par quatre stades :
i) ça n'a aucun sens ; ii) c'est un point de vue intéressant, mais pervers ; iii) c'est vrai, mais sans aucune importance ; iv) je l'ai toujours dit. »
J.B.S. HALDANE (1892-1964), généticien anglais.

« La philosophie des sciences est à peu près aussi utile aux chercheurs que l'ornithologie l'est aux oiseaux. »
Richard FEYNMAN (1918-1988), physicien américain.

« On cesse d'être un débutant dans n'importe quelle science et l'on devient un maître en ce domaine lorsqu'on a compris qu'on sera un débutant toute sa vie. »
Robin G. COLLINGWOOD (1889-1943), philosophe anglais.

Glossaire

Les termes en italiques ont leur propre entrée dans le glossaire.

Absorption : procédé par lequel les *atomes* absorbent la lumière à des *longueurs d'onde* spécifiques, ce qui permet de détecter leur présence par *spectroscopie* à partir des longueurs d'onde « manquantes ».

Année-lumière : distance parcourue par la lumière en une année civile, soit environ 9 460 000 000 000 km.

Atome : plus petit composant d'un *élément*, comprenant un *noyau* positivement chargé entouré par des *électrons* négativement chargés.
Le nombre de *protons* positivement chargés dans le noyau détermine de façon univoque à quel élément chimique appartient l'atome. Ainsi, tout atome qui contient un proton est un atome d'*hydrogène*, tandis que tout atome qui contient 79 protons est un atome d'or.

Champ de création (« C-field ») : concept théorique introduit dans le cadre du *modèle de l'état stationnaire*. Le champ de création maintenait la densité globale de l'univers en créant de la matière pour remplir les intervalles résultant de l'expansion de l'univers.

COBE : Explorateur de fond cosmique (en anglais : « Cosmic Background Explorer »). Satellite lancé en 1989 pour procéder à des mesures précises du *rayonnement de fond de micro-ondes cosmiques* (RFC). Ce fut son détecteur DMR qui fournit la première trace de variations dans le rayonnement RFC, indiquant des régions de l'univers des premiers temps qui aboutirent à la formation de *galaxies*.

Conférences Solvay : série de conférences prestigieuses, auxquelles on ne peut assister que sur invitation, et qui se tiennent à intervalles de quelques années pour examiner certains problèmes particuliers qui font l'actualité de la physique.

Constante cosmologique : paramètre supplémentaire introduit par Einstein dans les équations de sa *théorie de la relativité générale* lorsqu'il devint évident que ses équations impliquaient un univers, soit en croissance, soit en rétraction. De fait, par l'introduction d'une anti-gravité, les équations permirent alors de faire l'hypothèse d'un univers statique.

Constante de Hubble *(H_O)* : paramètre mesurable de l'univers, décrivant sa vitesse d'expansion. On pense que la valeur de la constante est d'environ 50-100 km/s/Mpc, ce qui signifie qu'une galaxie éloignée de 1 méga*parsec* s'éloigne à raison de 50 à 100 km/s. Bien qu'on la qualifie de « constante », sa valeur change au fur et à mesure que l'univers vieillit. La constante de Hubble se déduit de la définition de la *loi de Hubble*.

Cosmologie : étude de l'origine et de l'évolution de l'univers.

Décalage vers le rouge : augmentation de la *longueur d'onde* de la lumière émise, causée par la vitesse d'éloignement de l'émetteur et l'*effet Doppler* résultant. En cosmologie, ce terme est généralement associé à l'étirement des *ondes lumineuses* provenant d'une *galaxie* distante au fur et à mesure que l'univers se dilate. Ce n'est pas la galaxie qui s'éloigne dans l'espace, mais l'expansion de l'espace lui-même qui provoque le décalage vers le rouge.

Déférent : grand cercle utilisé pour décrire le mouvement d'un corps céleste autour de la Terre dans le *modèle ptolémaïque*. Lorsqu'on le combine avec un plus petit *épicycle*, on peut reproduire approximativement les mouvements observés des planètes.

Deutérium : *isotope* de l'*hydrogène* contenant un *proton* et un *neutron* dans son noyau.

Désintégration radioactive : processus par lequel un *noyau* atomique se transforme spontanément et libère de l'énergie. Il se transforme typiquement en un *noyau* plus léger et plus stable.

Effet Doppler : modification de la *longueur d'onde* du son ou des *ondes électromagnétiques* émis par une source en déplacement. Le même effet se produit lorsque c'est l'observateur (et non la source) qui se déplace. Les ondes sont comprimées devant la source et étirées derrière elle, produisant, par exemple, la modification familière de la hauteur du son d'une sirène, qui baisse lorsqu'une ambulance passe à grande vitesse, ou le *décalage vers le rouge* dans le spectre d'une *galaxie* qui s'éloigne.

Électron : particule subatomique de charge négative. Les électrons peuvent exister indépendamment ou en orbite autour du *noyau* positivement chargé d'un *atome*. Les électrons constituent un peu moins de 1/2000 de la masse totale d'un atome d'*hydrogène* simple.

Élément : l'un des matériaux de base de l'univers. Les éléments sont énumérés dans la classification périodique. La plus petite quantité d'un élément est un *atome*, et le nombre de *protons* dans l'atome détermine le type d'élément.

Émission : processus par lequel les *atomes* sont excités (par exemple par chauffage) et émettent de la lumière à des *longueurs d'onde* spécifiques, ce qui permet de détecter leur présence par *spectroscopie*.

Énergie noire : forme d'énergie postulée qui pourrait rendre compte d'observations récentes impliquant que l'expansion de l'univers s'accélère. Bien que les calculs suggèrent qu'elle peut apporter une contribution dominante à l'énergie-masse de l'univers, il n'existe pas d'accord sur sa nature.

Épicycle : petit cercle utilisé dans le *modèle ptolémaïque* géocentrique du système solaire, outre le *déférent*, pour rendre compte de la *rétrogradation* en boucle de certaines planètes dans leur mouvement sur leur orbite supposée autour de la Terre.

Espace-temps : théorie unifiée dans laquelle les trois dimensions de l'espace se combinent avec la quatrième dimension du temps pour fournir le cadre sous-jacent de notre univers. Le concept d'espace-temps fait partie intégrante des *théories de la relativité restreinte et générale*. La courbure de l'espace-temps aboutit à la force que nous interprétons comme étant la *gravité*.

Éther : substance omniprésente à travers laquelle on pensait autrefois que la lumière se propageait. Son inexistence fut prouvée par l'*expérience de Michelson-Morley*.

Étoile : boule constituée principalement d'*hydrogène* gazeux, rassemblée sous l'effet de sa propre *gravité*, présentant une masse suffisante pour que les températures et les pressions qui y règnent amorcent une *fusion* nucléaire. Les étoiles tendent à apparaître là où les concentrations de gaz sont le plus élevées, aboutissant à la formation de *galaxies*.

Étoile RR Lyrae : type d'*étoile* variable moins lumineuse qu'une *variable céphéide*, et présentant une période comprise entre 9 et 17 heures. L'incapacité à détecter la moindre étoile RR Lyrae dans la galaxie d'Andromède dans les années 1940 fut un indice important donnant à penser que la *galaxie* était plus distante qu'on ne l'avait cru.

Étoile variable céphéide : type d'*étoile* dont l'éclat varie selon une période régulière et précise, généralement entre 1 et 100 jours. La période de variation, que l'on peut mesurer en observant l'étoile, est directement liée à la luminosité moyenne de l'étoile, que l'on peut donc calculer. En comparant la luminosité de l'étoile à l'éclat apparent tel qu'observé à partir de la Terre, on peut déterminer avec précision sa distance. Ces étoiles jouent donc un rôle important pour établir l'échelle des distances cosmiques.

Expérience de Michelson-Morley : expérience réalisée à la fin du XIXᵉ siècle pour détecter le mouvement de la Terre à travers l'*éther* en mesurant la *vitesse de la lumière* dans la direction du mouvement de la Terre ainsi que perpendiculairement. L'expérience prouva l'inexistence de l'éther.

Expérience par la pensée : expérience réalisée en déroulant par la pensée une chaîne logique de phénomènes. Elle est utile lorsque les conditions nécessaires pour effectuer une expérience réelle sont prohibitives, par exemple lorsqu'on examine les conséquences d'un déplacement au voisinage de la *vitesse de la lumière*.

Fission : processus par lequel un *noyau* atomique de grandes dimensions est brisé pour produire deux noyaux plus petits, et à la suite duquel de l'énergie est généralement libérée. La *désintégration radioactive* est un processus de fission qui se produit spontanément.

Fusion : processus par lequel deux *noyaux* atomiques de petites dimensions se réunissent pour constituer un seul noyau plus grand, ce qui généralement libère de l'énergie. Ainsi, les noyaux d'*hydrogène* peuvent fusionner via un processus à plusieurs étapes pour former de l'hélium.

Galaxie : ensemble d'*étoiles*, de gaz et de poussière rassemblé par la *gravité*, généralement séparé des galaxies voisines, et souvent de forme spirale ou elliptique. Les galaxies ont une taille qui varie de quelques millions d'étoiles à plusieurs milliers de milliards (notre propre galaxie, la Voie lactée, est désignée par une majuscule, et l'on écrit « la Galaxie »).

Gravité : force d'attraction subie par toute paire de corps dotés d'une masse. La gravité fut décrite pour la première fois par Newton, mais Einstein en proposa une description plus exacte dans sa théorie générale de la relativité, en fonction de la courbure de l'*espace-temps*.

Hélium : second élément par ordre de fréquence dans l'univers, et le plus léger après l'*hydrogène*. Son *noyau* contient deux *protons* et (généralement) deux *neutrons*. Bien que les atomes d'hélium ne prennent pas part aux réactions chimiques, les pressions et les températures qui règnent à l'intérieur des étoiles peuvent forcer les noyaux d'hélium à subir une *fusion* nucléaire, produisant des noyaux plus lourds.

Homogène : présentant les mêmes propriétés en tous points.

Hydrogène : élément le plus simple et le plus abondant dans l'univers, contenant un *proton* dans son *noyau*, autour duquel gravite un *électron*. Voir également *deutérium*.

Inflation : phase d'expansion rapide se déroulant au cours des premières 10^{-35} secondes de l'univers. Bien que l'inflation soit hypothétique, elle expliquerait plusieurs caractéristiques de l'univers.

Infrarouge : partie du *spectre électromagnétique* présentant des *longueurs d'onde* légèrement plus grandes que la *lumière visible*.

Interaction nucléaire forte : force d'attraction à courte portée qui tient ensemble les *nucléons* dans un *noyau* atomique, contrebalançant la répulsion mutuelle des *protons* positivement chargés.

Isotope : variante d'un élément simple, qui se distingue en ce qu'elle comporte un nombre différent de *neutrons* dans son *noyau*. Ainsi, l'*hydrogène* présente trois isotopes, qui possèdent zéro, un et deux neutrons, respectivement, mais contiennent tous un seul *proton*.

Isotrope : identique dans toutes les directions.

Loi de Hubble : loi déterminée empiriquement, exposant que la vitesse d'éloignement d'une *galaxie* est proportionnelle à sa distance : $\underline{v} = H_o \times d$. La constante de proportionnalité dans l'équation *(H$_o$)* est la *constante de Hubble*.

Longueur d'onde : distance entre deux pics (ou creux) successifs d'une onde. La longueur d'onde d'un *rayonnement électromagnétique* détermine à quelle partie du *spectre électromagnétique* il appartient, ainsi que ses propriétés globales.

Lumière visible : étroite région du *spectre électromagnétique* contenant le *rayonnement électromagnétique* que les êtres humains peuvent observer. Les *longueurs d'onde* de la lumière visible sont comprises entre environ 0,0004 mm (violet) et environ 0,0007 mm (rouge).

Lunette astronomique : semblable à une longue-vue (*refraction telescope* en anglais). Elle est constituée d'un oculaire précédé d'une lentille objective de diamètre aussi grand que possible, qui passe de 5 cm pour Galilée en 1609 à 1 mètre en 1897 pour la grande lunette de Yerkes (Wisconsin).

Matière noire : forme postulée de la matière. On pense qu'elle constitue une fraction significative de la matière de l'univers. Sa présence se fait sentir par l'intermédiaire de la *gravité*, mais elle émet peu ou pas de *lumière visible*.

Minute d'arc : unité employée dans la mesure d'un angle, égale à 1/60 de degré.

Modèle : ensemble cohérent de règles et de paramètres conçu pour décrire mathématiquement tel ou tel aspect du monde réel.

Modèle copernicien : modèle héliocentrique du système solaire, proposé par Nicolas Copernic au XVIe siècle.

Modèle de l'état quasi stationnaire : version modifiée du *modèle de l'état stationnaire* visant à remédier à certaines des incohérences du modèle originel.

Modèle de l'état stationnaire : *modèle* largement discrédité de l'univers, dans lequel l'univers se dilate et de la matière nouvelle est créée dans les intervalles croissants entre les *galaxies*. L'univers conserverait ainsi une densité identique en tous temps, et durerait éternellement. Le modèle de l'état stationnaire fut élaboré par Hoyle, Gold et Bondi.

Modèle du Big Bang : *modèle* actuellement accepté de l'univers, selon lequel le temps et l'espace sont apparus à partir d'un point chaud infiniment dense il y a 10 à 20 milliards d'années.

Modèle ptolémaïque : modèle géocentrique erroné de l'univers, dans lequel tous les autres corps célestes gravitent autour de la Terre. Ces orbites étaient construites à partir de cercles parfaits appelés *déférents* et *épicycles*.

Mouvement de rétrogradation : changement temporaire de direction apparente du mouvement de Mars, Saturne et Jupiter. C'est la conséquence du fait que l'on observe ces planètes à partir de la Terre, qui a une vitesse orbitale plus élevée autour du Soleil.

Mouvement propre : mouvement apparent d'une *étoile* dans le ciel, causé par son mouvement effectif par rapport au Soleil. L'effet est si léger qu'il ne fut pas détecté avant 1718.

Multivers : *modèle* proposé à la place de l'univers simple, et dans lequel coexistent de nombreux univers différents (peut-être une infinité), chacun étant le théâtre d'un ensemble de lois physiques différentes, et chacun étant isolé de tous les autres.

Nébuleuse : nuage de gaz, et souvent de poussière, dans la galaxie de la Voie lactée, qui se manifeste sous la forme d'une tache lumineuse indistincte dans le ciel nocturne, contrairement aux étoiles, qui sont des points de lumière. Au xxe siècle, après la conclusion du Grand Débat, de nombreux objets qualifiés de nébuleuses avant 1900 furent reconnus comme étant eux-mêmes des *galaxies* séparées.

Neutron : particule qui se trouve à l'intérieur des *noyaux* atomiques. Le neutron possède approximativement la même masse que le *proton*, mais ne porte pas de charge électrique.

Notation exponentielle : procédé commode pour abréger les très grands ou les très petits nombres. Ainsi, 1 200 peut s'écrire $1,2 \times 10^3$ car ce nombre est égal à $1,2 \times (10 \times 10 \times 10)$, et 0,0005 peut s'écrire 5×10^{-4} parce qu'il est égal à $5 / (10 \times 10 \times 10 \times 10)$.

Nova : *étoile* dont l'éclat augmente rapidement, typiquement d'un facteur de 50 000 en quelques jours, puis retrouve son niveau antérieur en quelques mois. Une nova est alimentée par de la matière provenant d'une étoile compagne proche.

Noyau : structure compacte au centre de l'*atome*, contenant des *protons* et des *neutrons*, et représentant au moins 99,95 % de la masse d'un atome quelconque.

Nucléon : terme collectif désignant les *protons* et les *neutrons*, les deux types de particules que l'on trouve dans les *noyaux* atomiques.

Nucléosynthèse : formation des *éléments* par *fusion* nucléaire, dans les *étoiles* et dans les explosions de *supernovae*. La nucléosynthèse des *noyaux* atomiques les plus légers se produisit dans les moments qui suivirent le *Big Bang*.

Onde électromagnétique : vibration harmonisée de champs électriques et magnétiques, s'entretenant l'un l'autre et se propageant ensemble à travers l'espace sous forme de *rayonnement électromagnétique*.

Onde lumineuse : voir *onde électromagnétique*.

Onde radio : *rayonnement électromagnétique* ayant des *longueurs d'onde* dépassant plusieurs millimètres. L'étude des ondes radio émises par les objets célestes est appelée *radioastronomie*.

Parallaxe : décalage d'emplacement apparent d'un objet lorsque l'observateur change de position. La *parallaxe stellaire* est utilisée en astronomie pour mesurer la distance qui nous sépare des étoiles.

Parallaxe stellaire : décalage apparent de position d'une *étoile* proche par rapport au fond d'étoiles distantes, provoqué par le décalage de position de l'observateur lorsque la Terre gravite autour du Soleil.

Parsec : unité de distance employée en astronomie, égale à environ 3,26 *années-lumière*. Abréviation de « parallaxe d'une seconde », c'est la distance à laquelle un objet présenterait une *parallaxe stellaire* d'une *seconde d'arc*. Une distance d'un million de parsecs est désignée par 1 mégaparsec (Mpc).

Particule alpha : particule subatomique éjectée au cours de certains types de *désintégration radioactive*. La particule, constituée de deux *protons* et de deux *neutrons*, est identique au noyau d'un *atome d'hélium*.

Physique nucléaire : étude des *noyaux* atomiques, de leurs interactions et de leur structure.

Plasma : état de la matière à haute température dans lequel les *noyaux* atomiques sont séparés de leurs *électrons*.

Pollution lumineuse : dispersion de la lumière artificielle dans le ciel nocturne, qui diminue l'aptitude à observer les objets célestes.

Principe anthropique : principe selon lequel, comme on sait que les êtres humains existent, les lois de la physique doivent être telles que la vie peut exister. Sous sa forme extrême, le principe anthropique expose que l'univers a été conçu pour permettre la vie.

Principe cosmologique : principe selon lequel aucun endroit dans l'univers n'est privilégié par rapport à un autre, et les caractéristiques globales de l'univers semblent être identiques dans toutes les directions (isotropes), quel que soit l'endroit où se trouve l'observateur (et donc homogènes). Conséquence importante : l'univers n'a pas de centre.

Principe cosmologique parfait : extension du *principe cosmologique* selon laquelle l'univers est non seulement *homogène* et *isotrope*, mais également invariable avec le temps. Ce principe est la base du *modèle de l'état stationnaire*.

Proton : particule subatomique positivement chargée qui se trouve dans le *noyau* d'un atome.

Pulsar : *étoile* en rotation rapide émettant des ondes radio en deux cônes étroits pointant dans des directions opposées. Un pulsar semble clignoter comme un phare lorsque son faisceau atteint un *radiotélescope* sur terre.

Quasar : objet intensément lumineux, apparaissant comme une étoile (« quasi stellaire »), mais dont on sait aujourd'hui qu'il s'agit d'une galaxie jeune et très lumineuse ayant existé aux débuts de l'univers. Les quasars ne sont observables aujourd'hui que dans les régions les plus distantes de l'univers, car la lumière qui nous en provient a commencé son voyage lorsque l'univers était beaucoup plus jeune.

Radioactivité : tendance de certains *atomes* (par exemple l'uranium) à subir une *désintégration radioactive*.

Radioastronomie : étude des *ondes radio* émises par les objets astronomiques, utilisant des *radiotélescopes* plutôt que des télescopes optiques.

Radiogalaxie : type de *galaxie* remarquable par l'intensité des *ondes radio* qu'elle émet. L'émission radio provenant d'une telle galaxie est approximativement un million de fois plus forte que celle d'une galaxie normale telle que la *Voie lactée*, mais cette catégorie ne regroupe qu'environ une galaxie sur un million.

Radiotélescope : instrument conçu pour détecter les *ondes radio* provenant de sources radio célestes. Les radiotélescopes sont des récepteurs radio hautement sensibles. Ils ont la forme d'une antenne ou d'une cuvette.

Rasoir d'Occam : principe empirique selon lequel, lorsque plusieurs explications convenables existent pour un phénomène, c'est la plus simple qui a la plus grande probabilité d'être vraie.

Rayonnement RFC : voir *rayonnement de fond de micro-ondes cosmiques.*

Rayonnement de fond de micro-ondes cosmiques (RFC) : « océan » envahissant de *rayonnement de micro-ondes* émanant presque uniformément de toutes les directions dans l'univers, qui remonte au moment de la *recombinaison*. Ce rayonnement est « l'écho » du *Big Bang*, prédit par Gamow, Alpher et Herman en 1948, et détecté par Penzias et Wilson en 1965. Apparu dans la chaleur du Big Bang, il s'est ensuite étiré des *longueurs d'onde* de l'*infrarouge* aux micro-ondes à la suite de l'expansion de l'univers. Ce fut le satellite *COBE* qui effectua les premières mesures de variation du rayonnement RFC.

Rayonnement de micro-ondes : partie du *spectre électromagnétique* présentant des *longueurs d'onde* de quelques millimètres ou centimètres. Il est généralement considéré comme une subdivision des *ondes radio*.

Rayonnement électromagnétique : forme d'énergie qui se déplace, incluant la *lumière visible*, les *ondes radio* et les rayons X. Le rayonnement électromagnétique voyage à travers l'espace sous forme d'*ondes électromagnétiques* se déplaçant à la *vitesse de la lumière*. La *longueur d'onde* du rayonnement détermine ses qualités.

Recombinaison : moment où l'univers s'était suffisamment refroidi pour permettre aux *électrons* de se recombiner aux *noyaux*, transformant la matière de l'état de *plasma* en *atomes* présentant une charge électrique globale nulle. Ce phénomène se produisit lorsque l'univers était âgé d'environ 300 000 ans et à une température d'environ 3 000 °C. À partir de ce moment, le *rayonnement électromagnétique* put voyager dans l'univers presque sans entraves ; aujourd'hui on le détecte sous la forme du *rayonnement de fond de micro-ondes cosmiques.*

Relativité : voir *théorie de la relativité générale* et *théorie de la relativité restreinte.*

Seconde d'arc : unité employée dans la mesure d'un angle, égale à 1/60 de *minute d'arc*, soit 1/3600 de degré.

Section efficace : quantité utilisée par les spécialistes de physique des particules pour évaluer la probabilité d'entrée en collision de deux particules. Mesurée en barns (1 barn = 10^{-28} m^2), elle décrit une particule comme s'il s'agissait d'une surface cible plane, les cibles les plus grandes étant les plus faciles à atteindre.

Spectre électromagnétique : gamme complète des *longueurs d'onde* du *rayonnement électromagnétique*, depuis les rayons gamma et les rayons X de courte longueur d'onde (haute énergie), en passant par l'ultraviolet, la *lumière visible* et l'infrarouge, jusqu'aux *micro-ondes* et les *ondes radio* de grande longueur d'onde (faible énergie).

Spectroscope : instrument qui sépare les *ondes lumineuses* en leurs *longueurs d'onde* composantes aux fins d'analyse. On peut l'utiliser pour identifier les *atomes* qui ont émis la lumière ou pour mesurer l'importance du *décalage vers le rouge.*

Spectroscopie : étude de la lumière qui consiste à la diviser en ses *longueurs d'onde* composantes pour savoir quelle est la nature de sa source.

Supernova : explosion catastrophique soudaine d'une *étoile* qui a épuisé ses réserves de combustible *hydrogène*. Les éléments plus lourds, qui sont essentiels pour la vie, sont engendrés au cours des événements qui aboutissent à la formation d'une supernova, et au sein de celle-ci.

Télescope : instrument pour la vision lointaine, où un miroir parabolique remplace la lentille des lunettes astronomiques. Celui du mont Palomar (Californie du Sud) fut longtemps le plus puissant avec un diamètre de 5 mètres.

Théorie de l'atome primitif : version précoce du *modèle du Big Bang* dans laquelle tous les *atomes* de l'univers étaient originellement contenus dans un « atome primitif » compact. C'est l'explosion de l'atome primitif qui aurait déclenché l'apparition de l'univers.

Théorie de la relativité générale : théorie de la *gravité* d'Einstein, à la base de la science de la *cosmologie*. La relativité générale décrit la *gravité* comme une courbure dans *l'espace-temps* quadri-dimensionnel.

Théorie de la relativité restreinte : théorie d'Einstein fondée sur l'hypothèse selon laquelle la *vitesse de la lumière* est la même pour tous les observateurs quel que soit leur propre mouvement. Sa conséquence la plus connue est l'équivalence de l'énergie et de la matière, exprimée par l'équation $E = mc^2$. Cela implique également que la perception du temps et de l'espace dépend de l'observateur. La théorie est « restreinte » car elle ne traite pas des objets qui accélèrent ou qui sont soumis à la *gravité*, pour lesquels Einstein élabora ultérieurement la *théorie de la relativité générale*.

Triangles semblables : toute paire de triangles de même forme mais de tailles différentes. Les deux triangles ont leurs trois angles égaux deux à deux, et les trois côtés de l'un sont respectivement proportionnels aux trois côtés de l'autre.

Ultraviolet (UV) : *rayonnement électromagnétique* présentant une *longueur d'onde* légèrement plus courte que celle de la *lumière visible*.

Vitesse de la lumière (c) : constante valant exactement 299 792 458 m/s. Selon la *théorie de la relativité restreinte*, la vitesse de la lumière est la même pour tous les observateurs, quel que soit leur propre mouvement.

Vitesse radiale : vitesse d'approche vers la Terre (ou d'éloignement) d'une *étoile* ou d'une *galaxie*. Cette composante du mouvement d'une étoile peut être déterminée à partir de l'*effet Doppler* sur la lumière ou d'autres *ondes électromagnétiques* émises par l'étoile ou la galaxie.

Voie lactée : nom donné à la *galaxie* dans laquelle se trouve notre système solaire. La Voie lactée est une galaxie spirale contenant environ 200 milliards d'étoiles, et le Soleil est situé dans l'un de ses bras en spirale.

Bibliographie [1]

Ce livre a été écrit pour essayer d'apporter un éclairage sur une question d'importance, dans un volume relativement maniable. Pour les lecteurs qui souhaiteraient approfondir tel ou tel sujet, nous avons dressé une liste d'ouvrages (incluant quelques articles). Ils vont de la vulgarisation à des textes plus techniques, et chaque titre est suivi d'une phrase de commentaire, afin de donner une indication sur son contenu. Les ouvrages sont regroupés sous le titre du chapitre qui leur correspond le mieux. Nombre d'entre eux ont été utilisés lors des recherches effectuées pour composer le présent volume, mais d'autres vont au-delà, en particulier ceux qui concernent les problèmes abordés dans l'épilogue.

L'Internet est particulièrement riche en sites consacrés à l'astronomie et à la cosmologie. Il offre des images fantastiques, quelquefois animées pour faciliter la compréhension. Il permet d'obtenir les informations les plus récentes et des explications adaptées à chaque niveau de connaissances. Il a bien été envisagé de fournir une liste de sites recommandés, mais la Toile mondiale change tellement rapidement qu'une telle liste deviendrait vite obsolète. Il est cependant recommandé au lecteur d'utiliser son moteur de recherche favori avec quelques mots clés, et de passer quelque temps à exploiter le grand nombre d'excellentes sources d'information que l'on trouve en ligne.

Chapitre 1

Virginia Hamilton, *In the Beginning*, Harcourt Children's Books, 1988.
Collection illustrée présentant vingt-cinq mythes de la création de tous les pays du monde.
Allan Chapman, *Gods in the Sky*, Channel 4 Books, 2002.

---

1. Les ouvrages mentionnés sont cités sous leur titre français, lorsqu'une traduction existe. *(N.d.T.)*

L'historien des sciences d'Oxford passe en revue le développement de l'astronomie dans l'Antiquité et ses chevauchements avec la religion et la mythologie.

Andrew Gregory, *Eureka !*, Icon, 2001.

Le développement des sciences, des mathématiques, de l'art de l'ingénieur et de la médecine dans la Grèce ancienne.

Lucio Russo, *The forgotten Revolution*, Éditions Springer, 2004.

Exploration de la naissance de la science dans la Grèce ancienne, examen des causes de sa décadence, et de son influence sur Copernic, Kepler, Galilée et Newton.

Michael Hoskin (dir. publ.), *The Cambridge Illustrated History of Astronomy*, Cambridge University Press, 1996.

Excellente introduction à l'histoire de l'astronomie.

John North, *The Fontana History of Astronomy and Cosmology*, Fontana, 1994.

Revue détaillée de l'histoire de l'astronomie, soulignant son développement comme science à partir de l'Antiquité.

Arthur Koestler, *Les Somnambules*, Calmann-Lévy, 1960.

Compte rendu du développement de la cosmologie depuis la Grèce ancienne jusqu'au xviiᵉ siècle.

Kitty Ferguson, *The Nobleman and His Housedog*, Review, 2002.

Compte rendu très accessible des relations entre Tycho Brahé et Johannes Kepler.

Martin Gort, *Aeons*, Fourth Estate, 2001.

Histoire des efforts entrepris pour mesurer l'âge de l'univers, depuis l'évêque Ussher jusqu'à la Loi de Hubble.

Dava Sobel, *La Fille de Galilée*, Odile Jacob, 2001.

Exposé de la vie de Galilée, avec les lettres envoyées par sa fille, qui vécut dans un couvent depuis l'âge de treize ans.

Carl Sagan, *Cosmos*, Mazarine, 1981.

Livre issu de la célèbre série télévisée, qui a dû inspirer de nombreuses vocations pour l'astronomie.

Chapitre 2

James Gleick, *Isaac Newton : un destin fabuleux*, Dunod, 2005.

Exposé accessible et concis de la vie d'Isaac Newton par l'auteur de *Le Génial Professeur Feynman*, Odile Jacob, 1994.

Hans Reichenbach, *From Copernicus to Einstein*, Dover, 1980.

Très courte histoire des idées qui ont contribué à la théorie de la relativité.

David Bodanis, $E = mc^2$, *la biographie de la plus célèbre équation du monde*, Plon, 2001.

Inspirée par Cameron Diaz, qui demanda un jour si quelqu'un

pouvait lui expliquer la signification de la fameuse formule d'Einstein.

Amir Aczel, *God's Equation*, Delta, 2000.
Introduction populaire à la théorie de la relativité générale d'Einstein et au rôle de la constante cosmologique.
Jeremy Bernstein, *Albert Einstein and the Frontiers of Science*, Oxford University Press, 1998.
Biographie grand public donnant des explications claires sur ses travaux.
John Stachel, *Einstein's Miraculous Year*, Princeton University Press, 2001.
Examen, de niveau technique moyen, des articles remarquables qui établirent la réputation d'Einstein en 1905.
Michio Kaku, *Einstein's Cosmos*, Weidenfeld & Nicholson, 2004.
Exposé récent des travaux d'Einstein sur la relativité restreinte et la relativité générale, qui passe également en revue ses efforts pour unifier les lois de la physique.
Russell Stannard, *Le Temps et l'espace de l'oncle Albert*, L'École des loisirs, 1993.
L'oncle Albert et sa nièce Gedanken explorent l'univers relativiste dans un livre conçu pour les enfants à partir de l'âge de onze ans.
Edwin A. Abbott, *Flatland*, Denoël, 1998.
Portant le sous-titre *Roman polydimensionnel*, cette nouvelle bizarre, suscitant la réflexion, donne un utile aperçu sur un univers multidimensionnel.
Melvyn Bragg, *On Giants' Shoulders*, Sceptre, 1999.
Portrait de douze des plus grands savants de l'histoire, parmi lesquels plusieurs jouèrent un rôle dans le développement de la cosmologie.
Arthur Eddington, *L'Univers en expansion*, Hermann, 1934.
Essai de vulgarisation amusante de l'hypothèse de l'univers en expansion, écrit en 1933, époque où le concept de Big Bang était en cours d'élaboration. C'est toujours une assez bonne introduction au sujet, tout en projetant une lumière sur le milieu de la cosmologie dans la première moitié du xxᵉ siècle.
Eduard Tropp, Viktor Frenkel & Artur Chernin, *Alexander A. Friedmann : the Man Who Made the Universe Expand*, Cambridge University Press, 1993.
Courte mais excellente biographie de Friedmann, centrée sur sa vie professionnelle. Elle inclut quelques explications semi-techniques sur ses idées en cosmologie.
Trinh Xuân Thuân, *Origines : la nostalgie des commencements*, Fayard, 2003.
Superbement illustrée, l'épopée du cosmos racontée par le grand

astrophysicien originaire de Hanoï, professeur à l'université de Virginie.

Jean-Pierre Verdet, *Une histoire de l'Astronomie*, Seuil, 1990.

Avec son expérience d'astronome à l'observatoire de Paris, l'auteur brosse une vaste fresque des théories de l'univers.

Alexandre Friedmann, Georges Lemaître, *Essais de Cosmologie*, Seuil, 1997.

Présentation du concept de Big Bang par ses fondateurs, avec en annexe les articles originaux de 1922 à 1931 et la correspondance Einstein-Lemaître.

Jean-Pierre Luminet, *L'Univers chiffonné*, Fayard, 2001.

Dans un style vivant et imagé, l'auteur, astrophysicien réputé, nous introduit aux géométries de l'espace-temps, et à une vision contemporaine de l'univers.

Fang Lihzi, Li Shuxian, *La Naissance de l'univers*, InterÉditions, 1990. Préface de Hubert Reeves

Description physique simple du monde à grande échelle et de ses origines.

Chapitre 3

Richard Panek, *Seeing and Believing*, Fourth Estate, 2000.

Histoire du télescope et de la manière dont il a changé notre vision de l'univers.

Kitty Ferguson, *Measuring the Universe*, Walker, 2000.

Histoire des essais de mesure du cosmos par l'homme, depuis les anciens Grecs jusqu'à la cosmologie moderne.

Alan Hirshfeld, *Parallax*, Owl Books, 2002.

Essai de vulgarisation détaillée des efforts héroïques déployés pour mesurer les distances qui nous séparent des étoiles.

Tom Standage, *The Neptune File*, Walker, 2000.

La découverte de Neptune n'a pas de rapport direct avec les grandes questions qui agitent la cosmologie, mais cet excellent livre retrace une période passionnante de l'histoire de l'astronomie.

Michael Hoskin, *William Herschel and the Construction of the Heavens*, Oldbourne, 1963.

Exposé des travaux entrepris par William Herschel pour élucider la structure de la Voie lactée, avec quelques-uns de ses articles originaux.

Solon I. Bailey, *History and Work of the Harvard Observatory 1839-1927*, McGraw Hill, 1931.

Exposé intéressant et assez peu technique, même s'il est un peu sec, des projets de recherche engagés à l'observatoire de l'université de Harvard depuis sa fondation jusqu'au milieu des années 1920. Il traite des travaux de Henrietta Leavitt et d'Annie Jump Canon, et explique les techniques et les instruments qu'elles ont employés.

Harry G. Lang, *Silence of the Spheres*, Greenwood Press, 1994.

Portant le sous-titre *L'Expérience des sourds dans l'histoire des sciences*, ce livre comprend des sections consacrées à John Goodricke et à Henrietta Leavitt.

Edwin Powell Hubble, *The Realm of the Nebulae*, Yale University Press, 1982.

Ouvrage assez technique, écrit d'après les cours (« Silliman lectures ») dispensés par Hubble à l'université de Yale. Quoi qu'il en soit, il s'agit d'un intéressant instantané de l'astrophysique et de la cosmologie peu après les grandes avancées de Hubble.

Gale E. Christianson, *Edwin Hubble : Mariner of the Nebulae*, Institute of Physics Publishing, 1997.

Biographie détaillée, mais non technique et très lisible, d'Edwin Hubble.

Michael J. Crowe, *Modern Theories of the Universe from Herschel to Hubble*, Dover, 1994.

Unissant les points de vue historique et scientifique, l'ouvrage comprend des extraits d'écrits originaux d'astronomes et de cosmologistes.

W. Patrick McCray, *Giant Telescopes*, Harvard University Press, 2004.

Histoire de l'évolution du télescope après l'époque de Hubble et jusqu'à aujourd'hui.

Chapitre 4

Helge Kragh, *Cosmology and Controversy*, Princeton University Press, 1999.

Ce livre est un exposé complet mais largement accessible du débat entre le Big Bang et l'état stationnaire. L'ouvrage se focalise sur les développements historiques de la controverse et les personnalités en cause, et les questions scientifiques soulevées sont expliquées au passage. Il s'agit probablement du plus important ouvrage consacré au développement du modèle du Big Bang.

Frank Close, Michael Marten & Christine Sutton, *The Particle Odyssey : A Journey to the Heart of the Matter*, Oxford University Press, 2004.

Excellent guide pour l'histoire de la physique atomique, nucléaire et subatomique, et de ses liens avec la cosmologie.

Brian Cathcart, *The Fly in the Cathedral*, Viking, 2004.

Histoire d'Ernest Rutherford, de ses élèves et du laboratoire Cavendish. Exposé de vulgarisation sur les recherches qui ont transformé notre vision du noyau atomique.

George Gamow, *My World Line*, Viking Press, 1970.

« Autobiographie officieuse » de l'auteur, le livre donne un aperçu délicieux de la vie d'un des physiciens les plus charismatiques du xxᵉ siècle.

George Gamow, Russell Stannard, *Le Nouveau Monde de M. Tompkins*, Le Pommier, 2002.

Introduction charmante et primesautière au monde étrange de la physique quantique et relativiste, due à l'un des grands spécialistes du domaine.

Joseph D'Agnese, « The Last Big Bang Man Left Standing », *Discover* (juillet 1999, pp. 60-67).

Article qui fournit à Ralph Alpher une bonne occasion de décrire pour le grand public son rôle dans le développement de la théorie du Big Bang.

Ralph A. Alpher, & Robert Herman, *Genesis of the Big Bang*, Oxford University Press, 2001.

Excellent exposé, assez peu technique, de l'origine du modèle du Big Bang et de son développement jusqu'à aujourd'hui.

Iosif B. Khriplovich, « The eventful life of Fritz Houtermans », *Physics Today* (juillet 1992, pp. 29-37).

Court article reproduisant la vie et l'œuvre de Fritz Houtermans, témoignant de la sympathie de l'auteur pour l'homme. Illustré d'agréables photographies.

Fred Hoyle, *La Nature de l'univers*, Club français du Livre, 1951.

D'après la série de conférences radiodiffusées de la BBC qui baptisèrent par inadvertance le modèle du Big Bang. Ce livre donne une vue globale de la cosmologie en 1950.

Fred Hoyle, *Home is Where the Wind Blows*, University Science Books, 1994.

Sympathique autobiographie exposant en détail les nombreux exploits de Hoyle comme mathématicien, chercheur en matière de radars, physicien, cosmologiste et franc-tireur généralisé.

Thomas Gold, *Getting the Back of the Watch*, Oxford University Press, 2005.

Thomas Gold venait de terminer ses Mémoires lorsque l'auteur du présent ouvrage le rencontra en 2003. La parution de l'ouvrage est prévue pour 2005, ce titre n'étant qu'une hypothèse de travail.

Chapitre 5

J.S. Hey, *The Evolution of Radio Astronomy*, Science History Publications, 1973.

Vue d'ensemble à la fois concise et abordable du développement de la radioastronomie depuis Jansky jusqu'à aujourd'hui, écrite par un de ses premiers spécialistes.
Stanley Hey, *The Secret Man*, Care Press, 1992.
Courte étude.
Nigel Henbest, « Radio Days », *New Scientist* (28 octobre 2000, pp. 46-47).
Intéressant article sur les débuts de l'astronomie et la contribution de Stanley Hey.
Marcus Chown, *The Magic Furnace*, Vintage, 2000.
Excellent compte rendu de la manière dont les physiciens et les cosmologistes expliquent le mystère de la nucléosynthèse.
Jeremy Bernstein, *Three Degrees Above Zero*, Cambridge University Press, 1984.
Histoire de la recherche scientifique conduite aux laboratoires Bell, comprenant des entretiens avec Arno Penzias et Robert Wilson.
George Smoot & Keay Davidson, *Les Rides du temps : l'univers, trois cent mille ans après le Big Bang*, Flammarion, 1996.
Histoire du COBE, vue par le directeur de l'équipe du Radiomètre différentiel à micro-ondes.
John C. Mather, *The Very First Light*, Penguin, 1998.
Histoire du COBE, vue par le directeur de l'équipe du Spectropho-tomètre absolu à infrarouge lointain.
M.D. Lemonick, *Echo of the Big Bang*, Princeton University Press, 2003.
Histoire du rayonnement de fond de micro-ondes cosmiques et du satellite WMAP.
Fred Hoyle, Geoffrey R. Burbidge & Jayant V. Narlikar, *A Different Approach to Cosmology*, Cambridge University Press, 2000.
Les auteurs, qui ne sont toujours pas convaincus par le modèle du Big Bang, exposent leurs propres arguments et contestent l'interprétation de nombreuses observations.

Épilogue

Karl Popper, *La Logique de la découverte scientifique*, Payot, 1988.
Ouvrage publié pour la première fois en 1959, dans lequel Popper présente une vue à la fois universitaire et révolutionnaire de la philosophie des sciences.
Thomas S. Kuhn, *La Structure des révolutions scientifiques*, Flammarion, 1983.
Ouvrage publié pour la première fois en 1961, dans lequel Kuhn donne sa propre interprétation de la nature du progrès scientifique.
Steve Fuller, *Kuhn vs. Popper*, Icon, 2003.

Réexamen du débat opposant Kuhn à Popper sur la philosophie des sciences, plus accessible que la publication originale citée ci-dessus.

Lewis Wolpert, *The Unnatural Nature of Science*, Faber & Faber, 1993.

Evaluation de ce qu'est la science, de ce qu'elle peut faire, de ce qu'elle ne peut pas faire, et de la manière dont elle fonctionne.

Alan H. Guth, *The Inflationary Universe*, Vintage, 1998.

Le père de la théorie de l'inflation explique son origine, de quoi il s'agit, et les conclusions qu'on peut en tirer quant à notre univers.

Frank J. Tipler & John D. Barrow, *The Anthropic Cosmological Principle*, Oxford University Press, 1996.

Traité de la relation entre l'existence de notre univers et l'existence de la vie qui s'y trouve.

Mario Livio, *The Accelerating Universe*, Wiley, 2000.

Examen de l'une des plus importantes découvertes en cosmologie dans les années 1990, à savoir que l'univers semble être en expansion à une vitesse toujours croissante.

Lee Smolin, *Three Roads to Quantum Gravity*, Perseus, 2002.

Examen de la relation entre les théories de la physique quantique et de la relativité générale. Comment unifier ces théories, et quelles sont les implications pour la cosmologie ?

Brian Greene, *L'Univers élégant*, Robert Laffont, 2000.

Fort volume, rempli de graphiques, expliquant la relativité générale et la théorie des cordes.

Martin Rees, *Just Six Numbers*, Basic Books, 2001.

L'astronome royal expose comment six nombres, constantes de la nature, définissent les qualités de l'univers, et se demande pourquoi ces nombres semblent être précisément adaptés à l'évolution de la vie.

John Gribbin, *À la poursuite du Big Bang*, Le Rocher, 1991.

L'historique du Big Bang, l'évolution de l'univers et la création des galaxies, des étoiles, des planètes et de la vie. Mise à jour depuis sa publication initiale en 1986.

Steven Weinberg, *Les Trois Premières Minutes de l'univers*, Le Seuil, 1998.

Bien qu'un peu datée, il s'agit toujours d'une des meilleures vulgarisations de la théorie du Big Bang et des premiers moments de l'univers.

Paul Davies, *Le Big Crunch – Les trois dernières minutes de l'univers*, Hachette Littératures, 1998.

Paru dans la collection « Science Masters », ce livre traite du destin ultime de l'univers.

Janna Levin, *How the Universe Got Its Spots*, Phoenix, 2003.

Écrit sous la forme d'une suite de lettres adressées à sa mère, cet exposé très personnel de Janna Levin ouvre une perspective très particulière sur la cosmologie et la vie d'un cosmologiste.

« Four Keys to Cosmology », *Scientific American* (février 2004, pp. 30-63).

Ensemble de quatre excellents articles donnant des détails sur les dernières mesures du rayonnement RFC et leurs implications pour la cosmologie : « The Cosmic Symphony », par Wayne Hu et Martin White, « Reading the Blueprints of Creation » par Michael A. Straus, « From Slowdown to Speedup » par Adam G. Riess et Michael S. Turner, et « Out of the Darkness » par Georgi Dvali.

Stephen Hawking, *L'Univers dans une coquille de noix*, Odile Jacob, 2005.

Ouvrage richement illustré, dû au plus célèbre cosmologiste du monde. Il a obtenu le prix Aventis 2002 récompensant des livres scientifiques, et est beaucoup plus accessible qu'*Une brève histoire du temps*, du même auteur.

Guy Consolmagno SJ, *Brother Astronomer*, Schaum, 2001.

Comment la religion et la science peuvent coexister, par un astronome attaché à l'observatoire du Vatican.

Robert Kirshner, *The Extravagant Universe*, Princeton University Press, 2002.

Un astrophysicien engagé dans les recherches les plus pointues sur l'énergie noire et l'accélération de l'univers fait un tour d'horizon des caractéristiques bizarres et merveilleuses de notre univers.

Roberta Brawer & Alan P. Lightman, *Origins : Lives and Worlds of Modern Cosmologists*, Harvard University Press, 1990.

Série d'entretiens avec vingt-sept cosmologistes de premier plan, parmi lesquels Hoyle, Sandage, Sciama, Rees, Dicke, Peebles, Hawking, Penrose, Weinberg et Guth.

Andrew Liddle, *An Introduction to Modern Cosmology*, Wiley, 2003.

Manuel traitant de tous les aspects de la cosmologie, qui peut constituer une bonne introduction pour les lecteurs ayant un niveau moyen en sciences.

Carl Gaither & Alma E. Cavazos-Gaither, *Astronomically Speaking*, Institute of Physics, 2003.

Excellent recueil de citations sur l'astronomie. Appartient à une série qui comprend *Mathematically Speaking, Scientifically Speaking* et *Chemically Speaking*.

Remerciements

Au cours des deux années passées, de nombreuses personnes m'ont aidé à écrire ce livre. Je suis très reconnaissant à Ralph Alpher, Thomas Gold, Allan Sandage et Arno Penzias d'avoir bien voulu prendre le temps de me faire part de leur contribution au développement de la cosmologie. Je les remercie de leur patience et de leur gentillesse. Helge Krath, de l'université d'Aarhus et Ian Morrison, de l'observatoire de Jodrell Bank, m'ont également apporté un appui précieux, de même que Don Nicholson et Nancy Wilson, de l'observatoire du mont Wilson. J'ai en outre pu visiter les laboratoires Bell au New Jersey, et je saisis l'occasion de remercier toutes les personnes qui m'en ont fait visiter les installations, en particulier Saswato Das, qui m'a montré le radiotélescope utilisé par Penzias et Wilson pour découvrir le rayonnement de fond de micro-ondes cosmiques.

Mes remerciements vont également à Arthur Miller, University College (Londres), qui m'a introduit aux travaux de Fritz Houtermans, et à Nigel Henbest, qui a attiré mon attention sur les importantes contributions de Stanley Hey. J'ai pu m'entretenir avec Arno Penzias, et écouter les enregistrements originaux de Fred Hoyle sur le Troisième programme de la BBC, dans le cadre des émissions intitulées « The Serendipity of Science » et « Material World » ; j'en profite pour remercier les producteurs, Amanda Hargreaves, Monise Durrani et Andrew Luckbaker, qui sans le savoir m'ont aidé à ranimer mon intérêt pour la cosmologie.

Diverses personnes m'ont fait part de leurs commentaires sur le manuscrit en cours d'élaboration, parmi lesquelles Sir Martin Rees et David Bodanis, qui réussirent à trouver le temps de m'aider, bien que très engagés dans leurs propres projets. Emma King, Alex Seeley, Amarendra Swarup et Mina Varsani m'ont tous aidé au cours des divers stades de ce travail, et je leur en suis reconnaissant. En particulier, mon assistante Debbie Pearson a travaillé avec moi pendant six mois, contribuant aux recherches intéressant diverses parties de l'ouvrage, me permettant de visiter l'observatoire de radioastronomie

Mullard à Cambridge, et de dénicher nombre des photographies qui illustrent ce livre.

Divers services d'archives et de bibliothèques sont mentionnés dans la section Crédits photographiques, mais je tiens à mentionner en particulier ceux qui ont été au-delà de la simple conscience professionnelle : Peter D. Hingley (Royal Astronomical Society), Heather Lindsay (Emilio Segré Visual Archives), Dan Lewis (The Huntington Library), John Grula (observatoires de la Carnegie Institution de Washington), Jonathan Harrison (Bibliothèque de St John's College), Iosif Khriplovich (université de Novosibirsk), Cheryl Dandridge (Archives de l'observatoire Lick), Lewis Wyman (Bibliothèque du Congrès), Liliane Moens (Archives Lemaître, Université catholique de Louvain), et Mark Hurn, Sarah Bridle et Jochen Weller (Institut d'astronomie de l'université de Cambridge).

Je voudrais remercier Iolo ap Gwynn, du laboratoire de bio-imagerie de l'université du Pays de Galles, qui a créé les images agrandies présentées dans la figure 99, et Alison Doane, de l'observatoire de l'université Harvard, qui a bouleversé son agenda pour me montrer les piles de photographies qui enregistrent les travaux de Henrietta Leavitt et de ses collègues. J'ai également pu inclure plusieurs clichés remarquables de Fred Hoyle dans le présent ouvrage, et je suis très reconnaissant à sa famille de m'avoir permis d'utiliser ces images, qui proviennent de la collection Hoyle, St John's College, Cambridge.

De nombreux amis et collègues m'ont aidé à persévérer en introduisant des éléments variés, intéressants ou divertissants, qui m'ont fourni un contrepoint salutaire à mon régime quotidien de lectures, de recherches et d'écriture portant sur la cosmologie (sujet déjà intéressant et divertissant en lui-même). Hugh Mason, Ravi Kapur, Sharon Herkes et Valerie Burke-Ward ont travaillé avec moi sur le projet UAS, qui organise des stages d'étudiants en milieu scolaire. Le fait d'y avoir participé a attiré mon attention sur les divers problèmes que pose l'enseignement des sciences. Claire Ellis et Claire Greer ont animé des ateliers de décryptage de code pour moi dans les écoles, montrant aux élèves l'intérêt des mathématiques. C'est grâce à leur travail et à leur enthousiasme que le projet Enigma a pu être présenté à des dizaines de milliers de jeunes. Il me faut également remercier Nick Mee, qui concrétisa en un CD-ROM l'idée de *L'Histoire des codes secrets*. Il m'a également permis d'observer régulièrement le ciel nocturne à travers son télescope, expérience toujours passionnante.

Cela fait plusieurs années que je suis en relation avec le National Museum of Science and Industry, le Science Media Centre et la fondation National Endowment for Science, Technology and the Arts (NESTA), toutes institutions qui ont concouru à élargir mon horizon. Je remercie tous ceux de leurs collaborateurs qui ont eu la patience de supporter mes idées et mes interventions. Suzanne Stevenson mérite des hommages particuliers pour l'aide qu'elle m'a apportée dans divers projets en cours de réalisation, en me prodiguant conseils, soutien et encouragements. Sans sa présence constante et inébranlable, je n'aurais pu mener à bien mes entreprises.

Raj et Francesca Persaud ont beaucoup fait pour me maintenir sur les rails, tandis que Roger Highfield, Holly, Rory, Asha et Sachin m'ont guidé dans le dédale des parcs et des musées de Greenwich, agréable intermède au milieu de semaines chargées. Richard Wiseman a joué un rôle précieux pour me garder de mes obsessions, et m'a introduit à la magie des bulles, ce dont je lui suis sincèrement reconnaissant. Shyama Perera a dépensé beaucoup d'énergie pour me sortir de mon bureau, ce qui représente une discipline toujours nécessaire et appréciée. Je remercie également mes deux nièces, Anna et Rachael, qui continuent mon éducation vestimentaire et m'ont guéri de ma fixation sur les cardigans. Je suis également heureux que Rachael m'ait donné l'année dernière le prétexte d'entreprendre un voyage en Inde du Sud, où elle enseignait à la Teddy School à Tirumangalam, essayant de tirer le meilleur parti possible de son année d'attente pré-universitaire. Je sais que les élèves, les enseignants et le personnel ont apprécié son enthousiasme tempéré par son sang-froid, et je sais qu'elle a beaucoup appris de son séjour dans cette institution éclairée, qui contribue énormément au développement local.

Enfin, plusieurs personnes m'ont apporté une aide considérable pour transformer mes gribouillis en un véritable livre. Raymond Turvey possède le rare assemblage de compétences nécessaire à la création d'images élégantes et précises pour les livres de sciences, et Terence Caven a été chargé de concevoir la maquette de ce livre. John Woodruff, qui m'a aidé dans *L'Histoire des codes secrets*, a joué un rôle central pour transformer un brouillon approximatif en un manuscrit soigné. En réalité, c'est un homme qui, en coulisses, dirige et corrige la publication de dizaines de livres de science depuis une vingtaine d'années. Il est l'un des héros méconnus de l'édition scientifique.

Christopher Potter m'a beaucoup aidé en me guidant dans tous mes rapports avec mes éditeurs, Fourth Estate, bien qu'il soit aujourd'hui en partie basé à New York. Mitzi Angel, nouvelle directrice de publication, a été une caisse de résonance et une source brillante et constante de conseils amicaux au cours de l'évolution de ce livre. Il me faut également remercier mes correspondants étrangers, de l'Italie au Japon, de la France au Brésil, de la Suède à Israël et de l'Allemagne à la Grèce, qui continuent à m'encourager dans mes activités d'écriture. À leur tour, ceux-ci collaborent avec certains des meilleurs traducteurs du monde, qui relèvent le défi que constitue la traduction d'un ouvrage combinant un côté narratif de caractère littéraire avec des données scientifiques beaucoup plus techniques. Il existe très peu de traducteurs capables de travailler dans un secteur aussi spécialisé de l'édition, et je suis reconnaissant à ceux qui me permettent de diffuser mes ouvrages au-delà des pays de langue anglaise.

Enfin, je salue le professionnalisme des collaborateurs de l'agence littéraire Conville & Walsh, qui se sont montrés charmants d'un bout à l'autre de cette entreprise, même si je suis, sans aucun doute, l'un de leurs auteurs les plus incommodants. En particulier, Patrick Walsh, mon agent littéraire depuis que j'écris, il y a presque dix ans, se dépense sans compter pour moi. Je lui suis redevable de ses commentaires sincères, et de sa présence aux moments critiques. Il m'est difficile de penser qu'il y ait beaucoup d'agents littéraires capables de suivre leurs auteurs jusqu'en Zambie pour observer une éclipse du Soleil. Bref, Patrick est le meilleur ami qu'un écrivain puisse espérer.

Simon Singh
Londres, juin 2004

Crédits photographiques

Illustrations de Raymond Turvey. Toutes les autres images du livre ont été reproduites avec l'autorisation des institutions suivantes :

Figures 10, 12, 15, 16 Royal Astronomical Society.
Figure 18 (Copernic) AIP Emilio Segrè Visual Archives, T.J.J. cf. Collection.
Figure 18 (Tycho) Royal Astronomical Society.
Figure 18 (Kepler) Institut d'astronomie, université de Cambridge.
Figure 18 (Galilée) AIP Emilio Segrè Visual Archives, R. Galleria Uffizi.
Figure 21 Getty Images (Archives Hulton).
Figure 28 Institut d'astronomie, université de Cambridge.
Figure 29 AIP Emilio Segrè Visual Archives, Réalisations de la physique soviétique (Soviet Physics Uspekhi).
Figure 31 Archives Lemaître, Université catholique de Louvain.
Figure 32 Royal Astronomical Society.
Figure 33 Institut d'astronomie, université de Cambridge.
Figure 35 Owen Gingerich, université Harvard.
Figures 36, 37 The Birr Castle Archives and Father Brown Collection.
Figure 37 Julia Muir, université de Glasgow.
Figure 38 Archives Edwin Hubble, Bibliothèque Huntington.
Figure 39 (Curtis) The Mary Lea Shane Archives/ Lick Observatory.
Figure 39 (Shapley) Observatoire de l'université Harvard.
Figure 42 Julia Margaret Cameron Trust.
Figure 42 Royal Astronomical Society.
Figures 43, 44 Observatoire de l'université Harvard.
Figures 46, 47, 48 Archives Edwin Hubble, Bibliothèque Huntington.
Figure 49 Observatoires de l'Institut Carnegie à Washington.
Figure 50 Julia Muir, université de Glasgow.
Figure 56 Royal Astronomical Society.
Figure 57 (1950) Palomar Digital Sky Survey.
Figure 57 (1997) Jack Schmidling, Marengo, Illinois.
Figure 63 Astronomical Society of the Pacific.
Figure 65 Brown Brothers.
Figure 66 Archives du California Institute of Technology.
Figure 68 Laboratoire Cavendish, université de Cambridge.
Figure 75 Bibliothèque du Congrès.

Figure 76 Laboratoire Cavendish, université de Cambridge et AIP Emilio Segrè Visual Archives.

Figure 77 AIP Emilio Segrè Visual Archives, Institut International de Physique Solvay.

Figure 78 Fondation Herb Block.

Figure 79 George Gamow, *The Creation of the Universe*.

Figure 83 Ralph Alpher.

Figures 84, 85, 87 Bibliothèque de St John's College, Cambridge.

Figure 88 AIP Emilio Segrè Visual Archives, Institut International de Physique Solvay.

Figure 92 Lucent Technologies Inc./Bell Labs.

Figure 94 Mirror Group News.

Figure 96 Lucent Technologies Inc./Bell Labs.

Figure 97 Smithsonian National Air and Space Museum.

Figure 98 Bibliothèque de St John's College, Cambridge.

Figure 99 Laboratoire de bio-imagerie, université du Pays de Galles.

Figure 101 NASA (groupe COBE).

Figure 102 NASA (groupe DMR).

Figure 103 Journal *The Independent*, 24 avril 1992.

Figure 104 NASA (groupe WMAP).

Index

Photocomposition Nord Compo
Villeneuve-d'Ascq

Impression réalisée
par DUPLI-PRINT à Domont (95)
en janvier 2017

N° d'édition : 03
Dépôt légal : janvier 2017
N° d'impression : 2016122185
Imprimé en France

ISBN : 978-2-709-62700-9